Das Buch

Der zweite Band des Überblicks über die englische Literatur enthält in alphabetischer Folge 175 Kurzdarstellungen aller wichtigen Autoren der englischen Literatur vom Mittelalter bis zum 20. Jahrhundert. Leben, Werk und Wirkung werden präzise und instruktiv beschrieben. Jedem Essay ist ein eigener bibliographischer Anhang beigegeben, der die Hauptwerke, Standardausgaben, Bibliographien, Biographien, deutschen Übersetzungen und die wichtigsten Werke der Sekundärliteratur aufführt.
Dieses umfassende und verläßliche Nachschlagewerk (mit Titelregister) eignet sich gleicherweise als Einführung in die Literatur Englands wie als Arbeitsbuch für den Anglisten. Es will ebenso der ersten Orientierung wie der Vertiefung von Kenntnissen dienen.

Der erste Band (dtv 4494) enthält Überblicksdarstellungen zu den Epochen der englischen Literatur und zu ihren literarischen Formen und Gattungen.

Die Autoren

Dr. Willi Erzgräber, geb. 1926, ist Professor für Englische Philologie an der Albert-Ludwigs-Universität Freiburg i. Br.

Dr. Bernhard Fabian, geb. 1930, ist Professor für Englische Philologie an der Westfälischen Wilhelms-Universität Münster.

Dr. Kurt Tetzeli von Rosador, geb. 1940, ist Professor für Englische Philologie an der Westfälischen Wilhelms-Universität Münster.

Dr. Wolfgang Weiß, geb. 1932, ist Professor für Englische Philologie an der Ludwig-Maximilians-Universität München.

Die englische Literatur
Herausgegeben von Bernhard Fabian

Zwei Bände

Die englische Literatur
Band 2: Autoren

Von Willi Erzgräber, Bernhard Fabian,
Kurt Tetzeli von Rosador und Wolfgang Weiß

Deutscher
Taschenbuch
Verlag

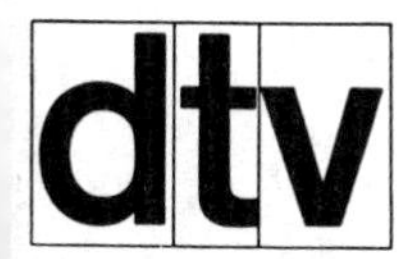

Originalausgabe
Oktober 1991
2. Auflage August 1994. 9 bis 10. Tausend

Umschlaggestaltung: Celestino Piatti
Gesamtherstellung: C. H. Beck'sche Buchdruckerei,
Nördlingen
Printed in Germany · ISBN 3-423-04495-0

Inhalt

Autorenverzeichnis

Vorbemerkung

Der zweite Band der *Englischen Literatur* vereinigt biographisch-werkgeschichtliche Essays zu einzelnen Autoren. Die Auswahl der Autoren geschah nicht in der Absicht, einen Kanon der englischen Literatur zu konstituieren, sondern lediglich in der Annahme, daß sich der Leser diesen Autoren mit besonderem Interesse und besonderer Aufmerksamkeit zuwenden dürfte. Eine Auswahl treffen zu müssen, ist immer mißlich. Die Verfasser sind sich der Lücken bewußt, die dadurch entstanden sind, daß der Band nicht über einen bestimmten Umfang hinausgehen sollte. Die Auswahl erstreckt sich über alle Epochen, vom Mittelalter bis zur Gegenwart. Die alphabetische Anordnung wurde gewählt, um die Benutzung des Bandes zu erleichtern.

Jedem Essay folgt ein bibliographischer Anhang, der auf wichtige Ausgaben und Sekundärliteratur aufmerksam macht. Aus Raumgründen sind nur Buchveröffentlichungen genannt. Bei älteren Werken steht das Jahr der Erstveröffentlichung in Klammern. Zusätzlich finden sich Hinweise auf Nachschlagewerke, Leseausgaben und Sammlungen von Sekundärliteratur im Literaturverzeichnis. Hinweise auf Übersetzungen, die manchem Leser willkommen sein dürften, beschränken sich auf neuere, leicht erreichbare Ausgaben.

Bernhard Fabian

Joseph Addison (1672–1719)

Addison gehörte schon früh zum Kreis der professionellen Londoner Literaten, zu dem er als eleganter Latinist nach seiner Ausbildung in Oxford (1687–1693) Zugang fand. Ein Essay über Vergils *Georgica*, den er zu → Drydens Übersetzung beisteuerte, war eine seiner ersten Arbeiten. Eine Zuwendung des Königs erlaubte ihm Reisen auf dem Kontinent zur Vorbereitung einer diplomatischen Laufbahn. Ihr literarisches Ergebnis waren die *Remarks on Italy*, in denen sich, typisch für die Zeit, eine Hinwendung zum antiken Rom und, typisch für Addison, eine ausgeprägt republikanische Geistesart manifestiert. Ebenso wie die spätere *Dissertation upon the most celebrated Roman poets* weisen sie einen stark gelehrten Einschlag auf.

Die Zugehörigkeit zu dem berühmten, durch den führenden Verleger der Zeit, Jacob Tonson, begründeten und alle einflußreichen Whigs vereinigenden Kit-Cat Club begünstigte eine politische Laufbahn im Dienste der Whig-Regierung, die Addison in verschiedene hohe Ämter brachte. Von 1708 bis zu seinem Tode gehörte er dem Parlament an. Sein vornehmer Charakter, seine Umgänglichkeit und seine allseits geschätzte, doch nur dem kleinen Kreis vorbehaltene Gesprächskunst halfen nicht nur seiner Karriere, sondern machten ihn auch zum Mittelpunkt eines Literatenkreises, der seinen Schulfreund und Bewunderer Richard → Steele einschloß. Mit → Pope und → Swift gab es Berührungen, solange die politischen Auffassungen übereinstimmten.

Die Anfänge seines Journalismus (*The Whig examiner* 1710) waren politisch motiviert, aber nicht literarisch erfolgreich. Erst in der Zusammenarbeit mit Steele, der 1709 den *Tatler* begründete, gewann Addison seine Statur als Essayist. Der *Tatler* war ihr gemeinsames Werk, doch der Essay als literarische Form nahm, ungeachtet des Beitrags von Steele, unter Addisons Händen die für das 18. Jahrhundert verbindliche Gestalt an. Im *Spectator* (1711/12, 1714 wiederbelebt) war Addison nach Zahl und Bedeutung der Beiträge der dominante Partner. Die kunst- und literaturkritisch wichtigen Essays, meist in Serien, stammen von ihm. Der spätere, ebenfalls mit Steele gemeinsam bestrittene *Guardian* (1713), der politisch weniger abstinent war als der *Spectator*, kam zu einem abrupten Ende, und *The free-holder* (1715/16) blieb als bloße Parteipropaganda literarisch wirkungslos.

Cato (1713), eine Tragödie voller republikanischem Pathos, wurde ebenso wie der *Spectator* überall in Europa als literarisches Modell empfunden, vielfach übersetzt und nachgeahmt, in Deutschland von Gottsched. Als englisches Experiment in der französisch-klassizistischen Manier ist das Stück heute nur noch von historischem Interesse. Das gilt auch für Addisons andere Bühnenwerke, *Rosamond, an opera* (1707) und die Komödie *The drummer, or, the haunted-house* (1716).

Als Essayist steht Addison in der Tradition Francis → Bacons und Montaignes. Er begründete diese Tradition neu und wurde seinerseits in Stil und moralistischer Absicht zum Vorbild der englischen und kontinentalen Essayistik des 18. und beginnenden 19. Jahrhunderts. Sein Ziel, im Sinne der Aufklärung die großen Wahrheiten und Erkenntnisse dem täglichen Leben dienstbar zu machen, erreichte er mit den Mitteln der popularphilosophischen Abhandlung, der unterhaltsam-didaktischen Erzählung und der milden Satire. Die Leichtigkeit der Darstellung täuscht gelegentlich über die Ernsthaftigkeit seiner Bemühungen hinweg, die auf singuläre Weise überall in Europa den Bedürfnissen der Epoche entgegenkamen. Sein Stil, an antiken Mustern geschult und durch meisterhaft ausgewogene Perioden gekennzeichnet, wurde ebensooft bewundert wie nachgeahmt. (F)

Hauptwerke: *An essay on Virgil's Georgica* 1697. – *Remarks on several parts of Italy* 1705, 1718. – *The Tatler* (mit Steele) 1709–1711. – *The Spectator* (mit Steele) 1711/12, 1714. – *Cato, a tragedy* 1713. – *The Guardian* (mit anderen) 1713. – *A dissertation upon the most celebrated Roman poets* 1718.

Bibliographie: S. J. Rogal, Joseph Addison. A checklist of works and major scholarship, in *Bulletin of the New York Public Library* 77 (1973/74).

Ausgaben: *Miscellaneous works*, ed. A. C. Guthkelch, 2 vols 1914 (repr. 1971). – *The Spectator*, ed. D. F. Bond, 5 vols 1965. – *The Tatler*, ed. D. F. Bond, 3 vols 1987. – *The Guardian*, ed. J. C. Calhoun 1986. – *Critical essays from The Spectator*, ed. D. F. Bond 1970.

Biographie: P. Smithers, *The life of Joseph Addison* (1954) 1968.

Sekundärliteratur: J. Lannering, *Studies in the prose style of Joseph Addison* 1951. – L. A. Elioseff, *The cultural milieu of Addison's literary criticism* 1963. – H.-J. Possin, *Natur und Landschaft bei Addison* 1965. – E. A. und L. D. Bloom, *Joseph Addison's sociable animal in the market place, on the hustings, in the pulpit* 1971. – F. Rau, *Zur Verbreitung und Nachahmung des Tatler und Spectator* 1980. – M. G. Ketcham, *Transparent designs. Reading, performance, and form in the Spectator papers* 1985.

JOHN ARDEN (geb. 1930)

Vom 29. bis 30. März 1975 wurde in der Liberty Hall in Dublin *The non-stop Connolly show* aufgeführt, ein sechsteiliges Werk, in dem das Leben und Wirken des Gewerkschaftlers James Connolly (1868–1916) dargestellt wird, der als irischer Sozialist führend am Osteraufstand des Jahres 1916 beteiligt war und dafür hingerichtet wurde. Autoren dieses Werkes waren Margaretta D'Arcy, eine irische Schauspielerin, und der mit ihr seit 1957 verheiratete Dramatiker John Arden. Arden wurde 1930 in Barnsley (Yorkshire) geboren; von 1950 bis 1953 besuchte er das King's College (Cambridge), anschließend bis 1955 das College of Art in Edinburgh. Danach war er zwei Jahre lang als Assistent bei einem Architekten tätig, aber bereits seit 1957 widmete er sich ausschließlich seinen künstlerischen Arbeiten.

Nahezu alle Werke Ardens lassen sich von einer Grundthematik her deuten: dem Gegensatz zwischen den Anforderungen von Gesetz, Ordnung und Konvention und dem Streben der Menschen nach freier, ungehemmter, spontaner Selbstentfaltung. Wenngleich Ardens Sympathie dem anarchistischen, revolutionären Widerspruch gegen alle lebensfeindlichen Mächte gilt, vermeidet er insbesondere in seiner ersten Schaffensphase (bis etwa 1970) eine einfache schematische Kontrastierung der einander widersprechenden Lebensprinzipien und veranschlagt bei seinen Dramen auch die menschliche Komplexität, einerlei auf welcher Seite der einzelne steht. Dabei hilft ihm eine Technik, die die illusionistischen Konventionen des Realismus mit antiillusionistischen Elementen der Farce, des Brechtschen Dramas und des modernen experimentellen Theaters verbindet.

Sigismanfred Krankiewicz, der Protagonist von *The waters of Babylon* (aufgeführt 1957), gleicht einem Picaro, der ein abenteuerliches Leben als polnischer Einwanderer in England führt, nachdem er im Krieg Wachmann im KZ Buchenwald war. In *Live like pigs* (1958) stehen die Sawneys für eine zigeunerhafte Unabhängigkeit; die bürgerlichen Jacksons rufen die Polizei zu Hilfe, um der Provokation Herr zu werden.

Balladeske Züge sind für *Serjeant Musgrave's dance* (1959) charakteristisch. Hier verkörpern Serjeant Musgrave und drei weitere Deserteure den Widerstand gegen Militär und Krieg. Das Stück, dem etwas Moritatenhaftes anhängt, ist »eine negative Parabel im Sinne von Brecht« genannt worden, die zwar die

Sehnsucht nach Freiheit und Frieden bejaht, die Illusion, Gewalt könne durch Gewalt beseitigt werden, aber verneint.

Schwächer ist dagegen *The happy haven* (1960), eine in einem Altersheim spielende Farce, in dem die Menschen als Opfer des Wohlfahrtsstaates erscheinen. Eine Komödie über städtische Politik ist *The workhouse donkey* (1963), in der der aus einem Armenhaus kommende Charlie Butterthwaite das Prinzip einer gewissen Großzügigkeit im Umgang mit dem Gesetz, der Polizeichef Feng die strenge Anwendung des Gesetzes vertritt. Beide aber scheitern am Widerstand des Gemeinen und Alltäglichen.

Nach der Bearbeitung von Goethes *Götz von Berlichingen*, die 1963 als *Ironhand* aufgeführt wurde und von Ardens zunehmendem Interesse für Geschichte zeugt, brachte er 1964 *Armstrong's last goodnight* heraus, ein Drama, in dem er einen Stoff aus der schottischen Geschichte des 16. Jahrhunderts behandelt. Die dramatischen Auseinandersetzungen in *Left-handed liberty* (1965) gehen aus dem Konflikt hervor, der sich zwischen den Verfechtern der Freiheit und den Vertretern eines streng legalistischen Denkens ergibt. In *The hero rises up* (1968) rückte John Arden Admiral Nelson und dessen Verhältnis zu Lady Hamilton in den Mittelpunkt und setzte den Konflikt zwischen den militärischen Prinzipien und einem Temperament, das diesen entgegensteht, in ein »romantisches Melodrama« um.

Nach einem Aufenthalt in Indien 1970 wandte er sich weit entschiedener als zuvor der Politik zu; er übte Kritik an der amerikanischen Vietnam-Politik und sah in Irland das britische Vietnam. Mit Irland befaßte sich Arden in *The Ballygombeen bequest* (1972), in der *Non-stop Connolly show* und in *Vandaleur's folly* (1978). Auch die Bearbeitung des Arthus-Stoffes in *The island of the mighty* (1972) ist auf das marxistische Klassenkampf-Schema abgestimmt. Seit etwa 1970 drängte sich bei Arden die didaktische Tendenz in den Vordergrund, und der militante Ton überlagerte das Ensemble der dramatischen Rollen und Stimmen. (E)

Hauptwerke: *Serjeant Musgrave's dance* 1960. – *Live like pigs* 1961. – *The happy haven* (mit D'Arcy) 1962. – *The workhouse donkey* 1964. – *The waters of Babylon* 1964. – *Armstrong's last goodnight* 1965. – *Left-handed liberty. A play about Magna Carta* 1965. – *Soldier, soldier and other plays* 1967. – *The hero rises up* (mit D'Arcy) 1969. – *Two autobiographical plays* 1971. – *The Ballygombeen bequest* (mit D'Arcy) 1972. – *The island of the mighty* (mit D'Arcy) 1974. – *The non-stop*

Connolly show (mit D'Arcy) 1977/78. – *Vandaleur's folly. An Anglo-Irish melodrama* (mit D'Arcy) 1981.

Bibliographien: K.-H. Stoll, *The new British drama. A bibliography with particular reference to Arden, Bond, Osborne, Pinter, Wesker* 1975. – K. King, *Twenty modern British playwrights. A bibliography, 1956 to 1976* 1977.

Ausgaben: *Three plays* 1964. – *Plays. One* 1977.

Übersetzung: Der Tanz des Sergeanten Musgrave, übers. von E. Fried, in *Englisches Theater unserer Zeit. Arden, Delaney, Mortimer, Pinter*, hrsg. von F. Luft 1961 (Rowohlt).

Sekundärliteratur: R. Hayman, *John Arden* (1968) 1969. – S. Trussler, *John Arden* 1973. – A. Hunt, *Arden. A study of his plays* 1974. – F. Gray, *John Arden* 1982.

Matthew Arnold (1822–1888)

Die Spannungen, die Matthew Arnolds Leben und geistig-künstlerische Biographie kennzeichnen, haben in zwei Personen Gestalt angenommen: dem Vater und William → Wordsworth. Dr. Thomas Arnold (1795–1842), seit 1828 Direktor der Internatsschule von Rugby, seit 1841 Regius Professor of Modern History in Oxford, verkörpert den Geist der (sozialen) Reform und liberalen Rationalität, er verficht den Primat der Ethik; Wordsworth, Nachbar der Sommerresidenz der Arnolds und Freund der Familie, insbesondere des jungen Matthew, ist der Vertreter einer romantischen Gefühlskultur, der Introspektion, der Dichtung als reinstem Lebensausdruck. Mit ihm setzt sich Arnold lebenslang auseinander, nachdem den Balliol-Studenten 1843 der Gewinn des Newdigate-Preises mit einem Gedicht über den Tatmenschen Cromwell den Dichterberuf anstreben läßt. Immer wieder revidiert er Gedichte Wordsworths – die »Immortality ode« in »To a gipsy child by the sea-shore« (verfaßt 1843/44), »Tintern Abbey« in »Resignation« (1849), das Sonett »It is a beauteous evening« in seinem größten Gedicht »Dover Beach« (verfaßt 1851?) –, um zu erkunden, ob romantische Subjektivität und Introspektion in der neuen Zeit noch tragen. Daß es damit nicht mehr weit her ist, verstärkt den elegischen Ton, der seine ganze Dichtung durchzieht und die Elegie in seinen Händen zur vielgebrauchten Form werden läßt.

In einem oft aggressiven, die eigenen Positionen durchspielenden Briefwechsel mit dem Studien- und Dichterfreund Arthur Hugh → Clough formuliert er in den vierziger Jahren seine Kritik an »the English habit (too much encouraged by Wordsworth) of using poetry as a channel of thinking aloud, instead of making anything«. Dieser Kritik wird 1853 auch die eigene Dichtung, *The strayed reveller* und *Empedocles on Etna*, unterworfen: Das Vorwort zu seinen *Poems. A new edition* kündigt den »dialogue of the mind with itself« als dem Zeitalter und einem klassizistischen, objektiven, handlungsorientierten Dichtungsideal unangemessen auf. *Empedocles on Etna*, ein lyrisches Drama von großer metrischer Vielfalt und elegischem Reiz, wird aus dem eigenen Œuvre verbannt; die kritische Analyse des Vorworts tritt an die Stelle der poetischen Gestaltung. Zwangsläufig sieht Arnold seine dichterische Zukunft nun in objektivierenden Formen, im Epos und Drama, sowie in historischen oder mythischen Stoffen. Die (Kurz-)Epen *Balder dead* (1854) und *Sohrab and Rustum* (1853) entstehen, letzteres ein weithin unterschätztes Werk von strenger Schönheit und zumindest biographisch-viktorianischer Relevanz. Es entsteht zudem eine Verstragödie, *Merope*.

Wenn von nun an die dichterische Produktion Arnolds so gut wie versiegt – eine der Ausnahmen ist die große Elegie »Thyrsis« (1866) auf Clough, welche Themen und Probleme von »The scholar gipsy« (1853) erinnernd wiederbelebt –, so ist dies keine überraschende Entwicklung; denn schon der Entscheidung, Dichter zu werden, stand vieles entgegen: der zeitgemäße Aufruf zur reformerischen Tat; die Einsicht in die disparate Vielfalt (»multitudinousness«) eines wesensmäßig als unpoetisch empfundenen Zeitalters; die Einsicht in den Zwiespalt des eigenen Wesens, in das Nebeneinander von Intellekt und Gefühl, Aktion und Introspektion, Ethik und Ästhetik. Vermag sich der Fellow des Oriel College (1845–1847) und Privatsekretär des Marquis of Lansdowne (1847–1851) vor der Welt dandyhaft-distanziert zu bewahren, so ist dies dem Schulinspektor (1851–1886) nicht mehr möglich. Den Brotberuf ergreift Arnold, um Frances Lucy, Tochter Sir William Wightmans, heiraten zu können. Bei seinen zahlreichen, anstrengenden Inspektionsreisen erkennt Arnold, bei Amtsantritt ohne originäres erzieherisches oder reformerisches Interesse, nicht nur die Unzulänglichkeit des englischen Erziehungswesens, er inspiziert auch den Zustand von Gesellschaft und Kultur. Und er vergleicht diesen mit den kontinentalen Verhältnissen, insbesondere in Frankreich und Preußen, die er im Regierungsauftrag 1859, 1865 und 1885 bereist.

Hier wird durch unmittelbare Anschauung und (internationalen) Vergleich die Grundlage für das gelegt, wodurch Arnold das 20. Jahrhundert maßstabsetzend beeinflußt hat: seine Literatur- und Kulturkritik. Mit seiner Wahl zum Professor of Poetry in Oxford gewinnt er 1857 ein Forum, um seine Thesen zu vertreten. Seine immense Belesenheit, die über die antike und indische, deutsche und französische Literatur gleichermaßen verfügt, hilft ihm in *On translating Homer* und den *Essays in criticism* ein Literaturverständnis und vergleichendes Interpretationsverfahren zu entwickeln, dem von T. S. → Eliot über F. R. Leavis bis heute die Literaturwissenschaft verpflichtet ist. Es geht ihm darum, das Beste, was je gedacht und geschrieben wurde, exakt (»as in itself it really is«) zu erkennen und zu bewahren. Eine solche Literatur ist »a criticism of life« und stellt Wertmaßstäbe des mustergültig Gelungenen (»touchstones«) zur Verfügung. Der Interpret hat mit hoher Ernsthaftigkeit nur diesem Erkenntnisinteresse zu folgen. Dann vermag, wie Arnold in »The study of poetry« (1880) ausführt, die Literatur das zu leisten, was die Religion im Zeitalter der Glaubenskrisen nicht mehr zu leisten vermag: Sinn zu stiften.

Wie die eigene Dichtung für Arnold Sinnsuche war, so ist ihm Literaturkritik stets Kulturkritik. Der Kulturbegriff, den er in *Culture and anarchy* (1869) entwirft, überwindet zumindest begrifflich-visionär den Zwiespalt des eigenen Wesens und die Dichotomien des Zeitalters. Er ist ein Kampfbegriff gegen die provinzielle Insularität und die philiströse Laisser-faire-Ideologie der mittviktorianischen Gesellschaft. Er ist kein soziologisches Konzept, sondern eine Methode der Wahrheitssuche, eine Geisteshaltung voller Dynamik, die Totalität, Harmonie und soziale Inklusivität sucht sowie gewissensorientierten Hebraismus und bewußtseinsgelenkten Hellenismus harmonisiert. Vorgetragen mit ironischer Eleganz und distanzierter Überlegenheit ist *Culture and anarchy* große viktorianische Prosa und Kulturkritik von durchaus aktueller Bedeutung. Seine Kulturkritik macht Arnold zur nationalen, moralischen Autorität. Akademische Ehrungen werden ihm zuteil, eine anstrengende Vortragsreise in den Vereinigten Staaten (1883/84) erbringt mehr als £ 1000. Er wendet sich der Religion zu und analysiert in *Literature and dogma* den metaphorischen Gehalt der Bibel.

Sein Witz und seine Unerbittlichkeit angesichts jeglicher sprachlich-gedanklicher Schludrigkeit und gesellschaftlicher Selbstgefälligkeit sind gefürchtet. Als Arnold 1888 überraschend an Herzversagen stirbt, veranlaßt seine penible Strenge einen Zeitgenossen zu dem Kommentar: »Poor Arnold! he won't like God.« (T)

Hauptwerke: *The strayed reveller, and other poems* 1849. – *Empedocles on Etna, and other poems* 1852. – *Poems* 1853. – *Merope* 1858. – *On translating Homer* 1861. – *A French Eton* 1864. – *Essays in criticism* 1865. – *New poems* 1867. – *Culture and anarchy* 1869. – *Friendship's garland* 1871. – *Literature and dogma* 1873. – *Essays in criticism. Second series* 1888.

Bibliographien: T. B. Smart, *The bibliography of Matthew Arnold* 1892. – A. K. Davis, *Matthew Arnold's letters. A descriptive checklist* 1968.

Ausgaben: *The poems*, ed. K. Allott, rev. M. Allott 1979. – *The complete prose*, ed. R. H. Super, 11 vols 1961–1978. – *Letters, 1848–1888*, ed. G. W. E. Russell, 2 vols 1895. – *The letters of Matthew Arnold to Arthur Hugh Clough*, ed. H. F. Lowry 1932. – *The note-books*, ed. H. F. Lowry et al. 1952. – *Matthew Arnold's diaries*, ed. W. B. Guthrie, 4 vols 1957.

Biographie: P. Honan, *Matthew Arnold. A life* 1981.

Sekundärliteratur: C. B. Tinker und H. F. Lowry, *The poetry of Matthew Arnold. A commentary* 1940. – L. Trilling, *Matthew Arnold* 1949. – L. Gottfried, *Matthew Arnold and the romantics* 1963. – A. D. Culler, *Imaginative reason. The poetry of Matthew Arnold* 1966. – G. R. Stange, *Matthew Arnold. The poet as humanist* 1967. – R. H. Super, *The time-spirit of Matthew Arnold* 1970. – D. Bush, *Matthew Arnold. A survey of his poetry and prose* 1971. – J. Carroll, *The cultural theory of Matthew Arnold* 1982. – W. E. Buckler, *Matthew Arnold's prose* 1983. – R. apRoberts, *Arnold and god* 1983.

W. H. Auden (1907-1973)

Wystan Hugh Auden, der aus einer Arztfamilie stammte, neigte dazu, die Krankheiten der zeitgenössischen Gesellschaft dichterisch zu diagnostizieren. Dazu kam eine entschieden didaktische Veranlagung, die sich auch darin bekundete, daß er nach seinem Studium in Oxford zunächst als Lehrer tätig war (1930-1935). Kann T. S. →Eliots Diktion als repräsentativ für das *Jazz Age* genommen werden, so ist die Sprache, die die Kritiker »audenesque« genannt haben, das Kennzeichen der dreißiger

Jahre. Auden orientierte sich zwar zum Teil an Eliot, aber er arbeitete sich auch in die alliterierende Technik ein, wie sie in englischen Dichtungen des späten Mittelalters gehandhabt wurde. In die gleiche Richtung verwies ihn auch die Lyrik von Gerard Manley → Hopkins, außerdem studierte er die Sprache und den Rhythmus von John → Skelton und von Wilfred → Owen, dessen »slant rhymes« aus der Kritik an den spätromantischen Reimklischees entwickelt wurden.

Zusammen mit Cecil → Day Lewis und Stephen → Spender schloß sich Auden der politischen Linken an und nahm wie zahlreiche Intellektuelle seiner Generation am Spanischen Bürgerkrieg teil. Neben Marx verarbeitete er in seinen Anfängen Ideen von Freud und entwickelte einen sarkastisch-ironischen Ton und eine an der Sprache des Journalismus und der zeitgenössischen Wissenschaft orientierte Diktion, die er mit Eleganz und Witz zu handhaben wußte. Als Lyriker erinnert er in mancher Beziehung an den Romancier Aldous → Huxley: Beide zeichneten sich durch einen weitgespannten Bildungshorizont, eine überraschende Themenvielfalt und eine sprachliche Wendigkeit aus, die bei Auden mit einer histrionischen Fähigkeit verbunden ist, sich in die verschiedensten Rollen zu versetzen. Die politische Ernüchterung gegen Ende der dreißiger Jahre veranlaßte ihn, 1939 nach Amerika auszuwandern. Obgleich sich damit äußerlich eine Gegenbewegung zur Entwicklung des Amerikaners Eliot abzeichnet, der England seit dem Ersten Weltkrieg zu seiner Heimat machte, gibt es insofern eine Parallele, als sich Auden von der Psychologie über die Politik ebenfalls zu einer entschieden christlichen Einstellung hinbewegte. In den Mittelpunkt seiner religiösen Studien rückten dabei Kierkegaard und Reinhold Niebuhr. Dokumente dieser Entwicklung sind *Another time* (1940), *For the time being. A Christmas oratorio* (1944), *The age of anxiety. A baroque eclogue* (1947). 1946 wurde Auden zwar amerikanischer Staatsbürger, er verbrachte jedoch bis 1957 die Sommermonate regelmäßig auf der Insel Ischia. Seit 1958 bevorzugte er Kirchstetten (Niederösterreich) als seinen Sommeraufenthalt, wo er sich ein Haus gekauft hatte. Zwei Jahre zuvor war er durch die Berufung auf den Lehrstuhl für Poetik an der Universität Oxford geehrt worden.

In den Nachkriegsjahren entwickelte Auden in seiner Lyrik einen neuen Ton: Seine Verse klingen musikalisch entspannt, manchmal heiter verspielt, sind jedoch immer durch eine klassische Form gebändigt. Thematisch führte er die zuvor schon behandelten Themen weiter: »love«, »homo viator«, »the enemy«. Unverkennbar ist in der Lyrik auch die starke Betonung privater Themen. Seine schöpferischen Talente und sein besonderes künstlerisches Ingenium spiegeln sich in der Vielfalt und Wirkung seiner Produktion. In den dreißiger Jahren trat Auden auch als Dramatiker hervor, der in sozialkritischen Werken das poetische Drama weiterentwickelte. Genannt seien *The dance of death* sowie (zusammen mit Christopher Isherwood) *The dog beneath the skin*, *The ascent of F6* und *On the frontier*. In Zusammenarbeit mit Chester Kallman entstanden u. a. *The rake's progress* (Musik Igor Strawinsky), *The seven deadly sins of the lower middle class* (Musik von Kurt Weill) und *Elegy for young lovers* (Musik von Hans Werner Henze). Für das Fernsehen bearbeitete er zusammen mit Chester Kallman Mozarts *Zauberflöte* und dessen *Don Giovanni*. (E)

Hauptwerke: *Poems* 1928. – *The orators. An English study* 1932. – *The dance of death* 1933. – *The dog beneath the skin* (mit Isherwood) 1935. – *Look, stranger!* 1936. – *Spain* 1937. – *Letters from Iceland* (mit → MacNeice) 1937. – *The ascent of F6* (mit Isherwood; 1936) 1937. – *On the frontier* (mit Isherwood) 1938. – *Another time* 1940. – *New year letter* 1941. – *For the time being* 1945. – *The collected poetry* 1945. – *The age of anxiety. A baroque eclogue* 1947. – *The enchafèd flood; or, The romantic iconography of the sea* 1950. – *Nones* 1951. – *The shield of Achilles* 1955. – *Homage to Clio* 1960. – *Academic graffiti* 1971.

Bibliographien: B. C. Bloomfield und E. Mendelson, *W. H. Auden. A bibliography 1924–1969* (1964) 1972. – M. E. Gingerich, *W. H. Auden. A reference guide* 1977.

Ausgabe: *Collected poems*, ed. E. Mendelson 1976.

Übersetzungen: *Das Zeitalter der Angst. Ein barockes Hirtengedicht*, übers. von K. H. Hansen 1951 (Limes). – *Hier und jetzt. Ein Weihnachtsoratorium*, übers. von G. Fritsch 1961 (O. Müller). – *Elegie für junge Liebende*, übers. von L. Landgraf 1961 (B. Schotts Söhne). – *Des Färbers Hand und andere Essays*, übers. von F. Lorch 1965 (S. Mohn). – *Gedichte* (zweispr.), übers. von A. Claes, E. Fried u. a. 1973 (Europaverlag). – *Shakespeare. Fünf Aufsätze*, übers. von F. Lorch 1980 (Insel). – *Poems – Kirchstetter Gedichte 1958–1973*, übers. von J. W. Paul, hrsg. von P. Müller und K. Roschitz 1983 (Niederösterr. Pressehaus). – *Anrufung Ariels. Ausgewählte Gedichte* (zweispr.), übers. von E. Fried, H. E. Holthusen u. a. 1987 (Piper).

Biographien: C. Osborne, *W. H. Auden. The life of a poet* 1979. – H. Carpenter, *W. H. Auden. A biography* (1981) 1983.

Sekundärliteratur: F. Scarfe, *W. H. Auden* 1949. – M. K. Spears, *The poetry of W. H. Auden. The disenchanted island* 1963. – B. Everett,

Auden 1964. – J.G. Blair, *The poetic art of W.H. Auden* 1965. – R. Hoggart, *Auden. An introductory essay* 1965. – J. Replogle, *Auden's poetry* 1969. – D. Davison, *W.H. Auden* 1970. – F. Duchene, *The case of the helmeted airman. A study of W.H. Auden's poetry* 1972. – E. Callan, *Auden. A carnival of intellect* 1983.

Jane Austen (1775–1817)

Von den vorviktorianischen Romanen werden allein die Jane Austens heute noch allgemein gelesen. Sie zählen zu den großen der englischen Literatur, obwohl es vielfach als schwierig empfunden wird, ihre herausragende Stellung genau zu bestimmen. »Of all great writers«, schrieb Virginia Woolf, »she is the most difficult to catch in the act of greatness.«

Jane Austens Biographie ist von überraschender Ereignislosigkeit. Sie wuchs mit sieben Geschwistern in einem Pfarrhaus in Hampshire auf, wo ihr Vater zugleich ihr Lehrer war. Er ermutigte sie in ihren literarischen Studien (sie kannte die Dichter und Romanciers des 18. Jahrhunderts im Detail) und in ihren eigenen literarischen Versuchen. Die Familie und der kleine Ort Steventon gaben für ein Vierteljahrhundert ihren Lebensrahmen ab. 1801 zog die Familie nach Bath, nach dem Tode des Vaters (1805) nach Southampton, einige Jahre später wieder nach Hampshire. Jane Austens Romane entstanden in dieser kleinen, aber von ihr keineswegs als eng empfundenen Welt. Sie bewegte sich darin mit Anmut und gelassener Heiterkeit, aber auch mit außergewöhnlichem Einfühlungsvermögen und psychologischem Scharfblick.

Mit literarischen Arbeiten begann sie offenbar schon im Alter von elf oder zwölf Jahren. Sie schrieb kleine Romane, Skizzen, fiktive Briefe und Miniaturdramen, später auch Historisches, so eine *History of England*, vorgeblich verfaßt von einem »partial, prejudiced, & ignorant historian«. Kaum etwas von diesen (fast dreißig Stücke umfassenden und erst in diesem Jahrhundert veröffentlichten) Juvenilia, die sie selbstironisch zu drei »Bänden« zusammenfaßte, zeugt von frühreifer Vollendung. Aber in fast allen der ganz oder teilweise ausgeführten Arbeiten läßt sich eine Entwicklung von der imitativen, häufig parodistischen Kunstübung zu der ihr eigenen Sehweise und Erzähltechnik beobachten.

Ihre sechs großen Romane erschienen innerhalb von sieben Jahren, sind aber nicht in diesem kurzen Zeitraum entstanden und auch nicht in der Reihenfolge, in der sie veröffentlicht wurden. Jane Austen arbeitete langsam und sorgfältig, und sie schrieb teilweise erste Entwürfe um. Die Frühform von *Sense and sensibility* etwa ist ein um 1795 entstandener Briefroman *Elinor and Marianne*, und der Roman durchlief, wie auch *Northanger Abbey* (als *Lady Susan* begonnen), mehrere Stadien. *The Watsons*, um 1803/04 geschrieben, blieb Fragment und hat, wie auch der bei ihrem Tod unabgeschlossene Roman *Sanditon*, bis in die jüngste Zeit zu Versuchen gereizt, daran weiterzuschreiben.

Ihr erster Anlauf, einen Roman zu veröffentlichen, schlug fehl. Der Verleger Richard Crosby kaufte das Manuskript von *Northanger Abbey* für zehn Pfund, publizierte es aber nicht. Darauf versuchte Jane Austen offenbar, mit *The Watsons* einen verlegergerechten Roman zu schreiben, doch dieser kam, möglicherweise durch den Tod ihres Vaters, nicht zu einem Abschluß. Er bietet ein scharf konturiertes und mit starkem satirischen Einschlag gezeichnetes Gesellschaftsbild. In seiner düsteren Farbgebung hebt er sich merklich von den anderen Romanen ab, so daß immer wieder nach biographischen Ursachen für seine Eigenart gesucht wird.

Erst nach längerer Pause führte 1811 der zweite Versuch zum Erfolg. *Sense and sensibility*, über einen langen Zeitraum zweimal umgearbeitet, erschien anonym mit einer Verlustgarantie der Autorin für den Verleger. Doch die ironisch erzählte Geschichte von Liebe und Leiden zweier Schwestern fand Anklang, obwohl das Gegeneinander von Verstand und Gefühl noch nicht mit vollendeter Meisterschaft dargeboten wird. Die Zeitschriftenkritik äußerte sich beifällig, doch nicht so überschwenglich, daß Jane Austen mit diesem Roman bereits etabliert gewesen wäre.

Pride and prejudice (in erster Fassung als *First impressions* von Thomas Cadell, dem führenden Londoner Verleger, abgelehnt) wurde ihr erstes Meisterwerk, und sie war hinfort, als sie weiter anonym publizierte, als Verfasserin dieses Romans beim Lesepublikum bekannt. Der berühmte epigrammatische Beginn – »It is a truth universally acknowledged, that a single man in possession of a good fortune, must be in want of a wife« – gibt den Ton an, der in dieser ebenso realistischen wie romantischen Geschichte eines jungen Mädchens mit müheloser Brillanz durchgehalten wird. Jane Austen hatte damit ihre Romanform gefunden.

Mansfield Park, der am wenigsten populäre Roman, entstand zwischen 1811 und 1813. Er ist von einer moralischen Strenge getragen, die überraschend mit dem Komödienhaften der vorausgehenden Romane kontrastiert und für die man immer wieder Erklärungen sucht. Auch hier steht ein junges Mädchen im Mittelpunkt, allerdings als ethische Normfigur. Die im Verlaufe der Erzählung sich ausbildende moralische Komplexität läßt erahnen, daß Jane Austen, wäre sie nicht früh verstorben, in ihrem Romanschaffen die *novel of manners* transzendiert hätte.

Mit *Emma* erreichte Jane Austen den Zenit ihres Schaffens. Der Roman gilt als ihr bester, und in der Tat vereinigen sich hier Handlung, Charaktere und »Ton« in perfekter Harmonie zu einer glänzenden Prosakomödie. Person und Entwicklung der Heldin (»handsome, clever, and rich«) werden aus wohlwollender Distanz mit subtiler Ironie gezeichnet. Obwohl der Lebenskreis der Figuren bewußt eng gehalten ist, weist der Roman eine faszinierende innere Weite auf. Er wurde von Walter → Scott in der *Quarterly review* gelobt, und er fand, von John Murray, dem Verleger → Byrons herausgebracht, schnell eine nicht sehr große, aber begeisterte Leserschaft, einschließlich des Prinzregenten, dem er gewidmet ist.

Die beiden letzten, posthum veröffentlichten Romane repräsentieren das Frühwerk und das Spätwerk Jane Austens. *Northanger Abbey* ist der Versuch, mit der Erzählung einer Liebesgeschichte eine literarische Burleske der Romanliteratur des ausgehenden 18. Jahrhunderts zu verbinden – ein Unternehmen, das die technischen Möglichkeiten der jungen Romanautorin überforderte. *Persuasion* hingegen ist eine gut durchgeführte Erzählung, die sich mit einer als Normfigur konzipierten Heldin *Mansfield Park* zur Seite stellen läßt. Ironie und Satire sind weniger stark ausgeprägt, und es tritt wiederum jene ernsthafte moralische Bestimmtheit in den Vordergrund, die ebenso zu Jane Austens Romanschaffen gehört wie das komödienhafte Element. Es wird gelegentlich vermutet, daß die Liebesgeschichte autobiographische Elemente enthält, und es kann nicht als sicher gelten, daß der Roman, wie er uns vorliegt, schon seine endgültige Form hatte. Jane Austen war seit 1816 krank und sie starb im Juli 1817, wahrscheinlich an der Addisonschen Krankheit.

Jane Austen lernte von → Fielding wie von → Richardson, und sie nahm auch den Roman des späten 18. Jahrhunderts auf. Mit Fielding verbindet sie das Komödienhafte ihrer Romane, mit Richardson die psychologische Feinfühligkeit. Aber sie ließ die frühen Meister hinter sich. Ihre Bedeutung liegt darin, daß sie den Roman – erstmals in seiner Geschichte – zum Instrument der Beobachtung und der Analyse des »wirklichen« Lebens machte. Ihre Charaktere sind keine bloßen Romanfiguren, sondern, wie bei keinem Romancier zuvor, Menschen der Erfahrungswelt. Dies ist der moderne, bereits auf Henry James vorausweisende Aspekt ihres Werkes. Zwar war die Welt ihrer eigenen Erfahrung begrenzt, aber die literarische Mitteilung dieser Erfahrung ist in einem sich erst dem modernen Leser voll erschließenden Maße geprägt von intellektueller Intensität und menschlicher Reife. Durch Jane Austen wurde der Roman im eigentlichen Sinne zu dem literarischen Medium, durch das die Gesellschaft sich ihrer selbst bewußt wird. Mit eleganter Ironie nahm sie nicht nur die oberflächlichen Torheiten des Verhaltens wahr, sondern auch »the possible miseries of compulsory social existence« (Tony Tanner). (F)

Hauptwerke: *Sense and sensibility*, 3 vols 1811. – *Pride and prejudice*, 3 vols 1813. – *Mansfield Park*, 3 vols 1814. – *Emma*, 3 vols 1816. – *Northanger Abbey and Persuasion*, 4 vols 1818. – *Sanditon* 1871. – *The Watsons* 1871.

Bibliographien: D. Gilson, *A bibliography of Jane Austen* 1982. – B. Roth und J. Weinsheimer, *An annotated bibliography of Jane Austen studies 1952–1972* 1973. – B. Roth, *An annotated bibliography of Jane Austen studies 1973–1983* 1985.

Ausgaben: *Works*, ed. R.W. Chapman, 5 vols 1923; 6 vols (mit *Minor works* 1954 (in *Oxford English novels* mit neuen Einleitungen, 5 vols 1970/71). – *Letters to her sister Cassandra and others*, ed. R.W. Chapman (1932) 1952.

Übersetzungen: *Das Romanwerk*, übers. von U. und C. Grawe (Reclam). – *Vernunft und Gefühl*, übers. von R. Schirmer 1984 (Manesse). – *Stolz und Vorurteil* 1976 (Manesse); mit Essay von N. Kohl 1984 (Insel). – *Mansfield Park*, übers. von T. von Fein, Nachwort von M. Wildi 1984 (Manesse). – *Emma*, übers. von C. von Klinkowstroem 1981 (Insel); 1981 (Manesse). – *Die Watsons*, übers. von E. Gilbert 1979 (Ehrenwirth).

Biographien: E. Jenkins, *Jane Austen. A Biography* (1938) 1956 (repr. 1968). – R.W. Chapman, *Jane Austen. Facts and problems* 1948. – J. Halperin, *The life of Jane Austen* 1984. – P. Honan, *Jane Austen. Her life* 1987. – C. Grawe, *Jane Austen. Mit einer Auswahl von Briefen, Dokumenten und nachgelassenen Werken* 1988.

Sekundärliteratur: M. Lascelles, *Jane Austen and her art* 1939. – R. Liddell, *The novels of Jane Austen* 1963. – A. W. Litz, *Jane Austen. A study of her artistic development* 1965. – N. Page, *The language of Jane Austen* 1972. – F. B. Pinion, *A Jane Austen companion. A critical survey and reference book* 1973. – M. Butler, *Jane Austen and the war of ideas* 1975. – B. Hardy, *A reading of Jane Austen* 1975. – J. Halperin (ed.), *Jane Austen. Bicentenary essays* 1975. – Lord D. Cecil, *A portrait of Jane Austen* 1978. – J. P. Brown, *Jane Austen's novels. Social change and literary form* 1979. – D. Monaghan, *Jane Austen. Structure and social vision* 1980. – J. Odmark, *An understanding of Jane Austen's novels. Character, value and ironic perspective* 1981. – J. Fergus, *Jane Austen and the didactic novels. Northanger Abbey, Sense and sensibility and Pride and prejudice* 1983. – J. Hardy, *Jane Austen's heroines. Intimacy in human relationships* 1984. – J. D. Grey, *The Jane Austen handbook* 1986. – T. Tanner, *Jane Austen* 1986.

Francis Bacon, Viscount St. Albans (1561–1626)

Der neuzeitliche Rationalismus erhob Bacon als Wegbereiter empirischer Forschung zur Kultfigur des Fortschrittsglaubens; der Charakter des ehrgeizigen Juristen und Politikers war allerdings immer umstritten. Er wurde als Sohn des Lordsiegelbewahrers Sir Nicholas Bacon in London geboren. Mit zwölf Jahren bezog der hochbegabte, schon als Knabe gravitätisch auftretende Bacon Trinity College, Cambridge, das er aber schon nach zwei Jahren enttäuscht über die dort betriebenen Studien verließ. Er trat anschließend in Gray's Inn ein, wo er zum Juristen ausgebildet wurde. Ab 1584 verfolgte er eine Karriere im Rechtswesen und im Parlament. Wegen der Abneigung Elisabeths I. und der Cecils gegen den ehrgeizigen Parlamentarier wurde ihm unter deren Regierungszeit kein Staatsamt übertragen, obwohl sich sein Freund und Patron, der Earl of Essex, sehr für ihn einsetzte. Nach dessen gescheitertem Putschversuch und Sturz 1601 vertrat Bacon im Hochverratsprozeß schonungslos die Anklage gegen ihn. Unter Jakob I. machte Bacon dann rasch politische Karriere, die 1621 im Amt des Lord Chancellor gipfelte. Noch im gleichen Jahr wurde er wegen Bestechlichkeit im Richteramt angeklagt und verurteilt. Er zog sich auf sein Gut in Gorhambury zurück, wo er sich philosophischen Studien und naturwissenschaftlichen Experimenten widmete.

Bacon hinterließ ein umfangreiches Werk. Mit seinen *Essays*, die 1597 zum ersten Mal, 1612 in erweiterter und 1625 in vollständiger Fassung erschienen, begründete er die moralphilosophische Essayistik in England. In epigrammatisch kurzem, nüchternem Stil analysiert Bacon in ihnen undogmatisch und mit scharfer Beobachtungsgabe die verschiedenen Aspekte menschlichen Verhaltens und Handelns. Mit *The advancement of learning* (1605), 1623 in lateinischer, erweiterter Fassung mit dem Titel *De augmentis scientiarum* erschienen, legte er den ersten Teil einer monumentalen Wissenschaftslehre, der *Instauratio magna*, vor, die sechs Teile umfassen sollte, von der aber nur zwei vollendet wurden. Mit der *Instauratio magna* wollte Bacon den menschlichen Geist aus den Fesseln aristotelischen Philosophierens, scholastischer Spekulationen, traditioneller Weltbilder und des Aberglaubens befreien und ihn durch eine neue Methodenlehre instand setzen, die Natur und ihre Gesetze zu beherrschen.

In *The advancement of learning* kritisierte Bacon zunächst den herrschenden Wissenschaftsbetrieb, um anschließend eine neue Einteilung der wissenschaftlichen Gebiete und detaillierte Reformen des gesamten Bildungssystems vorzulegen. In *The wisdom of the ancients* (1619) interpretierte er die klassischen Mythen als symbolische Darstellungen naturwissenschaftlicher Vorgänge. In der unvollendeten Aphorismen-Sammlung *Novum organum* (1620), dem zweiten Teil der *Instauratio magna*, entwickelte er die Prinzipien seiner empirisch-induktiven Erkenntnislehre, durch die er die deduktive Logik ablösen wollte. Bacon sah in der Unterwerfung unter die antiken Autoritäten, insbesondere der aristotelischen Philosophie, in der deduktiven Methode, die von allgemeinen Prinzipien ausgehend die einzelnen Erscheinungen ordnete und erklärte, und in den Versuchen, durch Analogien und Korrespondenzen ein einheitliches und harmonisches Weltbild zu entwerfen, die größten Hindernisse für eine Erkenntnis der Wirklichkeit. An ihrer Stelle propagierte er die genaue Beobachtung und Beschreibung einzelner Gegenstände und Vorgänge, ihre Überprüfung durch Experimente und die systematische Erforschung der Naturgesetze.

Mit seinen zahlreichen Schriften, in denen er sich mit großem Enthusiasmus und glänzendem Stil für eine neue, von traditionellen Vorstellungen freie Erforschung der Naturgesetze einsetzte, wurde Bacon zum ersten neuzeitlichen Philosophen und Begründer des modernen, naturwissenschaftlichen Denkens. Er wurde als Befreier des menschlichen Geistes verehrt und galt als einer der Gründerväter der Neuzeit. Obwohl er selbst kein Naturforscher war – er erkannte z.B. nicht die Bedeutung der Mathematik und lehnte Kopernikus ab – trug er mehr als jeder andere zur Verbreitung modernen wissenschaftlichen Denkens bei. Er selbst verstand seine Tätigkeit als das Läuten einer Glokke, die die Geister zur gemeinsamen Arbeit zusammenrufen sollte.

Große Wirkung hatte auch Bacons einziger literarischer Text, die Fragment gebliebene Utopie *New Atlantis.* In ihr gibt er die genaueste Beschreibung seiner lang gehegten Lieblingsidee einer unabhängigen Gelehrtengemeinschaft, die alles Wissen sammelt, ordnet und systematisch experimentelle Forschung betreibt, mit dem Ziel, sowohl praktisches Wissen als auch theoretische Erkenntnisse zu gewinnen, die den Menschen zum Herrscher über die Natur machen. Mit diesem *Salomon's house* oder *College of six days' work* entwarf Bacon ein Modell, das für viele gelehrte Gesellschaften und Akademien in ganz Europa, unter ihnen die Royal Society, zum Vorbild wurde. Neben seinen philosophischen Arbeiten schrieb er auch ein bedeutendes Geschichtswerk, *The history of the reign of King Henry VII* (1622). Die Nachwelt hat die philosophische und schriftstellerische Leistung Bacons immer bewundert und zugleich hart über seinen Charakter geurteilt. Alexander → Pope nannte ihn »the wisest, brightest, meanest of mankind«. (W)

Hauptwerke: *Essays* 1597, 1625. – *The advancement of learning* 1605. – *Novum organum* 1620. – *The new Atlantis* 1626.

Bibliographien: R.W. Gibson, *Francis Bacon. A bibliography of his works and of Baconiana to the year 1750* 1950, suppl. 1959. – J.K. Houck, *Francis Bacon 1929–1966*, Elizabethan bibliographies supplements XV (1968).

Ausgaben: *The works*, ed. J. Spedding, R.L. Ellis and D.D. Heath, 7 vols 1857–1859. – *The essayes or counsels, civill and morall*, ed. M. Kiernan 1985.

Übersetzungen: *Essays oder praktische und moralische Ratschläge*, übers. von E. Schücking, hrsg. von L.L. Schücking 1970 (Reclam). – *Neues Organ der Wissenschaften*, übers. und hrsg. von A.T. Brück (1830) 1981 (Wiss. Buchgesellschaft). – *Der utopische Staat. Utopia, Sonnenstaat, Neu-Atlantis. Von Thomas Morus, Tommaso Campanella, Francis Bacon*, hrsg. von K.J. Heinisch 1966 (Rowohlt). – *Neu-Atlantis*, übers. von G.T. Bugge, hrsg. von J. Klein 1982 (Reclam).

Biographie: *The letters and the life of Francis Bacon*, ed. J. Spedding, 7 vols 1868–1890.

Sekundärliteratur: C. D. Broad, *The philosophy of Francis Bacon* 1926. – B. Farrington, *The philosophy of Francis Bacon* 1964. – P. Rossi, *Francis Bacon. From magic to science* 1968 (italienisch 1957). – B. Vikkers, *Francis Bacon and the Renaissance prose* 1968. – *Essential articles for the study of Francis Bacon*, ed. B. Vickers 1972. – L. Jardine, *Francis Bacon and the art of discourse* 1974. – C. Whitney, *Francis Bacon and modernity* 1986. – P. Urbach, *Francis Bacon's philosophy of science* 1987.

Elizabeth Barrett (1806–1861)

Elizabeth Barrett wollte, daß man ihrer gedenke als »a writer of rhymes and not as the heroine of a biography«. Dennoch geriet ihr Leben schon den Zeitgenossen zur Legende. Zwei längere Krankheitsperioden (1821/22, 1838–1841) und darauf folgende Rekonvaleszenzen erzwingen ein – wohl nicht gänzlich unfreiwilliges – Leben der Zurückgezogenheit. Sie weiß, daß ihr Vater, von tyrannisch-besitzergreifender Natur, der Heirat keines seiner Kinder zustimmen wird. Die Werbung des sechs Jahre jüngeren Robert → Browning um die als Dichterin zu dieser Zeit bereits hoch angesehene Neununddreißigjährige erfolgt so in aller Heimlichkeit. Verheimlicht wird auch die Heirat und die Flucht nach Italien (1846), wo sich das Paar in Florenz niederläßt. Ein Sohn wird geboren (1849); Reisen, Freundschaften mit vielen bedeutenden Zeitgenossen und immer wieder Krankheiten prägen Elizabeth Barretts Leben. 1861 stirbt sie an den Folgen ihrer chronischen Lungenerkrankung.

Daß sich Roman, Drama und Psychoanalyse dieses Lebens, der Vater-Tochter-Beziehung, der Invalidität, des Liebesverhältnisses zu Robert Browning, mythenstiftend angenommen haben, etwa in Robert Besiers *The Barretts of Wimpole Street* (1930), kann nicht verwundern. Naturgemäß sind ihnen die *Sonnets from the Portuguese* (verfaßt 1845/46), in denen Elizabeth Barrett im Sonettzyklus ihre Gefühle während der Zeit von Brownings Werbung genau und reich offenlegt, besonders wichtig. Die Intensität des Ausdrucks hat immerhin Rilke veranlaßt, sie zu übersetzen. Schon in dem stark allegorisch konzipierten und religiös orientierten Frühwerk kündigt sich jedoch in Werken wie »The poet's vow« (1838) ein anderes zentrales Thema an, das der Dichtung. Dichtung ist Elizabeth Barrett gleichzeitig Verkündigung, Aufklärung und Kritik. Folgerichtig geht sie auch religiösen Problemen nach und versucht, die irdischen Erscheinungen der Transzendenz zu erfassen (»The seraphim« 1838; *A drama of exile* 1844).

Die unmittelbare Auseinandersetzung mit der Wirklichkeit ist ihr jedoch nicht minder wichtig. In einflußreichen Gedichten kritisiert sie Kinderarbeit (»The cry of the children« 1843) und Sklaverei (»The runaway slave at Pilgrim's Point« 1848) und setzt sich für die Befreiung und Vereinigung Italiens ein (*Casa Guidi windows*; *Poems before Congress*). Programmatisch und umfänglich findet die Zuwendung zum Alltag in ihrem Versroman *Aurora Leigh* Ausdruck. Zwar mindern die melodramatische Handlungskonstruktion und das harmonisierende Ende dem heutigen Leser das Vergnügen. Der Elan freilich, mit dem hier eine Frau die Dichterrolle beansprucht und diese Rolle als gesellschaftskritisch begreift, weisen den Versroman zumindest als ein geistesgeschichtliches Dokument von größter Bedeutung aus. Seine Vernachlässigung ist ebenso ungerechtfertigt wie die der Briefe: Exakte Beobachtung, scharfe Pointierung und Gedankenreichtum machen Elizabeth Barrett zu einer der Großen unter den Briefschreibern und -schreiberinnen des 19. Jahrhunderts. (T)

Hauptwerke: *The seraphim and other poems* 1838. – *Poems*, 2 vols 1844. – *Poems*, 2 vols 1850. – *Casa Guidi windows* 1851. – *Aurora Leigh* 1857. – *Poems before congress* 1860.

Bibliographie: W. Barnes, *A bibliography of Elizabeth Barrett Browning* 1967.

Ausgaben: *Complete works*, ed. C. Porter und H. A. Clarke, 6 vols 1900. – *The letters of Elizabeth Barrett Browning to Mary Russell Mitford 1836–1854*, ed. M. R. Raymond und M. R. Sullivan, 3 vols 1983. – *The Brownings' correspondence*, ed. P. Kelley und R. Hudson 1984–.

Übersetzung: *Sonette aus dem Portugiesischen*, übers. von R. M. Rilke 1975 (Insel).

Biographie: G. B. Taplin, *The life of Elizabeth Barrett Browning* 1957.

Sekundärliteratur: D. Hewlett, *Elizabeth Barrett Browning. A poet's work and its setting* 1962. – R. Mander, *Mrs. Browning. The story of Elizabeth Barrett* 1980. – A. Leighton, *Elizabeth Barrett Browning* 1986.

Francis Beaumont (ca. 1584–1616)

Im Gegensatz zu den meisten Dramatikern seiner Zeit entstammte Beaumont einer vornehmen Familie in Leicestershire. Sein Vater war ein angesehener Richter. Schon mit zwölf Jahren ging er an die Universität Oxford, die er nach dem Tod des Vaters ohne Grad verließ. Ab 1600 lebte er im Inner Temple, einem der Inns of Court, wo er Dichtungen und Dramen zu schreiben begann.

Sein frühestes Werk ist *Salmacis and Hermaphroditus* (1602), ein ovidisches Kleinepos in der Tradition von → Marlowes *Hero and Leander* und → Shakespeares *Venus and Adonis.* Sein erstes Stück, die *comedy of humours The woman hater* (1606) zeigt den Einfluß Ben → Jonsons, zu dessen Kreis, dem »tribe of Ben«, Beaumont zählte. Sein zweites Stück, *The knight of the burning pestle* (1608), das erste *mock-heroic play* der englischen Literatur, in dem das populäre Drama und der Geschmack des Londoner Theaterpublikums brillant satirisiert werden, war ein Mißerfolg. Danach begann Beaumont zusammen mit seinem Freund John → Fletcher Dramen für die King's Men zu schreiben, die 1608 das Blackfriars Theatre übernommen hatten. Dieses *private theatre* wurde überwiegend von der Aristokratie besucht, deren Geschmack das Autorenteam mit seinen Dramen genau zu treffen wußte.

In der fünfjährigen Zusammenarbeit schrieben die beiden eine Reihe von Dramen, die zu den erfolgreichsten der Stuart-Ära zählten. Der erste große Erfolg war die heroische Tragikomödie *Philaster or love lies a-bleeding* (1610), mit der dieses Genre sich auf der Londoner Bühne durchsetzen konnte. Die Tragödien und Tragikomödien der beiden Autoren, wie *The maid's tragedy* (ca. 1611) und *A king and no king* (1611) zeigen als typische Elemente einen unentschlossenen, zweifelnden Helden, eine tugendhafte, duldende Heldin, einen intrigierenden, grausamen Tyrannen sowie platonische Liebesdiskussionen und die Verteidigung des Gottesgnadentums. Die Handlungen bringen spektakuläre Szenen und plötzliche Umschwünge, die Sprache ist von gefühlsbetonter, überschwenglicher Rhetorik geprägt. 1612/13 zog sich Beaumont vom Theater zurück und heiratete eine reiche Erbin. Nach seinem Tod wurde er in der Poets' Corner in Westminster Abbey bestattet.

Im 17. Jahrhundert wurde die dramatische Kunst der beiden Autoren mit Shakespeare verglichen, ein Urteil, das spätere

Jahrhunderte revidierten, die in den Dramen lediglich den vollkommenen Ausdruck der Anschauungen und des Geschmacks der Aristokratie der Stuart-Zeit zu sehen vermochten. George Bernard →Shaw befand: »No depth, no conviction, no religious or philosophical basis, no real power or seriousness.« (W)

Hauptwerke: *The knight of the burning pestle* 1608. – *A king and no king* 1611 (mit John Fletcher). – *The maid's tragedy* 1611 (mit John Fletcher).

Bibliographien: S. A. Tannenbaum, *Beaumont & Fletcher. A concise bibliography*, Elizabethan bibliographies 1938 (repr. 1967), suppl. 1950. – C. A. Pennel and W. P. Williams, *Francis Beaumont, John Fletcher, Philip Massinger 1937–1965*, Elizabethan bibliographies supplements VIII (1968).

Ausgabe: *The dramatic works in the Beaumont and Fletcher canon*, ed. F. Bowers, 6 vols 1966-1985.

Biographie: C. M. Gayley, *Beaumont, the dramatist. A portrait* 1914 (repr. 1969).

Sekundärliteratur: E. M. Waith, *The pattern of tragicomedy in Beaumont and Fletcher* 1952. – W. W. Appleton, *Beaumont and Fletcher. A critical study* 1956. – B. Maxwell, *Studies in Beaumont, Fletcher, and Massinger* (1939) 1966.

Samuel Beckett (1906–1989)

Samuel Beckett gehört zu den wenigen Autoren, die sich in ihrem künstlerischen Schaffen zweier Sprachen zugleich vollkommen bedienen. In den Jahren 1923 bis 1927 studierte der in Foxrock bei Dublin geborene Samuel Beckett Französisch und Italienisch; 1928 bis 1930 unterrichtete er Englisch an der École Normale Supérieure in Paris und von 1930 bis 1932 Französisch am Trinity College in Dublin. 1937 entschloß er sich, nach Paris überzusiedeln. Seit 1945 verfaßte er zahlreiche seiner Werke zunächst in Französisch und übertrug sie anschließend ins Englische.

Bereits 1928 lernte Beckett in Paris seinen irischen Landsmann James →Joyce kennen, mit dem er in den folgenden Jahren freundschaftlich verbunden blieb und über dessen »Work in progress« (gemeint ist *Finnegans wake*) er den Essay »Dante ... Bruno. Vico ... Joyce« (1929) schrieb; 1931 folgte die literaturkritische Studie *Proust*, die zeigt, wie tief er in die Problematik auch des zeitgenössischen französischen Romans eingedrungen war. Nach dem Lyrikband *Whoroscope* (1930) und dem Kurzgeschichtenband *More pricks than kicks* (1934) legte Beckett 1938 seinen ersten Roman, *Murphy*, vor, in dem er zwar noch traditionelle Erzähltechniken benutzte, aber schon mit raffiniertem Kalkül die Grenzen der realistischen und naturalistischen Darstellungsweise zutage treten ließ. Mit dem Roman *Watt* (1953) war er zum enigmatischen Stil übergegangen, der für ihn als Romancier wie als Dramatiker in den folgenden Jahren charakteristisch werden sollte. Der Name Watt läßt sich als »what«, Knott als »knot« und »not« lesen: Allen Versuchen, die Wirklichkeit fragend zu erkunden, stellt sich der Widerstand einer nicht näher definierbaren und erklärbaren Negation entgegen.

Im Zentrum von Becketts erzählerischem Schaffen steht die Trilogie *Molloy* (frz. 1951, engl. 1955), *Malone meurt* (1951, engl. Fassung *Malone dies* 1956), *L'innommable* (1953, engl. *The unnamable* 1958). Die Absurdität der menschlichen Existenz läßt sich sowohl an Molloys Weg ins Zimmer seiner Mutter als auch an Morans Versuch, über Molloy zu berichten, ablesen. Die Reduktion der physischen Existenz, die durch den behinderten Molloy verdeutlicht wird, nimmt bei Malone noch zu, der auf den Tod wartet und die Leere mit Geschichten füllt. Noch stärker ist die menschliche Existenz in *The unnamable* zurückgeschnitten. Sie erscheint letztlich nur noch als Stimme. In dem Maße, in dem Menschsein nur noch Kreatursein heißt, löst sich die Sprache von der Realität und spielt nur noch mit sich selbst. Eine Stufe weiter ist Beckett in *Comment c'est* (engl. *How it is*, beide Fassungen 1961) gegangen: Sprache bildet hier die Bewegungen von Körper und Geist im überall vorhandenen Morast nach, in dem es nur noch das Gesetz des Quälens und des Gequältwerdens gibt.

Beckett betrachtet seine erzählende Prosa als den wichtigsten Teil seines künstlerischen Werkes; die Dramen sieht er als eine Art Entspannung an. Mit den Stücken *En attendant Godot* (aufgeführt 1953, engl. *Waiting for Godot* 1955), *Fin de partie* (1957, engl. *Endgame* 1958), *Krapp's last tape* (1958), *Embers* (1959) und *Happy days* (1961) erlangte er internationales Ansehen. Auch in den Stücken sind die Formen der dramatischen Darstellung – Raum, Zeit, Handlung, Dialog – stark vereinfacht; Handeln wird immer zu Warten. Vergänglichkeit und Tod stehen den Figuren stets unmittelbar vor Augen. Aber die

Art, in der die Landstreicher Estragon und Vladimir, Hamm und seine Diener Clov, Winnie oder Krapp Zeit erleben, fasziniert auch Zuschauer, die bei anderen Autoren an melodramatischer Handlung Gefallen finden. Wie in den Romanen trieb Beckett auch in seiner weiteren Entwicklung als Dramatiker die Reduktion ins Extrem. *Come and go. Dramaticule* (1966) enthält beispielsweise nur 121 Wörter und dauert in der Aufführung drei Minuten. Mit seinen Dramen, die von der Literaturkritik gern mit der Bezeichnung »absurdes Theater« belegt werden, stellt er künstlerisch den Antipoden zu Bert Brecht und dessen sozialkritischem Drama dar. 1969 erhielt Beckett den Nobelpreis »for his writing, which – in new forms for the novel and drama – in the destitution of modern man acquires its elevation.« (E)

Hauptwerke: *Whoroscope* 1930. – *More pricks than kicks* 1934. – *Murphy* (engl.) 1938. – *The trilogy* 1960: *Molloy* (frz.) 1951 (engl.) 1955; *Malone meurt* 1951 (*Malone dies* 1956); *L'innommable* 1953 (*The unnamable* 1958). – *En attendant Godot* 1952 (*Waiting for Godot* 1954). – *Watt* (engl.) 1953. – *Fin de partie, suivi de Acte sans paroles* 1957 (*Endgame, followed by Act without words* 1958). – *Krapp's last tape, and Embers* 1959. – *Comment c'est* 1961 (*How it is* 1964). – *Poems in English* 1961. – *Happy days* 1961. – *Come and go* 1967. – *Sans* 1969 (*Lessness* 1970). – *Mercier et Camier* 1970 (*Mercier and Camier* 1974).

Bibliographien: J. T. F Tanner und J. D. Vann, *Samuel Beckett. A checklist of criticism* 1969. – R. J. Davis, J. R. Bryer, M. J. Friedman und P. C. Hoy, *Samuel Beckett*, 2 vols 1971.

Ausgaben: *Collected shorter prose 1945–1980* 1984. – *Collected poems 1930–1978* 1984. – *Collected shorter plays* 1984. – *The complete dramatic works* 1986.

Übersetzungen: *Werke*, Bd 1– , in Zusammenarbeit mit S. Beckett hrsg. von E. Tophoven und K. Birkenhauer 1976– (Suhrkamp).

Biographien: K. Birkenhauer, *Samuel Beckett in Selbstzeugnissen und Bilddokumenten* 1971. – D. Blair, *Samuel Beckett. A biography* 1978.

Sekundärliteratur: H. Kenner, *Samuel Beckett. A critical study* (1961) 1968. – R. Cohn, *Samuel Beckett. The comic gamut* 1962. – J. Fletcher, *The novels of Samuel Beckett* 1964. – R. Hayman, *Samuel Beckett* 1968. – P. Murray, *The tragic comedian. A study of Samuel Beckett* 1970. – J. Fletcher, *Samuel Beckett's art* 1971. – H. Kenner, *A reader's guide to Samuel Beckett* 1973. – H. Laass und W. Schröder, *Samuel Beckett* 1984. – R. Rabinovitz, *The development of Samuel Beckett's fiction* 1984. – S. Schurman, *The solipsistic novels of Samuel Beckett* 1987.

William Beckford (1759–1844)

»The most brilliant amateur in English literature«, ist das Verdikt im *Dictionary of National Biography* über einen Autor, dessen Ruhm auf einer einzigen Erzählung beruht. Als Sohn des gleichnamigen Vaters, der Ratsherr und zweimal Bürgermeister von London war, erbte Beckford ein riesiges, auf Zuckerplantagen in Jamaica zurückgehendes Vermögen. Er wurde privat erzogen und erhielt unter anderem als Fünfjähriger Musikunterricht von dem neunjährigen Mozart. Das satirische Talent des frühreifen Beckford zeigte sich in *Biographical memoirs of extraordinary painters* (1780), wie es auch später wieder in *Modern novel writing* (1796) hervortrat.

Innerhalb weniger Tage schrieb er *Vathek*, eine »arabische Geschichte«, auf französisch, die Samuel Henley (möglicherweise mit Wissen und Zustimmung des Autors) mit einem gelehrten Kommentar englisch herausbrachte. Sie gehört zu dem als *oriental tale* bezeichneten Genre, das sich von Samuel →Johnson bis Lord →Byron großer Beliebtheit erfreute. *Vathek* ist ein besonders ausgeprägtes Beispiel der Gattung, das den leidenschaftlich-faustischen Kalifen Vathek zur Zentralfigur hat. Die Geschichte ist ein (vielfach kritisiertes) Glanzstück frei spielender Imagination, und das Ende des Kalifen gilt als eine der großen literarischen Höllenvisionen. Von Beckford unterdrückte Episoden der Erzählung wurden 1912 veröffentlicht.

Die Journale seiner Reisen auf dem Kontinent verraten eine ebenso subtile wie ironische Beobachtung. Zu dubiosem Ruhm gelangte Beckford, der 1784 bis 1790 für Wells und, mit längerer Unterbrechung, von 1790 bis 1820 für Hindon Parlamentsabgeordneter war, als Sammler und Kunstliebhaber. In Fonthill Abbey, einer 1796 errichteten »gotischen« Monstrosität, trug er eine riesige Kunst- und Kuriositätensammlung zusammen, die auch die Bibliothek →Gibbons einschloß. →Hazlitt nannte Fonthill Abbey »a desert of magnificence, a glittering waste of laborious idleness, a cathedral turned into a toyshop«. Beckfords Extravaganz zwang ihn 1822 zum Verkauf von Fonthill Abbey und zur Übersiedlung nach Bath, wo er beschränkter, aber noch immer sehr auskömmlich und in bester Gesundheit lebte. Er wurde dort auf eigenen Wunsch in dem von ihm errichteten Lansdowne Tower bestattet. (F)

Hauptwerke: *Vathek* 1787 (für 1786; französisch). – *An Arabian tale* 1786 (Übersetzung von S. Henley). – *The episodes of Vathek* (Übersetzung von F. T. Marials 1912). – *Italy, with sketches of Spain and Portugal*, 2 vols 1834 (ursprünglich 1783, aber von Beckford unterdrückt).

Bibliographien: G. Chapman und J. Hodgkin, *A bibliography of Beckford of Fonthill* 1930. – R. J. Gemmet, An annotated checklist of the works of William Beckford, in *Publications of the Bibliographical Society of America* 61 (1967).

Ausgaben: *Vathek*, ed. R. Lonsdale 1970. – *The journal of William Beckford in Portugal and Spain, 1787/88*, ed. B. Alexander 1954. – *Life at Fonthill 1807–1822. With interludes in Paris and London. From the correspondence of William Beckford*, ed. B. Alexander 1957. – *Dreams, waking thoughts and incidents*, ed. R. J. Gemmett 1971.

Übersetzungen: *Vathek*, übers. von F. Blei 1976 (Insel); übers. von H. Schiebelhuth 1983 (Thienemann); übers. von W. Benda 1987 (Winkler).

Biographie: A. B. Fothergill, *Beckford of Fonthill* 1979.

Sekundärliteratur: A. Parreaux, *William Beckford. Auteur de Vathek* 1960. – B. Alexander, *England's wealthiest son. A study of William Beckford* 1962.

William Blake (1757–1827)

Blake galt lange als unbegreifbarer Visionär und sein mystisches Weltbild als Ausdruck geistiger Verwirrung. Heute zählen Blakes Dichtungen zu den großen Leistungen der englischen Lyrik, seine Zeichnungen werden zu den bedeutendsten Werken der englischen Kunst gerechnet. Durch die Obskurität, in der er einen großen Teil seines Lebens zubrachte, sind wichtige Teile seines Werkes verlorengegangen, andere werden verstreut aufbewahrt. So ist es vielfach auch jetzt noch schwierig, einen angemessenen Gesamtüberblick über Blakes dichterisches und graphisches Werk zu gewinnen.

Blake entstammte der Familie eines dem »Dissent« zuzurechnenden Londoner Wirkwarenhändlers. Er besuchte keine Schule, wurde aber, da er sehr früh ein intensives eidetisches Vermögen erkennen ließ, in eine Zeichenschule geschickt und danach, da seine Begabung offenbar wurde, zu dem Kupferstecher James Basire in die Lehre gegeben. Von den sieben Jahren Lehrzeit verbrachte Blake nahezu vier in Westminster Abbey mit Skizzen zu Stichen, die von der Society of Antiquaries in Auftrag gegeben worden waren. Aus dieser Zeit dürfte das statuarische Element in seinem eigenen Werk stammen, und in diese Zeit fallen wohl auch seine ersten poetischen Versuche. Nach der Lehre studierte er an der Royal Academy of Arts, von deren Präsidenten, Joshua Reynolds, er jedoch keine Förderung erfuhr. Kongenialer waren für ihn junge Künstler wie Heinrich Füßli oder der Bildhauer John Flaxman. Durch Aufträge von Joseph Johnson, dem radikalen Buchhändler und Verleger, fand er ein Auskommen, so daß er Catherine Boucher heiraten konnte, die ihm sein Leben lang zur Seite stand und ihn auch bei seiner Arbeit unterstützte. Hilfe von Freunden machte den Druck seines ersten Buches, *Poetical sketches*, möglich.

Mit der für ihn typischen Verbindung von Text und Bild (beides wurde zusammen graviert und gedruckt und dann von Hand koloriert) begann Blake Ende der achtziger Jahre. Die *Songs of innocence*, die er später mit den *Songs of experience* vereinigte, sind zusammen mit *The book of Thel* (einem epischen Gedicht, dem frühesten seiner »prophetischen« Bücher) das erste voll ausgereifte Werk in dieser Technik. Sie sind – »shewing the two contrary states of the human soul« – zugleich charakteristischer Ausdruck für seine durch Gegensätze und Antagonismen bestimmte Denkweise und Gedankenwelt wie auch für seine rebellische Haltung gegenüber Konvention und Tradition.

Eine Zeitlang beeinflußte ihn der schwedische Philosoph und Mystiker Emanuel Swedenborg (1688–1772), wie auch die Schriften des deutschen Mystikers Jakob Böhme (1575–1624) auf ihn wirkten. Blake löste sich von Swedenborg in *The marriage of Heaven and Hell*, das teilweise eine satirische Replik auf dessen *Treatise concerning heaven and hell* war (englisch 1778). Gegen Swedenborgs Prinzip der Ausgewogenheit setzte Blake das des lebendigen Gegensatzes, wobei Gut und Böse für ihn nur unzureichende Abstraktionen waren. In einer Sequenz paradoxer Aphorismen und Reflexionen versuchte er, zu konventionellen Moralauffassungen ein Gegensystem zu etablieren.

Der das Werk abschließende »Song of liberty« mit dem triumphalen Ausruf »Empire is no more« gab die Perspektive für die gleichzeitigen oder kurz darauf folgenden Werke vor: *The French Revolution* (1793, unvollendet, unveröffentlicht und nur in einem Exemplar erhalten), eine poetisch überhöhte, aber kaum ins Visionäre hineinreichende Darstellung der Ereignisse in Frankreich; *Visions of the daughters of Albion*, ein essentiell feministisches, sexuelle Befreiung proklamierendes Werk; *America, a prophecy*, eine bilderreiche Vision des heraufkommenden Amerika; und *Europe, a prophecy*, ein Gedicht von dunkler Mythologie, das auf den Kontrast mit *America* angelegt ist.

In den späteren Werken weitet sich die Mythologie dieser politischen Prophetien zu einem eigenen, in sich geschlossenen mythologischen Kosmos aus. Die sogenannten »Lambeth books« (Blake wohnte von 1790 bis 1800 in Lambeth), die sich als *The book of Ahania*, *The book of Los* und *The song of Los* um das zentrale *First book of Urizen* gruppieren (1794/95), sind episch-biblische Prophetien. Sie bieten in einer grandiosen Vereinigung von Bild und Text Blakes Version von Genesis und Sündenfall. *The first book of Urizen* erschließt sich dabei gleicherweise als die von Blake in *The marriage of Heaven and Hell* verheißene »Bible of Hell« und als Inversion von → Miltons *Paradise lost* in einem Kontext von immer wieder neu mit Bedeutung erfüllten symbolischen Figuren.

In noch größeren mythisch-mystischen Dimensionen konzipierte Blake ein Gedicht, das ursprünglich *Vala or the death and judgement of the eternal man. A dream of nine nights* betitelt war und in dem er offenbar den Meditationen Edward → Youngs Traumvisionen gegenüberstellen wollte. Blake änderte später den Titel in *The four Zoas*. Obwohl es zahlreiche Aquarellstudien dazu gibt, hat Blake keine Gravuren ausgeführt. Das Gedicht, dessen Entwürfe erst von der modernen Literaturkritik in eine kohärente Form gebracht worden sind, ist als »the greatest abortive masterpiece in English literature« bezeichnet worden (Northrop Frye). Als Vision vom Kampf und der Versöhnung von »Mächten« läßt es sich als »a heroic attempt to write the first psychological epic« auffassen (John Beer).

Mit *The four Zoas* kam eine Epoche in Blakes Schaffen zum Abschluß, die ihn in ihrer Intensität auch gesundheitlich überbeansprucht hatte. Nur noch zwei Werke in der Manier des »illuminated printing« entstanden danach: die »Epen« *Milton* und *Jerusalem*. Das erste bildet Abschluß und Höhepunkt seiner langen Auseinandersetzung mit Milton und reißt ähnliche kosmische Dimensionen auf wie *Paradise lost*. Das andere ist seine letzte große Prophetie über den »Fall« des Giganten Albion und seine Erweckung zum Ewigen Leben. Beides sind Gedichte von hoher Komplexität und großem Anspielungsreichtum.

Neben seinen eigenen Arbeiten führte Blake, nicht zuletzt zur Sicherung seines Lebensunterhalts, eine Reihe von Illustrationsarbeiten aus, teilweise als Auftragsarbeiten. So illustrierte er Youngs *Night thoughts* und Bürgers *Leonora*. Er fand gelegentlich Unterstützung durch Verleger und durch Gönner, vor allem den Vielschreiber William Hayley, auf dessen Veranlassung er 1800 für drei Jahre nach Felpham zog. Illustrationen zu Richard Blairs Gedicht *The grave* für den Verleger Robert Cromek mißfielen, wie es Blake überhaupt zunehmend schwieriger fand, auf seine Arbeiten Resonanz zu finden. Blakes letzte Jahre sind weitgehend obskur, obwohl er bis zu seinem Tode arbeitete und noch spät einige eindrucksvolle Illustrationen schuf.

Seine Zeitgenossen hielten ihn für begabt, aber verrückt, und nur langsam setzte sich im 19. Jahrhundert eine sympathischere Einschätzung von Person und Werk durch. Seine Originalität und sein prophetischer Blick für die Gefahren und Fehlentwicklungen der Moderne sind erst in diesem Jahrhundert erkannt worden, dessen Alternativkultur ihn natürlich auch als »Befreier« vereinnahmt hat. (F)

Hauptwerke: *Poetical sketches* 1783, ab 1794 mit *Songs of experience*. – *Songs of innocence* 1789 (*Songs of innocence and of experience* 1794). – *The French Revolution* 1791. – *The marriage of Heaven and Hell* 1793. – *America, a prophecy* 1793. – *The first book of Urizen* 1794. – *Milton, a poem in 2 books* 1804–1809 (?). – *Vala, or the four Zoas* 1795–1807. – *Jerusalem. The emanation of the giant Albion* 1804–1820.

Bibliographien: G. Keynes, *A bibliography of William Blake* (1921) 1969. – G.E. Bentley Jr., *Blake books. Annotated catalogues of his writings in illuminated printing, in conventional typography, and in manuscript and reprints thereof; reproductions of his designs; books with his engravings; catalogues; books he owned; and scholarly and critical works about him* 1977; Supplement 1988.

Ausgaben: *Writings*, ed. G.E. Bentley Jr., 2 vols 1978. – *Complete writings*, ed. G. Keynes (1957) 1966. – *The letters with related documents*, ed. G. Keynes (1956) 1980.

Übersetzung: *Lieder der Unschuld und der Erfahrung*, übers. von W. Wilhelm, hrsg. von W. Hofmann 1975 (Insel).

Biographien: A. Gilchrist, *The life of William Blake* (1863), ed. R. Todd (1942) 1982. – M. Wilson, *The life of William Blake*, ed. G. Keynes 1971.

Sekundärliteratur: N. Frye, *Fearful symmetry. A study of William Blake* (1947) 1969. – S. Gardner, *Infinity on the anvil. A critical study of Blake's poetry* 1954. – P.F. Fisher, *The valley of vision. Blake as prophet and revolutionary*, ed. N. Frye 1961. – H. Bloom, *Blake's apocalypse. A study in poetic argument* 1963. – E.D. Hirsch, Jr., *Innocence and experience. An introduction to Blake* 1964. – S.F. Damon, *A Blake dictionary. The ideas and symbols of William Blake* 1965. – J. Beer, *Blake's humanism* 1968. – S. Gardner, *Blake* 1968. – J. Beer,

Blake's visionary universe 1969. – D.V. Erdman, *Blake, prophet against empire. A poet's interpretation of the history of his own times* (1954) 1969 – K. Raine, *Blake and tradition*, 2 vols 1969. – M.D. Paley, *Energy and the imagination. A study of the development of Blake's thought* 1970. – M.K. Nurmi, *William Blake* 1975. – L. Damrosch, Jr., *Symbol and truth in Blake's myth* 1980. – R.N. Essick, *William Blake: Printmaker* 1980. – M. Eaves, *William Blake's theory of art* 1982. – N. Hilton, *Literal imagination. Blake's vision of words* 1983. – M.D. Paley, *The continuing city. William Blake's Jerusalem* 1983. – E. Larrissy, *William Blake* 1985. – K. Raine, *William Blake* 1985. – N. Hilton (ed.), *Essential articles for the study of William Blake, 1970–1984* 1986. – D. Fuller, *Blake's heroic argument* 1988.

Edward Bond (geb. 1934)

Edward Bond entstammt einer Arbeiterfamilie und verbrachte seine frühe Jugend in Holloway, einer nördlichen Vorstadt Londons. Nach seiner Schulzeit, nach der Arbeit in verschiedenen Fabriken und Büros und nach einem zweijährigen Militärdienst begann er, Theaterstücke zu schreiben. In den sechziger Jahren hatte er das Glück, durch das Royal Court Theatre gefördert zu werden, das auch sein erstes Drama *The pope's wedding* am 9. Dezember 1962 aufführte, allerdings nach einer Vorstellung wieder absetzte. Erst mit dem Drama *Saved* gelang ihm 1965 der Durchbruch, und seit dieser Zeit wird Bond zu den Hauptvertretern des zeitgenössischen britischen Dramas gezählt.

Gewalt und Grausamkeit, Ausbeutung und soziale Ungerechtigkeit sind die Themen, die sich durch sein gesamtes bisheriges dramatisches Schaffen ziehen. Wenngleich er damit Probleme aufgreift, die sich im gesellschaftlichen Leben Englands sowie der gesamten westlichen Welt und schließlich in den politischen Auseinandersetzungen seit den sechziger Jahren auf nahezu allen Kontinenten beobachten lassen, knüpft er mit den Themen Grausamkeit und Gewalt doch auch an das elisabethanische Drama an. Es ist kein Zufall, daß Bond eine ganz eigene Version des Lear-Stoffes lieferte und 1976 im Old Vic Theatre eine Bearbeitung von John → Websters *The white devil* zur Aufführung brachte. Hobbes' Deutung des Naturzustandes als einer Situation, in der einer des anderen Wolf ist, gilt in moderner Abwandlung auch für die Sichtweise, die Bond seinen Dramen zugrunde legt. Die Stücke gewinnen ein eigenes Gepräge dadurch, daß der Krieg aller gegen alle in jeweils verschiedenen gesellschaftlichen, geographischen und historischen Milieus vorgeführt wird und daß auch die Bewertung des dargestellten Zustandes variiert.

Saved spielt im Londoner Arbeitermilieu und schildert die Beziehungen zwischen Pam und den beiden jungen Männern, Len, der zu Pams Eltern gezogen ist, und Fred, an den sie sich gebunden fühlt und dem sie hörig ist. Einen makabren Höhepunkt erreicht das Drama, als Fred und seine Bande Pams Kinderwagen mit Steinen bewerfen und dabei schließlich ihr Kind umbringen. Die Gewalt, die in der jungen Generation unter den besonderen Lebensbedingungen des Wohlfahrtsstaates freigesetzt wurde, findet in diesem Auftritt ihren symbolischen Ausdruck.

In *Early morning* (aufgeführt 1968) versuchte Bond, den viktorianischen Mythos zu zerstören. Seine Queen Victoria unterhält lesbische Beziehungen zu Florence Nightingale, und die Prinzen George und Arthur illustrieren als siamesische Zwillinge die aggressiv-destruktive und die anarchistisch-kritische Seite der menschlichen Natur.

In *Narrow road to the deep north* (1968) behandelte Bond das Thema Terror und Gewalt vor einem japanischen Hintergrund. 1971 wandte er sich dem Lear-Stoff zu: Bonds Titelfigur ist ein brutaler Herrscher, Symbol seiner Macht ist eine Mauer, die auf sein Geheiß gebaut wird. Er fällt seinen beiden Töchtern Bodice und Fontanelle zum Opfer, die ihrerseits von Cordelia, hier die Frau des Sohnes eines Totengräbers, entmachtet und beseitigt werden. Lear begreift am Ende, daß allein aus der Verbindung von Vernunft und Mitleid ein menschenwürdiges Regiment hervorgehen kann. Sobald er sich jedoch, wiewohl geblendet, entschließt, die Mauer abzutragen, wird er erschossen.

In *Bingo. Scenes of money and death* (1973) und *The fool. Scenes of bread and love* (1975) befaßte sich Bond mit der Ambivalenz der künstlerischen Existenz. Während Shakespeare (in *Bingo*) sich trotz des Humanismus, der sein dramatisches Werk durchzieht, im Alter in Stratford den Gepflogenheiten der Großgrundbesitzer und Grundstücksmakler anpaßt und damit seine künstlerische Botschaft verrät, wird John Clare (in *The fool*) das schuldlose Opfer der profitorientierten Gesellschaft und ist gezwungen, die letzten 23 Jahre seines Lebens im Irrenhaus zu verbringen. Von der Brutalität, mit der die bürgerliche

Gesellschaft Fremden entgegentreten kann, zeugt *The sea* (1973); von der Gewalt, die in der amerikanischen Gesellschaft aus dem Geflecht von Rassenhaß, Gerechtigkeitswahn und religiöser Heuchelei hervorgehen kann, handelt das Drama *The swing* (1976). Ähnlich wie in *Saved* gibt es auch hier eine Szene, die das zentrale Thema zum Ausdruck bringt: Fred, das Opfer der Lynchjustiz, wird an eine Schaukel gebunden, und es wird so lange auf ihn geschossen, bis er nach unten hängt.

In *The bundle; or, New narrow road to the deep north* (1978) und *The woman. Scenes of war and freedom* (1978) schlägt Bond insofern neue Wege ein, als er nun im Sinne des sozialistisch-anarchistischen Denkens an die Möglichkeit glaubt, Gewalt durch Gewalt überwinden zu können. In *The bundle* schreibt er sein frühes Stück *Narrow road to the deep north* im Sinne der neuen Überzeugung um, und in *The woman* liefert er seine Version des trojanischen Krieges mit den Frauen Hecuba und Ismene als Gegenspielerinnen gegen die martialische Welt der Männer, die den Krieg nur aus ökonomischen Interessen führen und deren Mittel Mord und Vergewaltigung sind.

In den Stücken *The worlds* (1979), *Restoration* (1981) und *Summer* (1982) bearbeitete Bond Stoffe aus dem englischen 18. Jahrhundert und der Gegenwart. Während in *The worlds* noch eine ideologische Botschaft vernehmbar ist, tritt in den beiden folgenden Stücken die Komplexität menschlicher Grundsituationen im dramatischen Ablauf stärker in den Vordergrund: *Restoration* stellt das tragikomische Schicksal des Dieners Bob dar, der sich von Lord Are einen Mord andichten läßt, den dieser selbst an seiner Frau begangen hat. *Summer* führt in die Problematik einer Handlungsweise ein, die durch die besonderen Umstände des Zweiten Weltkrieges geprägt ist und in der sich der Wille zu überleben, Mitleid und die Angst, einem Terrorregime Widerstand zu leisten, durchdringen.

Bonds Dramatik bestätigt eine Erfahrung, die Vertreter des politischen Dramas und der politischen Lyrik bereits in den dreißiger Jahren machen konnten: Die Stücke üben dann die stärkste Wirkung auf den Zuschauer aus, wenn die Komplexität der menschlichen Natur, das menschliche Denken, Fühlen und Handeln, nicht in verengender Weise auf den Generalnenner einer Ideologie gebracht wird. (E)

Hauptwerke: *Saved* (1966) 1977. – *Early morning* (1968) 1977. – *Narrow road to the deep north* (1968) 1978. – *The pope's wedding*

(1971) 1977. – *Lear* 1972. – *The sea. A comedy* (1973) 1978. – *Bingo. Scenes of money and death* 1974. – *The fool. Scenes of bread and love and We come to the river* 1976. – *The bundle. Scenes of right and evil; or, New narrow road to the deep north* 1978. – *The woman. Scenes of war and freedom* 1979. – *Restoration and The cat* 1982. – *Summer and Fables* 1982. – *The war plays. A trilogy* 1985. – *Poems 1978–1985* 1987.

Bibliographien: K.-H. Stoll, *The new British drama. A bibliography with particular reference to Arden, Bond, Osborne, Pinter, Wesker* 1975. – K. King, *Twenty modern British playwrights. A bibliography, 1956 to 1976* 1977. – C. A. Carpenter, Bond, Shaffer, Stoppard, Storey. An international checklist of commentary, in *Modern Drama* 24 (1981), 546–556.

Ausgaben: *Plays. One* 1977. – *Plays. Two* 1978. – *Plays. Three* 1987.

Übersetzungen: *Gesammelte Stücke*, 2 Bde 1987 (Suhrkamp).

Sekundärliteratur: P. Iden, *Edward Bond* 1973. – R. Scharine, *The plays of Edward Bond* 1976. – P. Wolfensperger, *Edward Bond. Dialektik des Weltbildes und dramatische Gestaltung* 1976. – T. Coult, *The plays of Edward Bond. A study* (1977) 1979. – M. Hay und P. Roberts, *Bond. A study of his plays* 1980.

James Boswell (1740–1795)

Bis zur Entdeckung seiner Tagebücher war Boswell nur als Biograph Samuel →Johnsons bekannt. Durch die Funde von Malahide Castle (bei Dublin) gewann er als Autor eine eigene Statur. In Edinburgh geboren und an den Universitäten Edinburgh und Glasgow zum Juristen ausgebildet, begann Boswell schon früh mit seinen Aufzeichnungen, die nach der Übersiedlung nach London (1762) nicht zuletzt durch die Ermutigung Johnsons die Form eines ausführlichen Lebensberichts annahmen. Boswell führte Tagebuch während seiner Grand Tour, zu der er nach einem Studienaufenthalt in Utrecht von Holland aus nach Deutschland, der Schweiz, Italien und Frankreich aufbrach (1764–1766), wie auch später wieder in Schottland, wo er von 1769 bis 1788 als Rechtsanwalt in Edinburgh tätig war.

Boswells Tagebuch, wie es heute vorliegt, ist das Ergebnis literarischer Gestaltungsabsicht. Er arbeitete fast immer die Notizen des Tages aus und scheint dabei nicht selten bis an die Grenze zum Fiktiven gegangen zu sein. Als Reisetagebuch bietet es ein detailreiches Bild von Orten und Personen, sollten ihm die Aufzeichnungen doch zur Vorbereitung von Reisebüchern dienen, von denen allerdings nur sein *Account of Corsica* erschienen ist. Als Erlebnisbericht dokumentiert es das englische und kontinentale Leben der Epoche, wie es sich einem gleicherweise lebenshungrigen wie scharfsichtigen Beobachter darbot, der das geistvolle Gespräch suchte, die charmante Konversation und auch das amouröse Abenteuer. Als *journal intime* schließlich, das Boswells spannungsreiche, keineswegs in sich ruhende Persönlichkeit in Konflikten und Bedrängnissen, in Ausgelassenheit und Zerrissenheit zeigt, stellt es eines der großen menschlichen Dokumente der englischen Literatur dar – in der Offenheit der Selbstdarstellung → Pepys' Tagebuch verwandt und in der Feinheit der psychologischen Analysen → Sternes Romanen nahekommend.

Boswell, von dem es eine große Anzahl von signierten und unsignierten Beiträgen zu Zeitungen und Zeitschriften gibt, versuchte sich als Essayist mit einer Kolumne im *London magazine* (*The Hypochondriack* 1777–1783), und mit geringem Erfolg auch als Kritiker und Erzähler. Sein großer Wurf gelang ihm mit der Biographie Johnsons. Er lernte Johnson 1763 kennen und sah ihn lange Zeit nur in größeren Abständen während seiner Reisen nach London. Von einer gemeinsamen Schottlandreise (1773) berichtete er nach Johnsons Tod in seinem *Journal of a tour to the Hebrides with Samuel Johnson*. 1786 verlegte er seine Praxis nach London, wo er als Rechtsanwalt nicht sehr erfolgreich war, sich aber auf die Vorbereitung seiner monumentalen Biographie konzentrieren konnte.

The life of Samuel Johnson, in der literarischen Tradition Englands zum Inbegriff der Biographie geworden, überliefert der Nachwelt Leben und Denken eines Menschen in einem bis dahin unbekannten Detail. Seit 1773 Mitglied von Johnsons berühmtem Club, kannte Boswell nicht nur Johnson und seine Umwelt genau: Johnson war über Jahrzehnte das Zentrum seines Lebens. Durch diese innere Nähe stellt sich der Johnson der Biographie für den historischen Rückblick kaum weniger als der Boswell der Tagebücher als lebenswirkliche Person wie als subtile literarische Schöpfung dar. (F)

Hauptwerke: *An account of Corsica* 1768. – *The journal of a tour to the Hebrides with Samuel Johnson* 1785. – *The life of Samuel Johnson*, 2 vols 1791.

Bibliographien: F. A. Pottle, *The literary career of James Boswell* 1929 (repr. 1965). – A. E. Brown, *Boswellian studies. A bibliography* 1972.

Ausgaben: *Boswell's Life of Johnson together with Boswell's Journal of a tour to the Hebrides*, ed. G. B. Hill, rev. L. F. Powell, 6 vols 1934–1950 (repr. 1979). – *Boswell's column. Being his seventy contributions to The London magazine*, ed. M. Bailey 1951. – *The Yale editions of the private papers*, ed. F. W. Hilles et al.; trade edition 1950–; research edition 1966–.

Übersetzungen: *Dr. Samuel Johnson. Leben und Meinungen*, übers. F. Güttinger 1981 (Diogenes). – *Das Leben Samuel Johnsons und Das Tagebuch einer Reise nach den Hebriden*, übers. von J. Schlösser 1985 (Beck). – *Besuch bei Rousseau und Voltaire*, übers. von F. Güttinger 1981 (Europäische Verlagsanstalt).

Biographien: F. A. Pottle, *James Boswell. The earlier years, 1740–1769* 1966. – F. Brady, *James Boswell. The later years, 1769–1795* 1984. – I. Finlayson, *The moth and the candle. A life of James Boswell* 1984.

Sekundärliteratur: F. Brady, *Boswell's political career* 1965. – R. B. Schwartz, *Boswell's Johnson. A preface to the Life* 1978. – W. C. Dowling, *The Boswellian hero* 1979. – W. C. Dowling, *Language and logos in Boswell's Life of Johnson* 1981. – A. Ingram, *Boswell's creative gloom. A study of imagery and melancholy in the writings of James Boswell* 1982. – F. A. Pottle, *Pride & negligence. The history of the Boswell papers* 1982.

Charlotte (1816–1855), Emily (1818–1848) und Anne (1820–1848) Brontë

Im Konflikt zwischen Empirie und Notwendigkeit sowie Imagination und Freiheit formen sich Leben und Werk der Geschwister Brontë. Verlust, Begrenzung, Entsagung sind ihnen von Kindheit an tägliche Erfahrung. Durch des Vaters Herkunft und Beruf – er ist Pfarrer in Haworth (Yorkshire) – gehören sie dem Bürgertum zu; des Vaters Mittellosigkeit zwingt sie jedoch, einen Beruf zu erlernen. Dies ist Mädchen ihres Standes nur als Hausdame, Lehrerin oder Gouvernante wenig attraktiv möglich. Der Tod der Mutter (1821) und vier Jahre darauf zweier geliebter älterer Schwestern (Maria und Elizabeth) vermittelt frühzeitig die Erfahrung unwiderruflicher Begrenzung. Die calvinistische Erziehung durch eine Tante sowie durch den Rev. Carus Wilson in einer Schule für Töchter des mittellosen Klerus in Cowan Bridge läßt sie Religion als Zwang erfahren (in *Jane Eyre* hat Charlotte dies und andere Mißstände in Gestalt des Mr. Brocklehurst und der Schulpraktiken von Lowood aufrührend angeprangert). Weder Annes noch Charlottes Liebe finden Erfüllung – der von Anne still verehrte William Weightman stirbt früh, der von Charlotte leidenschaftlich und insgeheim geliebte Monsieur Heger ist verheiratet. So enden Charlottes zwei Jahre als Schülerin und Lehrerin an der Brüsseler Internatsschule von Mme. Heger (1842/43), die zu ihren glücklichsten hätten gehören können, nach langem Begehren erneut in Entsagung. Alle drei Schwestern machen als Gouvernanten die Erfahrung der sozialen Erniedrigung, die der Erkenntnis entspringt, Dienste verrichten zu müssen, die weder der eigenen Natur noch den eigenen Fähigkeiten angemessen sind. Der moralische Verfall und Tod des hochbegabten, aber haltlosen, drogensüchtigen Bruders Branwell (1817–1848) schließlich führt die Folgen jedes Normverstoßes leidvoll vor Augen.

Dieser Zwang, sich einer übermächtigen Wirklichkeit beugen zu müssen, und zwar in sozialer, ökonomischer, erotischer und religiöser Hinsicht, wäre wohl von solch intensiv und leidenschaftlich erlebenden Naturen wie denen der drei Schwestern nicht zu ertragen gewesen, hätten nicht, ebenfalls von Kindheit an, Gegenkräfte kompensierend gewirkt. Insbesondere Emily vermag in der Natur, in der Weite der Yorkshiremoore, Zwänge und Begrenzungen hinter sich zu lassen. Allen bietet die Literatur ein Mittel der Entfaltung und Befreiung; sie weist den Weg zu alternativen Welten. Alles, was an literarischen Werken den Weg in das Pfarrhaus von Haworth findet, wird von den Kindern gelesen. Neben den Geschichten aus 1001 Nacht und den *Tales of the genii* gehören *Blackwood's magazine*, eines der anspruchsvollsten Periodika der Zeit, die Werke der Romantiker, vor allem die → Byrons, zur regelmäßigen Lektüre. Die emotionale Reife und Einsicht der Kinder wird weiterhin dadurch gefördert, daß der Vater tagespolitische Probleme mit ihnen wie mit Erwachsenen erörtert (eine lebenslange Verehrung für den Herzog von Wellington rührt daher).

Der enge Familienzusammenhalt stimuliert das gemeinsame, spielerische Verfassen von Literatur. Die Kinder schreiben sich in winziger Schrift und winzigem Format ihr eigenes *Blackwood's magazine*. Ein Geschenk von Spielzeugsoldaten im Juni 1826 läßt sie jahrelang Geschichten spinnen, in deren Mittelpunkt eine Stadt, Glass Town, sowie die Heldentaten und Liebesintrigen von deren Bewohnern stehen. Ein Reich der reinen Imagination wird hier entworfen, abgeleitet aus den monumental-apokalyptischen Bildern John Martins sowie literarischen Vorbildern aller Art, aus afrikanischen Reisebeschreibungen ebenso wie den Werken Byrons. Bald schaffen sich Branwell und Charlotte eine eigene Welt, Angria genannt, Emily und Anne die von Gondal (letztere nur noch in einigen Gedichten überliefert). Auch Angria und Gondal sind exotische Reiche der Phantasie und Literatur. Unmerklich dringt in sie jedoch die Wirklichkeit ein, im Falle von Charlottes Beiträgen kraft einer zunehmend konkreteren Analyse der weiblichen Psyche (»Mina Laury« 1838) sowie durch den Wandel ihres Heldenbildes dank der Einsichten in Branwells Charakter (»Henry Hastings« 1839). Nur konsequent ist, daß aus diesem gemeinsamen Schaffen ein erster, selbstfinanzierter gemeinsamer Gedichtband entsteht (1846) und daß für die ersten Romane, *The professor*, *Wuthering Heights*, *Agnes Grey*, unter den Pseudonymen Currer, Ellis und Acton Bell gemeinsam ein Verleger gesucht wird.

Die Gemeinsamkeiten der Entstehung führen zu Gemeinsamkeiten in der Darstellung. So sind Rochester in Charlottes *Jane Eyre* und Heathcliff in Emilys *Wuthering Heights* unschwer als Versionen des dunklen, geheimnisumwitterten byronischen Helden zu erkennen. Die Gouvernantenproblematik wird in *Jane Eyre* und Annes *Agnes Grey* ausgelotet, die Frauenfrage zudem in Charlottes *Shirley* und Annes *The tenant of Wildfell Hall*. Wichtiger ist, daß alle Werke der Grundspannung von Empirie und Erfahrung zum einen, Imagination und Utopie zum andern entspringen und daß sie diese Grundspannung als Thema von Entsagung und Erfüllung formulieren. An Hand unterschiedlicher Bereiche wie Religion, Liebe, Gesellschaft wird dieses Thema entfaltet. Keiner der Romane schlägt sich – bei aller Unterschiedlichkeit im einzelnen – einschränkungslos auf die Seite der Norm, der Empirie, der Entsagung. So ist es Jane Eyre, die Frau, die Gouvernante, die dem Mann, dem Brotgeber normverletzend ihre Liebe gesteht, »equal – as we are!« (Kap. 23) Und in *Agnes Grey*, *Jane Eyre* und *Wuthering Heights* wird jedem Erlösung verheißen. Kein Wunder, daß religiöse Orthodoxie und konservative Kritik auf dieses sozialrevolutionäre und blasphemische Potential der Romane ablehnend reagierten und *Wuthering Heights* von → Swinburne neu entdeckt werden mußte.

Zur thematischen, einer übergreifenden Problemstellung entspringenden Familienähnlichkeit der Werke der drei Schwestern tritt das Eigene, der Individualstil. Annes Romane, *Agnes Grey* und *The tenant of Wildfell Hall*, verankern kraft eines notierenden Stils auch das Melodramatische und romantisch Entgrenzende in der bürgerlichen Wirklichkeit. Ihre Romane sind auf Biographisches und Konkretes rückführbar, auf die Gouvernantentätigkeit in *Agnes Grey*, auf den moralischen Verfall des Bruders in *The tenant of Wildfell Hall*. Nur für Charlottes dritten Roman, *Shirley*, läßt sich Analoges sagen: Historisierung – der Roman spielt zur Zeit der Ludditenbewegung – und Sozialkritik zielen auf (tages)politische Relevanz. In *Jane Eyre* und *Villette* hingegen werden Un- und Unterbewußtes, Traum und Vision, Utopie und Transzendenz zur Erfahrungswelt der weiblichen Protagonistinnen, deren Psyche mit poetischer Intensität ausgelotet wird. Die Beherrschung ihrer leidenschaftlichen Naturen gelingt den beiden Protagonistinnen bei allem sinnlichen Begehren und rebellischen Aufbegehren dank der Existenz nie bezweifelter, gesellschaftlich und religiös gesicherter, moralischer Normen. Solche bekümmern Emily Brontës Gestalten kaum. Wie die besten ihrer Gedichte, so gründet auch ihr einziger Roman *Wuthering Heights* in einer mystisch-pantheistischen Naturauffassung, in der Amoralität und Unbedingtheit der Leidenschaft und des spirituellen Lebens. Die Fremdartigkeit des Entwurfs, die poetisch evozierte Vision einer außerbürgerlichen Welt werden der bürgerlichen Leserschaft durch zwei Stellvertreterfiguren vermittelt. Insoweit trägt auch Emily Brontë der gesellschaftlichen und moralischen Notwendigkeit Rechnung.

Mit der literarischen Welt Londons hat sie sich freilich nie eingelassen, wie diese auch ihren Roman ablehnt oder schlicht mißachtet. Nur ein Jahr nach seinem Erscheinen stirbt sie an Schwindsucht, ein Jahr später fällt ihre Schwester Anne der Krankheit zum Opfer. *Jane Eyre* hingegen ist erfolgreich, und Charlotte nimmt scheu und streng Fühlung mit der ihr neuen Welt der Londoner Gesellschaft auf, mit ihrem Verleger George Smith, mit → Thackeray, Harriet Martineau und Mrs. → Gaskell (die ihr eine einfühlsame Biographie widmen wird). Sie findet sogar nach langem Zögern Glück in der Ehe, stirbt jedoch neun Monate später. In der Zeit der Werbung und Ehe – der Erfüllung – entsteht wenig; ein letztes Werk, ein Romanbeginn, wird von Thackeray unter dem Titel *Emma* postum ediert. (T)

Hauptwerke: *Poems by Currer, Ellis and Acton Bell* 1846. – Charlotte: *Jane Eyre* 1847. – *Shirley* 1849. – *Villette* 1853. – *The professor* 1857.

Thomas Browne (1605–1682)

Unter den vielen Ärzten, die sich neben ihrem Beruf dem Schreiben widmeten, zählt Browne zu den originellsten und erfolgreichsten. Der gebürtige Londoner genoß in Winchester und Oxford eine sorgfältige Erziehung, bevor er in Montpellier, Padua und Leiden Medizin studierte. 1633 ließ er sich als Arzt zunächst in Yorkshire nieder und zog später nach Norwich um, wo er den Rest seines Lebens verbrachte. Im Bürgerkrieg auf royalistischer Seite stehend, wurde er nach der Restauration in den Adelsstand erhoben.

Sein bekanntestes Werk, *Religio medici,* veröffentlichte er 1643, nachdem bereits ein Raubdruck im Jahr zuvor erschienen war. Das Werk ist der Versuch eines hochgebildeten und umfassend belesenen Mannes, inmitten der verschiedenen intellektuellen und geistlichen Strömungen und Auseinandersetzungen der Zeit, zwischen Aberglaube und neuzeitlicher Naturwissenschaft, zwischen liberaler Theologie und strenger Religiosität, eine eigene geistig-geistliche Position zu finden, in der sich Wissenschaft und Glaube miteinander versöhnen lassen. Die in bildhaftem, hochrhetorischem Stil abgefaßte Schrift wurde ein großer Erfolg und, nachdem sie ins Lateinische übersetzt worden war, in ganz Europa gelesen. Bald als frommes, erbauliches Werk gerühmt, bald als atheistisch denunziert, wurde es schließlich auf den päpstlichen Index gesetzt.

Seine zweite Schrift, *Pseudodoxia epidemica* (1646), in der sich Browne mit verbreiteten Irrtümern seiner Zeit auseinandersetzt, ist ein Dokument für die prekäre intellektuelle Situation eines Menschen dieser Zeit zwischen naturwissenschaftlichem Denken und scholastischer Spekulation. 1658 erschien *Hydriotaphia, or urn burial,* eine Betrachtung über die letzten Dinge, ausgelöst durch die Entdeckung von Urnengräbern, und *Garden of Cyrus,* eine eher schrullig-spekulative Untersuchung über Xenophons Beschreibung des Gartens von Cyrus. Mit seiner locker gefügten, barocken Prosa, in der sich wissenschaftliche Analyse mit theologisch-mystischer Spekulation in oft skurriler und paradoxer Weise mischten, war Browne nicht nur einer der großen, sondern auch ein überaus typischer Schriftsteller seiner Zeit. (W)

Hauptwerke: *Religio medici* 1643. – *Pseudodoxia epidemica* 1646.

Bibliographien: D. Donovan, *Sir Thomas Browne 1924–1966*, Elizabethan bibliographies supplements X (1968). – G. Keynes, *A bibli-*

ography of Sir Thomas Browne 1968. – D. G. Donovan et al., *Sir Thomas Browne and Robert Burton. A reference guide* 1981.

Ausgaben: *The works*, ed. G. Keynes, 4 vols 1928–1931 (repr. 1964). – *Pseudodoxia epidemica*, ed. R. Robbins, 2 vols 1981.

Übersetzung: *Religio Medici. Ein Versuch über die Vereinbarkeit von Vernunft und Glauben*, übers. und hrsg. von W. von Koppenfels 1978 (Henssel).

Biographie: F. L. Huntley, *Sir Thomas Browne. A biographical and critical study* 1962.

Sekundärliteratur: W. P. Dunn, *Sir Thomas Browne. A study in religious philosophy* 1950. – J. Bennett, *Sir Thomas Browne. ›A man of achievement in literature‹* 1962. – L. Nathanson, *The strategy of truth. A study of Sir Thomas Browne* 1967. – J. N. Wise, *Sir Thomas Browne's Religio medici and two seventeenth-century critics* 1973. – *Approaches to Sir Thomas Browne*, ed. C. A. Patrides 1982.

Robert Browning (1812–1889)

Es ist wohl angebracht, der Selbstdiagnose Brownings zu glauben, er habe »a prolonged relation of childhood« verbracht; denn bis zu seiner Heirat im Alter von 34 Jahren verbleibt er im Elternhaus, die Werte seiner musikinteressierten, dem protestantischen Pflichtethos lebenden Mutter übernehmend. Der Vater stellt ihm eine Bibliothek von 6500 Bänden zur Verfügung, aus der sich Browning ein wahrhaft enzyklopädisches Wissen aneignet, etwa durch die Lektüre der fünfzigbändigen *Biographie universelle*. Dabei wird auch Obskures, Abseitiges begierig aufgenommen. Latein, Griechisch, Italienisch, Französisch und Deutsch werden frühzeitig erlernt. Hier wird der Grundstein für Brownings stupendes Vermögen gelegt, historische Situationen und fremde Gedankenwelten lebensvoll und sprachlich virtuos zu beschwören. Auch eine Gefahr seiner Dichtung deutet sich hier an: den Leser sprachlich zu überfordern und ihm stofflich Entlegenes als bekannt oder zentral darzustellen. *Sordello* (1840), eine Verserzählung, welche die Wirrnisse des Welfen-Ghibellinen-Streits im 12./13. Jahrhundert zum Hintergrund und einen Troubadour zum Titelhelden hat, ist ein berühmt-berüchtigtes Beispiel.

Unter dem materiellen Schutz und mit Zustimmung der Eltern bestimmt sich Browning frühzeitig zum Dichter; er erlernt keinen Beruf. 1826 gerät er folgenschwer unter den Einfluß → Shelleys. Sein Atheismus bleibt zwar jugendliche Episode, eine Version des Shelleyschen Idealismus aber wird ihm zum moralisch-ästhetischen Credo: Dem Künstler ist es aufgegeben, das Ideale, Vollkommene im irdisch Realen, Unvollkommenen sichtbar zu machen. Der Kunst (etwa in »Fra Lippo Lippi«, »Andrea del Sarto« 1855, »Abt Vogler« 1864) und der Religion (so in *Christmas-Eve and Easter-Day* 1850, »Bishop Blougram's apology« 1855, »La Saisiaz« 1878) gilt so zwangsläufig und vorrangig Brownings dichterisches Bemühen. Immerwährendes Streben ist künstlerisches, menschliches Los, notwendiges Scheitern – wie in der grandios-surrealen Vision des »Childe Roland to the dark tower came« (1855) – seine Bedingung. Die Epiphanie, die Vereinigung von Subjekt und Objekt, wird fordernd beschworen, allenfalls Eros und Kunst vermögen freilich den »moment eternal« (»Now« 1889), die »good minute« (»Two in the Campagna« 1855) zu zwingen.

Shelleys Wissen, daß sich das Ideal wie das Licht irdisch nur prismatisch gebrochen findet, mag Browning auch bei der Entwicklung der Form beeinflußt haben, deren Meister er geworden ist: des dramatischen Monologs. Nicht unerheblichen Anteil an dieser Entwicklung hat jedenfalls die von John Stuart → Mills Kritik beeinflußte Erkenntnis Brownings, die hemmungslose und morbide Ich-Aussprache seines Erstlingswerks *Pauline* (1833) gefährde Form wie Autor. Wie → Tennyson sucht nun auch Browning Mittel, Subjektivität zu objektivieren. Er findet sie zunächst im historischen Stoff sowie in epischen und dramatischen Formen: *Paracelsus*, eine episch-dramatische Mischform, verschafft ihm einen kritischen Achtungserfolg, der jedoch mit der Veröffentlichung von *Sordello* zunichte gemacht wird. Selbst Tennyson und → Carlyle witzeln über die Obskurität von Stoff und Sprache, eine Einschätzung, die zwanzig lange Jahre eine angemessene Rezeption von Brownings Dichtung verhindert. Auch die Zuwendung zum Theater bringt trotz anfänglicher Unterstützung durch den großen Tragöden Macready und Zugeständnissen an die melodramatische, affektgeladene Situationsdramaturgie der Zeit nicht mehr als Achtungserfolge (*Strafford* 1837; *A blot in the 'scutcheon* 1843).

Im dramatischen Monolog findet Browning das angemessene Ausdrucksmittel. 1836 erscheinen im *Monthly repository* völlig unbeachtet »Porphyria« (später »Porphyria's lover«) und »Johannes Agricola in meditation«; 1842 zeigt schon der Titel der Gedichtsammlung, *Dramatic lyrics*, das Neue an; 1855 schließlich erscheint *Men and women*. In kunstvoller Mündlichkeit stellen sich Brownings Sprecher und Sprecherinnen dar und bloß. Dem Einfluß der sechs Jahre älteren, kränkelnden Elizabeth → Barrett, die Browning 1845 erst brieflich, dann persönlich umwirbt, ein Jahr später schließlich heiratet und nach Italien entführt, ist es zuzuschreiben, daß Brownings Interesse am Morbiden, Abseitigen in dieser Sammlung nicht stärker zum Ausdruck kommt. Seine Hochschätzung, ja Überschätzung ihres Werks ist wohl der Grund dafür, daß seine dichterische Produktion bis zu Elizabeths Tod (1861) gering bleibt. Browning kehrt aus Florenz, wo er mit Elizabeth vorwiegend gelebt hat, nach England zurück, und es entstehen Werke, welche auch die Niederungen des menschlichen Lebens, Verbrechen, Prostitution, pathologische Grenzbereiche, nicht aussparen (*Fifine at the fair*; *Red cotton night-cap country*; *The inn album* 1875). Hierher gehört auch *The ring and the book*, Brownings Meisterwerk. Die Geschichte eines römischen Mordfalls des Jahres 1698 wird in zwölf dramatischen Monologen von Beteiligten und Zuschauern perspektivisch dargestellt. Aus dem Rechtskasus entwickelt Browning ein Epos der Wahrheitssuche.

Mit *The ring and the book* gelingt Browning endgültig der Durchbruch. Bereits in den fünfziger Jahren hatte sich die jüngere Dichtergeneration um Dante Gabriel → Rossetti und Algernon Charles → Swinburne die Sinnenhaftigkeit von Brownings Sprache und Figuren, deren Historisierung sowie die Lust am Pathologischen als Vorbild genommen. Nun wird Browning der Moralist und Optimist (»God's in his heaven – / All's right with the world!«) entdeckt. Oxford und Cambridge ehren ihn. Die 1881 gegründete Browning Society widmet sich der Exegese seiner Weltanschauung. Das umfängliche Alterswerk freilich hat vielfach Gelegenheitscharakter, seien es die Attakken auf den Poetaster Alfred Austin (*Pacchiorotto* 1876), die paraphrasierenden Transkriptionen des Euripides (*Balaustion's adventure* 1871; *Aristophanes' apology* 1875) oder die passend betitelten *Jocoseria* (1883). In *Parleying with certain people of importance in their day*, insbesondere der Zwiesprache mit dem blinden Maler Gerard de Lairesse, erreicht Browning hingegen eine souveräne Freiheit in der assoziativen Gestaltung von Form und Inhalt, die seine Modernität begründet. Zu Recht hat Ezra Pound seinem Meister »Bob Browning« gehuldigt. 1889 stirbt Browning in Venedig. Neben Tennyson liegt er in Westminster Abbey begraben. (T)

Hauptwerke: *Paracelsus* 1835. – *Sordello* 1840. – *Pippa passes* 1841. – *Dramatic lyrics* 1842. – *Dramatic romances and lyrics* 1845. – *Christmas-Eve and Easter-Day* 1850. – *Men and women* 1855. – *Dramatis personae* 1864. – *The ring and the book* 1868/69. – *Prince Hohenstiel-Schwangau* 1871. – *Fifine at the fair* 1872. – *Red cotton night-cap country* 1873. – *La Saisiaz* 1878. – *Dramatic idyls* 1879 und 1880. – *Parleyings with certain people of importance in their day* 1887.

Bibliographien: L. N. Broughton et al., *Robert Browning. A bibliography, 1830–1950* 1953; *Supplement 1951–1970*, ed. W. S. Peterson 1974. – P. Kelley und R. Hudson, *The Brownings' correspondence. A checklist* 1978.

Ausgaben: *The complete works*, ed. C. Porter und H. A. Clarke, 12 vols 1910. – *The complete works*, ed. R. A. King 1969– . – *The poems*, ed. J. Pettigrew, suppl. T. J. Collins, 2 vols 1981. – *Letters, collected by Thomas J. Wise*, ed. T. L. Hood 1933. – *The letters of Robert Browning and Elizabeth Barrett Browning 1845/46*, ed. E. Kintner, 2 vols 1969. – *The Brownings' correspondence*, ed. P. Kelley und R. Hudson 1984– .

Biographien: W. H. Griffin und H. C. Minchin, *The life of Robert Browning* 1938. – B. Miller, *Robert Browning* 1952. – W. Irvine und P. Honan, *The book, the ring, and the poet. A biography of Robert Browning* 1974. – J. Maynard, *Browning's youth* 1977. – D. Karlin, *The courtship of Robert Browning and Elizabeth Barrett* 1985.

Sekundärliteratur: W. C. DeVane, *A Browning handbook* 1955. – R. A. King, *The bow and the lyre. The art of Browning* 1957. – P. Honan, *Browning's characters* 1961. – T. J. Collins, *Robert Browning's moral-aesthetic theory 1833–1855* 1967. – R. A. King, *The focusing artifice. The poetry of Robert Browning* 1968. – I. Jack, *Browning's major poetry* 1973. – C. de L. Ryals, *Browning's later poetry 1871–1889* 1975. – E. W. Slinn, *Browning and the fictions of identity* 1982. – L. Erickson, *Robert Browning. His poetry and his audiences* 1984. – L. D. Martin, *Browning's dramatic monologues and the post-romantic subject* 1985.

George Buchanan (1505–1582)

Der Schotte Buchanan war ein Humanist von europäischem Ruf und zugleich strenger Calvinist. Sein Studium absolvierte er in Paris, wo er wegen Satiren gegen die Franziskaner ins Gefängnis geworfen wurde. Nach seiner Flucht nach Bordeaux lehrte er am College de Guyenne Latein. Montaigne zählte dort zu seinen Schülern. Danach wurde er nach Coimbra berufen, wurde aber dort von der Inquisition wegen Ketzerei angeklagt und mußte sich drei Jahre in einem Kloster verstecken. 1560 kehrte der überzeugte Calvinist nach Schottland zurück, wo er als Mitglied der General Assembly am Hochverratsprozeß seiner ehemaligen Schülerin Maria Stuart mitwirkte. Von 1570 bis 1578 war er Tutor von Jakob VI. und übernahm hohe Staatsämter.

Buchanan schrieb sein umfangreiches Werk fast ausschließlich in Latein, das er meisterhaft beherrschte. Er setzte sich mit Energie dafür ein, Latein zur schottischen Dichtersprache zu erheben. Zu seinen Dichtungen zählen die senecistischen Tragödien *Baptistes* (1533) und *Jephthes* (1544), die in viele Sprachen übersetzt wurden, sowie eine Fülle von Gedichten, die viele englische Dichter, unter ihnen → Sidney, → Spenser und → Milton, beeinflußt haben. In seinen historischen und staatsphilosophischen Schriften trat er für das Recht des Volkes ein, über seinen König zu Gericht sitzen zu können, und geriet damit in Gegensatz zur herrschenden Auffassung vom Gottesgnadentum, die sein ehemaliger Schüler Jakob VI. Stuart, der als Jakob I. Elisabeth auf den englischen Thron folgte, in Theorie und Praxis nachdrücklich vertrat. (W)

Hauptwerke: *Baptistes* 1533. – *Jephthes* 1544.

Ausgaben: *Works*, ed. R. H. Brown 1892. – *Miscellaneorum liber*, in *George Buchanan, prince of poets*, ed. P. J. Ford und W. S. Watt 1982.

Sekundärliteratur: I. D. McFarlane, *Buchanan* 1981. – P. J. Ford und W. S. Watt, *George Buchanan, prince of poets* 1982.

Edward Bulwer-Lytton (1803–1873)

Kaum einer ist den vielfachen Wandlungen des Zeitgeistes eiliger gefolgt und hat ihnen publikumswirksamer Ausdruck gegeben als Edward Bulwer, der Sproß eines alten Geschlechts (der nach dem Tod der Mutter 1843 deren Namen, Lytton, übernimmt). Sein Studium absolvierte der ausgezeichnete Reiter und Boxer in Cambridge (1822–1825). In den zwanziger Jahren führt er in Paris und London das Leben des blasiert-zynischen Dandys der Regencyzeit. Das Zeitalter der Reform sieht ihn als reformfreudigen Abgeordneten im Parlament zu Westminster (1831–1841), in das er nach gut zehnjähriger Abwesenheit 1851 zurückkehrt, nun aber – es ist das Jahr der bürgerlich-industriellen Great Exhibition – als Konservativer, der 1866 als erster Lord Lytton vom Unterhaus in das Oberhaus wechselt. Eine unglückliche, von öffentlichen Auseinandersetzungen begleitete Ehe (1827–1836) mag Bulwers ideales Streben gemindert haben.

Auch in der Literatur ist Bulwer ebenso oft den Zeitströmungen gefolgt, wie er sie initiiert hat. Den Jugendgedichten im Tone → Byrons folgt mit *Pelham* eine *silver fork-novel*, die ihre Vorbilder sowohl durch ihren manierierten Witz wie die Einführung eines kriminalistischen Elements überbietet. Es geht Bulwer, wie er es in seinem programmatischen Essay »On art in fiction« (1838) formuliert, in allen Werken, Romanen wie Dramen, um eine Idealisierung der Wirklichkeit, die kraft dieses Verfahrens absolute Wahrheiten preisgeben soll. Dieser Anspruch hat Bulwer gelegentlich ins Vage, Platte, ja Obskure geführt – etwa in *Zanoni* (1842), einem Gebräu aus Rosenkreuzertum, Kunstproblematik und Französischer Revolution. Im übrigen aber hat sich sein wacher Sinn für die Zeitläufte, den seine frühe kulturkritische Schrift *England and the English* (1833) eindringlich belegt, sowie für die Interessen des Publikums und den Verkaufserfolg bewährt: Dem neuen Genre der *Newgate novel* (*Paul Clifford*, *Eugene Aram*), das im Verbrecher Heroisches entdeckt oder diesen ansatzweise als Opfer der Gesellschaft betrachtet, folgt noch in den dreißiger Jahren mit *The last days of Pompeii* die Umorientierung der Geschichte ins Archäologische und mit *Rienzi* (1835) ins Politische. *The last of the barons* (1843) schließlich überantwortet die Geschichte dem Patriotismus.

Dies sind nur einige Beispiele von Bulwers anpassungswilliger und erfolgsorientierter Vielseitigkeit. Er wendet sich, gefördert von dem großen Tragöden Macready, dem Drama zu und schafft mit *The lady of Lyons* (1838) eines der besten Melodramen des Zeitalters, mit *Money* (1840) die einzige viktorianische Komödie vor Oscar → Wilde, die auch heute noch von Interesse ist. Er unterwirft sich, wenn auch nur widerwillig, in *The Caxtons* dem Realismusgebot der anbrechenden mittviktorianischen Zeit ebenso wie deren epischem Impuls: Das Schicksal einer Familie, nicht eines Individuums steht im Mittelpunkt dieses und weiterer Romane. Dem neu erwachten Interesse am Sagenkreis um König Artus widmet er flugs ein episches Gedicht: *King Arthur* (1848/49). Und noch vor → Butler und → Morris schreibt er eine der *science fiction* nahestehende Utopie, *The coming race*.

So entsteht ein umfängliches Œuvre, zu dem historische Werke und literarische Essays hinzuzurechnen sind. Bulwer ist überdies als Herausgeber zweier einflußreicher Periodika tätig. Daß die Fülle der Tätigkeiten und das zielgerichtete Erfolgsstreben, zunächst aufgenommen, um die eigenen aufwendigen Ansprüche zu befriedigen, dann fortgesetzt, um die eminente Position zu sichern, ihren Preis fordern, liegt auf der Hand. Es ist der Preis, den ein Talent entrichten muß, das seine Gaben, sein Sensorium für den Zeitgeschmack, die Leichtigkeit der Erfindung und des Erzählens, nicht in dem Maße disziplinieren und kultivieren kann, um in einem Zeitalter der Erzählgenies mehr zu werden als ein Talent hohen Grades. (T)

Hauptwerke: *Pelham* 1828. – *Eugene Aram* 1832. – *The last days of Pompeii* 1834. – *The last of the barons* 1843. – *The Caxtons* 1849. – *The coming race* 1871.

Bibliographie: Michael Sadleir, *XIX century fiction. A bibliographical record*, 2 vols 1951.

Ausgabe: *The works*, Knebworth Edition, 37 vols 1874.

Übersetzung: *Die letzten Tage von Pompeji*, übers. von F. Notter 1984 (Insel).

Biographien: *The life, letters, and literary remains of Edward Bulwer, Lord Lytton* by his Son, 2 vols 1883. – S. J. Flower, *Bulwer-Lytton. An illustrated life of the first Baron Lytton, 1803–1873* 1973.

Sekundärliteratur: K. Hollingsworth, *The Newgate novel 1830–1847* 1963. – R. E. Lautz, *Bulwer-Lytton as novelist* 1967. – A. C. Christensen, *Edward Bulwer-Lytton. The fiction of new regions* 1976.

John Bunyan (1628–1688)

Mit Bunyan erhob der »gemeine Mann« seine Stimme in der englischen Literatur. Sein Werk ist gleicherweise Ausdruck einer für die Epoche charakteristischen Religiosität wie für eine volkstümliche Kultur des ländlichen England, die in ihren Wurzeln bis ins Mittelalter zurückreicht. Bunyan kam aus den Midlands, wo er in Bedfordshire als Sohn eines Spenglers geboren wurde. Er besuchte die Dorfschule, möglicherweise auch die Bedford Grammar School, doch der Radius seines Lebens war und blieb durch provinzielle Enge und ärmliche Verhältnisse bestimmt. Bunyan übernahm den Beruf seines Vaters. Im Bürgerkrieg wurde er 1646/47 für die »Independenten« rekrutiert und kam dadurch in Berührung mit dem militanten Puritanismus.

Unter dem Einfluß puritanischer Erbauungsliteratur und der Frömmigkeit seiner Frau vollzog sich unter langen, violenten Konflikten seine Bekehrung – die Loslösung von dem eher liberalen Anglikanismus seines Elternhauses und die Hinwendung zum strikten, konservativen Puritanismus. Ihre Geschichte schrieb Bunyan nahezu zwanzig Jahre später während seiner Gefängniszeit in *Grace abounding* nieder. Ab 1656 predigte Bunyan öffentlich, zunächst in Bedford, später auch andernorts, unter anderem in London. Er war und blieb jedoch Laienprediger und geriet immer wieder in Konflikt mit der »gelehrten« Geistlichkeit. Zugleich begann seine schriftstellerische Tätigkeit, die sich von *Some gospel-truths opened according to the Scriptures* (1656), einer Streitschrift gegen die Quäker, bis *Mr John Bunyan's last sermon* (1689) über die ganze Zeit seiner Wirksamkeit erstreckt. Die meisten der etwa sechzig Titel sind Predigten, Traktate und andere Miszellaneen, die eher als Dokumente puritanischer Religiosität denn als literarische Werke von Interesse sind. Wegen der natürlichen Sprachkraft und der spontanen Glaubensintensität, die für Bunyan charakteristisch sind, kommt ihnen zwar innerhalb des Gesamtwerks Bedeutung zu, aber der moderne Leser findet nur schwer Zugang dazu.

Die allgemeine Wendung gegen den Nonkonformismus nach der Restauration brachte auch Bunyan in Schwierigkeiten. Seine Weigerung, als nicht ordinierter Laie das Predigen einzustellen, brachte ihn, mit Unterbrechungen, für fast ein Dutzend Jahre ins Gefängnis. Die Umstände seiner Haft scheinen indessen erträglich gewesen zu sein. Zumindest erlaubten sie ihm, weiterhin zu schreiben, so daß neben *Grace abounding* noch einige kleinere Schriften entstehen konnten. 1672 kam Bunyan mit der Aufhebung der Strafbestimmungen gegen Puritaner frei. Doch wurde er 1677 nochmals für einige Monate eingesperrt, und während dieser zweiten Gefangenschaft hat er wohl den ersten Teil von *The pilgrim's progress* verfaßt. Das letzte Jahrzehnt seines Lebens war durch rastlose Tätigkeit ausgefüllt. Drei seiner vier großen Werke erschienen in dieser Zeit, und seine seelsorgerischen Aufgaben erfüllte er mit einer ausgedehnten und anerkannten Predigttätigkeit, die sich weit über Bedford hinaus erstreckte. Er soll inoffiziell Hausprediger des Londoner Bürgermeisters gewesen sein. Jede Annäherung an die Kirchenpolitik – vor allem unter Jakob II. – lehnte er jedoch ab. Bunyan starb noch vor der Glorious Revolution – an einer Erkältung, die er sich auf dem Ritt von London nach Reading zuzog, wo er einen Vater mit seinem Sohn versöhnen wollte.

Bunyans Hauptwerke entsprangen dem Urerlebnis der Bekehrung. Sie sind sämtlich »Pilgerreisen«, Beschreibungen des Weges zu Gott, so unterschiedlich sie zunächst in Absicht und literarischer Form auch anmuten mögen. *Grace abounding to the chief of sinners* ist Bunyans spirituelle Autobiographie: »a brief and faithful relation of the exceeding mercy of God in Christ to his poor servant«. Das Buch steht in der Tradition des für den Puritanismus kennzeichnenden öffentlichen Bekenntnisses. Ebenso einfach wie eindringlich geschrieben, ist es nicht nur eine individuelle Seelengeschichte, sondern der Inbegriff der puritanischen Autobiographie und zugleich eines der großen Bekenntnisbücher der Weltliteratur, das häufig den *Confessiones* von Augustinus zur Seite gestellt wird.

The pilgrim's progress transponiert die individuelle Seelengeschichte ins Allgemeine und Typische. Bunyans großes Thema ist der fährnisreiche Weg des Menschen von der »Stadt der Zerstörung« zur »Stadt Gottes«. Die Geschichte von Jedermanns Bekehrung stellt sich in einer Abfolge illustrativer Episoden dar, die in lockerer Erzählfolge miteinander verbunden sind, aber jeweils eine tiefere Bedeutung zu erkennen geben:

> Put by the Curtains, look within my Vail;
> Turn up my Metaphors and do not fail.

Durch die Einfachheit und Prägnanz, mit der Bunyan seine Allegorie ausführt, und durch die lebendige Unmittelbarkeit, die er seinen Charakteren zu geben vermag, ist *The pilgrim's progress*, ungeachtet seiner religiösen Botschaft, zu einem klassischen Werk der englischen Literatur, wenn nicht der Weltliteratur geworden.

The life and death of Mr. Badman ist, obwohl es der Titel anders erwarten läßt, keine Allegorie, sondern eine durch anschauliches Detail gekennzeichnete Darstellung des nicht bekehrten Menschen, dessen Weg in die Verdammnis führt. Das von außen gesehene Geschehen bietet für den heutigen Leser ein faszinierendes Panorama der Bunyan umgebenden Lebenswelt, während es für den zeitgenössischen Leser als Exempel und moralische Ermahnung gedacht war. Den Kampf, der um die Seele und ihr Heil nach puritanischer Auffassung ausgetragen werden muß, veranschaulichte Bunyan in seinem letzten großen, heute jedoch weniger beachteten Werk, *The holy war*.

Es ist eine wohl durch seine Erfahrung als Soldat im Bürgerkrieg mitgeprägte Allegorie von der »Belagerung«, aber letztlich doch »Uneinnehmbarkeit« jener »Zitadelle«, in deren Bild er die christliche Seele und die christliche Kirche sah.

Bunyan galt lange als »naiver«, ungebildeter Autor außerhalb der literarischen Tradition. Doch seit dem späten 19. Jahrhundert setzt sich mehr und mehr die Erkenntnis durch, daß seine literarischen Abhängigkeiten subtiler sind als angenommen wurde und daß seine Kunstfertigkeit als Autor höher eingeschätzt werden muß, als es üblicherweise trotz des Zugeständnisses der Originalität geschieht. (F)

Hauptwerke: *Grace abounding to the chief of sinners* 1666. – *The pilgrim's progress from this world to that which is to come* 1678, second part 1684. – *The life and death of Mr. Badman presented to the world in a familiar dialogue between Mr. Wiseman, and Mr. Attentive* 1680. – *The holy war made by Shaddai upon Diabolus for the regaining of the metropolis of the world* 1682.

Bibliographien: F. M. Harrison, *A bibliography of the works of John Bunyan* 1932 (repr. 1976). – R. L. Greaves, *An annotated bibliography of John Bunyan studies* 1972. – J. F. Forrest und R. L. Greaves, *John Bunyan. A reference guide* 1982.

Ausgaben: *Complete works*, ed. H. Stebbing, 4 vols 1859 (repr. 1970). – *The pilgrim's progress*, ed. R. Sharrock (1960) 1968. – *Grace abounding to the chief of sinners*, ed. R. Sharrock 1962. – *The holy war*, ed. R. Sharrock und J. F. Forrest 1980. – *Miscellaneous works*, ed. R. Sharrock, 11 vols 1976– .

Übersetzungen: *Überströmende Gnade*, übers. von J. Hoene 1982 (Schulte und Gerth). – *Die Pilgerreise* 1986 (Brockhaus). – *Pilgerreise zur ewigen Seligkeit* 1985 (St. Johannis-Druckerei).

Biographien: J. Brown, *John Bunyan (1628–1688). His life, times, and work* 1885; rev. F. M. Harrison 1928. – O. E. Winslow, *John Bunyan* 1961.

Sekundärliteratur: W. Y. Tindall, *John Bunyan, mechanick preacher* (1934) 1964. – H. Talon, *John Bunyan, l'homme et l'œuvre* 1948 (englisch *John Bunyan. The man and his work* 1951 repr. 1976). – R. Sharrock, *John Bunyan* (1954) 1968. – U. M. Kaufmann, *The pilgrim's progress and traditions in Puritan meditation* 1966. – R. L. Greaves, *John Bunyan* 1969. – M. Furlong, *Puritan's progress. A study of John Bunyan* 1975. – *The pilgrim's progress. Critical and historical views*, ed. V. Newey 1980.

Frances (Fanny) Burney (1752–1840)

Fanny Burney war die Tochter des Musikologen Charles Burney, der als bester englischer Kenner der kontinentalen Musik seiner Zeit galt. Er trat durch Berichte über seine musikalischen Reisen nach Frankreich und Italien sowie nach Deutschland und Holland (1771, 1773) und durch eine *General history of music* (1776–1789) hervor. Zur Zeit von Fannys Geburt war Charles Burney Organist in King's Lynn (Norfolk); 1760 zog er nach London, wo er zum engeren Kreis von Samuel → Johnson gehörte, so daß seine Tochter, die ihre Erziehung weitgehend selbst in die Hand nahm, in einer durch und durch literarischen Umgebung aufwuchs.

Ihren ersten Roman schrieb Fanny Burney in jungen Jahren und im Geheimen, so daß die Veröffentlichung von *Evelina, or the history of a young lady's entrance into the world* eine allgemeine Überraschung war. Die Verfasserin wurde sofort berühmt, vereinigte ihr Werk doch die besten Traditionen des englischen Romans. Als Briefroman verwies *Evelina* auf → Richardson, dessen sensible Empfindsamkeit Fanny Burney teilte. Aber *Evelina* war kein sentimentaler Roman, sondern eine Komödie in der Tradition → Fieldings, von dem Fanny Burney auch einige Gestaltungszüge entlieh. Mit Richardson und Fielding teilte sie die Auffassung, daß der Roman literarisches Medium für eine Gesellschaftskritik mit moralischer Absicht sein sollte.

Mit ihrem nächsten Roman, *Cecilia*, war Fanny Burney ebenfalls erfolgreich, nachdem sie sich vergeblich als Dramatikerin versucht hatte. (Von ihren acht Dramen kam nur ein einziges, *Edwy and Elgiva*, 1795 auf die Bühne.) Wie *Evelina* ist *Cecilia* ein Gesellschaftsroman, in dem mit scharfem Blick Schwächen und Fehlverhalten in eleganter Manier analysiert und dem Spott preisgegeben werden. Und wie *Evelina* weist *Cecilia* in Gegenstand und Technik auf Jane → Austen voraus, die zu den zahlreichen Bewunderern Fanny Burneys gehörte.

1786 nahm Königin Charlotte Fanny Burney als Second Keeper of the Robes in ihre Dienste. Diese Aufgabe nahm die junge Autorin bis zur physischen Erschöpfung in Anspruch, so daß sie 1791 um ihre Entlassung bitten mußte. 1793 heiratete sie den aus Frankreich nach London geflüchteten General D'Arblay, mit dem sie in bescheidenen Verhältnissen, aber in glücklicher Ehe zunächst in England, später für längere Zeit in Frankreich lebte. Ihre literarische Karriere nahm sie 1796 mit ihrem dritten Roman, *Camilla*, wieder auf. Sie konnte damit zwar an den Erfolg von *Cecilia* anknüpfen, doch fehlte es dem neuen Roman, wie besonders im historischen Rückblick deutlich wird, an Substanz. Er offenbarte die relativ engen Grenzen, in denen sich Fanny Burney mit ihrem Romanschaffen bewegte. Ihr letzter Roman, *The wanderer*, zu dessen Publikation sie wieder in England war, wo sie dann bis zu ihrem Tode blieb, fand keine gute Aufnahme. Danach veröffentlichte sie, als Denkmal für ihren Vater, nur noch die *Memoirs of Dr Burney* (1832).

Fanny Burney führte lange ein Tagebuch, das in fast noch höherem Maße als die Romane ihre Zeit dokumentiert. Eine mit Schüchternheit gepaarte Beobachtungsgabe und die Fähigkeit, Gesehenes und Erlebtes spontan mitzuteilen, verleihen diesen Aufzeichnungen einen eigenen Reiz und machen das Tagebuch zu einem Werk, das die Romane deutlich überragt. Die definitive Ausgabe, die auch die Briefe einschließt, ist erst jüngst zum Abschluß gekommen, und sie könnte Anlaß sein, Fanny Burneys Platz in der Literaturgeschichte neu zu bestimmen. (F)

Hauptwerke: *Evelina, or the history of a young lady's entrance into the world*, 3 vols 1778. – *Cecilia, or memoirs of an heiress*, 5 vols 1782. – *Camilla, or a picture of youth*, 3 vols 1796. – *The wanderer, or female difficulties*, 5 vols 1814.

Bibliographie: J. A. Grau, *Fanny Burney. An annotated bibliography* 1981.

Ausgaben: *Evelina*, ed. E. A. Bloom 1968. – *Camilla, or a picture of youth*, ed. E. A. und L. D. Bloom 1972. – *The journals and letters of Fanny Burney*, ed. J. Hemlow et al., 12 vols 1972–1984. – *Selected letters*, ed. J. Hemlow 1986. *The early journals and Letters of Fanny Burney, ed. L. E. Troide 1988–* .

Biographie: J. Hemlow, *The history of Fanny Burney* 1958.

Sekundärliteratur: E. White, *Fanny Burney, novelist. A study in technique* 1960. – J. Simons, *Fanny Burney* 1987. – D. D. Devlin, *The novels and journals of Fanny Burney* 1987. – K. Straub, *Divided Fictions. Fanny Burney & feminine strategy* 1987.

Robert Burns (1759–1796)

Unter den Dichtern des 18. Jahrhunderts gibt es eine Reihe von »bäuerlichen« Naturtalenten, und Schottlands Nationaldichter, der jedes Jahr in der »Burns night« am 25. Januar gefeiert wird, ist der größte und bedeutendste unter ihnen. Er wuchs als Sohn eines Kötters in Ayrshire auf und war zunächst selbst Landarbeiter, obwohl sein Vater ihm eine für die Umstände gute Schulbildung zu geben versuchte. Harte körperliche Arbeit und soziale Ungerechtigkeit gehörten zu seinen frühen Erfahrungen und ließen ihn zu einem Anhänger der Französischen Revolution werden. Die Auflehnung gegen das Bestehende gehörte zu seinen geistigen und literarischen Antrieben.

Burns schrieb offenbar schon früh schottische Gedichte, und einige seiner bekannteren stammen wohl aus der Zeit um 1785, als er nach dem Tode des Vaters zusammen mit seinem Bruder eine kleine Landwirtschaft in Mossgiel betrieb. Seine zahlreichen Liebesaffären (zunächst mit Jean Armour, die er drei Jahre später heiratete) komplizierten sein Leben so, daß er nach Jamaica auswandern wollte. Doch alles änderte sich für ihn, als ein Verleger in Kilmarnock seine *Poems chiefly in the Scottish dialect* herausbrachte und ihr unmittelbarer Erfolg ihn zu einer besonders den Damen zugeneigten Zelebrität der Edinburgher Gesellschaft machte. Henry Mackenzie, dessen *Man of feeling* Burns stark beeinflußte, feierte in einem *Lounger*-Essay seine »divinity of genius« und begrüßte ihn als »Heaven-taught ploughman«. Eine bald folgende zweite Auflage der Gedichte kam bei dem führenden Edinburgher Verleger William Creech heraus.

Ohne seine schottische Dichtung ganz aufzugeben, begann Burns, der mit gleicher Leichtigkeit über das Englische verfügte, auch in der modisch-sentimentalen Manier der Zeit zu schreiben, so daß in seinem Werk originale schottische Dichtung neben adaptierter englischer steht. Die Aufforderung, bei der Sammlung traditioneller schottischer *songs* für das von James Johnson herausgegebene *Scots musical museum* (1787–1803) mitzuwirken, empfand Burns als patriotische Pflicht, die er mit großem Eifer erfüllte. Viele seiner besten und bekanntesten Gedichte sind Bearbeitungen oder Neudichtungen solcher Liedtexte. Auch zu einer späteren, von George Thomson initiierten Sammlung, *A select collection of original Scotish airs*, trug Burns eigene Gedichte bei.

Die ihm verbleibenden Lebensjahre verbrachte Burns zunächst auf einem kleinen Hof bei Dumfries, der nichts abwarf, später in Dumfries selbst als Steuereinnehmer. Sein letztes größeres Werk entstand dort, *Tam O'Shanter*, ein balladenartiges, erzählendes Gedicht mit übernatürlichen Elementen. Burns starb, frühzeitig erschöpft, in jungen Jahren an einem rheumatischen Fieber. Er ist nicht als originaler Neuerer in die Literaturgeschichte eingegangen, sondern als ein Autor, der Bestehendes vervollkommnete und vollendete. Er erhielt das Schottische in einem Augenblick, da es durch das Englische verdrängt zu werden drohte, und er bewahrte mit hoher Kunstfertigkeit die einfache Form. (F)

Hauptwerke: *Poems chiefly in the Scottish dialect* 1786. – Beiträge zu *The Scots musical museum* 1787–1803, und zu *A select collection of Scotish airs* 1793–1818. – *Tam O'Shanter* 1791.

Bibliographie: J. W. Egerer, *A bibliography of Robert Burns* 1964; Ergänzungen von G. R. Roy 1966.

Ausgaben: *The poems and songs*, ed. J. Kinsley, 3 vols 1968. – *The letters*, ed. J. De Lancey Ferguson, rev. G. R. Roy, 2 vols 1985.

Übersetzung: *Liebe und Freiheit. Lieder und Gedichte* (englisch-deutsch), hrsg. von R. Camerer, R. Selle, H. Meller und J. Utz 1986 (F. Schneider).

Biographie: R. T. Fitzhugh, *Robert Burns, the man and poet. A round, unvarnished account* 1970.

Sekundärliteratur: M. Lindsay, *The Burns encyclopedia* (1959) 1970. – T. Crawford, *Burns. A study of the poems and songs* 1960. – D. Daiches, *Robert Burns* (1959) 1970. – *Critical essays on Robert Burns*, ed. D. A. Low 1975. – M. E. Brown, *Burns and tradition* 1984.

Robert Burton (1577–1640)

Mit sechzehn Jahren trat Burton in das Brasenose College in Oxford ein, wo er sein ganzes weiteres Leben zubrachte. Seine Einkünfte bezog er aus Pfarrstellen, die er jedoch nicht versah; statt dessen wirkte er als Bibliothekar seines Colleges. Sein Ruhm gründet sich auf ein einziges Buch, *The anatomy of melancholy* (1621). Seine übrigen Dichtungen sind gegenüber diesem Werk bedeutungslos. Burton war ein unersättlicher Leser, der die Fülle seiner Lesefrüchte in Tausenden von Zitaten und Anspielungen in sein großes Werk einbrachte, das der Beschreibung und Analyse der Melancholie, einer damals weitverbreiteten, bis zur Krankheit sich steigernden und zugleich sehr modischen Seelenstimmung, gewidmet ist. Der erste Teil behandelt die Ursachen, Symptome und Prognosen der Melancholie, der zweite verschiedene Formen der Therapie; im letzten Teil werden die häufigsten Erscheinungsformen dieser Krankheit, die religiöse Melancholie und die Liebesmelancholie, beschrieben.

Obwohl Burton → Bacon verehrte und dessen wissenschaftliche Methode kannte, folgte er der scholastischen Tradition, Autoritäten zu zitieren und gegeneinander abzuwägen, statt empirisch zu untersuchen. Der Charme des Buches besteht in den vielen gelehrten Abschweifungen und oft abstrusen Spekulationen, in den zahlreichen eingeflochtenen Anekdoten und in der schrulligen Pedanterie, mit der Burton sich auch mit entlegenster Literatur auseinandersetzt. Er war ein glänzender Stilist, der die Fülle von Beobachtungen, krausen Einfällen, Zitaten und Anspielungen in barockem Stil darzustellen verstand. Noch zu seinen Lebzeiten erschienen fünf Auflagen des Werkes. Als unerschöpfliche Sammlung von Spekulationen und Betrachtungen über die menschliche Existenz fand es in allen Jahrhunderten seine Leser. (W)

Hauptwerk: *The anatomy of melancholy* 1621.

Bibliographien: P. Jordan-Smith, *Bibliographia Burtoniana. A study of Robert Burton's The anatomy of melancholy* 1931. – D. Donovan, *Robert Burton 1924–1966*, Elizabethan bibliographies supplements X (1968). – D. G. Donovan et al., *Sir Thomas Browne and Robert Burton. A reference guide* 1981.

Ausgabe: *The anatomy of melancholy* ed. H. Jackson, 3 vols 1932.

Übersetzungen: *Anatomie der Melancholie*, übers. von U. Horstmann 1988 (Artemis); ausgewählt und übers. von W. von Koppenfels 1988 (Dieterich).

Sekundärliteratur: B. Evans, *The psychiatry of Robert Burton* 1944. – J. R. Simon, *Robert Burton (1577-1640) et l'anatomie de la mélancolie* 1964. – R. A. Fox, *The tangled chain. The structure of disorder in the Anatomy of melancholy* 1976. – M. Heusser, *The gilded pill* 1987.

Samuel Butler (1612–1680)

Anders als sein Namensvetter im 19. Jahrhundert verdankt der Satiriker des 17. Jahrhunderts seinen literarischen Ruhm einem einzigen Werk, das er als reifer Mann über einen Zeitraum von fünfzehn Jahren schrieb. Butler wurde als Bauernsohn in

Worcestershire geboren und war, nach einer nicht sicher verbürgten Ausbildung in Oxford oder Cambridge, zunächst bei Elizabeth, Countess of Kent, und verschiedenen adligen Herren als Sekretär tätig. Über seinen Werdegang und seine frühen Jahre ist wenig bekannt, und es gibt nur die Vermutung, daß er sich einige Zeit in Frankreich und Holland aufgehalten hat.

Unter dem Protektorat Cromwells hat Butler kaum etwas veröffentlicht, doch ist wohl in den beiden Jahren vor der Restauration der erste Teil von *Hudibras* entstanden, einem Gedicht in drei Büchern. Das erste Buch erschien 1662 und war mit neun Auflagen in einem Jahr ein spontaner Erfolg. Der zweite Teil folgte 1663, der von den Zeitgenossen besser als von der Nachwelt aufgenommene dritte 1678.

Hudibras ist am besten als eine Anti-Romanze gekennzeichnet, die ihre literarischen Anknüpfungspunkte bei → Spenser und bei Cervantes hat. Aus Spensers *Faerie Queene* stammt der Name des Helden, wiewohl der Charakter nach einem von Butlers früheren Dienstherren gezeichnet ist. An Cervantes ist die satirische Konzeption orientiert, wenngleich die Ausführung hinter *Don Quixote* zurückbleibt. *Hudibras* ist in politischer und religiöser Hinsicht ganz in die Epoche verstrickt, und diese Zeitgebundenheit versperrt dem modernen Leser vielfach den Zugang zu diesem großen, aber letztlich irritierenden Gedicht.

Lebendig geblieben ist Butlers dichterische Tour de force. *Hudibras* ist in Knittelversen geschrieben, deren Reime häufig einfallsreich und witzig sind. Gegenüber dem üblicherweise benutzten gereimten Pentameter sind Butlers Knittelverse von so vollendet satirischer Wirkung, daß »hudibrastisch« zu einem eigenen literarischen Terminus geworden ist. Als Dokument der Zeit, besonders als Ausdruck der Auflehnung gegen politische und religiöse Unfreiheit, behält *Hudibras* indessen seine Bedeutung; daß Karl II. lange Passagen des Gedichts auswendig lernte, spricht für sich.

Butler, der in Armut und Vergessenheit starb, hinterließ eine Sammlung von essayistischen Charakterbildern, die sich als Nachahmung von Theophrasts berühmten literarischen Porträts menschlicher Typen verstanden. Das Genre wurde bis ins 18. Jahrhundert gepflegt, oft im Rahmen der Satire, und Butlers Vignetten gehören zu den wichtigsten und zeitgeschichtlich interessantesten Versuchen, Theophrast zu modernisieren. (F)

Hauptwerke: *Hudibras* 1663–1678. – *Posthumous works in prose and verse*, 3 vols 1715–1717.

Bibliographie: L. Lamar in *Complete works* vol 3.
Ausgaben: *Complete works*, ed. A.R. Waller und L. Lamar, 3 vols 1905–1928. – *Hudibras*, ed. J. Wilders 1967. – *Characters*, ed. C.W. Daves 1970. – *Prose observations*, ed. H. De Quehen 1979.
Übersetzung: *Von Schwätzern, Schwärmern und Halunken. Charakterbilder und Aphorismen*, übers. von J. Schlösser, Vorwort von A. Schlösser 1984 (Dieterich).
Sekundärliteratur: E.A. Richards, *Hudibras in the burlesque tradition* 1932 (repr. 1972). – R. Norrman, *Samuel Butler and the meaning of chiasmus* 1986.

Samuel Butler (1835–1902)

Als ältester Sohn eines Pfarrers und Enkel eines Bischofs ist Samuel Butler wie selbstverständlich zum Priesterberuf ausersehen. Wie bei so manchem seiner Zeitgenossen sind jedoch Skepsis und Agnostizismus die Folgen eines philologisch-kritischen Studiums des Neuen Testaments während der Studienzeit in Cambridge (1854–1858) und – für Butler typisch – das Ergebnis praktischer Effizienzüberlegungen zur Kindtaufe. Er überwirft sich mit dem Vater und geht als Schafzüchter nach Neuseeland (1859–1864). Mit verdoppeltem Kapital kehrt er zurück, um nun sein Leben nach seinen Vorstellungen einzurichten. Er baut sich für die äußere Lebensführung eine Fassade der schützenden, ja pedantischen Regelmäßigkeit (die etwa seine Besuche bei »Madame« zum zeitlich und preislich festgelegten, wöchentlichen Ritual macht). Er handelt nur – reist in Geschäftsangelegenheiten nach Kanada (1874/75), streitet erneut mit dem Vater –, als durch einen Bankzusammenbruch sein Lebensunterhalt gefährdet ist. Der Tod des Vaters (1886) sichert ihm endgültig ein Leben der Muße und Reisen.

Samuel Butler benötigt diese gesicherte Regelmäßigkeit im Äußeren, um zum einen seinen weitgespannten künstlerischen Neigungen nachgehen, um zum anderen seinem Lebensziel folgen und ikonoklastisch die Orthodoxien des Zeitalters in Frage stellen zu können. (Ob hierdurch überdies homoerotische Neigungen diszipliniert werden sollen – Butler sucht immer wieder die Freundschaft jüngerer Männer –, bleibt Sache der Spekulation.) Er beginnt, Malerei zu studieren, und stellt bis 1876 elf Bilder in der Royal Academy aus. Er beginnt auch – zusammen mit Henry Festing Jones – zu komponieren: *Narcissus: a can-*

tata in the Handelian form wird 1886 aufgeführt. Und er greift unentwegt festgefahrene Urteile an, stets ausgezeichnet informiert, dennoch oft am Rande des Schrullig-Exzentrischen, sei es, daß er eine Zeichnung in Basel als echten Holbein, den Autor der *Odyssee* als Autorin (*The authoress of the Odyssey* 1897) oder die einzig korrekte Sequenz von → Shakespeares Sonetten und die Identität der Akteure (*Shakespeare's sonnets reconsidered* 1899) beweisen will. Es ist dieses grundsätzliche Infragestellen des Überlieferten, das Butler zu einem Meister des aphoristischen Miniaturessays macht, der polemisiert oder feststellt, nicht aber begründet oder die eigene Position rechtfertigt. Sorgfältig geordnet und revidiert entsteht so ab 1874 eine mehrbändige Sammlung von *Note-Books*.

Die zwei großen Ideologien des 19. Jahrhunderts, Christentum und Naturwissenschaft in Gestalt von Darwins Evolutionstheorie, attackiert er unentwegt und lebenslang. Dem Christentum hält er vor allem dessen kommerzielle Doktrin der Entsagung vor (*The fair haven* 1873), dem Darwinismus seine mechanistische Gesetzesmaschinerie, das »pitch-forking ... of mind out of the universe« (*Life and habit* 1877). Er tut dies mit glänzenden literarischen Mitteln, mit Hilfe der satirischen Inversion und Ironie, der Dramatisierung und Perspektivierung der Standpunkte. Es sind diese Mittel, dazu Introspektion und mobile Erzählperspektive, die seinen beiden Romanen ihre erzählerische Modernität verleihen. Seine thematische Aktualität erhält *Erewhon*, Neubelebung des utopischen Genres, durch seine Swiftschen Inversionen und Radikalisierungen viktorianischer Institutionen, wie der Kirche als »Musical Bank«, der Universitäten als »Colleges of Unreason«. In *The way of all flesh* nutzt Butler die eigene Erfahrung, um mit der Familie und dem evangelikalen Pflicht- und Strafethos abzurechnen. Aus Rücksicht auf die Familie erscheint der Roman postum.

So verständlich Butlers Verlangen nach spirituellen, vitalistischen Erklärungen der Naturgeschichte sein mag – und immerhin hat ein → Shaw Butlers Ansichten übernommen –, so geistreich und formal geschickt er auch die gegnerischen Positionen attackiert, so flach bleiben zumindest aus heutiger Sicht die eigenen. Er setzt auf den Instinkt bzw. das unbewußte Selbst als Maßstab des Handelns sowie auf einen Hedonismus der Materialität, inkarniert im Gentleman: »The example of a gentleman is ... the best of all gospels.« Nicht nur in der äußeren Lebensführung bleibt Butler seiner Zeit verhaftet. (T)

Hauptwerke: *Erewhon* 1872. – *Erewhon revisited* 1901. – *The way of all flesh* 1903.

Bibliographie: S. B. Harkness, *The career of Samuel Butler (1835–1902). A bibliography* 1955.

Ausgabe: *The Shrewsbury edition of the works*, ed. H. F. Jones und A. T. Bartholomew, 20 vols 1923–1926.

Biographie: H. F. Jones, *Samuel Butler, author of Erewhon (1835–1902). A memoir*, 2 vols 1919.

Sekundärliteratur: P. N. Furbank, *Samuel Butler* 1971. – B. Willey, *Darwin and Butler. Two versions of evolution* 1960. – U. C. Knoepflmacher, *Religious humanism and the Victorian novel. George Eliot, Walter Pater and Samuel Butler* 1965. – T. L. Jeffers, *Samuel Butler revalued* 1981. – R. Norrman, *Samuel Butler and the meaning of chiasmus* 1986.

George Gordon Byron (1788–1824)

»European nineteenth-century culture is as unthinkable without Byron as its history would be without Napoleon« (Northrop Frye). Byron war eine Symbolfigur für das romantische Lebensgefühl wie für den politischen Liberalismus seiner Zeit. Wie kein anderer englischer Autor schlug er mit seiner düsteren Melancholie, seiner notorischen Libertinage und seinem prophetischen Freiheitsstreben die Phantasie des Kontinents in seinen Bann, und seine brillanten Dichtungen fanden überall größte Bewunderung.

Byron entstammte der zweiten Ehe seines Vaters (Sohn eines Admirals) mit einer schottischen Adligen, die Jakob I. unter ihre Vorfahren zählte. Seine Schwester Augusta, mit der ihn später mehr als geschwisterliche Zuneigung verbinden sollte, war aus der ersten Ehe hervorgegangen. In London geboren, wuchs er in Aberdeen auf, wohin sich seine Mutter zurückzog, nachdem der Vater, attraktiv aber liederlich, das Vermögen durchgebracht hatte. Byron hatte einen angeborenen Klumpfuß und lebte, sensibel und irritabel, in ständigem Bewußtsein dieses körperlichen Defekts. Manches in seinem extravagant-exzentrischen Verhalten mag damit zusammenhängen. 1798 erbte er von seinem Großonkel Adelstitel und Familienbesitz (Newstead Abbey). Seine Schulzeit in Harrow und seine Universitätszeit in Cambridge waren eher durch Eskapaden und Debaucherien als durch ernsthaftes Studium gekennzeichnet. Doch erschienen noch während seiner Studentenzeit als Privatdruck *Fugitive pieces*, seine ersten Gedichte, denen bald die Gedichtsammlung *Hours of idleness* folgte. Eine abschätzige Rezension in der *Edinburgh review* veranlaßte ihn zu einer an → Popes *Dunciad* orientierten und zunächst anonym publizierten Literatursatire *English bards and Scotch reviewers*, die mit jugendlichem Überschwang auch die Dichter der älteren Romantik kritisierte. Sie begründete Byrons literarischen Ruhm.

Mit seinem Studienfreund John Cam Hobhouse unternahm Byron 1809 eine ausgedehnte Mittelmeerreise, die ihn bis Troja führte. Als »Land der Sonne« beeindruckte ihn Griechenland so tief, daß es für ihn zum symbolischen Ort von Offenheit und Freiheit wurde. Seine Briefe von dieser Reise sind Dokumente der lebensvollen Erfahrung einer neuen Welt. Der eigentliche literarische Ertrag waren jedoch die ersten beiden (auf der Reise begonnenen) Bücher von *Childe Harold's pilgrimage* (1812), ein quasi-episches Gedicht in → Spenser-Stanzen, das trotz Byrons gegenteiliger Versicherung autobiographisch ist. Harold ist der erste der zwischen Melancholie und Tatendrang, zwischen Misanthropie und Weltbejahung oszillierenden Byronschen Helden, und das Gedicht bringt, wie kein anderes Literaturwerk der Zeit, die Kluft zwischen den romantischen Idealen und der ernüchternden Wirklichkeit der nach-napoleonischen Ära zum Ausdruck. Es machte Byron nach seinen eigenen Worten über Nacht berühmt und zu einem gefeierten Star in Kreisen radikaler Whigs.

Byrons Privatleben in den Londoner Jahren zwischen 1811 und 1816 war turbulent. Einem Verhältnis mit der exzentrischen und verheirateten Lady Caroline Lamb (sie charakterisierte Byron als »mad, bad, and dangerous to know«) folgte die skandalumwitterte Liaison mit seiner Halbschwester Augusta. Aus diesen und anderen Verwicklungen suchte Byron einen Ausweg in der Ehe mit Annabella Milbanke, der Nichte seiner Vertrauten (Lady Melbourne), die sich jedoch (nach der Geburt eines Kindes) bald wieder von ihm trennte. In den orientalischen Verserzählungen, die Byron 1813 und 1814 in schneller Folge schrieb, spiegeln sich diese Liebeserlebnisse. *The Giaour* ist die Geschichte der Liebe einer Sklavin zu einem Byronschen Helden; *The bride of Abydos* die Geschichte der Liebe zwischen Halbgeschwistern (in der veröffentlichten Fassung zwischen Cousin und Cousine); *The corsair* die Geschichte eines edlen Piraten (»that man of loneliness and mystery«). Von *The*

Giaour wurden acht Auflagen in sieben Monaten verkauft, von *The corsair* 10000 Exemplare am ersten Tag – für den Verleger John Murray »a thing perfectly unprecedented«.

Der literarische Erfolg ersparte Byron nicht die moralische Verurteilung seiner Person durch ein engstirniges Publikum, das an seinen Affären und seiner Bisexualität Anstoß nahm. Verbittert verließ er England und ging in ein Exil, aus dem er nicht zurückkehren sollte. Nach einer Reise rheinaufwärts in Begleitung seines Freundes Hobhouse ließ er sich zunächst unweit von Genf nieder. Dort trat er in freundschaftliche Verbindung mit → Shelley. Aus einem schon in London bestehenden Verhältnis mit der Stiefschwester von Mary Shelley, Claire Clairmont, ging eine Tochter hervor, die später bei ihm in Italien aufwuchs. Byron nahm seine literarischen Arbeiten wieder auf und schrieb zunächst den dritten, wiederum autobiographisch bestimmten Teil von *Childe Harold's pilgrimage* (1816). Aus einer Tour im Berner Oberland ergab sich die Szenerie für *Manfred*, ein durch Goethe beeinflußtes faustisches Drama voll Düsterkeit und innerer Zerrissenheit, das nochmals eine Gestaltung persönlicher und zugleich spezifisch romantischer Tragik ist. Wie die meisten romantischen Dramen ist es ein Lesedrama (Byron sprach von »mental theatre«). Es kam erst 1834 in London auf die Bühne.

Mit der Übersiedelung nach Italien begann eine überaus produktive Phase seines Schaffens. Nach Abschluß des vierten und letzten Teils von *Childe Harold* entstand *Beppo*, »eine venezianische Geschichte« im komisch-heroischen Stil, die den Satiriker Byron von einer gänzlich neuen Seite zeigte. Bald danach begann Byron, der nun in einem Palazzo am Canale Grande residierte, mit der Arbeit an seinem Hauptwerk, *Don Juan*, dessen beiden erste Gesänge fast gleichzeitig mit *Mazeppa* erschienen, einem kürzeren erzählenden Gedicht, das ebenfalls den Übergang zu einer neuen Dichtart markiert. *Don Juan*, trotz seiner sechzehn Gesänge unvollendet, ist von epischen Dimensionen und bietet sich in seiner Mannigfaltigkeit von Erlebnissen und Themen als eine Art pikaresker Versroman dar, der auf das Reflexionsniveau romantischen Selbsterlebens und romantischer Selbstdistanz transponiert ist. Die locker verknüpften Episoden werden von einer Zentralfigur zusammengehalten, die – weit entfernt vom Byronschen Helden – ein eher passiver und rezeptiver Charakter mit einem breiten, Skepsis wie Sarkasmus, Ironie wie Frivolität einschließenden Reaktionsspektrum. Der Wechsel vom Satirischen zum Lyrischen, vom Dramatischen zum Narrativen gelingt Byron durchweg mit so unnachahmlicher Mühelosigkeit, daß Goethe *Don Juan* als Byrons »eigenstes« Werk ansah.

Die Begegnung mit der jungen Teresa, Gräfin Guiccioli, veränderte Byron, den Shelley und andere Besucher dick, gealtert und in sexuelle Promiskuität verfallen vorfanden. Er entbrannte, als *cavalier servant* akzeptiert, in Leidenschaft zu ihr, folgte ihr nach Ravenna und geriet durch ihren Vater und ihren Bruder in revolutionäre Kreise. Unter ihrem Einfluß entstand das von italienischem Nationalismus durchdrungene Gedicht *The prophecy of Dante*, das in innerem Zusammenhang mit zwei in Venedig spielenden Dramen steht (*Marino Faliero*, 1821, und *The two Foscari*, 1822, die Grundlage für Verdis gleichnamige Oper von 1844) und einem »römischen«, auf dem Werk des Geschichtsschreibers Diodorus Siculus basierenden Drama (*Sardanapalus*). Nur *Marino Faliero* wurde, gegen Byrons Absicht, in London aufgeführt. *Cain*, ein dreiteiliges, ebenfalls nicht für eine Aufführung gedachtes Drama (»a mystery«) stieß, weil als blasphemisch angesehen, verbreitet auf Ablehnung. *The vision of judgement*, Byrons Satire auf das gleichnamige, als mißglückt empfundene Gedicht, das → Southey als Hofdichter zum Tode Georg III. verfaßt hatte, erschien in Leigh → Hunts Periodikum *The liberal*, an dem Byron weniger Anteil nahm als Hunt erhofft hatte. Byrons letztes großes Werk war die Tragödie *Werner*, ein düsteres, in Deutschland spielendes Stück, das er Goethe widmete.

In der Hoffnung, sich durch eine »edle« Tat gegenüber seinen Landsleuten salvieren zu können, wurde Byron Mittelsmann für das London Greek Committee, das die Griechen in ihrem Kampf gegen die Türken unterstützte. Mit einem gecharterten Schiff begab er sich im Juli 1823 nach Griechenland, um materielle Hilfe und finanzielle Unterstützung (auch aus eigenen Mitteln) zu bringen. Er rekrutierte selbst eine kleine Truppe und entwarf Pläne zum Angriff auf eine türkische Festung. Doch bevor seine Hilfe wirksam werden konnte, erkrankte Byron ernstlich. Er starb, 36jährig, im April 1824 an einem Erkältungsfieber, trotz Enttäuschungen bis zuletzt von Enthusiasmus für die Sache der Griechen erfüllt. In Griechenland als Nationalheld gefeiert, wurde er in England zurückgewiesen. Man verweigerte ihm die Bestattung in Westminster Abbey; erst 1969 wurde dort eine Gedenktafel für ihn angebracht.

Für den modernen Leser liegt Byrons Bedeutung vornehmlich in seinen ironisch-satirischen Werken, mit denen er als der größte Dichter seiner Epoche die satirische Tradition der englischen Literatur ins 19. Jahrhundert fortführte. Zudem gewinnen seine Briefe und Tagebücher zunehmend an Interesse – als Dokumente einer Persönlichkeit, die im beginnenden Zeitalter prosaischer Bürgerlichkeit den Versuch unternahm, sich als romantischer Mythos zu projizieren. (F)

Hauptwerke: *English bards and Scotch reviewers. A satire* 1809. – *Childe Harold's pilgrimage* 1812–1818. – *The Giaour. A fragment of a Turkish tale* 1813. – *The bride of Abydos. A Turkish tale* 1813. – *The corsair. A tale* 1814. – *Manfred. A dramatic poem* 1817. – *Beppo. A Venetian story* 1818. – *Don Juan* 1819–1824. – *Cain* 1822. – *The vision of judgement* 1822. – *Werner. A tragedy* 1823. – *Letters and journals of Lord Byron*, 2 vols 1830.

Bibliographien: T. J. Wise, *A bibliography of the writings in verse and poem of George Gordon Noël, Baron Byron*, 2 vols 1933 (repr. 1962, 1972). – O. J. Santucho, *George Gordon, Lord Byron. A comprehensive bibliography of secondary materials in English 1807–1974* 1977.

Ausgaben: *Complete poetical works*, ed. J. J. McGann *1980–* . – *Poetical works*, ed. F. Page, rev. J. Jump (1945) *1979*. – *Letters and journals*, ed. L. A. Marchand, 12 vols 1973–1982. – *Don Juan*, ed. T. G. Steffan und W. W. Pratt, 4 vols (1957) 1971.

Übersetzungen: *Sämtliche Werke*, übers. von O. Gildemeister, A. Neidhardt, A. Seubert u.a., hrsg. von S. Schmitz, 3 Bde 1977/78 (Winkler). – *Briefe und Tagebücher*, hrsg. von L. A. Marchand, übers. von T. Jacobsen 1985 (Fischer).

Biographien: L. A. Marchand, *Byron. A biography*, 3 vols 1957. – L. A. Marchand, *Byron. A portrait* 1971.

Sekundärliteratur: E. M. Butler, *Byron and Goethe. Analysis of a passion* 1956. – A. Rutherford, *Byron. A critical study* 1961. – W. H. Marshall, *The structure of Byron's major poems* 1962. – P. L. Thorsler, Jr., *The Byronic hero. Types and prototypes* 1962. – L. A. Marchand, Byron's poetry. A critical introduction 1965. – J. J. McGann, *Fiery dust. Byron's poetic development* 1968. – B. Blackstone, *Byron. A survey* 1975. – J. J. McGann, *Don Juan in context* 1976. – P. J. Manning, *Byron and his fictions* 1978. – *Byron's political and cultural influence in nineteenth-century Europe. A symposium*, ed. P. G. Trueblood 1981. – P. W. Martin, *Byron. A poet before his public* 1982. – G. Hoffmeister, *Byron und der europäische Byronismus* (Erträge der Forschung) 1983. – P. Vassallo, *Byron. The Italian literary influence* 1984. – F. L. Beaty, *Byron the satirist* 1985. – F. Garber, *Self, text, and Romantic irony. The example of Byron* 1988. – M. Corbett, *Byron and tragedy* 1988. – N. Page, *A Byron chronology* 1988.

Caedmon (2. Hälfte des 7. Jahrhunderts)

Caedmon ist der erste Dichtername, der in der Geschichte der englischen Literatur überliefert ist. Beda berichtet in der *Historia ecclesiastica gentis Anglorum* (IV, 24), daß Caedmon ein ungebildeter Viehhirte war, der im Kloster Streoneshalh Whitby) lebte, das der Äbtissin Hild unterstand. Er wird als ein Mann geschildert, der niemals Lieder lernte und beim Festgelage immer den Raum verließ, sobald er sah, daß ihm die Harfe gereicht wurde und er ein weltliches Lied vortragen sollte. Eines Tages erschien ihm im Traum eine Gestalt und forderte ihn zweimal auf, etwas zu singen; beim zweiten Mal wird ihm auch das Thema vorgegeben: *principium creaturarum*. Daraufhin begann er Verse zum Lob des Schöpfers zu singen. Beda gibt diesen Hymnus nur in einer lateinischen Paraphrase wieder, in einigen Manuskripten ist der altenglische Text (in nordhumbrischer und spätwestsächsischer Fassung; insgesamt 18 Belege) am Rande oder am Fuße der Seite zu finden. Der Text ist ein neunzeiliges Preislied auf den Schöpfer; die formelhaften Wendungen, die von Caedmon gebraucht werden, kehren in späteren christlichen Alliterationsdichtungen wieder.

Beda zufolge blieb es nicht bei diesem einmaligen Erlebnis: Gelehrte lasen ihm danach Bibeltexte vor und baten ihn, die Vorlagen in metrische Formen umzusetzen. Caedmon kam diesem Wunsch nach; die Texte, die er nach einiger Zeit des Überdenkens – Beda vergleicht diesen Prozeß mit dem Wiederkäuen beim Tier – vortrug, wurden von den Gelehrten aufgezeichnet. Nach Beda verfaßte Caedmon, dessen literarische Tätigkeit zwischen 657 und 680 angesetzt wird, im Kloster Dichtungen über alt- und neutestamentliche Themen. Wenngleich die vorliegenden *Genesis*–, *Exodus*–, *Daniel*– und *Christ and Satan*-Dichtungen heute nicht mehr ihm zugeschrieben werden, gilt Caedmon allgemein als der Begründer der altenglischen Bibelepik, dessen Vorbild Nachwirkungen in der altsächsischen und althochdeutschen Literatur erkennen läßt. (E)

Ausgabe: Caedmon's Hymn, in *The Anglo-Saxon minor poems*, ed. E. V. K Dobbie 1942.

Bibliographie: S. B. Greenfield und F. C. Robinson, *A bibliography of publications on Old English literature to the end of 1972* 1980.

Sekundärliteratur: F. Graz, *Die Metrik der sogenannten Cädmonschen Dichtungen unter Berücksichtigung der Verfasserfrage* 1894. –

J. Booth, *Caedmon. The poet of the Anglo-Saxons* 1906. – C. L. Wrenn, *The poetry of Caedmon* 1947.

Thomas Campion (1567–1620)

Campion ist gleichermaßen bedeutend als Lyriker und als Komponist. Der früh verwaiste Sohn wohlhabender Londoner Bürger bezog Peterhouse in Cambridge, das er ohne Grad verließ, und hielt sich anschließend in Gray's Inn auf, ohne sich ernsthaft der Jurisprudenz zu widmen. 1595 trat er zur katholischen Konfession über. Von 1602 bis 1606 studierte er auf dem Kontinent Medizin und kehrte dann nach London zurück, wo er sich als Arzt niederließ.

Campion war einer der wenigen *Air*-Komponisten, die ihre Texte selbst verfaßten, mit dem Ziel »to couple words and notes lovingly together«. Durch gleichförmige Syntax, durch Refrains oder durch einen einheitlichen Bildbereich werden die einzelnen Strophen so gestaltet, daß Text und Melodie zur Einheit verschmelzen. Erst zusammen mit der Melodie entfalten die *Airs* ihre Stimmung, ihren Witz und ihre Ironie. Campions Lyrik steht unter dem Einfluß römischer Dichtung, die er durch epigrammatische Kürze und durch die Wahl des *plain style* nachzuahmen sucht. Neben seinen verschiedenen *Books of airs* veröffentlichte Campion auch lateinische Epigramme (*Poemata,* 1595) und je einen musiktheoretischen und dichtungstheoretischen Essay. Im letzteren polemisierte er gegen den Reimgebrauch und plädierte für die Nachahmung quantitativer Versmaße. Seine *Airs* zählen zu den vollkommensten Schöpfungen englischer Liedkunst. (W)

Hauptwerke: *Books of airs* 1601–1617. – *Poemata* 1595.
Ausgabe: *The works*, ed. W. R. Davis 1969.
Sekundärliteratur: M. M. Kastendieck, *England's musical poet. Thomas Campion* 1938. – E. Lowbury, T. Salter und A. Young, *Thomas Campion. Poet, composer, physician* 1970. – D. Lindley, *Thomas Campion* 1986.

Thomas Carew (ca. 1594–1640)

Carew gilt als der größte Stilist unter den erotischen Lyrikern des 17. Jahrhunderts. Einer berühmten Juristenfamilie entstammend, wurde er in Oxford erzogen und sollte im Middle Temple zum Juristen ausgebildet werden, wofür er allerdings kein Interesse zeigte. Statt dessen erwarb er sich den Ruf eines »great libertine in life and talk«, wie sein erster Biograph Izaak Walton schrieb. Nach verschiedenen diplomatischen Sekretärsposten, die ihn auch ins Ausland führten, bekleidete er mehrere Hofämter. In den Auseinandersetzungen mit dem Parlament stand er auf der Seite des Königs.

Carew verehrte Ben →Jonson, zu dessen Zirkel er gehörte, und schulte sich gleichzeitig an der Lyrik John → Donnes, auf dessen Tod er eine berühmte Elegie verfaßte. Aus der Verbindung beider Stiltraditionen, des klassisch-strengen *plain style* und des bilderreichen *metaphysical wit*, schuf Carew seine präzis-elegante, in exquisiten Bildern schwelgende Liebeslyrik, die vollkommenster Ausdruck der Kultur am Hofe Karls I. vor der puritanischen Revolution ist. Im eleganten Spiel mit konventionellen Formen und Motiven und in der sicheren Beherrschung von Sprache und Rhythmus erweist sich Carew als den meisten *Cavalier Poets* überlegen. In seiner Lyrik gelang es Carew, die beiden seit Ende des 16. Jahrhunderts auseinanderstrebenden Stiltraditionen wieder miteinander zu verschmelzen. (W)

Ausgabe: *The poems*, ed. R. Dunlap 1949.
Sekundärliteratur: G. Williamson, *The Donne tradition. A study in English poetry from Donne to the death of Cowley* (1930) 1958. – E. I. Selig, *The flourishing wreath. A study of Thomas Carew's poetry* 1958. – L. L. Martz, *The wit of love. Donne, Carew, Crashaw, Marvell* 1969.

Thomas Carlyle (1795–1881)

Der nicht zu überschätzende Einfluß, den Thomas Carlyle auf Denken und Schreiben der Viktorianer ausübte, ist zuvörderst darin begründet, daß er dem Zeitalter zentrale Entwicklungen und Probleme zeitlich und modellhaft vorgelebt und vorgeschrieben hat: Er wird 1795 in die dörfliche, von der Familie geprägte Ordnung Schottlands hineingeboren; 1834 läßt er sich nach langem Schwanken zwischen Stadt (Edinburgh, London) und Land endgültig in London nieder – eine nationaltypische Entscheidung im Zeitalter der Urbanisierung. Er entstammt einem streng presbyterianischen Haus; der Student an der rationalistisch orientierten Universität zu Edinburgh (1809–1819) macht eine lange, auch physisch zehrende Glaubenskrise durch – wie sie unter vielen anderen auch → Tennyson, George → Eliot oder Froude durchleben werden –, an deren Ende das Vertrauen in eine immanente Transzendenz, in einen »natural supernaturalism« steht sowie, unter dem Einfluß Goethes, der Imperativ der Tat, der Arbeit. Er ist von Jugend an zum Pastor bestimmt; die Glaubenskrise raubt ihm – wie → Clough, Froude oder → Hardy – das Berufsziel. Die Suche nach einem Broterwerb läßt ihn Rechtswissenschaft und Geologie studieren, Lehrer bzw. Hauslehrer werden. Wie die Besten der sozial und weltanschaulich verunsicherten viktorianischen Intelligenz von → Thackeray bis → Meredith und Hardy findet er als *man of letters* seine Berufung (ab 1824) und schließlich in den dreißiger Jahren seinen Lebensunterhalt. Und er wendet sein Interesse von Ästhetischem, wobei dieses zunächst mit einer Schiller-Biographie (1823/24) und einer *Wilhelm Meister*–Übersetzung (1824–1827) der deutschen Literatur gilt, ab und der Geschichte und Gesellschaft zu – eine Umorientierung, die → Arnold, → Ruskin und → Morris gleichermaßen vollziehen werden.

Modellhaft konzentriert gestaltet Carlyle auch die Glaubenskrise und deren Überwindung in einem aktiv-weltbejahenden »Everlasting Yea« in seinem ersten bedeutenden Werk, dem autobiographisch getönten *Sartor resartus*. Dank einer symbolischen Weltsicht, die mit Hilfe einer ironischen, metaphernreichen Kleiderphilosophie enthüllt wird, sieht Carlyle die verlorene göttliche Transzendenz in den Dingen der Welt aufgehoben und bietet diese Immanenz dem zweifelnden Zeitalter als neue Gewißheit an. Insbesondere in der Geschichte manifestiert sich nach Carlyle dieser »natural supernaturalism«. Sie ist die wahre Dichtung der Menschheit. In einer bilderüppigen, die Wahrheit mit Neologismen, neuen Komposita und einer schweifend-flexiblen Syntax einkreisenden Sprache versucht *The French Revolution*, Zeichen und Ding wieder ursprünglich in eins zu setzen, die immanente Transzendenz zu enthüllen, gleichzeitig dem Zeitalter den Spiegel vorzuhalten und Geschichte als *magistra vitae* wirksam werden zu lassen.

Geschichte ist Carlyle aber auch die Biographie großer Männer. Er verbindet somit zwei der zentralen viktorianischen Interessen, das am Historischen, das am Individuum: Eine umfangreiche Edition der Briefe und Reden Oliver Cromwells (1845; in erweiterter Fassung 1846) und eine in gut dreizehnjähriger Arbeit (seit 1851/52) entstehende sechsbändige Biographie Friedrichs des Großen sind das imponierende Resultat. In einer öffentlichen Vortragsserie, ein Jahr später als *On heroes, hero-worship, and the heroic in history* veröffentlicht, erläutert Carlyle 1840 seinen Glauben an die Einzigartigkeit des großen Einzelnen, an dessen Führungsanspruch in Gesellschaft und Staat. Als Gott, König, Prophet, Priester, Dichter war das Heroische in der Vergangenheit geschichtsmächtig, im *man of letters* und »Captain of Industry« wirkt es in der Gegenwart.

Ein solches Interesse an der Geschichte und dem großen Einzelnen muß die Unzulänglichkeiten der eigenen Zeit zwangsläufig sichtbar werden lassen: Seit dem großen Essay »Signs of the times« (1829) kritisiert Carlyle, in Werken wie *Chartism* (1839) und den *Latter-day pamphlets*, immer wieder unerbittlich den auf Eigennutz gerichteten Utilitarismus des Zeitalters, die Mechanisierung von Denken und Leben, das liberale Laisser-faire, den sterilen Rationalismus der Reformer. Ein organisches Staats- und Gesellschaftskonzept, in dem das Volk sich den großen Einzelnen als Herrscher sucht und jeder nach seiner Fähigkeit wirkt, dient Carlyle als Maßstab – ein Maßstab, der, wie *Past and present* rhetorisch brillant postuliert, im Mittelalter verwirklicht war.

Solches Gedankengut mag den durch Erfahrung gewitzten Späteren als gesellschaftlich gefährlich, als anti-demokratisch, ja faschistoid erscheinen. Carlyles Stil (der seine Komplexität und gelegentliche Dunkelheit dem unablässigen Ringen um die Enthüllung der Wahrheit, dem Streben nach größtmöglicher Wirkung sowie einem oftmals biblischen Zorn verdankt) mag als »Carlylese« den Spott und das Unverständnis der Zeitgenossen hervorgerufen haben. Gleichwohl hat kein Autor mehr dazu beigetragen, das viktorianische Zeitalter zu dem zu machen, was es wurde, als Carlyle: Seine *Wilhelm Meister*–Übersetzung bereitet dem Bildungsroman, seine radikal-konservative Gesellschaftskritik dem Sozialroman den Weg. Letztere hat Friedrich Engels tief beeindruckt, den Geist der Reform unterstützt und das nationale Gewissen geschärft. Seine Ideale einer organisch gegliederten Gesellschaft und nichtentfremdeten Arbeit haben

Ruskin und Morris aufgegriffen und in die Tat umzusetzen versucht. Sein »Epic poem of the revolution« ist die Quelle von → Dickens' *A tale of two cities*. Sein Arbeits- und Pflichtethos hat sich das ganze Zeitalter zu eigen gemacht. Die von ihm vermutete Diskrepanz zwischen persönlichem Ruhm und Wirkungslosigkeit seiner Ideen und Werke hätte dem »Sage of Chelsea« die beiden letzten Lebensjahrzehnte nicht zu verbittern brauchen. (T)

Hauptwerke: *Sartor resartus* 1833/34. – *The French Revolution* 1837. – *On heroes, hero-worship, and the heroic in history* 1841. – *Past and present* 1843. – *Latter-day pamphlets* 1850. – *The history of Friedrich II of Prussia*, 6 vols 1858–1865.

Bibliographien: I. W. Dyer, *A bibliography of Thomas Carlyle's writings and ana* 1928. – R. L. Tarr, *Thomas Carlyle. A bibliography of English language criticism 1824–1974* 1976.

Ausgaben: *The works*, Centenary Edition, ed. H. D. Traill, 30 vols 1896–1899. – *The collected letters of Thomas and Jane Welsh Carlyle*, ed. C. R. Sanders, K. J. Fielding et al. 1970– .

Biographien: J. A. Froude, *Thomas Carlyle. A history of the first forty years of his life, 1795–1835*, 2 vols 1882. – F. Kaplan, *Thomas Carlyle. A biography* 1983.

Sekundärliteratur: C. F. Harrold, *Carlyle and German thought, 1819–1834* 1934. – G. B. Tennyson, *Sartor called »resartus«. The genesis, structure, and style of Thomas Carlyle's first major work* 1965. – J. Cabau, *Thomas Carlyle ou le prométhée enchainé* 1968. – A. J. LaValley, *Carlyle and the idea of the modern* 1968. – A. A. Ikeler, *Puritan temper and transcendental faith. Carlyle's literary vision* 1972. – *Carlyle past and present. A collection of new essays*, ed. K. J. Fielding und R. L. Tarr 1976. – A. L. le Quesne, *Carlyle* 1982. – J. D. Rosenberg, *Carlyle and the burden of history* 1985.

Lewis Carroll/Charles Lutwidge Dodgson (1832–1898)

Von der Generation → Tennysons und → Dickens' sind die bürgerlich-viktorianischen Werte formuliert worden. Persönlichkeit und Talent der Generation der in den dreißiger Jahren Geborenen müssen sich in der Auseinandersetzung mit diesen sich nun verfestigenden Werten entfalten. Der künstlerische Impuls, Neues zu schaffen, ist mit der Tendenz, sich in der Welt behaglich einzurichten, nicht mehr ohne weiteres zu vereinbaren. Wie für Samuel → Butler und Walter → Pater kennzeichnen Bruch und Spannung auch das Verhältnis von Charles

Dodgsons Leben und Werk. Ersteres verläuft konventionell, von der Pfarrhausherkunft über die Erziehung an den guten Schulen von Richmond und Rugby (1844–1850) und dem Universitätsstudium in Oxford (1850–1854) bis zur Mathematikdozentur (1855), die Dodgson bis an sein Lebensende innehat. Und konventionell sind auch seine mathematischen Werke, die er in großer Zahl veröffentlicht, während die Arbeiten zur Logik, die gegen Lebensende entstehen (*The game of logic* 1886; *Symbolic logic* 1896), ein höheres Maß an Erfindungskraft erkennen lassen. Der Horizont bleibt insular: Bis auf eine Rußlandreise 1867 verläßt Dodgson England nie.

Die psychische Biographie ist nicht vergleichbar unauffällig. Von Kindheit an leidet Dodgson unter einem Sprechhemmnis. Er sucht die Gesellschaft junger Mädchen, die er – mit zunehmendem Alter zunehmend intensiver – nackt zu photographieren und zu zeichnen wünscht. Der Priesterweihe entzieht er sich, wiewohl er 1861 die niederen Weihen erhält und Predigtpflichten, wenn auch zögerlich, übernimmt (so in den Jahren 1865–1867). Und er signalisiert die Trennung von bürgerlichem Leben und Künstlertum, indem er 1856 für sein literarisches Tun ein Pseudonym, Symptom einer anderen Identität, wählt (genauer und bezeichnenderweise: wählen läßt), Lewis Carroll.

Die Trennung weist darauf hin, daß Carrolls Meisterwerke, die Alice-Geschichten, nicht als schlichte Fortschreibung der literarischen Versuche des jungen Charles Dodgson betrachtet werden können. Diese, das Parodieren, Puppentheater-Spielen und Edieren von Familienmagazinen, sind typische Produkte kinderreicher Pfarrersfamilien. Auch übersteigt das Resultat weit den unmittelbaren Anlaß, das Unterhalten dreier Mädchen mit Geschichten anläßlich eines Bootsausfluges. Was *Alice's adventures in wonderland* und *Through the looking-glass* bieten, sind Entwürfe alternativer Welten, die kraft ihres Sprachwitzes, ihrer Unsinnsphantastik und grotesken Komik der perspektivenreichen Deutung offen sind und somit viktorianischen Wünschen nach Normierung widerstehen. Es sind dies Welten, die sich eigengesetzlich gemäß den imaginativen Regeln der Sprache, der Para- und Psycho-Logik konstituieren. Sie können als in sich autonom verstanden werden und sind doch auch Zerrspiegel der gesellschaftlichen Wirklichkeit, etwa der Mechanismen der Unterdrückung (wie sie auch John Tenniels Illustrationen alptraumhaft einfangen). Analoges gilt für das große Unsinnsgedicht »The hunting of the Snark«.

Der große Erfolg seiner Kinderbücher verändert Dodgsons Leben nicht, verschafft ihm nicht Zugang zu dem Reich der Freiheit, das er so fabelhaft zu imaginieren wußte. Er zieht sich mehr und mehr zurück, nur die Gesellschaft junger Mädchen suchend. Er zollt der viktorianischen Moral und Sentimentalität in seinen Geschichten um *Sylvie and Bruno* (1889–1893) Tribut – das Element des Phantastischen, Kreativ-Witzigen ist in ihnen stark zurückgenommen. Auch im Literarischen steht Konformität am Ende seines Lebens. (T)

Hauptwerke: *Alice's adventures in wonderland* 1865. – *Through the looking-glass, and what Alice found there* 1872. – *The hunting of the Snark* 1876.

Bibliographien: S. H. Williams und F. Madan, *A handbook of the literature of Charles Lutwidge Dodgson* (1931–1935), rev. R. L. Green (1962) und D. Crutch (1979) als *The Lewis Carroll handbook*. – E. Guiliano, *Lewis Carroll. An annotated international bibliography 1960 bis 1977* 1981.

Ausgaben: *The complete works*, ed. A Woollcott, 1939. – *The diaries*, ed. R. L. Green, 2 vols 1953. – *The letters*, ed. M. N. Cohen und R. L. Green, 2 vols 1979.

Übersetzungen: *Alice im Wunderland* (englisch-deutsch), übers. von H. Raykowski 1987 (dtv). – *Alice hinter den Spiegeln*, übers. von C. Enzensberger 1974 (Insel). – *Die Jagd nach dem Schnark* (englisch-deutsch), übers. von K. Reichert 1981 (Insel).

Biographie: A. Clark, *Lewis Carroll. A biography* 1979.

Sekundärliteratur: R. D. Sutherland, *Language and Lewis Carroll* 1970. – K. Blake, *Play, games, and sport. The literary voice of Lewis Carroll* 1974. – K. Reichert, *Studien zum literarischen Unsinn. Lewis Carroll* 1974. – *Soaring with the Dodo. Essays on Lewis Carroll's life and art*, ed. E. Guiliano und J. R. Kincaid 1982. – M. N. Cohen, *Lewis Carroll and Alices, 1832–1982* 1982.

George Chapman (ca. 1559–1634)

Chapman gilt als der Philosoph unter den Dramatikern seiner Zeit. In Hitchin (Hertfordshire) geboren, studierte Chapman für einige Zeit in Oxford, ohne einen Grad zu erwerben. Später kämpfte er als Soldat in den Niederlanden. Ab 1596 begann er für die Admiral's Men zu schreiben. *An humorous day's mirth* (1599) ist eine *humour*-Komödie im Stil Ben →Jonsons. Ab 1600 schrieb Chapman für die Kindertruppen, wohl in der

Hoffnung, daß deren Publikum seine philosophisch befrachteten Stücke besser zu schätzen wüßte. Mit → Marston und Jonson arbeitete er zusammen an der Komödie *Eastward hoe* (1605), die ihren Autoren eine Gefängnisstrafe wegen Verächtlichmachung der Schotten eintrug. Seine bekanntesten Tragödien sind *Bussy D'Ambois* und *The revenge of Bussy D'Ambois* (ca. 1610).

Chapman legte seinen Tragödien oft Vorfälle der jüngsten Geschichte zugrunde, an denen er seine stoizistischen Ideen entwickelte. Die Gesellschaft erscheint als korrupt, und an den Protagonisten wird aufgezeigt, wie sie entweder an ihrer eigenen mangelnden Einsicht scheitern oder aber von der Gesellschaft zerstört werden. Chapmans Ideal war der *Senecal man*, der im Gegensatz zu dem von seinen Leidenschaften beherrschten *natural man* die Gesetzmäßigkeiten der Welt erkennt und durchschaut und deshalb sein Schicksal stoisch zu ertragen vermag, ohne daß seine Integrität zerstört wird.

Neben seinen Dramen vollendete Chapman → Marlowes *Hero and Leander* (1598) und schrieb mit »Shadow of night« (1594) ein schwer deutbares philosophisches Gedicht. Ungefähr 1598 begann er mit seiner großen Übersetzung Homers, die ihn bis 1615 beschäftigte. Die *Iliad*, die seit 1598 in Fortsetzungen erschien, wurde 1612 abgeschlossen, die *Odyssey* folgte 1615. Chapman verstand die homerischen Epen als elitäre, geheimnisvoll symbolische Dichtung und brachte in seine Übertragungen seinen eigenen Stoizismus ein. Erst seit der Romantik wußte man seine Leistung zu schätzen. → Keats widmete den Homer-Übersetzungen Chapmans ein berühmtes Sonett. (W)

Hauptwerke: *Bussy D'Ambois* 1607. – *The revenge of Bussy D'Ambois* 1613.

Bibliographien: S. A. Tannenbaum, *George Chapman*, Elizabethan bibliographies 1938 (repr. 1967). – C. A. Pennel und W. P. Williams, *George Chapman 1937-1965*, Elizabethan bibliographies supplements IV (1968).

Ausgaben: *The plays*, ed. T. M. Parrott, 4 vols (1910-1914) 1961. – *The plays*, ed. A. Holaday 1970- . – *The poems*, ed. P. B. Bartlett 1941 (repr. 1962).

Biographie: J. Jacquot, *George Chapman (1559-1634). Sa vie, sa poésie, son théâtre, sa pensée* 1951.

Sekundärliteratur: G. de F. Lord, *Homeric Renaissance. The Odyssey of George Chapman* 1956. – M. Maclure, *George Chapman. A critical study* 1966. – R. B. Waddington, *The mind's empire. Myth and form in George Chapman's narrative poems* 1974. – G. Florby, *The painful passage to virtue. A study of George Chapman's The tragedy of Bussy D'Ambois and the revenge of Bussy D'Ambois* 1982.

Geoffrey Chaucer (ca. 1343–1400)

Chaucer ist der bedeutendste Dichter des englischen Mittelalters. Seine Werke können als ebenbürtig neben die Dichtungen der Italiener Dante, Petrarca und Boccaccio sowie der Franzosen Guillaume de Lorris und Jean de Meung gestellt werden. Über keinen mittelalterlichen Autor Englands sind wir im Hinblick auf seine Tätigkeiten im öffentlichen Leben durch Dokumente so genau unterrichtet, und keiner ließ in seinen Werken seine Wertvorstellungen, seinen literarischen Geschmack und seine philosophischen Interessen so deutlich erkennen wie er. Dennoch entzieht sich Chaucers Persönlichkeit immer wieder dem Zugriff der Forschung. Über seine dichterische Arbeit, über die Wirkung seines Schaffens auf seine Zeitgenossen sagen die Dokumente nichts aus, auch der Zusammenhang zwischen seinem Auftreten in der Öffentlichkeit und seinen privaten künstlerischen Beschäftigungen ist nicht aufzuklären.

Geoffrey Chaucer wurde wahrscheinlich um 1343 geboren; 1357 wird er als Page im Gefolge der Gräfin Elisabeth von Ulster, der Gattin Lionels, eines Sohnes Edwards III., erwähnt. 1357 bis 1360 nahm Chaucer am Feldzug gegen Frankreich teil und geriet in Gefangenschaft; der König bezahlte jedoch ein Lösegeld von 16 Pfund, um Chaucer, der offenbar für den Hof von Bedeutung war, freizubekommen. Im Jahre 1367 wird Chaucer in den Dokumenten des Hofes »dilectus valettus noster« genannt; zugleich lassen die Dokumente erkennen, daß er verheiratet war – möglicherweise mit Philippa Roet, deren Schwester Katherine Swynford die dritte Gattin von John of Gaunt war. Damit ließe sich auch Chaucers lebenslange Freundschaft mit John of Gaunt erklären.

Seit Ende der sechziger Jahre hielt sich Chaucer in diplomatischer Mission mehrfach auf dem Kontinent auf. Zunächst wurde er nach Flandern und Nordfrankreich entsandt, 1372/73 verhandelte er mit den Genuesern über die Auswahl eines englischen Hafens, der als Stapelplatz für italienische Weine dienen konnte. 1378 suchte er Barnabo Visconti, den Herrscher von Mailand, auf. Bereits 1374 erhielt er das Amt eines Kontrolleurs für Zölle auf Wolle, Häute und Felle und bezog eine Wohnung im Torgebäude von Aldgate an der Ostmauer Londons. 1385 wurde er Friedensrichter, im Jahr darauf vertrat er als Knight of the Shire of Kent diese Grafschaft im Parlament. Ebenso ehrenvoll war das Amt des Clerk of the King's Works, d. h. des Intendanten für königliche Bauten, mit dem er 1389 betraut wurde. Schließlich war er ab 1391 Unterforstmeister von North Petherton Park in Somerset. 1399 mietete er im Garten von St. Mary's Chapel (Westminster) ein Haus, aber bereits ein Jahr später starb er und wurde in der Westminster Abbey beigesetzt.

In der Frühzeit seines dichterischen Schaffens stand Chaucer unter starkem Einfluß der französischen Literatur. Er befaßte sich mit Eustache Deschamps, Guillaume de Machaut, Oton de Granson und Jean Froissart und übersetzte zumindest Teile des *Rosenromans*. Sehr deutlich tritt dieser Einfluß in seiner ersten Dichtung *The book of the duchess* (1369/70) zutage, die anläßlich des Todes der Herzogin Blanche, der ersten Gattin seines Gönners John of Gaunt, entstand. Chaucer bediente sich der Form des Traumgedichtes und verband in origineller Weise Elemente des *planctus* und der *consolatio* miteinander.

The house of fame (vermutlich zwischen 1372 und 1380 entstanden) zeigt, daß Chaucer sich nun stärker mit Dante und der gesamten italienischen Dichtungstradition befaßte und sich dabei der Doppeldeutigkeit des Begriffes »Fama« bewußt wurde. Die Fama erscheint als eine Göttin, die Ruhm zu verteilen vermag, aber auch – oft grundlos – üble Gerüchte in der Welt verbreitet.

Hatte sich Chaucer zunächst des vierhebigen, paarweise gereimten jambischen Verses bedient, so wechselte er mit *The parliament of fowls* (zwischen 1380 und 1386) zum fünfhebigen Jambus und zu einer komplizierten Strophenform, dem *rhyme royal* (ababbcc) über und entwickelte im Anschluß an Alanus ab Insulis' *De planctu naturae* eine für ihn neue Sicht der Liebe und der Natur. Höfische und nicht-höfische Liebe werden in ihrem Wert und ihren jeweiligen Grenzen in einer formal geschlossenen Dichtung charakterisiert. Die gleiche Thematik und das gleiche formale Instrumentarium sind auch für seine große Dichtung *Troilus and Criseyde* (um 1385) kennzeichnend, in der er das Schicksal dieses Liebespaares schildert. Chaucer verknüpfte in diesem Werk komische und tragische

Elemente: die Liebeswerbung ist ein komisches Liebesspiel, Trennung und Untergang sind nach dem Muster einer mittelalterlichen Fortuna-Tragödie konzipiert, in die Chaucer aber zugleich eine subtile psychologische Darstellung der Liebenden und des Vermittlers Pandarus einarbeitete, so daß moderne Kritiker bei diesem Werk vom ersten psychologischen Roman gesprochen haben. Die Reflexionen des Erzählers und der Charaktere beweisen, daß Boethius, dessen *Consolatio philosophiae* Chaucer kurz zuvor (vor 1385) übersetzt hatte, den eigenen geistigen Interessen entsprach.

Aus dem Prolog der fragmentarisch gebliebenen Dichtung *The legend of good women* (nach 1385) geht hervor, daß Chaucer wegen seiner Übersetzung des zweiten Teiles des *Rosenromans* und wegen der Darstellung der Treulosigkeit Criseydes in höfischen Kreisen auf Kritik stieß. Dieser kleineren Dichtung ist anzumerken, daß Chaucer hier eher einem an ihn herangetragenen Wunsch nachkam und mit wenig Spaß und ohne Inspiration arbeitete.

Um so gelungener und wirkungsvoller sind seine *Canterbury tales* (zwischen 1387 und 1400), eine Rahmenerzählung wie Boccaccios *Decamerone*, angeregt möglicherweise von Sercambi. Die Äußerungen Chaucers im Prolog deuten darauf hin, daß er 120 Erzählungen miteinander vereinigen wollte; er brachte es nur auf 24 und hinterließ auch dieses Werk als Fragment. Der besondere Reiz dieser Dichtung liegt darin, daß die im Prolog unsystematisch-originell charakterisierten Pilger einen Querschnitt durch nahezu die gesamte englische Gesellschaft des 14. Jahrhunderts darstellen, vom Ritter bis zum Knappen, von der Priorin bis zum Bettelmönch, von den vornehmen Bürgern und Handwerkern bis zum Pflüger. Chaucer versteht es, bei jeder Figur die typischen Merkmale eines Berufes oder eines Standes hervorzuheben, zugleich aber auch durch eine Fülle konkreter Details den Eindruck zu erwecken, daß der Leser einer individuellen Gestalt begegnet. Von gleicher Spannweite sind die Erzählungen, die er den einzelnen Pilgern, die alle auf dem Weg zum Schrein des Thomas Becket in Canterbury sind, in den Mund legt. Sie reichen von der philosophisch-ritterlichen Erzählung über eine orientalisch-romantische Dichtung bis zur Parodie der primitiven Romanzen, von der märchenhaften Artus-Erzählung bis zum *Lai*, von dem derben, heute noch wirksamen *Fabliau* bis zu den Legenden und didaktischen Erzählungen, die den Vertretern der Geistlichkeit und den akademisch Gebildeten zugeordnet werden, von der Tiererzählung bis zur philosophischen Beispielerzählung und dem abschließenden Prosatraktat des Pfarrers. Der Widerruf, den Chaucer an den Schluß der *Canterbury tales* stellte, beweist ähnlich wie der Schluß von *Troilus and Criseyde*, daß er sich in einem traditionell religiösen Sinn von seinem dichterischen Werk zu distanzieren vermag, das er unmittelbar zuvor mit höchstem erzählerischem Geschick seinen Lesern präsentiert hat. Die Ironie, die Chaucer von Anfang an einsetzte, weist freilich darauf hin, daß er die dargestellte Wirklichkeit stets mit überlegenskeptischem Blick beurteilte. Als epischer Dichter wirkt er gerade dadurch modern, daß er es versteht, den Leser in ein Zwiegespräch einzubeziehen, ohne ihm seine Urteile aufzudrängen. (E)

Ausgaben: *The complete works*, ed. W. W. Skeat, 7 vols (1894) 1899. – *The works*, ed. F. N. Robinson (1933) 1957. – *The variorum edition*, ed. P. G. Ruggiers 1979– .

Bibliographien: D. D. Griffith, *Bibliography of Chaucer 1908–1953* 1955. – W. R. Crawford, *Bibliography of Chaucer 1954–63* 1967. – A. C. Baugh, *Chaucer* (1968) 1977. – L. Y. Baird, *A bibliography of Chaucer, 1964–1973* 1977. – J. Leyerle und A. Quick, *Chaucer. A bibliographical introduction* 1986.

Übersetzungen: *Die Canterbury-Erzählungen*, übers. von D. Droese 1971 (Manesse). – *Canterbury-Erzählungen*, übers. und hrsg. von M. Lehnert 1981 (Insel). – *The Canterbury tales/Die Canterbury-Erzählungen* (zweispr.), übers. von H. Bergner, W. Böttcher, G. Hagel und H. Sperber, hrsg. von H. Bergner (1982) 1985 (Reclam). – *Die Canterbury tales*, übers. und hrsg. von M. Lehnert 1985 (Winkler).

Biographien: M. Chute, *Geoffrey Chaucer of England* 1946. – D. S. Brewer, *Chaucer in his time* 1963. – F. E. Halliday, *Chaucer and his world* 1968. – D. R. Howard, *Chaucer and the medieval world* 1987.

Sekundärliteratur: *Sources and analogues of Chaucer's Canterbury tales*, ed. W. F. Bryan und G. Dempster 1941. – C. Muscatine, *Chaucer and the French tradition. A study in style and meaning* 1957. – D. W. Robertson, Jr., *A preface to Chaucer. Studies in medieval perspectives* 1962. – R. O. Payne, *The key of remembrance. A study of Chaucer's poetics* 1963. – *Chaucer and Chaucerians. Critical studies in Middle English literature*, ed. D. Brewer 1966. – R. M. Jordan, *Chaucer and the shape of creation. The aesthetic possibilities of inorganic structure* 1967. – *Companion to Chaucer studies*, ed. B. Rowland (1968) 1979. – E. T. Donaldson, *Speaking of Chaucer* 1970. – D. Mehl, *Geoffrey Chaucer. Eine Einführung in seine erzählenden Dichtungen* (1973); engl. rev. 1986. – J. O. Fichte, *Chaucer's ›Art poetical‹. A study in Chaucerian poetics* 1980. – A. J. Minnis, *Chaucer and pagan antiquity* 1982. – *Geof-*

frey Chaucer, hrsg. von W. Erzgräber 1983. – P. Boitani, *Chaucer and the imaginary world of fame* 1984. – D. Pearsall, *The Canterbury tales* 1985. – *The Cambridge Chaucer companion*, ed. P. Boitani und J. Mann 1986.

Arthur Hugh Clough (1819–1861)

Unschwer lassen sich Leben, Denken und Dichten Arthur Hugh Cloughs mit grundlegenden Dichotomien des viktorianischen Zeitalters korrelieren. Der Rugby-Musterschüler (1829–1837) wird von Dr. Arnolds moralisch-christlichem Ernst und dessen Pflichtethos zutiefst beeinflußt. Er findet sich als Student und Dozent (1837–1848) im Oxford der Auseinandersetzungen um das Tractarian Movement (einer seiner Tutoren ist W. G. Ward, der zu den hitzigsten Anhängern → Newmans gehört), aber auch der Bibelkritik und des → Carlyle-Einflusses. Er verwirft schließlich alle historischen Religionen und sucht nach »Truth«, deren Wesen er aber als nicht weiter bestimmbar erkennt. Da er den 39 Artikeln, dem Grundgesetz der anglikanischen Kirche, nicht länger beipflichten kann, verläßt er 1848 Oxford, später, 1852, auch eine Stelle an der University Hall, London.

Diese Konflikte zwischen religiöser Wahrheit und agnostischer Skepsis, zwischen Hinwendung zur Gesellschaft (Dr. Arnold, Carlyle) und meditativer ironischer Distanz, etwa als Oxforder Dozent, haben Clough ein Leben der Unentschlossenheit führen lassen, dem gesellschaftlich nur mäßiger Erfolg beschieden war. Sie waren aber Quellen seines Dichtens, das gegensätzliche Positionen genau und redlich zu notieren, aber auch aus ironischer Distanz zu relativieren trachtet. Der Kontrast, die in Zweifel ziehende Frage, die Negation gehören so zum dichterischen Grundinventar Cloughs. Die Frage an die Götter in »Is it true, ye Gods« nach dem Ursprung der Dichtung bleibt unbeantwortet: »It may be, and yet be not.« Gleichwohl besteht der Zwang zu dichten (»to write, rewrite, and write again«). Der Dichter ist ein Zerrissener, ein *Dipsychus*, so der Titel des zu Lebzeiten unveröffentlichten, von Goethes *Faust* beeinflußten, metrisch virtuosen Seelendialogs (verfaßt 1850). Vergleichbar gegensätzliche Analysen erfährt die Religion: »Easter Day, Naples, 1849« überantwortet Christus mit erbarmungslosem Refrain wie alles Menschliche der Vergänglichkeit. Ein künstlerisch schwächeres Komplementärgedicht freilich, »Easter Day II«, wie auch »It fortifies my soul to know« oder »Epi-Strauss-ion« evozieren eine nicht beschreibbare Transzendenz.

In einer Welt der gegensätzlichen Positionen werden Sinn und Ziel jeglichen Handelns zum Problem, folgerichtig steht die Analyse des Handelns im Zentrum von Cloughs Werk. Im dramatischen Monolog quält »Sa Majesté très chrétienne« die Königspflicht zu handeln, während »Say not the struggle nought availeth« von Churchill seiner Durchhalterhetorik dienstbar gemacht werden konnte. Ähnlich unversöhnlich stehen sich die Aussagen von Cloughs großen Hexametergedichten gegenüber: Die Liebe des radikalen Oxforder Dozenten Philip Hewson in *The bothie of Tober-na-Vuolich* zu Elspie, einem schottischen Mädchen von geringer Herkunft, kann zwar nicht innerhalb der erstarrten englischen Gesellschaft verwirklicht werden. Sie findet aber ihre Erfüllung in Neuseeland: »There [Philip] hewed and dug; subdued the earth and his spirit.« Weder seine Liebe zu Mary noch seine Sympathie für die römische Republik unter Mazzini vermögen aber in dem Versbriefroman *Amours de voyage* Claudes aus der Analyse resultierende Indolenz zu überwinden. Auch in der Umgangssprachlichkeit, in der müden Ironie ist → Eliots Prufrock ahnbar.

1853 wird Clough in einen Brotberuf im Education Office gedrängt und heiratet. Er findet seinen privaten viktorianischen Kompromiß in der Erfüllung alltäglicher, seinem Genie wenig angemessener Pflichten. Sein Ethos des Dienens läßt ihn zum Helfer Florence Nightingales werden, für die er sich aufopfert. Die kreative Spannung aber scheint damit aufgehoben. In den letzten acht Jahren seines kurzen Lebens entsteht wenig und kaum etwas von künstlerischer Bedeutung. 1861 stirbt er in Florenz auf einer Erholungsreise. (T)

Hauptwerke: *The bothie of Toper-na-Fuosich* (später geändert in *The bothie of Tober-na-Vuolich*) 1848. – *Ambarvalia* 1849. – *Amours de voyage* 1858. – *Dipsychus* in *The poems and prose remains*, ed. B. Smith Clough, 2 vols 1869.

Bibliographie: R. M. Gollin et al., *Arthur Hugh Clough. A descriptive catalogue* 1967.

Ausgaben: *The poems and prose remains*, ed. B. Smith Clough, 2 vols 1869. – *The poems*, ed. F. L. Mulhauser 1974. – *The correspondence*, ed. F. L. Mulhauser, 2 vols 1957.

Biographie: K. Chorley, *Arthur Hugh Clough. The uncommitted mind* 1962.

Sekundärliteratur: I. Armstrong, *Arthur Hugh Clough* 1962. – W. E. Houghton, *The poetry of Clough* 1963. – M. Timko, *Innocent Victorian. The satiric poetry of Arthur Hugh Clough* 1966. – E. B. Greenberger, *Arthur Hugh Clough. The growth of a poet's mind* 1970.

Samuel Taylor Coleridge (1772–1834)

John Stuart Mill sah in Coleridge und in Jeremy Bentham »the two great seminal minds of England in their age«. Diese Einschätzung weist Coleridge eine Bedeutung nicht nur als Dichter, sondern auch als Denker zu, die sich heute um so deutlicher abzeichnet, je umfassender sein in viele Gebiete hineinreichendes, aber fragmentarisches und immer wieder in Ansätzen stekkengebliebenes Werk zugänglich wird.

Coleridge wurde in einem kleinen Ort in Devon als Sohn eines Geistlichen und Schulmeisters in eine große Familie geboren und sollte selbst Geistlicher werden. Der frühe Tod des Vaters war eine traumatische Erfahrung für ihn. Die Schulerziehung in Christ's Hospital, der berühmten Londoner Armenschule (wo er sich mit Charles → Lamb befreundete), bedrückte ihn psychisch und wohl auch physisch, wie er auch dem Studium in Jesus College in Cambridge wenig abgewann. Er begegnete Robert → Southey, mit dem er – nicht realisierte – Pläne zu einer »pantisokratischen« Kommune schmiedete. Mit Southey ging Coleridge zunächst nach Bristol, wo beide Vorträge hielten, Coleridge vornehmlich über politische und theologische Themen. Sein Leben nahm eine neue Wendung, als er im Herbst 1795 heiratete und, wenig später, → Wordsworth kennenlernte.

Für die nächsten Jahre hielt sich Coleridge zunächst mühsam mit journalistischen Arbeiten über Wasser. Seine erste Sammlung von Gedichten, *Poems on various subjects*, erschien 1796 (zweite Auflage 1797 mit einigen Gedichten von Charles Lamb). Erst als Thomas Wedgwood (Sohn von Josiah Wedgwood und Pionier der Photographie in England) ihm eine Jahresrente aussetzte, damit er sich der Literatur widmen konnte, entstanden in schneller Folge jene Gedichte, die ihm seinen Platz unter den Dichtern der Romantik für immer sichern, vor allem *The rime of the ancient mariner* und *Christabel* (Teil I). Es waren, so Coleridge später, »endeavours ... directed to persons and characters supernatural, or at least romantic«. Der *Ancient mariner* erschien zusammen mit einer größeren Zahl von Gedichten von Wordsworth als »Experiment« (Coleridge) in den berühmten *Lyrical ballads* (1798), mit denen literarhistorisch der Beginn der Romantik angesetzt wird.

Mit den meisten Romantikern teilte Coleridge anfänglich eine republikanische Begeisterung für Frankreich und die Französische Revolution, wandte sich später aber enttäuscht ab (»France. An ode« 1798) und suchte neue geistige Orientierung in Deutschland, das er mit Wordsworth und dessen Schwester Dorothy besuchte (1798/99). Er immatrikulierte sich in Göttingen und nahm ein lang anhaltendes Interesse an deutscher Philosophie mit, die er jedoch nur unvollkommen aufnahm und auch nur in Bruchstücken verarbeitete. Sein Interesse an der deutschen Literatur war geringer; eine Übersetzung von Schillers *Wallenstein* (»soul-wasting«) erschien 1800.

Mit dem ersten Aufenthalt im Lake District begann seine unglückliche Liebe zu Sara Hutchinson (deren Schwester Mary später Wordsworth heiratete). Damit intensivierten sich seine Probleme, die ebenso aus der Spannung zwischen notwendigem Broterwerb und freiem Dichtertum wie aus seiner Opiumsucht erwuchsen. Sie lösten sich zeit seines Lebens nicht, obwohl Coleridge immer wieder helfende Freunde fand. Seine journalistische Arbeit für die Londoner *Morning post* war erfolgreich, aber unbefriedigend, und die Entscheidung, im Lake District in Wordsworths Nähe zu leben, erwies sich als Fehlentscheidung. *Dejection. An ode* (1802), ein autobiographisches Gedicht, bringt seine Zerrissenheit zum Ausdruck, paradoxerweise in einer geschliffenen, dichterische Intensität verratenden Form. Um diese Zeit begann Coleridge seine *Notebooks*, die umfassend erst in den letzten Jahrzehnten zugänglich geworden sind. Sie enthüllen nicht nur eine ungewöhnlich subtile Reflexivität, sondern erweisen sich auch als ein geistes- und literaturgeschichtlich aufschlußreiches Korpus von Skizzen und Fragmenten. Sie sind mit ihrer Veröffentlichung mehr und mehr ins Zentrum seines Werkes gerückt.

Um sich wiederzufinden und zu genesen, reiste Coleridge 1804 nach Malta, wo er zunächst Sekretär des Gouverneurs wurde. Später ging er nach Rom, wo er sich einige Zeit aufhielt und mit Ludwig Tieck, Wilhelm von Humboldt und anderen zusammentraf. Er kehrte 1806 kränker und emotional und finanziell weniger gefestigt nach England zurück, als er aufgebrochen war. Zehn Jahre fast völliger Unproduktivität sollten folgen. Seine persönlichen Lebensumstände, seine Gesundheit und auch sein Verhältnis zu Wordsworth verschlechterten sich. Verlagsangebote realisierten sich nicht. Er überarbeitete eine Tragödie, die → Sheridan 1797 für das Drury Lane Theatre zurückgewiesen hatte und brachte sie 1813 als *The remorse* mit Erfolg auf die Bühne. Eine Vorlesungsreihe für die Royal Institution über Versdichtung (1807) brachte er nur bruchstückweise fertig, eine zweite (1811) über → Shakespeare und → Milton, und eine dritte, wiederum über Shakespeare (1812), gelangen ihm besser. Ein Periodikum, *The friend* (1809/10), in dem Teile von Wordsworths *Prelude* erstmals erschienen, kam nur mit Sara Hutchinsons Unterstützung zustande und fand ein vorzeitiges Ende.

In dieser Zeit wähnte sich Coleridge mehrfach dem Tode nahe, doch er überwand die langdauernde Krise. Die Jahre nach 1816 (als er sich in Highgate niederließ) waren nochmals eine produktive Phase, wie er sie seit seiner Jugend nicht wieder gehabt hatte. Zunächst erschienen Gedichte, die schon früher entstanden, aber nicht abgeschlossen waren und die er entweder nicht vollenden konnte oder wollte: die das Übernatürliche einbeziehende, im Mittelalter spielende Versromanze *Christabel* (1797, 1800); die – möglicherweise nur als solche deklarierte und von vornherein als Fragment geplante – Opium-Phantasie *Kubla Khan. A vision in a dream* (1797); und *The pains of sleep*. Der schmale Band erlebte sofort drei Auflagen. Noch im gleichen Jahr erschien der erste seiner *lay sermons*, in denen er mit reformatorischer Absicht eine »organische« Gesellschaftstheorie entwickelte. Ihnen folgten noch weitere tagespolitische und gesellschaftskritische Aufsätze, die jedoch kaum Gehör fanden. Aber Coleridge fand ein Publikum in der Generation der »jüngeren« Romantik und wurde in Grenzen zu einer literarischen Zelebrität. Vor allem war er als Vortragender gefragt. Vor der Philosophical Society etwa sprach er über »The growth of the individual mind« – ein Thema, das die philosophischen Belange des Zeitalters wie kein zweites bündelte. Die Herausgeberschaft der *Encyclopaedia Metropolitana* wurde ihm angetragen, und er schrieb dafür eine großangelegte Einleitung »On method«.

Das große Werk dieser Jahre, wiewohl nicht das ihm vorschwebende Opus magnum, war die *Biographia literaria*. Sie hat ihresgleichen nicht in der englischen Literatur als intellektuelle Autobiographie eines Mannes, dessen Domäne der gedankliche Entwurf und das dichterische Experiment waren und der die schöpferische Imagination als das Zentrum der geistigen Existenz ansah. Das Buch ist, wie schon die Zeitgenossen bemängelten, unsystematisch und in vielem philosophisch falsch, aber es ist ein persönliches Bekenntnis zu »großen entscheidenden Wahrheiten« (Wordsworth).

1824 wurde Coleridge in die Royal Society of Literature gewählt. Dies brachte ihm mit einem jährlichen Stipendium eine gewisse finanzielle Erleichterung. Seine Gedichte erschienen in Gesamtausgaben, und mit *Omniana, or horae otiosiores* kamen die ersten Auszüge aus seinen *Notebooks* heraus. *Aids to reflection in the formation of a manly character* (1825) empfahl ihn den amerikanischen Transzendentalisten. Mit → Hazlitts *Spirit of the age* aus dem gleichen Jahr begann das Coleridge-Bild als Orakel seines Zeitalters Konturen anzunehmen. Coleridges letzte Arbeiten, zum Teil erst nach seinem Tod veröffentlicht, waren hauptsächlich religiösen Themen gewidmet. Er starb 1834 in Highgate.

Die Nachwelt hat Coleridge sehr unterschiedlich beurteilt, und kaum einem großen Autor der englischen Literatur ist lange Zeit so wenig biographische Gerechtigkeit widerfahren wie ihm. In den letzten Jahrzehnten hat er an Statur gewonnen – nicht nur als der einzige Romantiker, der die generationshafte Lebenskrise der Epoche bestanden hat, sondern auch als ein »Moderner«, der intellektuell und existentiell Probleme erfahren oder zumindest erahnt hat, die die Gegenwart noch bedrängen. (F)

Hauptwerke: *Lyrical ballads, with a few other poems* (mit William Wordsworth) 1798. – *The friend* 1809/10. – *Christabel; Kubla Khan, a vision; The pains of sleep* 1816. – *Biographia literaria, or biographical sketches of my literary life and opinions*, 2 vols 1817. – *Essays on his own times, forming a second series of The friend*, ed. S. Coleridge, 3 vols 1850. – *Omniana, or horae otiosiores*, ed. R. Southey, 2 vols 1812.

Bibliographien: T. J. Wise, *A bibliography of the writings in prose and verse of Samuel Taylor Coleridge* 1913 (repr. 1976). – R. und J. Haven und M. Adams, *Samuel Taylor Coleridge. An annotated bibliography of criticism and scholarship, 1793–1899* 1976. – T. Hall, A checklist of Coleridge criticism, 1790–1965, in *Bulletin of bibliography* 25 (1968). – J. D. Caskey und M. M. Stapper, *Samuel Taylor Coleridge. A selective bibliography of criticism, 1935–1977* 1978. – M. L. Milton,

The poetry of Samuel Taylor Coleridge. An annotated bibliography of criticism, 1935–1970 1981.

Ausgaben: *The collected works*, ed. K. Coburn et al. 1969– . – *The notebooks*, ed. K. Coburn 1957– . – *Complete works*, ed. W. G.T. Shedd, 7 vols 1853 (repr. 1973). – *The complete poetical works*, ed. E.H. Coleridge, 2 vols 1912 u. ö. – *Biographia literaria*, ed. J. Shawcross, 2 vols 1907 u. ö. – *Collected letters*, ed. E. L. Griggs, 6 vols 1956–1971.

Übersetzungen: *Gedichte* (englisch-deutsch), übers. von E. Mertner 1973 (Reclam). – *Versuche über die Methode*, übers. von H. Schrey, hrsg. von K. Albert 1980 (Richarz).

Biographien: E.K. Chambers, *Samuel Taylor Coleridge. A biographical study* 1938 (repr. 1978). – L. Hanson, *The life of S. T. Coleridge. The early years* 1938 (repr. 1962). – J. Cornwell, *Coleridge. Poet and revolutionary, 1772–1804* 1973.

Sekundärliteratur: J. Livingstone Lowes, *The road to Xanadu. A study in the ways of the imagination* (1927) 1985. – I. A. Richards, *Coleridge on imagination* 1934. – H. House, *Coleridge* 1969. – J. Colmer, *Coleridge. Critic of society* 1959. – R. H. Fogle, *The idea of Coleridge's criticism* 1962. – P.M. Adair, *The waking dream. A study of Coleridge's poetry* 1967. – W. J. Bate, *Coleridge* 1968. – T. McFarland, *Coleridge and the pantheist tradition* 1969. – J. R. de J. Jackson, *Method and imagination in Coleridge's criticism* 1969. – G.N. G. Orsini, *Coleridge and German idealism. A study in the history of philosophy* 1969. – N. Fruman, *Coleridge, the damaged archangel* 1972. – O. Barfield, *What Coleridge thought* 1972. – K. Coburn, *In pursuit of Coleridge* 1977. – L.S. Lockridge, *Coleridge the moralist* 1977. – K. Cooke, *Coleridge* 1979. – P. Hamilton, *Coleridge's poetics* 1983. – J. S. Hill, *A Coleridge companion. An introduction to the major poems and the Biographia literaria* 1983. – R. Mondiano, *Coleridge and the concept of nature* 1985. – A. Taylor, *Coleridge's defense of the human* 1986. – P. Magnuson, *Coleridge and Wordsworth. A lyrical dialogue* 1988.

Wilkie Collins (1824–1889)

Zwischen bohemienhaftem Ausbruch und gesellschaftlicher Kaschierung bzw. Anpassung ereignen sich Leben und Werk von Wilkie Collins. Der Sohn des Malers William Collins erhält nur eine geringe schulische Ausbildung, sein prägendes Jugenderlebnis ist das der Freiheit während eines zweijährigen Italienaufenthaltes (1836–1838). Der Lehre bei einem Teekaufmann entkommt er durch das Verfassen eines historischen Romans,

Antonia (veröffentlicht 1850). Der beeindruckte Vater gestattet, daß er sich an einer der Londoner Rechtsschulen, Lincoln's Inn, einschreibt (1846). Wiewohl Collins diese erfolgreich absolviert, hat er den Rechtsanwaltberuf nie ausgeübt. Er beginnt zu malen; ein Landschaftsbild wird von der Royal Academy 1849 ausgestellt. Und er beginnt zu schreiben. Die Bekanntschaft mit Charles → Dickens (1851) prägt beider Leben nicht unmaßgeblich. Sie begeben sich zusammen auf Vergnügungsreisen (auch ausschweifender Natur), widmen sich schreibend, inszenierend, schauspielend dem Theater (*The lighthouse* 1855; *The frozen deep* 1857), verfassen gemeinsam Geschichten (u.a. *No thoroughfare* 1867). Collins assistiert Dickens zudem 1856–1861 bei der Herausgabe von dessen Familienzeitschriften *Household words* und *All the year round* und schreibt für diese seit 1856 Fortsetzungsromane. Wie Dickens versucht Collins in diesen Romanen, Phantastisches und bürgerliche Wirklichkeit zusammenzubringen. Seine Mischung freilich ist eine andere.

Schon *Basil* (1852), der zweite Roman, enthält die wichtigsten Ingredienzen: Eine ingeniöse Handlungsführung, Geheimnis und kriminalistisches Element werden in den Dienst melodramatisch-intensiver Affekterregung gestellt, gemäß dem Collins zugeschriebenen Motto: »Make 'em cry, make 'em laugh, make 'em wait.« Diese *sensation novels* liefern hinreißend-spannende Unterhaltung (und haben sich als Stoffe für populäre Fernsehfortsetzungen bewährt). Doch zumindest die besten unter ihnen, *The woman in white*, *No name* und *The moonstone*, sind weit mehr als eskapistische Lektüre. Wie Collins sein Privatleben sorgsam dem Blick der Öffentlichkeit entzieht – er lebt unverheiratet mit einer Frau und hat mit einer anderen drei Kinder –, so werden in den Romanen hinter der Fassade bürgerlicher Wohlanständigkeit Bereiche des Anarchischen, Alptraumhaften, Grotesk-Bösen sichtbar. Individuelle und gesellschaftliche Deformation, für die etwa Blindheit in *Poor Miss Finch* (1872), Identitätsverlust in *No name* oder Doppelgängertum in *The woman in white* als Metaphern stehen, sind die Folge. Die Wirklichkeit ist eine entfremdete, der Erkenntnis des einzelnen verschlossen. Nur perspektivisch kann die Wahrheit zusammengesetzt werden: Der Erzähler wird zum Herausgeber von Bericht, Tagebuch, Manuskript, Brief.

Der viktorianische Zwang zur gesellschaftlichen Anpassung sowie der realistische Imperativ der Zeit lassen es nicht zu, daß Collins sich mit dem Verfertigen solch spannend böser Romanzen begnügt. In den Werken der siebziger Jahre werden aktuelle Probleme didaktisch, reformerisch abgehandelt, zum Beispiel das der gefallenen Frau in *The new Magdalen* (1873), das der Heiratsgesetzgebung in *Man and wife* (1870). Der Versuch, realistisch aufzuklären, mißrät Collins melodramatisch; er kann mit der Tendenz zum Romanzenhaften nicht in Einklang gebracht werden. Daß das gute Dutzend Romane der zweiten Schaffenshälfte so entschieden schwächer ist, mag auch mit Collins' physischem Verfall zusammenhängen. Seine labile Konstitution veranlaßt ihn, gegen schmerzhafte Gichtanfälle in den letzten 27 Jahren seines Lebens nicht unbeträchtliche Dosen Opium zu nehmen. Seine Popularität sowie sein Erfolg beim Publikum aber, seit 1860 und *The woman in white* fest etabliert, leiden bis zu seinem Tod darunter nicht. (T)

Hauptwerke: *Hide and seek* 1854. – *The woman in white* 1859. – *No name* 1862. – *Armadale* 1864/65. – *The moonstone* 1868. – *The evil genius* 1886.

Bibliographie: M. L. Parrish, *Wilkie Collins and Charles Reade* 1940.

Ausgabe: *The works*, 30 vols 1900.

Übersetzungen: *Die Frau in Weiß*, übers. von A. Schmidt 1987 (Fischer). – *Der rote Schal* (*Armadale*), übers. von E. Schönfeld 1978 (Fischer).

Biographie: K. Robinson, *Wilkie Collins. A biography* 1951.

Sekundärliteratur: W. H. Marshall, *Wilkie Collins* 1970. – D. L. Sayers, *Wilkie Collins. A critical and biographical study* 1979. – S. Lonoff, *Wilkie Collins and his Victorian readers. A study in the rhetoric of authorship* 1982. – A. Peterson, *Victorian masters of mystery. From Wilkie Collins to Conan Doyle* 1984.

William Congreve (1670–1729)

Congreve gilt als letzter der großen Dramatiker der Restaurationszeit, obwohl die Restauration schon mehr als dreißig Jahre zurücklag, als er 1693 mit seiner ersten Komödie Aufsehen erregte. Er kam – in Yorkshire geboren, in Irland als Sohn des Garnisonskommandeurs von Youghul aufgewachsen und am Trinity College in Dublin als Kommilitone von → Swift immatrikuliert – in jungen Jahren nach London. Dort strebte er, wie auch andere Literaten der Zeit, am Middle Temple eine Ausbildung als Jurist an. Er scheint nie praktiziert, sondern sich bald der Literatur zugewandt zu haben. Seine literarische Laufbahn war mit weniger als zehn Jahren kurz, aber in höchstem Maße erfolgreich.

Congreves erstes Werk war kein Drama, sondern eine kleine Erzählung, *Incognita*, die sich als Roman (*novel*) ausgibt. Sie ist in vielem noch der Romanze verhaftet und nach heutigem Empfinden durchaus kein Roman. Doch Congreve gab ihr ein kurzes Vorwort bei, das als erste literarkritische Abhandlung wesentliche Züge des Romans herausstellt und damit → Fieldings Vorreden antizipiert. Da Erzählliteratur in der Epoche wenig galt, ließ Congreve seine »Bagatelle« anonym erscheinen. Sein Name kam erstmals als Beiträger zu → Drydens Übersetzung der römischen Satiriker an die Öffentlichkeit. Dryden blieb ihm lebenslang verbunden und richtete eines seiner vollkommensten Gelegenheitsgedichte an Congreve.

Dryden und Thomas Southerne (1659–1748), ein wenig prominenter Dramatiker ohne Nachruhm, halfen Congreve bei seinem ersten Stück, *The old batchelour*, das ihn sofort als Dramatiker etablierte. Im Rückblick ist es als ein unvollkommenes Erstlingswerk anzusehen, doch weist das Drama, ungeachtet einiger Künstlichkeit der Handlungsführung, eine meisterhafte Handhabung der konventionellen Elemente der Restaurationskomödie auf, so daß die Zeitgenossen uneingeschränkt Beifall zollten. *The double dealer*, die im selben Jahr folgende Komödie, war weniger erfolgreich, weil sich Congreve zuviel vorgenommen hatte: ein Stück, das die traditionellen neoklassischen Einheiten von Ort, Zeit und Handlung wahrte und dabei gleicherweise ein Abbild und eine Satire der zeitgenössischen Gesellschaft sein sollte. Das Stück war, wie es heute von der Literaturkritik gesehen wird, ein Experiment mit nicht ganz glücklichem Ausgang.

Love for love, das dritte von Congreves Dramen, war ein unmittelbarer Bühnenerfolg und wurde bis weit ins 18. Jahrhundert hinein immer wieder aufgeführt. Neben *The way of the world* ist es bis heute seine populärste Komödie geblieben. Die Handlung ist einfach, aber in der Gestaltung der Charaktere, in der Brillanz des Dialogs und in der Mischung komödienhafter Elemente – »something that may please each taste« – gelang Congreve Außergewöhnliches. Nicht zuletzt darauf gründet sich sein Ruf, der geistvollste und amüsanteste Komödienautor der englischen Literatur zu sein.

Congreves einziger Versuch auf dem Gebiet der Tragödie war *The mourning bride*, ein Stück im heroischen Stil der Epoche, das bei seiner ersten Aufführung gut aufgenommen wurde, sich aber nicht auf der Bühne behauptet hat. *The way of the world*, sein letztes Stück, war wieder eine Komödie, aber keine Restaurationskomödie mehr. Congreve transzendierte darin die für Autoren und Zuschauer gleicherweise verbindlichen Konventionen des Genre in Richtung auf eine stärkere »Natürlichkeit« von Empfindung und Verhalten. Die Dialoge gehören zu den besten des englischen Theaters, aber manche Subtilität ging am zeitgenössischen Publikum vorbei, so daß sich das Stück erst für die Nachwelt als große dramatische Leistung etabliert hat.

Congreve zog sich nach diesem vermeintlichen Mißerfolg von der Bühne zurück. Drei Sinekuren, die er durch seinen Mäzen, den späteren Lord Halifax, erhalten hatte, erlaubten ihm ein sorgenfreies Leben im Kreise der großen Literaten des frühen 18. Jahrhunderts. Voltaire suchte ihn als einen der Repräsentanten der englischen Literatur auf. Seine späteren Jahre waren durch Gicht und Erblindung beeinträchtigt. Er starb an einem Unglücksfall und wurde mit großem Zeremoniell in Westminster Abbey beigesetzt. (F)

Hauptwerke: *Incognita, or love and duty reconcil'd* 1692. – *The old batchelour* 1693. – *The double dealer* 1693. – *Love for love* 1695. – *The mourning bride* 1697. – *The way of the world* 1700.

Bibliographie: L. Bartlett, *William Congreve. A reference guide* 1979.

Ausgaben: *Complete works*, ed. M. Summers, 4 vols 1923. – *Complete plays*, ed. H. Davis 1967. – *Letters & documents*, ed. J. C. Hodges 1964.

Übersetzung: *Der Lauf der Welt*, übers. von W. Hildesheimer 1986 (Insel)

Biographie: J. C. Hodges, *William Congreve, the man. A biography from new sources* 1941.

Sekundärliteratur: E. L. Avery, *Congreve's plays on the eighteenth-century stage* 1951. – H. Drougge, *The significance of Congreve's Incognita* 1976. – A. L. Williams, *An approach to Congreve* 1979.

Joseph Conrad (1857–1924)

Joseph Conrad erlernte die englische Sprache nicht vor seinem 21. Lebensjahr, und erst nach einem abenteuerlichen Seemannsleben entschloß er sich, seinen Lebensunterhalt als Schriftsteller zu verdienen. Heute gehört er zu den wenigen Autoren, die als *major authors* der englischen Romanliteratur des 20. Jahrhunderts gelten.

Józef Teodor Konrad Korzeniowski (wie Conrad ursprünglich hieß) wurde 1857 in Berdiczew (Polen) geboren. Sein Vater, Apollo Nalecz Korzeniowski, war schriftstellerisch begabt und übersetzte Werke von Victor Hugo und → Shakespeare ins Polnische. Er war jedoch auch politisch aktiv, insbesondere bei der Vorbereitung eines antirussischen Aufstandes, und wurde deshalb 1852 ins nördliche Rußland verbannt. Conrad verlor seine Eltern sehr früh und war seitdem auf die Hilfe seines Onkels Tadeusz Bobrowski angewiesen. Als Siebzehnjähriger siedelte er nach Marseille über und heuerte als Seemann an. Bis 1876 stand er in Diensten der französischen Handelsmarine; zwei Jahre darauf wechselte er zur britischen Marine, in der er ab 1886 den Rang eines Kapitäns einnahm. Eine seiner letzten Reisen führte ihn auf einem belgischen Dampfer in die Nähe der Stanley Falls. Zu Beginn des Jahres 1894 zwang ihn eine schwere Krankheit, den Seemannsberuf aufzugeben. Die Fahrt nach Belgisch-Kongo hat in der Erzählung »Heart of darkness« ihren Niederschlag gefunden, und auch die früheren Fahrten – beispielsweise auf der Narcissus – gaben Conrad Anregungen für seine erzählerischen Werke.

Seine ersten Romane – *Almayer's folly* (1895), *An outcast of the islands* (1896) – wurden unter dem Eindruck einer exuberanten tropischen Natur im Stile des Exotismus verfaßt, der als literarische Mode am Ende des 19. Jahrhunderts vorherrschte. Die Hauptcharaktere leben meist zwischen den Rassen und kulturellen Traditionen und werden durch unlösbare psychische Konflikte zerrieben. *The nigger of the »Narcissus«* (1897) zeigt, daß Conrad inzwischen gelernt hatte, die realistischen und symbolistischen Erzähltechniken bei der Darstellung einer Fahrt, auf der Meuterei und Tod das Ethos einer Schiffsmannschaft auf die Probe stellen, souverän zu handhaben. Die Vorrede gibt Einblick in die theoretischen Reflexionen, die seine künstlerische Arbeit stets begleiteten. Gleich einem Philosophen oder einem Naturwissenschaftler möchte auch er die

Wahrheit ans Licht bringen, allerdings nicht mit Begriffen, sondern mit Bildern und Gestalten: »My task which I am trying to achieve is, by the power of the written word to make you hear, to make you feel, – it is before all to make you *see*.« Als Erzähler konzentriert er sich auf die sinnträchtigen Augenblicke, die Einsicht in bislang verschlossene Wirklichkeitszusammenhänge vermitteln.

Ausgeformt wurde seine Kunstauffassung in *Lord Jim* (1900), der Geschichte eines Seemanns, der glaubt, seine Ehre verloren zu haben, als er 800 arabische Pilger einem ungewissen Schicksal überließ. Auf labyrinthischen Wegen spürt Captain Marlow dem Schicksal, den Motiven, den halbbewußten und unterbewußten Regungen Jims nach und koordiniert die unterschiedlichen Berichte und Urteile über ihn. Die von Henry James übernommene Standpunkttechnik ist einer solchen Weltsicht adäquat.

In *Nostromo* (1904) übertrug Conrad diese Erzählweise auf die Darstellung eines südamerikanischen Staates, in dem Revolution und Gegenrevolution sich in einem fast regelmäßigen Rhythmus ablösen. Private Schicksale, politische Konflikte und universalgeschichtliche Reflexionen werden zu einem mächtigen epischen Bild vereinigt. Conrads Auseinandersetzung mit Rußland, insbesondere mit dem Anarchismus, spiegelt sich in *The secret agent* (1907) und *Under Western eyes* (1911). Wenngleich in dem Roman *Under Western eyes* der Einfluß von Dostojewskis *Schuld und Sühne* erkennbar ist, unterscheidet sich Conrad insofern von seinem russischen Vorbild, als er keine religiöse Lösung für die Schuldproblematik anbietet. Seine Charaktere scheinen vielmehr in einem Universum zu existieren, in dem ähnlich wie bei Thomas → Hardy das Prinzip des Zufalls herrscht (*Chance* 1913); in manchen Passagen rückt seine Sicht der menschlichen Existenz und des Universums an das Weltbild der absurden Literatur heran: Es bleibt seinen Helden, insbesondere denjenigen, die den konfliktreichen Situationen mit *common sense* begegnen, nur der Versuch, sich in einer menschenwürdigen Weise der Sinnlosigkeit zu stellen und mit anderen Solidarität zu üben, die in gleicher Weise zum Scheitern verurteilt sind. Zeugt sein Roman *Victory* (1915) noch von seinem Sinn für die Tragik der menschlichen Existenz, so dominiert in den letzten Romanen *The arrow of gold* (1919) und *The rover* (1923), die Erinnerungen an den Dienst in der französischen Handelsmarine festhalten, der romanzenhafte Stil. Es ist nicht zu verkennen, daß die Schaffenskraft des Autors gegen Ende seines Lebens merklich nachließ. (E)

Hauptwerke: *Almayer's folly* 1895. – *An outcast of the islands* 1896. – *The nigger of the »Narcissus«* 1897. – *Tales of unrest* 1898. – *Lord Jim* 1900. – *Youth* (enthält »Heart of darkness«) 1902. – *Typhoon and other stories* 1903. – *Nostromo* 1904. – *The secret agent* 1907. – *A set of six* 1908. – *Under Western eyes* 1911. – *'Twixt land and sea* 1912. – *Chance* 1913. – *Victory* 1915. – *Within the tide* 1915. – *The shadow-line* 1917. – *The arrow of gold* 1919. – *The rescue* 1920. – *The rover* 1923. – *Tales of hearsay* 1925.

Bibliographien: T. J. Wise, *A bibliography of the writings of Joseph Conrad (1895–1921)* (1921) 1964. – T. G. Ehrsam, *A bibliography of Joseph Conrad* 1969. – B. E. Teets und H. Gerber, *Joseph Conrad. A bibliography of writings about him* 1971.

Ausgaben: *Works*, Uniform edition, 22 vols 1923–1928. – *The collected edition of the works*, 21 vols 1946–1955. – *The collected letters*, ed. F. R. Karl und L. Davies 1983– .

Übersetzungen: *Lord Jim*, übers. von H. Lachmann und E. W. Freißler 1947 (Suhrkamp), übers. von F. Lorch 1962 (Fischer), 1974 (Diogenes). – *Sieg*, übers. von W. Schürenberg 1962, 1983 (Fischer). – *Der Geheimagent*, übers. von G. Danehl 1963, 1984 (Fischer), 1975 (Diogenes). – *Mit den Augen des Westens*, übers. von G. Danehl 1967, 1984 (Fischer). – *Der Nigger von der »Narzissus«*, übers. von E. Wagner 1971, 1983 (Fischer). – *Herz der Finsternis*, übers. von F. Lorch 1977 (Diogenes), 1985 (Fischer). – *Meistererzählungen*, übers. von F. Güttinger 1977 (Manesse). – *Taifun. Zwischen Land und See*, übers. von E. Wagner 1978 (Fischer). – *Der Verdammte der Inseln*, übers. von G. Danehl 1979 (Fischer). – *Geschichten der Unrast*, übers. von F. Lorch 1982 (Fischer). – *Nostromo*, übers. von F. Lorch 1983, 1984 (Fischer). – *Spiel des Zufalls*, übers. von F. Lorch 1984 (Fischer).

Biographien: G. Jean-Aubry, *The sea dreamer. A definitive biography of Joseph Conrad* 1957. – J. Baines, *Joseph Conrad. A critical biography* 1960. – B. C. Meyer, *Joseph Conrad. A psychoanalytic biography* 1967. – F. R. Karl, *Joseph Conrad. The three lives. A biography* 1979. – R. Tennant, *Joseph Conrad* 1981. – W. M. Tarnawski, *Conrad the man, the writer, the Pole. An essay in psychological biography* 1984.

Sekundärliteratur: G. Morf, *The Polish heritage of Joseph Conrad* 1930. – W. F. Wright, *Romance and tragedy in Joseph Conrad* 1949. – D. Hewitt, *Conrad. A reassessment* 1952. – T. Moser, *Joseph Conrad. Achievement and decline* 1957. – A. Guerard, *Conrad the novelist* 1958. – F. R. Karl, *A reader's guide to Joseph Conrad* (1960) 1969. – E. K. Hay, *The political novels of Joseph Conrad. A critical study* 1963. – C. Rosenfield, *Paradise of snakes. An archetypal analysis of Conrad's political novels* 1967. – A. Fleishman, *Conrad's politics. Community and anarchy in the fiction of Joseph Conrad* 1967. – J. I. M. Stewart,

Joseph Conrad 1968. – H. M. Daleski, *Joseph Conrad. The way of dispossession* 1977. – J. Berthoud, *Joseph Conrad. The major phase* 1978. – J. Hawthorn, *Joseph Conrad. Language and fictional self-consciousness* 1979. – I. Watt, *Conrad in the nineteenth century* 1979. – W. Senn, *Conrad's narrative voice. Stylistic aspects of his fiction* 1980. – J. Darras, *Joseph Conrad and the West. Signs of empire* 1982. – A. Hunter, *Joseph Conrad and the ethics of Darwinism. The challenges of science* 1983. – N. Page, *A Conrad companion* 1986.

Noël Coward (1899–1973)

Coward war sicher nicht, wie ein Kritiker gegen Ende seiner Karriere behauptete, der größte lebende englische Dramatiker, aber er war der erfolgreichste Bühnenautor und einer der erfolgreichsten Schauspieler seiner Zeit. Fast ein halbes Jahrhundert umfaßt seine literarische Produktion, und manche seiner Komödien erreichten Aufführungsrekorde. Das Theaterspiel lag ihm von Anfang an im Blut. Schon mit elf Jahren stand er auf der Bühne, nachdem er, von Hause aus musikalisch vorbelastet, als Sänger im Kirchenchor nicht reüssiert hatte.

Ehe seine ersten Stücke aufgeführt wurden, hatte Coward Erfahrungen als Schauspieler gesammelt und sich auch in jener »feinen« Welt umgetan, die weitgehend die Welt seiner Komödien ist. Sein Erstlingswerk, *The rat trap*, 1924 aufgeführt, aber Jahre vorher entstanden, war ein Mißerfolg – »lousy in construction« – etablierte ihn aber als Schauspieler. Wenig später wurde *The vortex*, ein brillantes, aber kontroverses Stück über Sex, Drogen und Dekadenz in der *beau monde*, in London und New York ein Triumph. Von da an folgten Komödien, Farcen und Revuen schnell aufeinander, nicht alle gleicherweise erfolgreich, aber bereitwillig als Stücke eines »interessanten« jungen Autors aufgenommen, der sich mehr und mehr als sein eigener Bühnenheld zu inszenieren schien.

Easy virtue, in der Art der Gesellschaftsstücke von Arthur Pinero (1855–1934) gehalten, entstand innerhalb eines Jahres zusammen mit *Fallen angels* (wie *The vortex* ein Skandalerfolg) und *Hay fever*, einem fast handlungslosen Stück über die neue »Talentokratie« der Epoche. Alle drei machten die Eigenheiten und Möglichkeiten von Coward als Bühnenautor und zugleich seine virtuose Professionalität sichtbar. Coward begann damals eine fast zehnjährige Zusammenarbeit mit (Sir) Charles Blake Cochran, einem der erfolgreichsten Londoner Theatermanager. Mit ihm brachte er – nach einigen Fehlschlägen – seine erfolgreichste Revue, *This year of grace* (1928), heraus.

Cowards inzwischen klassisch gewordene Komödien stammen aus den dreißiger Jahren, und sie reflektieren, ohne im geringsten Stücke der Zeit zu sein, das Lebensgefühl der Epoche. *Private lives* (über das Zusammentreffen eines geschiedenen und beiderseits unglücklich wiederverheirateten Paares) brachte ihm von Arnold Bennett das Lob ein, »the → Congreve of our day« zu sein. *Design for living* (über eine erfolgreiche *ménage à trois*) und *Present laughter* (über einen egozentrischen romantischen Schauspieler und seine Entourage) sind als ironische Charakterstudien von großer Bühnenwirksamkeit, und *Blithe spirit*, eine Farce von höchster Vollendung und vielleicht Cowards bestes Stück, reicht in Dialogtechnik und verbalem Witz an die besten englischen Komödien heran. Die Welt dieser Komödien, wie fast aller Stücke Cowards, ist eine Phantasiewelt der eleganten Lässigkeit, des exzentrischen Verhaltens, der souveränen Desinvolture, doch diese Welt ist, wie auch Cowards eigene Äußerungen verdeutlichen, auf einer Folie weitgehend konservativer Auffassungen entworfen.

Der Krieg brachte eine andere Seite von Coward zum Vorschein: seinen Patriotismus, der sich schon in *Cavalcade* (1931) zeigte und der in *This happy breed* (1942), *Brief encounter* (1944) und *Peace in our time* (1947) besonders hervortrat. Nach dem Krieg kehrte Coward zu den bewährten Komödien zurück. *Relative values* (1951), *Nude with violin* (1956) oder *South Sea bubble* (1956) waren Erfolge, nicht zuletzt durch Besetzungen mit John Gielgud oder Vivian Leigh. Doch verlor Coward gegenüber dem neuen realistischen Theater zunehmend an Boden. Seit 1951 trat er im Londoner Café de Paris und später auch in Las Vegas mit seinen eigenen Songs unter großem Zuspruch als Entertainer auf, wie er auch Angebote des amerikanischen Films und Fernsehens annahm. Er lebte zuletzt in Jamaica, wo er 1973 starb. Auf eine Interview-Frage, wofür er bei der Nachwelt in Erinnerung bleiben wolle, antwortete er: »Charm.« (F)

Hauptwerke: *The vortex* 1924. – *Hay fever* 1925. – *Easy virtue* 1925. – *Private lives* 1930. – *Design for living* 1933. – *Blithe spirit* 1941.

Bibliographie: In S. Morley, *A talent to amuse* (1969) 1985.

Ausgaben: *Play parade*, 6 vols 1934–1962. – *Plays*, 5 vols 1979–1983.

– *The collected short stories*, 2 vols 1983. – *Collected verse*, ed. G. Payn und M. Tickner 1984. – *Diaries*, ed. G. Payn und S. Morley 1982. – *Autobiography*, ed. S. Morley 1986.

Biographien: S. Morley, *A talent to amuse. A biography of Noël Coward* (1972) 1985. – C. Lesley, *The life of Noël Coward* 1976.

Sekundärliteratur: R. Mander und J. Mitchenson, *Theatrical companion to Coward* 1957. – C. Lesley, G. Payn und S. Morley, *Noël Coward and his friends* 1979. – J. Lahr, *Coward the playwright* 1982.

Abraham Cowley (1618–1667)

Im eigenen Urteil war Cowley literarischer Pionier, ein »Muse's Hannibal«, der bisher unbezwungene Alpen der Dichtkunst überquerte. Spätere Kritiker wie Dr. →Johnson sahen in ihm nur den letzten der *metaphysical poets.* Der gebürtige Londoner besuchte die berühmte Westminster School und studierte in Cambridge, wo er bereits mit fünfzehn Jahren seine ersten Gedichte veröffentlichte. In den Wirren des Bürgerkriegs entschied sich Cowley für die Royalisten und folgte der königlichen Familie ins französische Exil. 1654 kehrte er als Agent nach England zurück, arrangierte sich aber mit den Puritanern und blieb unbehelligt. Er studierte Medizin in Oxford und erwarb 1657 den Doktorgrad. Nach der Restauration wurde er *Fellow* in Cambridge und erhielt vom Hof Landbesitz.

Cowley schrieb mehrere Dramen, die den Einfluß Ben →Jonsons verraten. 1647 brachte er den Gedichtband *The mistress* heraus, der in der Nachfolge von →Donnes *Songs and sonnets* steht. 1656 veröffentlichte er einen Band *Poems*, der seine pindarischen Oden und sein unvollendetes Bibel-Epos *Davideis* enthält. Cowley ist der typische Dichter einer Epochenschwelle, der die verschiedenen literarischen Traditionen seiner Zeit verarbeitete und durch seine literarischen Experimente zugleich zum Vorbild für spätere Generationen wurde.

Stärker als mit seiner *conceit*-reichen Liebeslyrik wirkte er durch seine pindarischen Oden, die er als unregelmäßige Formen in hart gefügter Rhythmik verstand, auf die Dichtung der Restaurationszeit. *Davideis* ist das erste englische Bibel-Epos, das sich im Gegensatz zu →Miltons Epen bereits gelehrt-aufklärerisch auf die Darstellung der historischen Welt des Alten Testaments beschränkt. Cowley war ein begeisterter Anhänger

→ Bacons und setzte sich in seinem Essay *The advancement of experimental philosophy* (1661) für die Errichtung einer naturwissenschaftlichen Lehr- und Forschungsstätte ein. Er wurde damit zu einem Wegbereiter und Förderer der *Royal Society*. Im 17. Jahrhundert galt Cowley als eine der bekanntesten Dichterpersönlichkeiten. Sein Ruhm schwand allerdings im 18. Jahrhundert rasch dahin. (W)

Hauptwerke: *The mistress* 1647. – *Poems* 1656.
Bibliographie: M. R. Perkin, *Abraham Cowley. A bibliography* 1977.
Ausgaben: *Poems*, ed. A. R. Waller 1905. – *Essays, plays and sundry verses*, ed. A. R. Waller 1906.
Biographie: J. Loiseau, *Abraham Cowley. Sa vie, son œuvre* 1931.
Sekundärliteratur: A. H. Nethercot, *Abraham Cowley. The muse's Hannibal* 1931 (repr. 1967). – U. Suerbaum, *Die Lyrik der Korrespondenzen. Cowleys Bildkunst und die Tradition der englischen Renaissancedichtung* 1958. – R. B. Hinman, *Abraham Cowley's world of order* 1960. – D. Trotter, *The poetry of Abraham Cowley* 1979.

William Cowper (1731–1800)

Cowper lebte genau ein Jahrhundert später als → Dryden, und wenn mit Dryden der Beginn der neoklassischen Epoche anzusetzen ist, so repräsentiert Cowper jene Endphase, die auch als Übergangszeit zur Romantik betrachtet wird. Seine Schaffensperiode war kurz; von einer künstlerischen Entwicklung kann bei ihm kaum die Rede sein.

Cowper kam aus gutem Hause und besuchte die Westminster School, wo eine Reihe später prominenter Autoren zu seinen Freunden gehörte und Vincent Bourne, ein hervorragender neo-lateinischer Dichter, sein Lehrer war. In London schlug er eine Laufbahn als Jurist ein, aber diese kam zu einem abrupten Ende, als 1763 eine Geistesstörung auftrat, die den Rest seines Lebens durch schwere Depressionen und religiöse Wahnvorstellungen überschattete. Ab 1765 lebte er zurückgezogen zunächst in Huntingdon, später in Olney (Buckinghamshire). Dort kam er unter den Einfluß des evangelistischen Predigers John Newton, der ihm ein hilfreicher, aber in seiner religiösen Düsterkeit nicht immer geeigneter geistlicher Mentor war und späterhin Vertrauter und bevorzugter Briefpartner wurde.

Unter Newtons literarischen Arbeiten während seiner Zeit in

Olney befand sich ein Hymnen-Buch, zu dem er Cowper beitragen ließ. Die *Olney hymns* erfreuten sich anfänglich großer Beliebtheit, war doch die religiöse Hymne eine kennzeichnende lyrische Form des späten 18. Jahrhunderts. Indessen hielt sich nur ein Bruchteil der nahezu 350 Hymnen für längere Zeit. Der Erfolg der *Olney hymns* ermutigte Cowper, und das Dichten gewann für ihn mehr und mehr auch eine therapeutische Bedeutung. Acht längere und einige kürzere Gedichte, die bald darauf entstanden, erschienen 1782 als *Poems*. In *heroic couplets* geschrieben und in moralisch-didaktischer Absicht verfaßt, wirkten sie traditionell, wenn nicht konventionell, und ihre milde Satire blieb in einer satirisch kaum mehr ansprechbaren Zeit ohne Wirkung. Der Band wurde gleichwohl nicht unfreundlich aufgenommen, und aufmerksame Leser konnten in *Table talk* Anzeichen für eine literarische Neuorientierung der Epoche entdecken.

Cowpers unverwechselbare Eigenart trat erst mit *The task* hervor, einem Gedicht in sechs Büchern, das 1785 als zweiter Band der Gedichte herauskam. Es war nach dem Urteil von Robert → Burns »a glorious poem« und entsprach ganz dem Geschmack der Zeit. Die Anregung dazu kam von der mit Cowper neu befreundeten Lady Austen, die in ihm – durchaus zu Recht – den »Gelegenheitsdichter« sah, der über alles schreiben konnte, so daß sie ihm das Sofa seines Zimmers als »Aufgabe« (*task*) stellte. Das Thema des in Blankversen geschriebenen, locker gefügten und durch zahlreiche Digressionen und Reflexionen gekennzeichneten Gedichts ist das »einfache« Leben in ländlicher Umgebung und die Suche nach äußerem und innerem Frieden. Der autobiographisch bestimmte melancholische Unterton gibt ihm seine spezifische Färbung, und Cowpers Idiom, das nicht mehr klassizistisch und noch nicht romantisch ist, macht das Gedicht (das → Coleridge als »divine chit-chat« charakterisierte) zu einem authentischen Dokument der Epoche.

Wie Dryden und → Pope wandte sich Cowper den antiken Klassikern zu, und so wie er mit seinem Blankvers-Gedicht die normative Neoklassik hinter sich lassen wollte, versuchte er, Homer und Horaz in einer neuen Übersetzung der englischen Literatur zu assimilieren. Sein Homer (1791) war ein kommerzieller Erfolg, doch die günstige Aufnahme der Übersetzung war auf den Augenblick des Erscheinens beschränkt; für die Nachwelt hat sich Cowper nicht gegen Pope durchsetzen können. Dagegen finden seine Übersetzungen der lateinischen Gedichte → Miltons (posthum 1808) noch heute Beifall.

Cowpers Briefe, nur für sich und den Empfänger geschrieben und nie mit einem Blick auf die Nachwelt zu Papier gebracht, erfreuen sich größter Wertschätzung. Sie ergänzen nicht nur seine Memoiren, ein Dokument persönlicher Religiosität, wie es sich sonst nur im 17. Jahrhundert findet, sondern sind in ihrer Offenheit und Sensibilität auch Ausdruck eines ungewöhnlichen, psychisch bedrohten und dem geistigen Verfall ausgelieferten Daseins. Cowpers letzte Jahre, durch einen notwendigen Umzug nach East Dereham (Norfolk) bestimmt, waren wenig erfreulich. Er starb friedlich, ohne das neu heraufziehende Zeitalter noch zur Kenntnis zu nehmen, und wurde in Dereham Church beigesetzt. (F)

Hauptwerke: *Poems* 1782. – *The task* (*Poems*, vol 2) 1785. – *Memoir of the early life, written by himself* 1816.

Bibliographien: N. Russell, *A bibliography of William Cowper to 1837* 1963. – L. Hartley, *William Cowper. The continuing revaluation. An essay and a bibliography of Cowperian studies from 1895 to 1960* 1960.

Ausgaben: *Works*, ed. R. Southey, 15 vols 1835–1837. – *Poems*, ed. J.D. Baird und C. Ryskamp, 1980– . – *Letters and prose writings*, ed. J. King und C. Ryskamp, 5 vols 1979–1986.

Biographien: M.J. Quinlan, *William Cowper. A critical life* 1953. – C. Ryskamp, *William Cowper of the Inner Temple, Esq. A study of his life and work to the year 1768* 1959. – J.S. Memes, *The life of Cowper* 1837 (repr. 1971) . – J. King, *William Cowper. A biography* 1986.

Sekundärliteratur: N. Nicholson, *William Cowper* 1951. – M. Golden, *In search of stability. The poetry of Cowper* 1960. – W.N. Free, *William Cowper* 1970. – V. Newey, *Cowper's poetry. A critical study and reassessment* 1982. – B. Hutchings, *The poetry of William Cowper* 1983. – M. Priestman, *Cowper's task. Structure and influence* 1983.

CYNEWULF (um 800)

Nach → Caedmon ist Cynewulf der zweite Dichter aus der altenglischen Zeit, der namentlich bekannt ist, weil in seine Dichtungen *Juliana*, *Elene*, *Christ II* und *Fata apostolorum* jeweils gegen Ende der Autorenname in Runenform eingearbeitet ist. Möglicherweise stammte er aus Northumbrien, aber auch eine merzische Herkunft scheint nicht ausgeschlossen. Ältere

Forschungen wiesen auf Cenwulf, einen Abt von Peterborough und Bischof von Winchester hin, der 1006 oder 1008 starb; auch Cynewulf, Bischof von Lindisfarne, gestorben um 783, wurde genannt und mit dem Dichter Cynewulf gleichgesetzt. Keine dieser Thesen konnte sich jedoch durchsetzen. So begnügt man sich heute mit Angaben wie »zweite Hälfte des 8. Jahrhunderts« oder »erste Hälfte des 9. Jahrhunderts«, um die ungefähre Lebens- und Schaffenszeit Cynewulfs zu fixieren.

Die vier genannten Dichtungen sprechen alle von der Wirksamkeit Gottes in der Geschichte. *Juliana* und *Elene* sind ausgesprochene Legendendichtungen. Der Aufbau der *Juliana*-Dichtung ist höchst einfach. Es folgen aufeinander: 1. der Ausbruch des Konfliktes zwischen Juliana und ihrem Vater Africanus, der sie mit dem heidnischen Herrscher Heliseus verheiraten möchte; 2. die Kerkerhaft und der Versuch des Belial, der im Dienst Satans steht, Juliana in ihrem Entschluß zu erschüttern und umzustimmen; 3. die Folterungen und der Märtyrertod. Der Kontrast zwischen heidnischer und christlicher Lebensauffassung wird deutlich herausgearbeitet, der Stil ist einfach, der Ton sachlich-nüchtern, die Darbietungsweise läßt die Zusammenhänge zwischen Ursache und Wirkung deutlich zutage treten. Nur am Schluß klingt ein persönlicher Ton an, wenn der Dichter von sich selbst spricht. *Elene* handelt von der Kreuzesauffindung durch Helena, der Mutter Kaiser Konstantins des Großen. Hier kommt der zeitgeschichtliche Hintergrund zur Geltung, insbesondere auch in den Dialogen zwischen Helena und Judas, der den Standpunkt der Juden vertritt. Von dem erzählerischen Können Cynewulfs zeugen die Beschreibung der Schlacht zwischen Römern und Hunnen sowie der Bericht über die Fahrt Helenas nach Jerusalem. Dogmatische und moraltheologische Betrachtungen werden mit rein erzählerischen Abschnitten verknüpft. Aufgrund der geschickten Verbindung der Darstellungstechniken gilt *Elene* allgemein als Cynewulfs bestes Werk.

Fata apostolorum faßt knapp und katalogartig die Schicksale der Apostel zusammen, wobei sich Cynewulf einer apokryphen Tradition anschließt, nach der jeder Apostel ein besonderes Land für die Missionierung zugewiesen bekam, in dem er später den Märtyrertod sterben sollte. Diese Dichtung, die allgemein als *Christ II* bezeichnet wird (zusammen mit *Christ I* und *Christ III* im *Exeter Book* überliefert) ist eine freie Paraphrase einer Predigt von St. Gregor und kann wegen des Runenanagramms mit Sicherheit Cynewulf zugeschrieben werden. Während *Christ I* von der Inkarnation und *Christ III* vom Jüngsten Gericht handelt, ist die Himmelfahrt Gegenstand des mittleren Teils. Ein Vergleich von *Christ II* mit der Vorlage ergibt, daß Cynewulf sich bemühte, alle Vorgänge anschaulicher herauszuarbeiten und zugleich den dogmatischen Gehalt der dargestellten Ereignisse transparent werden zu lassen. (E)

Ausgaben: *The Christ of Cynewulf. A poem in three parts*, ed. A.S. Cook 1900. – *The Exeter Book*, ed. G.P. Krapp und E.V.K. Dobbie 1936.

Sekundärliteratur: M.-M. Dubois, *Les éléments latins dans la poésie religieuse de Cynewulf* 1943. – C. Schaar, *Critical studies in the Cynewulf group* 1949. – K. Faiss, *Gnade bei Cynewulf und seiner Schule. Semasiologisch-onomasiologische Studien zu einem semantischen Feld* 1967. – D.G. Calder, *Cynewulf* 1981. – E.R. Anderson, *Cynewulf. Structure, style, and theme in his poetry* 1983. – A.H. Olsen, *Speech, song, and poetic craft. The artistry of the Cynewulf canon* 1984.

William Davenant (1606–1668)

Der Sohn Oxforder Wirtsleute rühmte sich später, nicht nur das Patenkind, sondern illegitimer Sohn →Shakespeares zu sein, wofür es allerdings keine Beweise gibt. Nach kurzem Studium in Oxford wurde Davenant Page in adeligen Häusern. Ab 1626 erwarb er sich als Dramatiker die Gunst des Hofes und wurde nach →Jonsons Tod dessen Nachfolger als *poet laureate*, was die Verpflichtung mit sich brachte, Dramen und *masques* für Hofaufführungen zu liefern. Seine größten Erfolge auf der Bühne waren die Sittenkomödie *The wits* (ca. 1633) und die Tragikomödie *Love and honour* (1634). 1643 wurde Davenant wegen militärischer Tapferkeit in den Adelsstand erhoben. 1650 wurde er vom Parlament ins Gefängnis geworfen, wo er sein unvollendetes romantisches Epos *Gondibert* schrieb, in dessen *Preface* er eine Poetik entwickelte, die später →Hobbes zu einer bedeutsamen Antwort anregte.

Das Verbot von Theateraufführungen durch das Parlament hat Davenant mehrere Male erfolgreich umgangen, unter anderem mit *The siege of Rhodes*, einer der ersten Opernaufführungen auf englischem Boden. Nach der Restauration erhielten Davenant und Thomas Killigrew als einzige königliche Patente für

Theateraufführungen. Als Intendant übte Davenant starken Einfluß auf das Restaurationsdrama aus und brachte auch eigene Adaptionen von Shakespeare *(Macbeth, The tempest)* auf die Bühne. Mit seinen Werken und durch seine Tätigkeit als Theaterleiter wurde er ein wichtiges Bindeglied zwischen dem Drama der Renaissance und der Restaurationszeit. (W)

Hauptwerke: *The wits* 1633. – *Love and honour* 1634. – *Gondibert* 1650.

Bibliographie: M. V. DePorte in T. P. Logan und D. S. Smith (eds.), *The later Jacobean and Caroline dramatists. A survey and bibliography of recent studies in English Renaissance drama* 1978.

Ausgaben: *The dramatic works*, ed. J. Maidment and W. H. Logan, 5 vols 1872-1874. – *Gondibert*, ed. D. F. Gladish 1971. – *The shorter poems, and songs from the plays and masques*, ed. A. M. Gibbs 1972.

Biographien: A. Harbage, *Sir William Davenant, poet venturer 1606–1668* 1935 (repr. 1971). – M. Edmond, *Rare Sir William Davenant. Poet laureate, playwright, Civil War general, Restoration theatre manager* 1987.

Sekundärliteratur: A. H. Nethercot, *Sir William Davenant. Poet laureate and playwright-manager* 1938 (repr. 1967). – L. Hönninghausen, *Der Stilwandel im dramatischen Werk Sir William Davenants* 1965. – H. S. Collins, *The comedy of Sir William Davenant* 1967. – M. Raddadi, *Davenant's adaptations of Shakespeare* 1979.

Cecil Day Lewis (1904–1972)

Cecil Day Lewis gilt als einer der Hauptvertreter der politischen Lyrik der dreißiger Jahre. Gegen Ende seiner Studienzeit in Oxford lernte er W. H. → Auden kennen, mit dem er den Band *Oxford poetry 1927* herausgab. Unter dem Einfluß von Auden löste er sich vom Stil seiner frühen Dichtung, die noch stark den Vorbildern der *Georgian poetry* verpflichtet war. Am energischsten verlieh er seinen politischen Überzeugungen in dem Band *The magnetic mountain* (1933) Ausdruck, in dem er in einem entschieden rhetorischen Stil und in allegorischer Manier vom Ziel seiner politischen Hoffnungen und Aktivitäten spricht und von den Widerständen, die es zu überwinden gilt. Day Lewis schloß sich 1935 der Kommunistischen Partei Großbritanniens an und nahm an den verschiedensten politischen Unternehmungen teil, kämpfte allerdings nicht – wie zahlreiche seiner politischen Freunde – im Spanischen Bürgerkrieg. Im

Sommer 1938 distanzierte er sich von der Partei, offenbar aus persönlichen Gründen.

Die beiden Bände *A time to dance and other poems* (1935) und *Overtures to death and other poems* (1938) zeugen wie *The magnetic mountain* von Day Lewis' politischem Engagement; »Bombers« und »Newsreel«, Gedichte aus *Overtures to death*, haben besonders starken Eindruck bei seinen Kritikern hinterlassen. Es meldeten sich jedoch zunehmend persönliche Konflikte in seinen Gedichten zu Wort, die erkennen lassen, daß seine Imagination nicht mehr durch die politischen Themen der Zeit zu schöpferischer Reaktion inspiriert wurde. Frühe Neigungen, die insbesondere in den Bänden *Beechen vigil and other poems* (1925) und *Country comets* (1928) ihren Ausdruck in einer georgianischen Naturlyrik gefunden hatten, kamen erneut zur Sprache: Natur und Liebe wurden in einem Stil behandelt, der romantische Sensibilität durch klassischen Formsinn zügelte, wobei es freilich oft an der Originalität mangelte, die den lyrischen Gedichten der Romantiker eigen ist. Es ist kein Zufall, daß Day Lewis 1940 eine Übersetzung der *Georgica* Vergils herausbrachte, der 1952 die *Äneis*-Übersetzung und 1963 eine Übersetzung der *Eklogen* folgten.

Nach dem Zweiten Weltkrieg kam Cecil Day Lewis zu hohem Ansehen, so daß ihm in literarischen Kreisen, aber auch im öffentlichen Leben und insbesondere im Bereich der akademischen Literaturkritik, zahlreiche ehrenvolle Ämter und Aufträge zuteil wurden. 1946/47 hielt er die »Clark lectures« in Cambridge, die er unter dem Titel *The poetic image* (1947) veröffentlichte; die »Charles Eliot Norton lectures«, die er 1964/65 an der Harvard University hielt, wurden in Buchform unter dem Titel *The lyric impulse* (1965) publiziert. Den Höhepunkt öffentlicher Ehrungen bildete 1968 die Ernennung zum Poeta Laureatus.

Cecil Day Lewis war eine proteische Natur: Er entwickelte sich vom Pfarrerssohn zum engagierten Kommunisten, vom politischen Lyriker zum Poeta Laureatus; zugleich war er von 1954 bis 1972 Verlagsdirektor bei Chatto and Windus und verdiente als Verfasser von zahlreichen Kriminalromanen, die er unter dem Pseudonym Nicholas Blake von 1935 (*A question of proof*) bis 1968 (*The private wound*) veröffentlichte, ein beträchtliches Vermögen. Trotz dieser vielseitigen Begabungen hat er jedoch den dichterischen Rang seines Vorbildes und jüngeren Freundes Auden niemals erreicht. (E)

Hauptwerke: *Beechen vigil and other poems* 1925. – *Country comets* 1928. – *Transitional poem* 1929. – *From feathers to iron* 1931. – *The magnetic mountain* 1933. – *A hope for poetry* 1934. – *Revolution in writing* 1935. – *Collected poems 1929–1933* 1935. – *A time to dance and other poems* 1935. – *A question of proof* (als N. Blake) 1935. – *Noah and the waters* 1936. – *The friendly tree* 1936. – *Starting point* 1937. – *The beast must die* (als N. Blake) 1938. – *Overtures to death and other poems* 1938. – *Child of misfortune* 1939. – *Poems in wartime* 1940. – *Malice in wonderland* (als N. Blake) 1940. – *Word over all* 1943. – *The poetic image* 1947. – *The colloquial element in English poetry* 1947. – *Minute for murder* (als N. Blake) 1947. – *Head of a traveller* (als N. Blake) 1949. – *The poet's task* 1951. – *An Italian visit* 1953. – *The lyrical poetry of Thomas Hardy* 1953. – *The whisper in the gloom* (als N. Blake) 1954. – *The newborn. D.M.B., 29th april, 1957* 1957. – *Pegasus and other poems* 1957. – *The poet's way of knowledge* 1957. – *A penknife in my heart* (als N. Blake) 1958. – *The buried day* 1960. – *The worm of death* (als N. Blake) 1961. – *The gate and other poems* 1962. – *The deadly joker* (als N. Blake) 1963. – *Requiem for the living* 1964. – *The room and other poems* 1965. – *The lyric impulse* 1965. – *The morning after death* (als N. Blake) 1966. – *The private wound* (als N. Blake) 1968. – *The whispering roots* 1970.

Bibliographie: G. Handley-Taylor und T. d'Arch Smith, *C. Day Lewis. The poet laureate. A bibliography* 1968.

Biographie: S. Day Lewis, *C. Day Lewis. An English literary life* 1980.

Sekundärliteratur: D. Stanford, *Stephen Spender, Louis MacNeice, Cecil Day Lewis. A critical essay* 1969. – W. Erzgräber, Politische Lyrik der dreißiger Jahre. W. H. Auden und Cecil Day Lewis, in *Englische Literatur und Politik im 20. Jahrhundert*, hrsg. von P. Goetsch und H.-J. Müllenbrock 1981. – M. Juillard, *L'expression poétique chez Cecil Day Lewis. Vocabulaire, syntaxe, métaphore. Etude stylostatistique* 1983.

Daniel Defoe (1660–1731)

Defoe wird vielfach als Vater des englischen Journalismus und als Begründer des englischen Romans bezeichnet. Dies ist die Perspektive der Nachwelt. Seine Zeitgenossen gestanden ihm eine so herausragende Stellung nicht zu. Ihnen galt er bestenfalls als »a person well known for his numerous writings«, wie es anläßlich seines Todes hieß. Sie siedelten ihn unterhalb jenes Niveaus an, auf dem sich die »hohe« Literatur befand, und ein Grund dafür war seine Zugehörigkeit zum »Dissent«.

Defoe war puritanischer Herkunft und wuchs in einer nonkonformistischen Umgebung auf, die ihn in seiner Mentalität und Lebensauffassung dauerhaft prägte. Er war Londoner und trotz vieler Reisen blieb er dies auch in einer langen und wechselvollen Karriere, die er, wohl gegen 1680, als nicht immer seriöser, aber erfolgreicher Kaufmann begann. An Spekulationsverlusten ging er bankrott, fing sich wieder, betrieb eine Ziegelfabrik in Tilbury und ging wiederum bankrott, als er wegen *The shortest way with the Dissenters* eingesperrt und an den Pranger gestellt wurde. Diese rhetorisch glänzende Streitschrift mit der ironisch-satirischen Empfehlung, den »Dissent« brutal und nachhaltig zu unterdrücken, war der erste Höhepunkt in Defoes journalistischem Wirken. Wie einfallsreich er war, hatte sich bereits in seinem *Essay upon projects* gezeigt, in dem er zahlreiche sozialreformatorische Vorschläge machte, von der Krankenversicherung bis zur Frauenbildung; und wie pointiert er schreiben konnte, hatte sich an *The true-born Englishman* erwiesen, einer der erfolgreichsten politischen Verssatiren der Zeit, mit der er sich den König zugetan machte.

Nach seiner Freilassung schlug er sich einige Zeit als Geheimagent durch. Im Auftrag von Robert Harley, dem führenden Tory Politiker und späteren Premierminister, gründete er *The review of the affairs of France*, eine Zeitung, die er zehn Jahre lang dreimal wöchentlich herausgab und weitgehend selbst schrieb. Sie richtete sich gegen Frankreich, war aber nicht nur politischen Inhalts. Daneben schrieb Defoe zahlreiche andere Beiträge zum politischen Tagesschrifttum und vor allem, nach dem Zusammenschluß Englands und Schottlands, seine monumentale *History of the union of Great Britain*, gleicherweise Ergebnis seiner politischen Tätigkeit wie Dokument seines lebenslangen Interesses an Schottland.

Der Sturz der Tories (1714) brachte Defoe in Schwierigkeiten, doch arrangierte er sich mit den Whigs und fungierte mit ihrer Billigung als Mitherausgeber von *Mist's weekly journal*, um dessen Tory-Opposition zu mäßigen oder sogar zu sabotieren. Bald danach schrieb er auch für die Whig Presse. Diese Art von »freischwebendem« Journalismus sicherte ihm die Position eines politisch nicht eindeutig festgelegten, aber allseits anerkannten Journalisten. Defoe beschränkte sich indessen nicht auf die Tagesschriftstellerei, sondern versuchte sich auch mit literarischen Experimenten entlang der Grenze zwischen Faktum und Fiktion. So schrieb er die »Aufzeichnungen« eines Unterhändlers bei den Friedensverhandlungen mit Frankreich, oder die »Briefe« eines türkischen Spions, oder die »Memoiren« eines fiktiven Offiziers. In seinem *Family instructor* bot er moralische Unterweisung anhand fiktionalisierter Exempel.

In der Kontinuität dieser literarischen Produktion stellte *The life and strange surprizing adventures of Robinson Crusoe, of York, mariner* nichts grundlegend Neues dar. Es gab für Defoe konkrete, wiewohl nicht einfach zu identifizierende Anlässe, eine Geschichte wie die Robinsons zu schreiben, und sein *Historical account of the voyages and adventures of Sir Walter Raleigh* vom darauffolgenden Jahr läßt erkennen, wie nahe Historie und Erzählung für ihn beieinander lagen. Doch mit Robinson hatte Defoe unversehens einen archetypischen Charakter geschaffen, dessen Erlebnisse in mythische Dimensionen reichten, so daß das Buch nicht nur in ganz Europa ein augenblicklicher Erfolg wurde (und in Form der »Robinsonaden« eine Fülle von Nachahmungen auslöste), sondern auch in die Weltliteratur eingegangen ist. Besonders bei Einbeziehung des dritten Teils, der *Serious reflections of Robinson Crusoe*, bietet es sich als ein facettenreiches Werk dar, das sich weder als Abenteuergeschichte noch als puritanische Autobiographie noch als symbolische Darstellung ganz erschließt.

Nach *Robinson Crusoe* schrieb Defoe in schneller Folge eine Reihe von Erzählungen, die als autobiographische Berichte ausgegeben sind: zunächst die als *military journal* bezeichneten *Memoirs of a cavalier* mit einem Offizier aus dem Dreißigjährigen Krieg als zentralem Charakter; dann die Piratengeschichte des Captain Singleton, der die erste von Defoe voll ausgestaltete fiktive Figur eines Kriminellen ist; schließlich *Moll Flanders*, eine lange verrufene Erzählung, die heute als Roman gelesen und als Defoes zweites Meisterwerk angesehen wird. Es ist die Geschichte einer Frau aus den Randzonen der Gesellschaft, deren Lebensziel die bürgerliche Wohlanständigkeit ist. Die Figur war in der Kolportageliteratur der Epoche vorgeprägt (Moll galt als Gattungsname weiblicher Krimineller), doch in Defoes Gestaltung gewann ihr Charakter eine Lebensunmittelbarkeit und psychologische Vielschichtigkeit, die zumindest seit Virginia → Woolfs Essay über Defoe den modernen Leser auf eigene Weise fasziniert. Nur Wochen später lag das *Journal of the plague year* vor, eine an Thukydides' Bericht über die Pest im antiken Athen heranreichende Schilderung der Großen Pest von London (1664/65), die man heute als Tatsachenroman bezeichnen würde. Defoes *annus mirabilis* schloß mit der zwischen Roman und Romanze liegenden Geschichte von Colonel Jack, einem interessanten, aber nicht ebenbürtigen Gegenstück zu *Moll Flanders*.

Mit *Roxana*, einer Art von historischem Roman mit melodramatisch-tragischem Einschlag, versuchte sich Defoe in einem für ihn offenbar weniger erfolgreichen Genre. Er wandte sich vielleicht deswegen wieder mehr seinen Kriminellen-Geschichten zu, wie der fast gleichzeitigen *General history of the robberies and murders of the most notorious pyrates* und weiteren, größtenteils als authentisch ausgegebenen Erzählungen. Daneben publizierte Defoe in seinen letzten Jahren seriöse Schriften, die auffallenderweise wieder ins Merkantile zurückleiteten. *A tour thro' the whole island of Great Britain* ist ein dreibändiger Führer durch England und Schottland von hohem Quellenwert; *The complete English tradesman* ein für den Autor und die Epoche gleicherweise aufschlußreicher Ratgeber; *A plan of the English commerce* ein Entwurf für die Zukunft Englands als Handelsmacht; und der *Atlas maritimus* & *commercialis* ein Handbuch für die Seefahrt. All dies brachte dem unermüdlichen Schreiber keine Reichtümer, aber ein Auskommen, so daß er im nördlichen London in einem »Dissenter«-Bezirk mit seiner Familie in bescheidenen Verhältnissen leben konnte, bis er in Moorfields starb. Einen hohen Rang als Autor hat ihm erst die Literaturkritik im 20. Jahrhundert zugewiesen, die sich noch immer bemüht, den Kanon seiner zahlreichen Werke zu bestimmen und neuerdings dazu neigt, diesen für weit weniger umfangreich zu halten, als er bislang angesetzt worden ist. (F)

Hauptwerke: *An essay upon projects* 1697. – *The true-born Englishman. A satyr* 1700. – *The shortest way with the Dissenters* 1702. – *The history of the union of Great Britain* 1709. – *The family instructor* 1715. – *The life and strange surprizing adventures of Robinson Crusoe* 1719. – *The farther adventures of Robinson Crusoe* 1719. – *Memoirs of a Cavalier* 1720. – *The life, adventures and pyracies of the famous Captain Singleton* 1720. – *Serious reflections during the life and surprizing adventures of Robinson Crusoe* 1720. – *The fortunes and misfortunes of the famous Moll Flanders* 1721 (für 1722). – *A journal of the plague year* 1722. – *The history and remarkable life of the truly honourable Col. Jacque, commonly call'd Col. Jack* 1723. – *The fortunate mistress. ... being the person known by the name of the Lady Roxana* (1724). – *A general history of the robberies and murders of the most notorious pyrates* 1724. – *A tour thro' the whole island of Great Britain* 1724–1727. – *The complete English tradesman* 1726.

Bibliographien: J. R. Moore, *A checklist of the writings of Daniel Defoe* 1960 (repr. 1971). – J. A. Stoler, *Daniel Defoe. An annotated bibliography of modern criticism, 1900–1980* 1984.

Ausgaben: *The novels and miscellaneaous works*, 20 vols 1840/41 (repr. 1973). – *The Shakespeare Head Edition of the novels and selected writings*, 14 vols 1927/28 (repr. 1974). – *The review*, ed. A. W. Secord, 22 vols 1938 (repr. 1965). – *A journal of the plague year*, ed. L. Landa 1969. – *A general history of the pyrates*, ed. M. Schonhorn 1972. – Romane in der Reihe *Oxford English novels*. – *Letters*, ed. G. H. Healey 1955.

Übersetzungen: *Romane*, hrsg. von N. Miller, 2 Bde 1968 (Hanser). – *Robinson Crusoe*, übers. von H. Novak (Insel); übers. von H. Reisiger 1983 (Manesse); übers. von F. Riederer 1975 (Winkler); übers. von L. Krüger 1984 (Beck). – *Glück und Unglück der berühmten Moll Flanders*, übers. von M. Erler und W. Pache 1979 (Reclam). – *Moll Flanders*, Nachwort von N. Kohl 1983 (Insel). – *Umfassende Geschichte der Räubereien und Mordtaten der berüchtigten Piraten*, übers. von N. Stingl 1983 (Robinson Verlag).

Biographien: J. Sutherland, *Defoe* (1937) 1950. – J. R. Moore, *Daniel Defoe. Citizen of the modern world* 1958. – F. Bastian, *Defoe's early life* 1981.

Sekundärliteratur: M. E. Novak, *Economics and the fiction of Daniel Defoe* 1962. – M. E. Novak, *Defoe and the nature of man* 1963. – G. A. Starr, *Defoe & spiritual autobiography* 1965. – J. P. Hunter, *The reluctant pilgrim. Defoe's emblematic method and the quest for form in Robinson Crusoe* 1966. – G. A. Starr, *Defoe and casuistry* 1971. – J. Sutherland, *Daniel Defoe. A critical study* 1971. – J. J. Richetti, *Defoe's narratives. Situations and structures* 1975. – E. Zimmerman, *Defoe and the novel 1975. – P. K. Alkon, Defoe and fictional time* 1979. – P. Rogers, *Robinson Crusoe* 1979. – M. E. Novak, *Realism, myth, and history in Defoe's fiction* 1983. – G. M. Sill, *Defoe and the idea of fiction 1713–1719* 1983. – I. A. Bell, *Defoe's fiction* 1985. – P. R. Backscheider, *Daniel Defoe. Ambition & innovation* 1986. – P. N. Furbank und W. R. Owens, *The canonization of Defoe* 1988.

Thomas De Quincey (1785–1859)

De Quincey war über fünfunddreißig, als er sein erstes Buch schrieb, das bereits vom Titel her bestimmt war, bekannt und berühmt zu werden: *Confessions of an English opium eater*. Es ist autobiographisch: De Quincey war schon in jungen Jahren süchtig – zu einer Zeit, in der der Gebrauch der Droge nicht verboten und ihre Auswirkungen nicht wirklich bekannt waren. In Manchester als Sohn eines Tuchhändlers in eine angesehene Familie geboren, war er von delikater Gesundheit, dabei hochbegabt und hypersensibel. Durch familiäre Probleme wuchs er »gestört« auf und lief aus der Manchester Grammar School davon, um zunächst in Wales und später in London das Leben eines Aussteigers zu führen, das er einprägsam in den *Confessions* beschrieb. Worcester College besuchte er ohne Abschluß, erwarb dort aber, nachdem er schon das Griechische perfekt beherrschte, Kenntnisse in Hebräisch und Deutsch. In Oxford begann seine Opiumsucht. Von Oxford knüpfte er auch Verbindungen zu → Coleridge und → Wordsworth, und einige Zeit lebte er im Lake District, um dem von ihm bewunderten Wordsworth nahe zu sein.

Seine erste Veröffentlichung war ein Anhang zu einer Schrift von Wordsworth. Eine dauerhafte Beziehung zwischen beiden ergab sich nicht, das Verhältnis trübte sich später ein. De Quincey ging seinen vielseitigen literarischen Interessen nach, die sich auch auf das deutsche Geistesleben erstreckten. Für kurze Zeit gab er die *Westmoreland gazette* heraus, seine erste journalistische Arbeit, ging dann aber nach London. Über Charles → Lamb gewann er Zugang zum *London magazine*, wo die *Confessions* zuerst erschienen. Als Außenseiterbuch begründeten sie zwar De Quinceys literarischen Ruf, aber er fand weder ein dauerhaftes finanzielles Auskommen noch jene psychische Festigkeit, deren er dringend bedurft hätte. Er hatte eine große Familie, doch nie ein wirkliches Zuhause.

Nur mühsam hielt er sich mit journalistischen Arbeiten über Wasser, in London, in Bath und ab 1828 in Edinburgh. Dort lieferte er zu den führenden Zeitschriften wie *Blackwood's magazine* oder *Tait's magazine* eine Vielzahl von Beiträgen, vor allem Essays, darunter die heute unter dem Titel *Recollections of the Lake and the Lake poets* bekannten biographisch-kritischen Skizzen (1835–1840) über Wordsworth, Coleridge und → Southey und ihren Lebenskreis, die bei den Wordsworths indigniert aufgenommen wurden. Gelegentlich übersetzte De Quincey auch, so etwa Lessings *Laokoon* (1826). Ein Roman, *Klosterheim* (1832), war ein Fehlschlag, und auch *The logic of political economy*, ein Ausflug in die Nationalökonomie, trug wenig zu seinem literarischen Ansehen bei. Danach folgte nur noch wenig. Seine letzten Jahre verwandte er vor allem auf die

Zusammenstellung einer Gesamtausgabe seines weitgehend aus Kleinschriften bestehenden Œuvre.

Das Werk De Quinceys ist umfangreich, aber von ungleicher Qualität. Typisch für die Romantik blieb vieles fragmentarisch oder in Ansätzen stecken. Gleichfalls typisch für die Romantik, ist sein Werk Ausdruck einer labilen, ins Abnorme hineinreichenden Persönlichkeit. Virtuosität und Plattheit sind bei ihm benachbart, wie auch sein Stil raffiniert oder abgeschmackt sein kann. Essays wie *On murder considered as one of the fine arts* (1827) haben ihresgleichen nicht in der englischen Literatur. De Quincey war hochgradig introspektiv und in seiner Eigenbeobachtung ein Psychoanalytiker *avant la lettre*. Er hielt die Literatur für die höchste und wichtigste der Künste und schrieb ihr als »literature of power« (im Gegensatz zur »literature of knowledge«) eine bedeutsame gesellschaftliche Funktion zu. (F)

Hauptwerke: *Confessions of an English opium eater* 1822. – *Klosterheim, or the masque* 1832. – *The logic of political economy* 1844. – Beiträge zu Periodika.

Bibliographien: J. A. Green, *De Quincey. A bibliography* 1908, ergänzt von W. E. A. Axon in *Transactions of the Royal Society of Literature* 1914. – H. O. Dendurent, *Thomas De Quincey. A reference guide* 1978.

Ausgaben: *Collected writings*, ed. D. Masson, 14 vols 1889/90. – *Uncollected writings*, ed. J. Hogg, 2 vols 1890 (repr. 1974). – *Posthumous works*, ed. A. H. Japp, 2 vols 1891–1893 (repr. 1975). – *New essays*, ed. S. M. Tave 1966.

Übersetzungen: *Bekenntnisse eines englischen Opiumessers*, übers. von P. Meier 1985 (dtv). – *Mord als schöne Kunst betrachtet*, hrsg. von N. Kohl (Insel).

Sekundärliteratur: E. Sackville-West, *A flame in sunlight. The life and work of De Quincey* (1936), ed. J. E. Jordan 1974. – E. T. Sehrt, *Geschichtliches und religiöses Denken bei Thomas De Quincey* 1936. – S. K. Proctor, *Thomas De Quincey's theory of literature* 1943 (repr. 1966). – J. E. Jordan, *Thomas De Quincey, literary critic. His method and achievement* 1952 (repr. 1973). – V. A. De Luca, *Thomas De Quincey. The prose of vision* 1980. – D. D. Devlin, *De Quincey, Wordsworth and the art of prose* 1983.

Thomas Dekker (ca. 1572–1632)

Über das Leben dieses gewandten Vielschreibers ist kaum etwas bekannt. Sein Name taucht erstmals im Geschäftsbuch des Theatermanagers Philip Henslowe als Autor auf, der vermutlich wegen seiner Schulden gezwungen war, rasch und zum Teil mit Kollegen Dramen für die Admiral's Men zu schreiben. In seinen Stücken setzte er die Tradition der University Wits → Greene und → Peele fort, berücksichtigte allerdings stärker den Geschmack des bürgerlichen Publikums. Seine Dramen sind episodisch gebaut und aus sentimentalen, folkloristischen und farcenhaften Elementen gemischt. Als sein Meisterstück gilt *The shoemaker's holiday,* eine Komödie, die im Londoner Handwerkermilieu spielt und realistische und sentimentale Szenen mit patriotischem Pathos verknüpft. Zusammen mit John → Marston schrieb Dekker als Beitrag zum sogenannten »war of the theatres« das Stück *Satiromastix.* Später arbeitete er mit Antony Munday, Thomas → Middleton und John → Webster zusammen und versuchte sich in den verschiedensten Gattungen – von der Tragikomödie bis zur Sittenkomödie. Einen großen Publikumserfolg erzielte er mit dem Stück *The honest whore* (1604), dem er eine Fortsetzung folgen ließ.

Dekkers Stärke sind überzeugende Charaktere und lebendige Szenen, die Handlungsverknüpfung und der Aufbau seiner Stücke sind ihm dagegen weniger geglückt. In seinen Pamphleten gab er realistische Beschreibungen zeitgenössischer Ereignisse und Sitten. Sein bekanntestes Pamphlet ist *The gull's hornbook* (1609), die Beschreibung eines Tages im Leben eines jungen Gecken. Nach einer langen Periode des Schweigens, in der Dekker vermutlich im Schuldgefängnis saß, begann er wieder für die Bühne zu schreiben, wobei er mit → Ford und Rowley zusammenarbeitete. Als Verfasser oder Mitautor von über 40 Stücken gehört Dekker zu den fleißigsten Dramatikern seiner Zeit. Mit seiner Prosa, in der er über Ereignisse und Erscheinungen seiner Zeit realistisch, satirisch und komisch berichtete, wurde er zu einem Wegbereiter der modernen Reportage. (W)

Hauptwerke: *The shoemaker's holiday* 1600. – *Satiromastix* 1601. – *The honest whore* 1604.

Bibliographien: S. A. Tannenbaum, *Thomas Dekker,* Elizabethan bibliographies 1939 (repr. 1967). – D. Donovan, *Thomas Dekker 1945–*

1965, Elizabethan bibliographies supplements II (1967). – A. F. Allison, *Thomas Dekker 1572–1632. A bibliographical catalogue of the early editions (To the end of the 17th century)* 1972.

Ausgaben: *The dramatic works*, ed. F. Bowers, 4 vols 1953–1961 (repr. 1962–1968). – C. Hoy, *Introductions, notes, and commentaries to texts in The dramatic works of Thomas Dekker*, 4 vols 1980. – *The non-dramatic works*, ed. A. B. Grosart, 5 vols 1884 (repr. 1963).

Sekundärliteratur: M. T. Jones-Davies, *Un peintre de la vie Londonienne. Thomas Dekker (circa 1572–1632)*, 2 vols 1958. – J. H. Conover, *Thomas Dekker. An analysis of dramatic structure* 1969. – L. S. Champion, *Thomas Dekker and the traditions of English drama* 1985.

Charles Dickens (1812–1870)

In kaum eines zweiten viktorianischen Autors Wesen und Werk hat die Biographie so sichtbar tiefe Spuren hinterlassen wie in denen von Charles Dickens. Dabei ist der Umzug des Zehnjährigen aus einer ländlichen Idylle, Chatham, in eine wuchernd wachsende Großstadt, London, prototypisches nationales Schicksal. Hier ist die zwanghaft peripatetische Erkundung Londons durch Dickens angelegt, die ihm das Material verfügbar macht, das ihn zum Meister der Großstadtdarstellung werden läßt. Angelegt sind hier aber auch die zahlreichen Beschwörungen von Gegenwelten in der Form stets gefährdeter ländlicher oder vorstädtischer Idyllen, sei es in *Oliver Twist*, *Bleak House* oder *A tale of two cities*. Nur zwei Jahre nach dem Umzug, 1824, kommt der im Navy Pay Office zwar hart arbeitende, aber großspurige und in Gelddingen leichtfertige Vater ins Schuldgefängnis Marshalsea. Der junge Charles wird von der Familie getrennt und muß gut drei Monate in einer Schuhwichsfabrik arbeiten, bevor ihm wieder ein Schulbesuch ermöglicht wird. Die Trennung von der Familie, die Einsamkeit, die soziale Degradierung werden von dem Zwölfjährigen traumatisierend erfahren. Nur seinem engen Freund und späteren Biographen John Forster erzählt Dickens je davon. Ebenfalls traumatisierend erfährt Dickens 1837, nun schon der erfolgreiche Autor der *Pickwick papers*, den überraschenden Tod seiner siebzehnjährigen Schwägerin, Mary Hogarth, die in seinen Armen stirbt.

Ein eisern entschlossener, dem Zeitalter angemessener Wille, sich durchzusetzen und erfolgreich zu sein, ist eine Folge der emotionalen Isolation und sozialen Degradierung. Der kaum Siebzehnjährige beendet schnell die begonnene, mühevoll-stetige Juristenlaufbahn und wendet sich dem Journalismus zu. Bereits der Zwanzigjährige ist ein hochbezahlter Reporter von Parlamentsdebatten und beginnt, *sketches* für Zeitschriften zu schreiben, welche die kontrastreiche Fülle Londons aus der Flaneurperspektive im Ausschnitt erfassen (gesammelt als *Sketches by Boz*). Die traumatische Erfahrung der Vereinzelung, des Abstiegs wird ein Leben lang literarisch abgearbeitet. Der Vater dient als Vorlage für die komisch-großspurigen Gestalten des Mr. Micawber (*David Copperfield*) und William Dorrit (*Little Dorrit*), die Mutter ist das Vorbild für das bösartige Portrait der Mrs. Nickleby (*Nicholas Nickleby*). Waisen bevölkern die Romane, die Familienbeziehungen sind auf die verschiedensten Weisen invertiert. Das Gefängnis ist von *Pickwick papers* bis *Little Dorrit* Wirklichkeit und Symbol. Ich-Erzählweise und die Verwendung autobiographischen Materials machen *David Copperfield* und *Great expectations* zu den umfangreichsten Beispielen der Vergangenheitsbewältigung. Mary Hogarths Tod schließlich wird in idealisierten Kindfrauen literarisch gestaltet, die kaum der Wirklichkeit, einer vagen Transzendenz aber sehr stark verhaftet sind: Little Nells Lebensweg in *The old curiosity shop* ist eine lange Initiation in den Tod, über die ganz England und Amerika Rührungstränen vergießen.

Die Arbeit in der Schuhwichsfabrik vermittelt aber auch erste Erfahrungen der gesellschaftlichen Zustände, der Klassenstruktur, der Armut. Die Wanderungen durch London, die Reisen des Reporters (bis 1836) sowie gezielte Erkundungsreisen, etwa zu den Schulen Yorkshires (für *Nicholas Nickleby*) oder in die Industriestadt Preston (für *Hard times*), vertiefen diese. Mit Verve nimmt sich Dickens der Reformarbeit an, verfaßt eine Streitschrift gegen puritanische Bestrebungen, den Arbeitern die Sonntagserholung zu beschneiden (*Sunday under three heads* 1836), oder unterstützt die Arbeit der reichen Bankierstochter Angela Burdett Coutts zur Rehabilitierung gefallener Frauen. Zum autobiographischen Substrat der Werke Dickens' gesellt sich eine realistische und sozialkritische Darstellungsabsicht. Aus radikal-konservativer, bürgerlicher Sicht übt Dickens hinfort Ideologie- und Institutionenkritik. Sie gilt u.a. dem Utilitarismus (*Hard times*) und Materialismus (*Dombey and son*) der Zeit, dem New Poor Law von 1834 (*Oliver Twist*), dem Rechtswesen und parlamentarischen Laisser-faire (*Bleak*

House). Sie begründet eine die Realität zunehmend umfassender abbildende, komplexere Darstellung der Gesellschaft in den Romanen.

In seinem Frühwerk hat Dickens gleichsam die Romangeschichte rekapituliert. *Pickwick papers* verwendet das Muster des pikaresken Romans, der durch die Einheit des Helden, das Reisemotiv und eine Fülle von Episoden, in denen *picaro* und Welt kollidieren, strukturiert wird. In *Martin Chuzzlewit* und insbesondere in *David Copperfield* weitet sich der Schelmen- zum Entwicklungsroman. Die Gesellschaft setzt nach wie vor zwar die Normen, der Protagonist aber ist nun entwicklungsfähig; seine Erfahrungen disziplinieren ihn und lassen ihn für die bürgerlichen Rollen des Ehemanns, Vaters, Ernährers reifen. Doch auch die Gesellschaft ist für Dickens, dem Geist der Zeit entsprechend, dem Wandel unterworfen und gleichzeitig eine beängstigend-prägende Macht. Hatte in dem zweiten Roman, *Oliver Twist*, das naturhaft gute Kind der Korruption durch das (auch gesellschaftliche) Böse widerstehen können, so ist dies von *Dombey and son* an nicht mehr ohne weiteres möglich.

Verstärkt durch persönliche Erfahrungen, vor allem der Entfremdung von seiner Frau, die 1858 zur Trennung und zu einer Liaison mit der achtzehnjährigen Schauspielerin Ellen Ternan führt, verdüstert sich Dickens' Blick. Die vitale Komik, welche die *Pickwick papers*, *Nicholas Nickleby* und noch *David Copperfield* speist, weicht grotesken und satirischen Modi der Darstellung. Die gesellschaftlichen Mächte werden nun als anonym, determinierend, zerstörerisch erfahren. Die Anatomie der Gesellschaft in *Bleak House* zeigt etwa, wie Arm und Reich, Adel, Bürger und Ausgestoßene in Schuld, Krankheit und Tod aufeinander bezogen sind. Das umfassende und realistische Abbild der Wirklichkeit wird durch eine metaphorische Textur, durch Symbol, Archetypus und Mythos poetisiert. Der Nebel in *Bleak House*, die Abfallhalden in *Our mutual friend* und immer wieder das Gefängnis sind solche Symbole, die den phantastischen Realismus von Dickens' Werk bestimmen.

Bei aller Wandlung der Weltsicht und Darstellungsmittel bleibt Dickens aber stets der Autor des ganzen Volkes, »Mr. Popular Sentiment«, wie er von → Trollope genannt wird. Die Veröffentlichung der Romane in wöchentlichen oder monatlichen Fortsetzungen zum erschwinglichen Preis und mit Illustrationen erstrangiger Künstler wie George Cruikshank und Hablôt Knight Browne (»Phiz«), mit *Pickwick papers* zwar nicht erfunden, aber als Standardform für gut vierzig Jahre etabliert, verschafft ihm Zugang zu breiten Käuferschichten. Er schreibt bewußt für diese und mischt Komisches und Melodramatisches, Phantastisches und Pathetisches, Realistisches und Märchenhaftes, um durch vieles für jeden etwas zu bringen. Die Weihnachtsgeschichten in der Form von Sozialmärchen, die er ab 1843 verfaßt, konzentrieren diese Mischung auf kleinem Raum. Die Verkaufszahlen sind ihm Indikator des Publikumsgeschmacks, den es zu bedienen, nicht zu kritisieren gilt. Die Einführung Sam Wellers und Sairey Gamps sowie Martin Chuzzlewits Amerikareise sind Versuche, die Auflage zu steigern, die Neukonzeption von Miss Mowcher (*David Copperfield*) und des Schlusses von *Great expectations* Reaktionen auf Publikumseinsprüche. Um mit seinem Publikum besser kommunizieren zu können, gibt er Familienzeitschriften heraus: *Bentley's miscellany* (1837–1839), *Household words* (1850–1859) und *All the year round* (1859–1870).

Um seinem Publikum ganz nahe zu sein, auch, um sich und der Welt zu bestätigen, die skandalumwitterte Trennung von seiner Frau habe ihm nicht geschadet, hält er in England ab 1858 und in Amerika 1867/68 Lesungen aus seinen Werken. Für diese fertigt er Lesefassungen an, welche die komischen, sentimentalen und melodramatischen Höhepunkte konzentrieren und, wie die schaurige Version der Geschichte von »Nancy and Sikes« aus *Oliver Twist*, Vortragenden und Zuhörer gleichermaßen begeistern und erschüttern. Die 440 Lesungen bringen ihm ein Vermögen (£ 45 000) ein. Sie sind letzter Ausdruck von Dickens' intensiven theatralischen Neigungen. Als junger Autor verfaßt er mäßig erfolgreiche Farcen sowie ein Singspiellibretto. Immer wieder wendet er sich schauspielend oder regieführend dem Theater zu. In das Romanwerk ist diese Neigung tief und vielfach eingeschrieben, so in der Darstellung von *theatricals* aller Art von Vincent Crummles in *Nicholas Nickleby* bis Mr. Wopsle in *Great expectations*, in der Übernahme farcenhafter und melodramatischer Strukturmuster, wie sie *Oliver Twist* (Kap. 17) bewußt macht, in der exhibitionistischen Lust an der Sprache und der theatralischen Präsentation der Figuren.

Die rastlose Vitalität Dickens', Symptom seines Willens zum Erfolg, wird durch die Lesungen erschöpft. Über der Arbeit an der sechsten Folge seines Romans *The mystery of Edwin Drood* stirbt Dickens 1870 an einem Herzschlag – als reicher Mann und in der Landvilla bei Rochester, die ihm einst der Vater aus der Ferne als Preis für Fleiß und Arbeit zeigte. Galt er den Zeitgenossen vor allem als der Meister der Komik, des Fabulierens, der unerschöpflichen Einfälle, der Gefühlsdarstellung, als Reformer der Herzen und Verfechter einer Weihnachtsphilosophie, so hat das 20. Jahrhundert den Gesellschaftskritiker und Satiriker herausgestellt, das Halluzinatorische, die Symbolik und Archetypik in der Darstellung gewürdigt, den Vorläufer Dostojewskijs und Kafkas in ihm gesehen. Dickens' Größe, die auch die seines Zeitalters ist, liegt darin, daß beides, und zwar beides zugleich, wahr ist. (T)

Hauptwerke: *Sketches by Boz* 1836. – *Pickwick papers* 1836/37. – *Oliver Twist* 1837–1839. – *Nicholas Nickleby* 1838/39. – *The old curiosity shop* 1840/41. – *Barnaby Rudge* 1841. – *A Christmas carol* 1843. – *Martin Chuzzlewit* 1843/44. – *Dombey and son* 1846–1848. – *David Copperfield* 1849/50. – *Bleak House* 1852/53. – *Hard times* 1854. – *Little Dorrit* 1855–1857. – *A tale of two cities* 1859. – *Great expectations* 1860/61. – *Our mutual friend* 1864/65.

Bibliographien: J. C. Eckel, *The first editions of the writings of Charles Dickens* 1932. – T. Hatton und A. H. Cleaver, *A bibliography of the periodical works of Dickens* 1933. – R. C. Churchill, *A bibliography of Dickensian criticism 1836–1975* 1975.

Ausgaben: *The Nonesuch Dickens*, ed. A. Waugh et al., 23 vols 1937/38. – *The Clarendon Dickens*, ed. J. Butt und K. Tillotson 1966– . – *The plays and poems*, ed. R. H. Shepherd, 2 vols 1885. – *The public readings*, ed. P. Collins 1975. – *The speeches*, ed. K. J. Fielding 1960. – *The letters*, The Pilgrim Edition, ed. M. House et al. 1965– .
Übersetzung: *Sämtliche Romane*, übers. von M. von Schweinitz, C. Kolb, J. Thanner et al. 1963– (Winkler).

Biographien: J. Forster, *The life of Charles Dickens*, ed. A. J. Hoppé, 2 vols 1969. – E. Johnson, *Charles Dickens. His tragedy and triumph* (1952) 1977.

Sekundärliteratur: G. K. Chesterton, *Charles Dickens* 1906. – H. House, *The Dickens world* 1941. – E. Wilson, ›Dickens. The two Scrooges‹ in *The wound and the bow* 1941. – G. Ford, *Dickens and his readers* 1955. – J. Butt und K. Tillotson, *Dickens at work* 1957. – J. H. Miller, *Charles Dickens. The world of his novels* 1958. – R. Garis, *The Dickens theatre* 1965. – S. Marcus, *Dickens. From Pickwick to Dombey* 1965. – A. C. Coolidge, *Charles Dickens as serial novelist* 1967. – F. R. und Q. D. Leavis, *Dickens the novelist* 1970. – H. P. Sucksmith, *The narrative art of Charles Dickens* 1970. – B. Hardy, *The moral art of Dickens* 1970. – A. Welsh, *The city of Dickens* 1971. – J. R. Kincaid, *Dickens and the rhetoric of laughter* 1971. – G. Stewart, *Dickens and the trials of imagination* 1974. – R. L. Patten, *Charles Dickens and his publishers* 1978. – F. S. Schwarzbach, *Dickens and the city* 1979. –

H. Stone, *Dickens and the invisible world* 1979. – *Dickens. Interviews and recollections*, ed. P. Collins 1981. – M. Slater, *Dickens and women* 1983. – P. Goetsch, *Dickens. Eine Einführung* 1986. – J. McMaster, *Dickens the designer* 1987.

Benjamin Disraeli (1804–1881)

Politik und Schriftstellerei sind für den ehrgeizigen Außenseiter Disraeli Mittel, sich zu beweisen, »the top of the greasy pole« zu erreichen. Sich hierfür der Literatur zu bedienen, lag nahe: Der Vater Israel, ein Meister des Anekdotischen und Verfasser der *Curiosities of literature* (1791), ist ein angesehener Literat. Die Literatur vermag Schranken zu überwinden, die für den 1817 getauften Juden sonst unüberwindbar wären; und sie verspricht auch demjenigen Anerkennung, der wie Disraeli keine Universität besucht hat – schneller zumindest als der Rechtsanwaltberuf, der zunächst für ihn gewählt wird (1821). Zudem benötigt Disraeli Geld. Börsenspekulationen und ein aufwendiger Lebenswandel belasten ihn von Anfang der zwanziger Jahre an für ein Vierteljahrhundert mit enormen Schulden. Daß er in seinen ersten Werken, insbesondere in *Vivian Grey* und *The young duke* (1831), das zeitgenössische Erfolgsgenre, die *silver fork-novel*, mit ihren exquisiten Personen, Gefühlen und Dekors imitiert, kann daher nicht verwundern. Schlüsselromantechniken – die Gestalten in Disraelis Romanen sind häufig leicht erkennbare Portraits seiner Zeitgenossen – und satirischer Witz sorgen für einen Skandalerfolg. Der Imitation anderer Romanmuster, des Entwicklungsromans in *Contarini Fleming* (1832), des historischen Romans in *Alroy* (1833), war hingegen geringerer Erfolg beschieden.

Das Image, das sich Disraeli dank seiner leicht-sinnigen Romane und eines dandyhaften Auftretens erwirbt, das eines theatralisch-zynischen Poseurs, gereicht ihm nicht zum Vorteil, als er sich in den dreißiger Jahren der Politik zuwendet. Erst der fünfte Versuch bringt ihm das ersehnte Abgeordnetenmandat (1837). Zielstrebig sichert Disraeli nun von der Publikation eines konservativen Credos in *A vindication of the English constitution* (1835) über die Heirat mit einer zwölf Jahre älteren wohlhabenden Witwe (1839) bis zum Erwerb eines für einen Tory-Gentleman notwendigen Landsitzes (Hughenden Manor) seine politische Karriere. Auch die in den vierziger Jahren entstehende Romantrilogie, *Coningsby*, *Sybil* und *Tancred*, kann als Mittel zu diesem Zweck verstanden werden. Gewiß verwendet Disraeli auch in diesen Romanen absurde Handlungsmechanismen der Romanzenliteratur. Die konkrete Schilderung der Lage der »two nations«, die Darstellung des sozialen Spektrums mittels repräsentativer Figuren sowie der ebenso nostalgische wie utopische Entwurf einer neuen paternalistisch orientierten, aus Thron, Adel, Kirche und Volk bestehenden Gesellschaft sind jedoch nicht minder wichtig.

Inwieweit die in diesen Romanen vertretenen Ideen und Theorien – auch die nebulös-mystischen zur kaukasischen Rasse in *Tancred*, die ihm seine Reisen in die Mittelmeerländer und den Nahen Osten (1828–1831) bestätigen – Pose, Teil der fiktionalen Welt, Vehikel oder eigenes Credo sind, ist nicht auszumachen. Sie sind wohl dies alles und dienen Disraeli auch dazu, seiner kleinen parlamentarischen Fraktion, der Young England-Bewegung, so etwas wie ein Programm zu formulieren. Immerhin nimmt Disraeli, wie seine Figur Egremont in *Sybil*, als einer der wenigen Abgeordneten die Anliegen der Chartisten ernst und wird sich als Premierminister in den Jahren 1875/76 der Sozialgesetzgebung (zur Fabrikarbeit, zu den Gewerkschaften, zur Erziehung) mit besonderer Intensität zuwenden. Andererseits schreibt er, als er 1849 de facto Oppositionsführer im Parlament wird und somit sein erstes großes Ziel der öffentlichen Anerkennung erreicht hat, für mehr als zwanzig Jahre keinen Roman mehr. Nun gilt es, die Position respektabel zu füllen, *gravitas* zu erwerben.

Die Rückkehr zum Gesellschaftsroman mit *Lothair* (1870) kann diese nicht mehr gefährden. Disraelis gesellschaftliche und politische Position ist fest etabliert: Seine imperiale Politik, die zum Kauf der Suezkanal-Aktien und zur Erhebung Victorias zur Kaiserin von Indien führt, verhilft ihm sogar zu so etwas wie Popularität. Eine Freundschaft mit Queen Victoria entwikkelt sich. Die Erhebung zum Earl of Beaconsfield (1878) ist äußeres Zeichen des Erfolges. Nochmals gestaltet Disraeli in *Lothair*, wie auch in seinem letzten Roman, *Endymion*, die Entwicklung eines jungen Mannes zu Rang und Würden, diskutiert Ideen und portraitiert seine Zeitgenossen. Er tut dies wie stets in recht loser Episodenfolge mit moderater Ironie, epigrammatischem Witz und – in den Konversationsteilen – mit sprachlicher Eleganz. Sie lassen bedauern, daß von seinem letzten Werk, *Falconet*, in dem er nichts Geringeres unternimmt, als seinen langjährigen politischen Widersacher Gladstone zu zeichnen, nur wenige Kapitel erhalten sind. (T)

Hauptwerke: *Vivian Grey* 1826/27. – *Henrietta Temple* 1837. – *Coningsby* 1844. – *Sybil* 1845. – *Tancred* 1847. – *Lothair* 1870. – *Endymion* 1880.

Bibliographie: R. W. Stewart, *Benjamin Disraeli. A list of writings by him, and writings about him* 1972.

Ausgaben: *The Bradenham Edition of the novels and tales*, ed. P. Guedalla, 12 vols 1926/27. – *Letters*, ed. J. A. W. Gunn et al. 1982– .

Biographien: W. F. Monypenny und G. E. Buckle, *The life of Benjamin Disraeli*, 6 vols 1910–1920. – R. Blake, *Disraeli* 1966.

Sekundärliteratur: R. Maitre, *Disraeli, homme des lettres* 1963. – R. W. Stewart, *Disraeli's novels reviewed, 1826–1968* 1975. – U. C. Janiesch, *Satire und politischer Roman. Untersuchungen zum Romanwerk Benjamin Disraelis* 1975. – E. A. Horsman, *On the side of the angels? Disraeli and the nineteenth-century novel* 1975. – T. Braun, *Disraeli the novelist* 1981. – A. Gilam, *The Young England trilogy reconsidered. Disraeli's disillusionment with benevolent paternalism* 1985.

John Donne (1572–1631)

Der weltliterarische Rang Donnes, des leidenschaftlichen Analytikers der Liebe und inbrünstigen Predigers der Todesverfallenheit menschlicher Existenz, wurde erst im 20. Jahrhundert erkannt. Er war der Sohn einer wohlhabenden Londoner Kaufmannsfamilie, die auch in Zeiten religiöser Unterdrückung am katholischen Glauben festhielt. Zu seinen Vorfahren zählte Thomas → Morus. Johns Bruder Henry starb 1593 im Gefängnis. 1584 nahm Donne das Studium in Oxford auf, das er 1588 ohne Grad beenden mußte, weil er als Katholik die Unterzeichnung der 39 anglikanischen Glaubensartikel verweigerte. Nach Reisen auf dem Kontinent hielt er sich ab 1591 an den Inns of Court auf, wo er seine berühmten *Songs and sonnets*, seine Satiren und Elegien schrieb, die allerdings erst 1633 im Druck erschienen. 1596 nahm er an der Militärexpedition des Earl of Essex gegen Cadiz, ein Jahr später an dessen Azoren-Expedition teil. Die literarischen Früchte dieser Erfahrung waren die erfolgreichen Zwillingsgedichte *The storme* und *The calme*. 1597 wurde Donne Sekretär von Sir Thomas Egerton, 1601 saß er im Parlament. Seine vielversprechende öffentliche Karriere wurde jäh unterbrochen, als er im gleichen Jahr die siebzehnjährige Nichte Egertons, Anne Moore, ohne Wissen ihres Vaters und ohne Zustimmung seines Dienstherrn heiratete, wofür er ins Gefängnis geworfen wurde. (»John Donne, Anne Donne, Undone« schrieb er an seine Frau.)

Vierzehn Jahre lebte Donne, auf die Unterstützung von Förderern angewiesen, in Armut. In dieser Zeit durchlebte er eine Periode des religiösen Zweifels und Ringens, in der er sich schließlich dem Anglikanismus annäherte. Um diese Zeit arbeitete er an *Biathanatos,* einer Auseinandersetzung mit dem Selbstmord (1644 posthum veröffentlicht). Gleichzeitig entstanden die *Holy sonnets,* mit denen Donne die Sonettform für geistliche Dichtung erschloß, die antikatholische Schrift *Pseudo-martyr* (1610), für die ihm Oxford den Magister Artium ehrenhalber verlieh, und *Ignatius his conclave* (1611), eine Attacke gegen den Jesuitenorden. Die Schriften erregten die Aufmerksamkeit Jakobs I., der Donne im Falle einer Ordination zum anglikanischen Priester eine kirchliche Karriere in Aussicht stellte, ein Schritt, zu dem er sich erst 1615 durchringen konnte. 1616 wurde er Seelsorger in Lincoln's Inn; ein Jahr darauf starb seine Frau. Als Mitglied einer Gesandtschaft unternahm er 1619 eine Deutschlandreise. 1621 zum Dekan der St. Pauls Cathedral berufen, wurde er berühmt durch seine 160 Predigten, die zu den bedeutendsten in englischer Sprache gehören. Nach schwerer Krankheit übernahm er später die Pfarrstelle von St. Dunstan in the West. Schwer erkrankt schrieb er 1623/24 *Devotions upon emergent occasions,* rückhaltlose Analysen seines geistig-geistlichen Zustands, sowie Hymnen. 1631 hielt er einen Monat vor seinem Tod von der Kanzel von St. Paul's in Anwesenheit von Karl I. seine eigene Totenrede (»Death's duel«).

Ähnlich wie Donne selbst sein früheres weltliches Leben als Jack Donne vom geistlichen als Dr. Donne unterschied (1615 verlieh ihm Cambridge auf Drängen des Königs die Ehrendoktorwürde), gliedert sich auch sein umfangreiches Werk in weltliche Dichtung und religiöse Schriften und Gedichte. Sein Einfluß auf die Liebes- und religiöse Dichtung des 17. Jahrhunderts ist nur noch mit dem Einfluß → Spensers oder → Jonsons zu vergleichen. In seiner Liebeslyrik überwand er den herrschenden Petrarkismus, den er nur noch ironisch anzitierte. Statt dessen gestaltete er eine Vielfalt von Haltungen und Erfahrungen der erotischen Partnerschaft, vom mystischen Erlebnis der Seelenverschmelzung bis zur Frauenverachtung und zur Pose des sexuellen Überdrusses. Seine Gedichte, in denen der kolloquiale und leidenschaftliche Sprechton durch eine besondere Metrik *(hard lines)* erzielt wird, gehen zumeist von konkreten Situationen aus, z.B. gemeinsames Erwachen des Liebespaares, Abschied oder Krankenlager, und wenden sich an einen Partner, den es zu überreden oder zu belehren gilt. Dabei treiben sowohl theologische und philosophische Thesen wie auch aus weit auseinander liegenden Bildbereichen geformte *conceits* die oft paradoxe und bis zur Dunkelheit mit Spekulationen befrachtete Argumentation voran. Sie sind ebenso Zeugnisse intellektueller Explorationen der erotisch-sexuellen Beziehung wie Demonstrationen des *wit,* der kombinatorischen Phantasie.

In seinen religiösen Dichtungen gestaltete Donne religiöse Angst, Verzweiflung und Hingabe in einer von der Liebesdichtung inspirierten Sprache, die beispielhaft für die spätere religiöse Dichtung des 17. Jahrhunderts wurde. In seinen Predigten im barocken Stil beschwor er vor allem die Hinfälligkeit, Todesverfallenheit und Schuldhaftigkeit irdischer Existenz. Die subtilen Spekulationen und gewagten Bilder ließen Donnes Lyrik schon wenige Jahrzehnte nach dessen Tod als sprachlich zügellos, obskur und barbarisch erscheinen. Der Blick auf sein Werk blieb auf lange Zeit durch das Verdikt klassizistischer Kritiker verstellt. Erst zu Beginn des 20. Jahrhunderts wurde seine Dichtung in einem berühmten Essay T. S. → Eliots als vollkommener Ausdruck der Verbindung von Intellekt und Gefühl interpretiert und zum Vorbild für die modernen Dichter erhoben. Die in den dreißiger Jahren einsetzende Forschung rückte sein Werk wieder in den historischen Zusammenhang und bestätigte zugleich seinen hohen dichterischen Rang. (W)

Hauptwerke: *Poems* 1633. – *Essays in divinity* 1651. – *Sermons* 1640, 1649, 1660.

Bibliographien: G. Keynes, *A bibliography of Dr. John Donne* (1914) 1973. – J. R. Roberts, *John Donne. An annotated bibliography of modern criticism 1912-1967* 1973. – J. R. Roberts, *John Donne. An annotated bibliography of modern criticism 1968–1978* 1982.

Ausgaben: *The poems,* ed. H. J. C. Grierson, 2 vols 1912 (repr. 1963). – *Complete English poems,* ed. C. A. Patrides 1985. – *The divine poems,* ed. H. Gardner 1952. – *The elegies and the songs and sonnets,* ed. H. Gardner 1965. – *The satires, epigrams and verse letters,* ed. W. Milgate 1967. – *Ignatius his conclave*, ed. T. S. Healy 1969. – *The sermons*, ed. G. R. Potter and E. M. Simpson, 10 vols 1953–1962.

Übersetzungen: *Metaphysische Dichtungen*, übers. von W. Vordtriede 1961 (Insel). – *Liebeslieder. Songs and sonnets* (englisch-deutsch), übers. von K. Wydmond 1981 (Nekvedavicius). – *Erotische Elegien*, übers. von K. Wydmond 1983 (Nekvedavicius). – *Alchimie der Liebe. Gedichte*, übers. von W. von Koppenfels 1986 (Henssel).

Biographie: R. C. Bald, *John Donne. A life* 1970.

Sekundärliteratur: E. M. Simpson, *A study of the prose works of John Donne* 1924. – R. C. Bald, *Donne's influence in English literature* 1932 (repr. 1965). – C. M. Coffin, *John Donne and the new philosophy* 1937 (repr. 1958). – C. Hunt, *Donne's poetry. Essays in literary analysis* 1954. – J. B. Leishman, *The monarch of wit. An analytical and comparative study of the poetry of John Donne* 1962. – W. R. Mueller, *John Donne: Preacher* 1962. – A Stein, *John Donne's lyrics. The eloquence of action* 1962. – *John Donne. Essays in celebration*, ed. A. J. Smith 1972. – M. Roston, *The soul of wit. A study of John Donne* 1974. – *Essential articles for the study of John Donne's poetry*, ed. J. R. Roberts 1975. – A. C. Partridge, *John Donne. Language and style* 1978. – J. Carey, *John Donne. Life, mind, and art* 1981. – W. Zunder, *The poetry of John Donne. Literature and culture in the Elizabethan and Jacobean period* 1982. – P. G. Pinka, *This dialogue of one. The songs and sonnets of John Donne* 1982. – *The eagle and the dove. Reassessing John Donne*, ed. C. J. Summers und T.-L. Pebworth 1986.

Michael Drayton (1563–1631)

Der in Hartshill (Warwickshire) geborene Drayton wurde als Page erzogen. Später ging er nach London, wo er zunächst als Mitautor von Dramen im Sold von Philip Henslowe zu schreiben begann. Von diesen Stücken ist jedoch keines überliefert. Später, ab etwa 1607, schrieb Drayton für die Kindertruppen und das Whitefriars Theatre. Daneben verfaßte er Eklogen (1593), die Sonettsequenz *Idea's mirrour* (1594), die er mehrfach erweiterte und stilistisch überarbeitete, und das ovidische Kleinepos *Endymion and Phoebe* (1595). Mit größerem Erfolg wandte sich Drayton der historischen Versdichtung zu. Er schrieb einige Verserzählungen über historische Personen im Stil des *Mirror for magistrates*, bevor er 1596 die epische Versdichtung *Mortimeriados* veröffentlichte, die 1603 als *The barons' wars* in revidierter Fassung erschien. Seine Sammlung von

Versepisteln historischer Liebespaare, *England's heroical epistles* (1597), erzielte dreizehn Auflagen.

Draytons umfänglichstes und ehrgeizigstes Werk ist *Poly-Olbion* (Teil I 1612; Teil II 1622), eine topographische Versdichtung, in der alle Grafschaften Englands, deren Landschaften, Geschichte, Gebräuche und berühmte Persönlichkeiten beschrieben werden. Die monumentale Dichtung ist ein eindrucksvolles Zeugnis des Patriotismus und des antiquarisch-historischen Interesses der Zeit. Neben kleineren Gedichten veröffentlichte er außerdem satirische Versdichtungen und *Nymphidia, the court of fairy* (1627), ein *mock-heroic poem*, das von → Shakespeares *A midsummer night's dream* beeinflußt ist. Die Breite und Vielfalt seines Werks weisen Drayton als Autor aus, der nicht zuletzt aus finanziellen Gründen sich in vielen Gattungen versuchte und sich dem herrschenden Geschmack anpaßte. Den stärksten Einfluß hatte Edmund → Spenser auf ihn, dessen kunstvollen Stil er allerdings nur selten erreichte. In seinem poetischen Platonismus ist er allerdings noch konsequenter und strenger als Spenser. (W)

Hauptwerke: *Idea's mirrour* 1594. – *Poly-Olbion* 1612–1622. – *Nymphidia. The court of fairy* 1627.

Bibliographien: S. A. Tannenbaum, *Michael Drayton. A concise bibliography*. Elizabethan bibliographies 1941. – G. R. Guffey, *Michael Drayton 1941–1965*, Elizabethan bibliographies supplements VII (1967).

Ausgabe: *The works*, ed. J. W. Hebel, K. Tillotson and B. H. Newdigate (1931–1941) 1961.

Biographie: B. H. Newdigate, *Michael Drayton and his circle* 1941 (repr. als Supplement zu *The works* 1961).

Sekundärliteratur: O. Elton, *Michael Drayton. A critical study* 1905 (repr. 1966). – R. Noyes, *Drayton's literary vogue since 1631* 1935. – A. d'Haussy, *Poly-Olbion ou l'Angleterre vue par un Elisabéthain* 1972. – R. F. Hardin, *Michael Drayton and the passing of Elizabethan England* 1973.

William Drummond of Hawthornden (1585–1649)

In Hawthornden bei Edinburgh geboren, studierte Drummond an der Universität Edinburgh, die er 1605 mit dem M. A. verließ. Anschließend widmete er sich in Bourges und Paris dem Studium der Rechte. Nach dem Tod seines Vaters wurde er

Laird of Hawthornden, was ihm ein Leben in Muße ermöglichte. Drummond trat zunächst mit Elegien hervor (*Tears on the death of Meliades; Mausoleum*, 1613). 1616 veröffentlichte er den Band *Poems: amorous, funeral, divine, pastoral in sonnets, songs, sextains, madrigals*, der auch eine der letzten englischen Sonettsequenzen enthält. Seine Dichtung verrät eine genaue Kenntnis der europäischen Lyrik. Besonders stark ist der Einfluß von → Sidney, Sannazarro, Guarini, Tasso, Marino, Ronsard und Desportes, aus denen er häufig zitiert. Trotz dieser Abhängigkeit entwickelte Drummond eine eigene Diktion und metrische Kunst, die der melancholischen Grundstimmung seiner Lyrik entsprechen. Gegenüber den Innovationen Sidneys, → Spensers oder → Shakespeares auf dem Gebiet der Sonettdichtung bleibt seine Verwendung petrarkistischer Ausdrucksformen zwar konventionell, aber in seiner neuplatonisch-christlichen Weltabkehr und in seinen lebendigen Landschaftsschilderungen gab er seinem Zyklus durchaus individuelles Gepräge.

Später schrieb Drummond nur noch religiöse Dichtung (*The flowers of Sion*, 1623) und die Meditation *A cypress grove*. Der Bürgerkrieg regte den royalistisch gesinnten Drummond zu Satiren und bissigen Epigrammen an. Seine Geschichte Schottlands wurde erst nach seinem Tod gedruckt. Drummond ist auch der Verfasser des aufschlußreichen Dokuments »Conversations with Drummond«, Notizen, die er sich von Gesprächen mit Ben → Jonson machte, als dieser Gast in seinem Haus war. Drummonds Dichtung zeigt in ihrem imitatorischen Charakter deutlich die Verspätung der schottischen literarischen Entwicklung gegenüber London und dem Kontinent, läßt aber in ihrem melancholisch-meditativen Ton auch Eigenständigkeit erkennen. Jonson urteilte über die Verse seines Gastgebers: »They smelled too much of the school and were not after the fancy of time.« (W)

Hauptwerke: *Poems* 1616. – *A Cypress grove* 1623.

Ausgaben: *Works* 1711 (repr. 1970). – *The poetical works*, with *A Cypress grove*, ed. L. E. Kastner, 2 vols 1913.

Biographie: D. Masson, *Drummond of Hawthornden. The story of his life and writings* 1873 (repr. 1969).

Sekundärliteratur: A. Joly, *William Drummond of Hawthornden* 1934. – F. R. Fogle, *A critical study of William Drummond of Hawthornden* 1952.

John Dryden (1631–1700)

Wie → Pope und → Johnson, in denen sich vieles vollendete, was er begann, prägte Dryden eine ganze Epoche. Mit seinem Namen verbindet sich die Neuorientierung der englischen Literatur in der Restaurationszeit; er hat als Gründerheros der neoklassischen Epoche zu gelten. Wie Samuel Johnson unter Benutzung des berühmten Sueton-Wortes über Augustus sagte, fand er Steine vor und hinterließ Marmor. Sein Rang ist der eines Klassikers, aber wie andere Klassiker ist auch er ein unpopulärer Autor.

Dryden kam aus einer gut situierten Familie in Northamptonshire und besuchte unter dem berühmten Master Busby, zu dessen Schülern auch John → Locke und Christopher Wren gehörten, die Westminster School und danach das Trinity College in Cambridge. Sein erstes Gedicht (1649), eine Elegie auf den Tod eines Mitschülers im »metaphysischen« Stil, dokumentiert wie wenige andere Gedichte der Zeit den Niedergang dieser Dichtart. Mit den *Heroic stanzas* zum Tode des Lordprotektors Oliver Cromwell (1659) schuf sich Dryden die ihm gemäße und für ihn charakteristische Form der öffentlichen, politisch engagierten Dichtung und das Medium eines ebenfalls charakteristischen panegyrischen Stils. Auch seine politische Grundhaltung, ein moderater, von Skeptizismus durchdrungener Konservatismus, ist hier bereits wahrnehmbar.

Mit der Restauration bekannte sich Dryden, wie die meisten seiner Zeitgenossen, zu den neuen politischen Gegebenheiten. Mit dem Gedicht *Astræa redux* (1660), das nicht ohne gelegentliche versteckte Ironie die Rückkehr des Königs feierte, begann seine eigentliche literarische Karriere, deren politischer Höhepunkt die Ernennung zum Hofdichter (*poet laureate*) und zum Hofgeschichtsschreiber (*historiographer royal*) war. Diese Ämter waren nicht zuletzt eine Belohnung für *Annus mirabilis*, ein historisches Gedicht über die »wundersamen Begebenheiten des Jahres 1666« – den Seesieg über die Holländer und den Wiederaufbau Londons nach dem Brand. Ungeachtet mancher Unvollkommenheit ist es das erste von Drydens großen Gedichten. In ihm wirkt die Tradition von Vergils *Georgica* weiter, und ein geschichtlicher Stoff ist hier, wie sonst kaum in der englischen Literatur, dichterisch gestaltet. Dryden wurde damit zum Nationaldichter, der dem Land eine heroische und in ihrer Zukunftsbezogenheit auch moderne Vision gab.

Mit der Komödie *The wild gallant* (1663) begann Dryden sein dramatisches Schaffen. Das mit moralischen Schockeffekten nicht sparsame Stück mißfiel zwar, blieb aber literarisch nicht ohne Einfluß. Auch das nächste, *The rival ladies* (1664), war nur mäßig erfolgreich. Doch mit *Secret love* (1668), das Karl II. zu »seinem« Stück erklärte, gelang Dryden in der Parallelisierung einer ernsten und einer komischen Handlung eine spezifische Tragikomödie, die Gestaltungsweisen von → Fletcher ähnlich ist. Dryden benutzte sie immer wieder, teilweise mit großem Erfolg, so in *An evening's love* (1668), *Marriage-à-la-mode* (1672; »perhaps the best of my comedies«), *The Spanish fryar* (1680) und *Love triumphant* (1694). Auch mit der an → Middleton und → Jonson orientierten »realistischen« Komödienform, in der er sich zunächst mit *The wild gallant* versucht hatte, erzielte er beachtliche Bühnenerfolge, so in *Sir Martin Mar-all* (1668) – für Samuel → Pepys »the most entire piece of mirth...ever writ«. Schließlich stellte sich Dryden nicht nur in die englische, sondern auch in die antike Tradition der Komödie mit einer Gestaltung des Amphitryon-Stoffes (1690), die neben Plautus und Molière bestehen kann.

Dryden gehört gleicherweise zu den Wegbereitern des ernsthaften Dramas in der Restaurationszeit. *The Indian Queen* (1663; in Zusammenarbeit mit seinem Schwager Sir Robert Howard) ist, ungeachtet zeitlich früherer Stücke, das erste voll ausgebildete *heroic play*. Die Geschichte von Zempoalla und Montezuma war, auch durch die Bühnenausstattung, sofort ein Theatererfolg, den Dryden jedoch mit der Fortsetzung, *The Indian Emperor* (1665), ebensowenig wiederholen konnte wie mit *Tyrannic love* (1669). Erst mit *The conquest of Granada* (1670; zweiter Teil 1671), der Dramatisierung einer durch das Medium der französischen Romanze gegangenen Episode aus der spanisch-maurischen Geschichte, gelang ihm der große Wurf. Darauf folgte *Aureng-zebe* (1675) mit einem Stoff aus der zeitgenössischen indischen Geschichte, ein durch kontrastreiche Charakterzeichnung bestechendes Drama, das zugleich sein letztes im Versmaß des *heroic couplet* war.

Mit *All for love, or the world well lost* (1677) schuf Dryden in typisch neoklassischer Manier eine »Nachahmung« von *Antony and Cleopatra* des »göttlichen« → Shakespeare, die dem ursprünglich locker gefügten Stück eine überraschend feste Struktur gibt. Seine zweite Shakespeare-Bearbeitung, *Troilus and Cressida* (1679), war demgegenüber ein Mißerfolg, und mit keinem der späteren Dramen hat Dryden noch einmal sein Niveau der siebziger Jahre erreicht. *Don Sebastian* (1690), unter ungünstigen Voraussetzungen entstanden, ist ungeachtet großartiger dramatischer Charakterzeichnung strukturell unbefriedigend, und *King Arthur* (1691), das Libretto für eine Oper von Henry Purcell, stellt kein eigenständiges Drama dar.

Dryden kommentierte sich gern selbst, und häufig gedieh der Kommentar über die Rechtfertigung des eigenen Tuns hinaus zu einem grundlegenden kritischen Essay. Dryden hatte darin keinen Vorgänger, so daß ihn Samuel Johnson mit vollem Recht als »Vater der englischen Literaturkritik« bezeichnen konnte. Sein erstes (und als fiktiver Dialog formal ambitioniertestes) kritisches Werk war der *Essay of dramatick poesy* (1668), mit dem er nicht nur das englische gegenüber dem französischen Drama hervorhob, sondern auch die eigene dramatische Praxis verteidigte. Hinfort gab er fast allen wichtigen Werken eine Vorrede oder Widmung bei, in denen er seine literarische Manier erläuterte oder die Prinzipien der Gattung darlegte, deren er sich bediente. Dies gilt für eine Vielzahl von Dramen ebenso wie für seine didaktischen Gedichte und seine Übersetzungen antiker Autoren, denen er grundlegende Abhandlungen über Epos und Satire voranstellte. Als Ganzes bilden diese Vor- und Nachworte ein kritisches Œuvre, das höchstens bei Samuel Johnson oder, in diesem Jahrhundert, bei T. S. → Eliot ein Gegenstück findet.

In den achtziger Jahren trat Dryden mit literarisch oder politisch polemischen Dichtungen hervor, die in ihrer formalen Meisterschaft jedesmal den unmittelbaren Anlaß transzendierten und heute zu seinen bedeutendsten Leistungen zählen. *Absalom and Achitophel* (1681), eine durch den sogenannten *Popish plot* veranlaßte Verteidigung royalistischer Prinzipien, ist ein episch-historisch-satirisches Gedicht von hoher Charakterisierungskunst. *Mac Flecknoe* (1682), eine an Boileaus französischen Klassizismus anknüpfende und auf Pope vorausweisende Abrechnung mit der Literatur der Zeit, ist als burleskes Epos eine großangelegte Literatursatire. Und *Religio laici* (1682), eine Verteidigung des Anglikanismus gegen die von Katholizismus und Deismus drohenden Gefahren, stellt mit der Empfehlung gesellschaftlicher Stabilität eine souveräne Adaptation der Tradition didaktischer Dichtung dar.

Mit Drydens Konversion zum Katholizismus (1685) begann seine schwierigste Zeit. Ob sie aus politischem Opportunismus im Hinblick auf den Regierungsantritt Jakobs II. oder aus einem Bedürfnis nach geistiger Geborgenheit erfolgte, ist strittig. In *The hind and the panther* (1687), einem formal komplexen, von persönlicher Bekenntnishaftigkeit geprägten religiös-zoographischen Gedicht, empfahl Dryden vorsichtig eine Annäherung von Katholizismus (*the hind*) und Anglikanismus (*the panther*). Das ebenso durch intrikate zeitgenössische Problematik wie durch stilistische Meisterschaft gekennzeichnete Gedicht blieb indessen politisch wirkungslos. Nach der Abdankung Jakobs verlor Dryden mit den Hofämtern seine finanzielle Sicherheit. Er wandte sich nochmals dem Theater zu und zog sich, nach Mißerfolgen in Politik und Theater desillusioniert, in die Welt der »reinen« Literatur zurück.

Drydens Alterswerk besteht in der Anverwandlung der literarischen Tradition. Seine Übersetzung Vergils (1697) machte aus einem klassischen Autor einen neoklassischen und sicherte ihm dadurch hinfort eine unmittelbare Präsenz in der englischen Literatur. Ebenso bürgerte Dryden die großen Satiriker der römischen Literatur, Juvenal und Persius, ein. *Fables ancient and modern* (1700), sein letztes Werk, verbindet Bearbeitungen von Homer, Ovid, Boccaccio und → Chaucer thematisch und motivisch mit eigenen Gedichten. In diesem gesamten Spätwerk wirkt eine subtile Regie des Gedankens und der Sprachgebung, mit der Dryden noch einmal eine christlich-humanistische Vision vom Menschen und vom Leben entfaltet. Sie steht nicht nur am Ende seines eigenen Lebens (er starb im Säkularjahr und ruht neben Chaucer und → Cowley in Westminster Abbey), sondern auch am Ende einer Epoche und eines Jahrhunderts. (F)

Hauptwerke: *The Indian-queen* 1665. – *The Indian Emperour* 1667. – *Annus mirabilis, the year of wonders 1666* 1667. – *Secret-love, or the maiden Queen* 1668. – *Of dramatick poesy. An essay* 1668. – *The conquest of Granada by the Spaniards* 1672. – *Marriage-à-la-mode* 1673. – *Aureng-zebe* 1676. – *All for love, or the world well lost* 1678. – *Troilus and Cressida, or truth found too late* 1679. – *Absalom and Achitophel. A poem* 1681. – *Mac Flecknoe, or a satyr upon the true-blew-Protestant poet T. S.* 1682. – *Religio laici, or a layman's faith. A poem* 1682. – *The hind and the panther. A poem in three parts* 1687. – *Don Sebastian, King of Portugal* 1690. – *Amphitryon, or the two Socia's* 1690. – *Fables ancient and modern* 1700. – Übersetzungen von Juvenal (1693), Vergil (1697).

Bibliographien: H. Macdonald, *John Dryden. A bibliography of early editions and of Drydeniana* 1939. – D. J. Latt und S. H. Monk, *John*

Dryden. A survey and bibliography of critical studies, 1895–1974 1976. – J. M. Hall, *John Dryden. A reference guide* 1984.

Ausgaben: *Works* (California edition), ed. E. N. Hooker et al. 1956–. – *Works*, ed. J. Saintsbury, 18 vols 1882–1892. – *Poems*, ed. J. Kinsley, 4 vols 1958. – *Of dramatick poesy and other critical essays*, ed. G. Watson, 2 vols 1962. – *Letters*, ed. C. E. Ward 1942.

Biographie: J. A. Winn, *John Dryden and his world* 1987.

Sekundärliteratur: M. van Doren, *John Dryden. A study of his poetry* 1920 (repr. 1969). – L. I. Bredvold, *The intellectual milieu of John Dryden. Studies in some aspects of seventeenth-century thought* 1934 (repr. 1956). – W. Frost, *Dryden and the art of translation* 1955 (repr. 1969). – B. N. Schilling, *Dryden and the conservative myth. A reading of Absalom and Achitophel* 1961. – A. C. Kirsch, *Dryden's heroic drama* 1965. – B. King, *Dryden's major plays* 1966. – H. T. Swedenberg, Jr. (ed.), *Essential articles for the study of John Dryden* 1966. – E. Miner, *Dryden's poetry* 1967. – P. Harth, *Contexts of Dryden's thought* 1968. – E. Späth, *Dryden als poeta laureatus. Literatur im Dienste der Monarchie* 1969. – A. T. Barbeau, *The intellectual design of John Dryden's heroic plays* 1970. – M. McKeon, *Politics and poetry in Restoration England. The case of Dryden's Annus mirabilis* 1975. – E. Pechter, *Dryden's classical theory of literature* 1975. – G. McFadden, *Dryden, the public writer 1660–1685* 1978. – D. Hughes, *Dryden's heroic plays* 1981. – S. N. Zwicker, *Politics and language in Dryden's poetry* 1984. – D. Hopkins, *John Dryden* 1986. – W. Frost, *John Dryden. Dramatist, satirist, translator* 1987.

Lawrence Durrell (1912–1990)

Lawrence Durrell stammt wie → Joyce und → Beckett aus einer anglo-irischen Familie; er wurde jedoch in Julundur (Indien) geboren und zunächst auch dort, am College of St. Joseph in Darjeeling, erzogen. Von 1924 bis 1928 besuchte er die St. Edmund's School in Canterbury; danach führte er ein überaus unstetes Leben. 1934 bis 1940 lebte er auf Korfu. Nach einer kurzen Lehrtätigkeit in Griechenland verbrachte er den Krieg als Presse-Attaché und Nachrichtenoffizier in Kairo (1941–1944) und in Alexandria (1944/45). In den Jahren 1947/48 war er als Direktor des British Council Institute in Cordoba (Argentinien) tätig. Anschließend arbeitete er für das Auswärtige Amt auf Rhodos, in Belgrad und auf Zypern, wo er zusammen mit Henry Miller, seinem langjährigen Freund, und Alfred Perlès 1954/55 die *Cyprus review* herausgab. 1957 zog er nach

Südfrankreich, wo er bis zu seinem Tode als freier Schriftsteller lebte.

Sehr früh trat bei Durrell die lyrische Begabung hervor. 1932 veröffentlichte er den Band *Ten poems*; von den folgenden Lyrikbänden seien genannt: *Transition* (1934), *A private country* (1943), *Cities, plains and people* (1946), *On seeming to presume* (1948), *The tree of idleness and other poems* (1955) und *Plant magic man* (1973). Als Lyriker steht Durrell unter dem Einfluß der Dichtung des 19. Jahrhunderts, vornehmlich → Landors und → Brownings. Aber auch von Robert Graves, T. S. → Eliot und → Auden sind Spuren in seinen Gedichten zu finden. Ein Überblick über seine gesamte Dichtung zeigt, daß Durrell keine auffällige poetische Entwicklung durchlaufen hat. Er selbst stellt die Gedichte oft unter thematischen oder formalen Gesichtspunkten zusammen, ohne die Entstehungszeit zu berücksichtigen. Ein wesentliches Merkmal seines lyrischen Gesamtwerkes ist ein meditativ-reflektierender Unterton.

Diese eigentümliche Mischung von lyrisch-bildhaftem und meditativ-philosophischem Stil ist auch für seine erzählerische Prosa charakteristisch. Sein erstes Prosawerk von künstlerischer Bedeutung ist der Roman *The black book. An agon*, der unter dem Einfluß von Henry Miller geschrieben und 1938 in Paris veröffentlicht wurde; erst 1973 konnte dieses Werk in Großbritannien erscheinen. Es ist eine Art moderner Totentanz: der Erzähler Lawrence Lucifer ist als »Luzifer« in der Lage, das groteske Geschehen mit unerbittlicher Schärfe zu sezieren; als »Lawrence« ist er zugleich die Verkörperung der Vitalität, die ihn aus dem Bereich des Todes (London) zur Entdeckung des ursprünglichen Lebens (Griechenland) treibt.

Den Höhepunkt seines Schaffens erlangte Durrell mit dem *Alexandria quartet*, das die Romane *Justine* (1957), *Balthazar* (1958), *Mountolive* (1958) und *Clea* (1960) umfaßt. Das mysteriöse und numinose Alexandrien ist der »Held« dieses Romanzyklus; die Atmosphäre der Stadt prägt alle Charaktere. Zeitlich spielt das Geschehen vor dem Zweiten Weltkrieg, wobei die ersten drei Romane ungefähr den gleichen Zeitraum, die gleichen Personen und Ereignisse, aber aus unterschiedlicher Perspektive darstellen, während erst in *Clea* die Handlung weiterschreitet. Das Zentrum der Personen bildet L. G. Darley (dessen Initialen an *L*awrence *G*eorge *D*urrell erinnern). Darley löst sich von Melissa, seiner griechischen Geliebten, und verfällt der Faszination Justines, die ihrerseits mit Nessim, einem Kopten, verheiratet ist. Dazu kommen der Arzt Balthazar, der im zweiten Roman eine »Interlinearversion« des ersten liefert, Pursewarden, der im Dienst des britischen Geheimdienstes steht, Mountolive, der britische Botschafter, und Clea, eine Künstlerin, von deren Schicksal – sie verliert bei einem Schwimmunfall eine Hand – der letzte Roman handelt. Die Realität wird ständig neu ausgelegt, sei es vom künstlerischen, sei es vom religiösen oder philosophischen Standort aus.

Schwächer sind die späteren Romane *Tunc* (1968), *Nunquam* (1970), *Monsieur* (1974) und *Constance* (1982). Dagegen hat Durrell stets vorzügliche Reisebücher vorgelegt, in denen er seine Impressionen verarbeitete: *Prospero's cell* (1945) beschreibt Korfu, *Reflections on a marine Venus* (1953) Rhodos, und *Bitter lemons* (1957) charakterisiert die Landschaften und Menschen in Zypern. Durrells dichterische Fähigkeiten finden auch in seinen Beiträgen zum poetischen Drama ihren Niederschlag: *Sappho* wurde 1959 in Hamburg, *An Irish Faustus. A morality in nine scenes* 1966 in Sommerhausen aufgeführt. Zur Interpretation zeitgenössischer Dichtung trug Durrell mit dem Buch *A key to modern British poetry* (1952) bei. (E)

Hauptwerke: *Ten poems* 1932. – *Transition* 1934. – *The black book* 1938. – *A private country* 1943. – *Prospero's cell. A guide to the landscape and manners of the island of Corcyra* 1945. – *Cities, plains and people* 1946. – *Zero, and Asylum in the snow. Two excursions into reality* 1946. – *Cefalu* 1947 (als *The dark labyrinth* 1958). – *On seeming to presume* 1948. – *Sappho* 1950. – *A key to modern British poetry* 1952. – *Reflections on a marine Venus. A companion to the landscape of Rhodes* 1953. – *The tree of idleness and other poems* 1955. – *Alexandria quartet* 1962: *Justine* 1957; *Balthazar* 1958; *Mountolive* 1958; *Clea* 1960. – *Esprit de corps. Sketches from diplomatic life* 1957. – *Bitter lemons* 1957. – *Stiff upper lip. Life among the diplomats* 1958. – *Collected poems* (1960) 1968. – *An Irish Faustus* 1963. – *Acte* 1965. – *The revolt of Aphrodite* 1974: *Tunc* 1968; *Nunquam* 1970. – *The plant magic man* 1973. – *The Avignon quintet*: *Monsieur; or, The prince of darkness* 1974; *Livia; or, Buried alive* 1978; *Constance; or, Solitary practices* 1982; *Sebastian; or, Ruling passions* 1983; *Quinx; or, The ripper's tale* 1985. – *Antrobus complete* 1985.

Bibliographien: R. A. Potter und B. Whiting, *Lawrence Durrell. A checklist* 1961. – A. G. Thomas und J. A. Brigham, *Lawrence Durrell. An illustrated checklist* 1983.– S. Vander Closter, *Joyce Cary and Lawrence Durrell. A reference guide* 1985.

Ausgabe: *Collected poems, 1931–1974*, ed. J. A. Brigham 1980.

Übersetzungen: *Bittere Limonen*, übers. von G. v. Uslar 1962 (Rowohlt). – *Leuchtende Orangen*, übers. von H. Zand 1964 (Rowohlt). –

Das Alexandria-Quartett, übers. von M. Carlsson, G. v. Uslar und W. Schürenberg 1977 (Rowohlt). – *Monsieur oder Der Fürst der Finsternis*, übers. von S. Lepsius 1977 (Rowohlt). – *Griechische Inseln*, übers. von E. Ortmann 1978 (Rowohlt). – *Livia oder Lebendig begraben*, übers. von S. Lepsius 1980 (Rowohlt). – *Constance oder Private Praktiken*, übers. von S. Lepsius 1984 (Rowohlt). – *Sebastian oder Die Gewalt der Leidenschaft*, übers. von S. Lepsius 1986 (Rowohlt).

Biographien: G. Durrell, *My family and other animals* 1957. – *The world of Lawrence Durrell*, ed. H. T. Moore 1962. – G. Durrell, *Birds, beasts, and relatives* 1969.

Sekundärliteratur: J. Unterecker, *Lawrence Durrell* 1964. – G. S. Fraser, *Lawrence Durrell. A critical study* (1968) 1973. – A. W. Friedman, *Lawrence Durrell and The Alexandria quartet. Art for love's sake* 1970. – K. Sajavaara, *Imagery in Lawrence Durrell's prose* 1975. – W. G. Creed, *The muse of science and The Alexandria quartet* 1977. – M.-R. Cornu, *La dynamique du Quatuor d'Alexandrie de Lawrence Durrell. Trois études* 1979. – C. Guillemard, *Le labyrinthe romanesque de Lawrence Durrell*, 2 vols 1980. – J. v. d. Ghinste, *Lawrence Durrell. Le quatuor Alexandrin et le mythe de la creation* 1983. – V. Volkoff, *Lawrence le magnifique. Essai sur Lawrence Durrell et le roman relativiste* 1984.

GEORGE ELIOT/Mary Ann(e) Evans (1819–1880)

Unverkennbar tragen die ersten dreißig Lebensjahre von Mary Ann Evans zeittypische Züge. Als Tochter eines Gutsverwalters in Warwickshire geboren – das Pflichtethos des Vaters bleibt ihr ein Leben lang Maß – erhält sie eine streng evangelikale schulische Erziehung. Frühzeitig wird eine intellektuelle Neugier sichtbar, die alles, Sprachen, Literatur, Bibelkritik und Naturwissenschaften, ergreift und sich aneignet. Der Umgang mit einer freigeistigen Familie Coventrys, den Brays, bestätigt religiöse Zweifel. Sie übersetzt Strauss' *Das Leben Jesu* (*The life of Jesus* 1846) und entwickelt unter Comtes und Feuerbachs Einfluß, dessen *Wesen des Christenthums* sie gleichfalls überträgt (*The essence of Christianity* 1854), ihre eigene Version der positivistischen Religion der Humanität. Diese läßt keinerlei Aussagen über Transzendentes zu, verweist den Menschen auf seine Sinneseindrücke und Erfahrung, unterwirft sein Handeln aber nichtsdestoweniger einem strikten Moralgesetz. Als innerweltliche Nemesis, als »law of consequences«, ahndet es jeden Verstoß. Die rigide Verbindlichkeit dieses Ethos wird aufgehoben durch *sympathy*. In der Nachfolge → Wordsworths ist *sympathy* für Mary Ann Evans ein zutiefst humanes Konzept, das imaginatives Verstehen des anderen, auch des Niedrigsten und Verworfensten, meint. Verbindliches Gesetz und moralische Kasuistik sind so gleichberechtigt und spannungsreich aufeinander bezogen.

Als freischaffende Literatin ab 1851, als de facto Herausgeberin des renommierten Organs des Utilitarismus und Liberalismus, der *Westminster review*, formuliert Marian Evans diese Weltanschauung in einer Serie brillanter Essays (u. a. »Evangelical teaching: Dr. Cumming« 1855; »The natural history of German life« 1856). Und sie formuliert ihre Kunstauffassung, meist *implicite* oder *e contrario*, in ihren Besprechungen der zeitgenössischen Literatur (darunter zu → Tennysons *Maud*, → Brownings *Men and women*, Elizabeth → Barretts *Aurora Leigh*), in denen sie mit scharfem Blick die Spreu vom Weizen sondert und mit satirischem Witz das Prätentiöse der Lächerlichkeit preisgibt (»Silly novels by lady novelists« 1856). Es ist dies eine Kunstauffassung, die unter dem Einfluß → Ruskins und in Einklang mit dem Konzept der *sympathy* die alltägliche Wirklichkeit zum Gegenstand einer realistischen, d. h. nicht idealisierend überhöhenden, Betrachtung macht, wobei ihr die holländische Genremalerei als vorbildhaft gilt.

Umfassend gebildet, nicht nur als Kritikerin und Herausgeberin der scharfen intellektuellen Analyse zugetan, wendet die bereits sechsunddreißigjährige Marian Evans ihre theoretisch entwickelte Kunstauffassung nun romanschreibend an. Animiert wird sie hierzu von George Henry Lewes, der selbst ein vielseitiger Literat, Verfasser von Romanen, einer Biographie von Robespierre, einer Geschichte der Philosophie in Lebensläufen und Übersetzer zahlreicher französischer Dramen ist und dessen Goethe-Biographie (1855) ein Standardwerk wird. Mit ihm, dem Verheirateten, lebt sie seit 1853/54 zusammen und nimmt für ihn den Bruch mit Familie und Gesellschaft in Kauf. Die Wahl eines Pseudonyms – George Eliot – für ihr Romanwerk ist vor diesem Hintergrund zu sehen, muß aber auch als die Kreation einer fiktiven, Distanz schaffenden *persona* verstanden werden, wie sie für die viktorianische Literatur so typisch ist.

Die Existenz einer klar konturierten, theoretisch erprobten Weltanschauung und Kunstauffassung bedingt, daß die Romane George Eliots thematisch eng aufeinander bezogen sind. Es geht um die Frage des rechten Handelns in einer Welt ohne absolute ethische Normen, aber voller, das Individuum bedingender, einengender Zwänge, seien es solche der Vererbung, der Gesellschaft oder der Ideologie. Es geht um den Heroismus des Alltäglichen, insbesondere um die Verwirklichung oder das Scheitern leidenschaftlicher Frauen wie Maggie in *The mill on the Floss* oder Dorothea in *Middlemarch* innerhalb einer beengenden Umwelt, eines »petty medium«. Und es geht um die Darstellung der unentrinnbaren Interdependenzen zwischen Privatem und Öffentlichem, Individuellem und Nationalem, Gefühltem, Gedachtem und Getanem. All dies wird mit von Roman zu Roman unterschiedlichen Schwerpunkten in immer komplexeren Strukturen entwickelt.

Am Anfang stehen drei Skizzen, *Scenes of clerical life*: Sie zeichnen realistisch das menschliche Mittelmaß der evangelikalen Geistlichkeit und die lastende Enge eines kleinstädtischen Milieus nach. Und sie erfüllen George Eliots didaktische Absicht, indem sie einen Lernprozeß gestalten, der Akteure wie Leser *sympathy*, d.h. Verständnis für den anderen, eine weniger ichbezogene Weltsicht, gewinnen läßt. Ein melodramatisches Element ist den Fabeln zu eigen (und wird ihnen bis hin zu *Middlemarch* und *Daniel Deronda* zu eigen bleiben). Es findet sich in *Adam Bede* als Verführung, Kindsmord und Rettung in letzter Minute durch den reitenden Boten wieder. Weniger die von den Zeitgenossen hochgeschätzte Beschwörung einer pastoralen Idylle oder die Galerie handfester, komischer Charaktere sind es, die den Roman zukunftsweisend machen, als die subtil-exakte Darstellung des moralischen Verfalls eines wohlmeinenden, aber ungefestigten jungen Mannes, des Squire Arthur Donnithorne.

Diese Analyse psychischer Prozesse hat George Eliot in ihren folgenden Romanen meisterhaft weiterentwickelt. In Tito Melema (*Romola*), Mrs. Transome (*Felix Holt*), Nicholas Bulstrode (*Middlemarch*) sowie Gwendolen Harleth (*Daniel Deronda*) werden analoge Psychogramme des moralischen Verfalls differenziert entworfen. Mittels Introspektion und Außensicht, Einfühlung und (ironischer) Distanz, erlebter Rede und Kommentar werden die Figuren multiperspektivisch dargestellt – und zwar nahezu alle Figuren der Romanwelten, nicht nur die, welche gemeinhin Hauptgestalten genannt werden; denn George Eliot weiß, daß jede Gestalt die Hauptgestalt ihres eigenen Romans ist und darum *sympathy* heischt: »But why always Dorothea?« fragt die Erzählerin von *Middlemarch* (Kap. 29). Die Entwicklung des Romans ist für George Eliot somit eine zu immer genauerer psychischer Analyse der unbewußten Motive, der Gedanken und Rationalisierungen von immer mehr Figuren. Diese Figuren sind einander in einem Satz für Satz bloßgelegten Beziehungsgeflecht zugeordnet. Die Analyse der psychischen Prozesse schlägt um in die Darstellung der gesellschaftlichen Verhältnisse: Psychologie und Soziologie sind untrennbar verquickt.

In *The mill on the Floss* greift George Eliot auf biographisches Material zurück und erweitert ihren Roman um die Frauenfrage, um die Darstellung der Erziehung der intellektuell wie sexuell leidenschaftlichen, aber unterdrückten Maggie Tulliver, um das Scheitern ihrer hohen Wünsche und Sehnsüchte an äußeren Faktoren wie Vererbung, Familie und gesellschaftlicher Norm, aber auch eigener Schuld. In historischer Einkleidung – der Roman wird in das mit enormer Gelehrsamkeit detailliert gestaltete Florenz Savonarolas verlegt – variiert die Titelheldin von *Romola* George Eliots moralische Grundproblematik. *Felix Holt* schließlich rückt den Reform Bill von 1832 und damit Politisches, die Frage nach der Möglichkeit der Reform des Individuums wie der Gesellschaft, in den Mittelpunkt.

All dies wird in *Middlemarch* aufgegriffen und in große epische Struktur gebracht. George Eliot gelingt, wie der Untertitel verspricht, *A study of provincial life*, die zugleich eine Studie des bürgerlichen Englands ist. Mit der Intensität der psychischen Analyse einer großen Zahl von Figuren korrespondiert die Extensität der dargestellten ökonomischen, sozialen, politischen, ideologischen Prozesse. Detailliert und konkret setzt George Eliot ihre umfassenden Kenntnisse der Medizin, Bibelkritik, Geschichte, Theologie, Ökonomie und Literatur ein, um eine ganze Welt zu entwerfen und die Grenzen zu veranschaulichen, die dem bürgerlichen Individuum gesetzt sind. Sie begrenzen die altruistische Leidenschaft Dorotheas ebenso wie die Forschungen Lydgates und Casaubons oder den Rebellengestus Ladislaws. Der Versuch, die Darstellung der Interdependenzen über das nationale Geschick hinaus zu erweitern und mittels des Zionismus Weltgeschichtliches episch zu fassen, ist in George Eliots letztem Roman, *Daniel Deronda*, nicht von gleichem Erfolg gekrönt. Die Zeit des poetischen Realismus wie des bürgerlich-gesellschaftlichen Ausgleichs neigt sich dem Ende zu, die Fragmentarisierung der Welt läßt sich nicht mehr ins Prosa-epos zwingen. Es fällt nicht leicht, die subtile psychische Analyse Gwendolen Harleths und die weltgeschichtliche Mission Derondas als Einheit zu begreifen.

War bereits den *Scenes of clerical life* ein Achtungserfolg beschieden, so hatte *Adam Bede* George Eliot berühmt gemacht. Mit jedem weiteren Roman, ja selbst mit jedem der durchaus schwächeren poetischen Werke wie *The Spanish gipsy* oder *Armgart* (1871) mehrt sich ihr Ruhm. War Dickens Autor des ganzen Volkes, so spricht die analytische Schärfe, der intellektuelle Anspruch der Romane George Eliots insbesondere die gebildete Mittelschicht an. Sie wird in den Rang der Sibylle erhoben, ihr Werk als Lebenshilfe benutzt, indem ihm *Wise, witty, and tender sayings in prose and verse* (1871) entnommen werden; eines ihrer Gedichte, »Oh may I join the choir invisible«, dient den Positivisten als Hymne. Ihr literarischer Rang und die hohe moralische Integrität ihres Werkes überwinden schließlich sogar die gesellschaftliche Ächtung. Sie wird, wiewohl unverheiratet, als Mrs. Lewes anerkannt. Die Königin, die dem Prinzgemahl *Adam Bede* vorgelesen hatte, wünscht sie zu sehen. Erst als Lewes 1878 stirbt und sie in ihrem letzten Lebensjahr den zwanzig Jahre jüngeren John W. Cross heiratet, vergibt ihr aber der geliebte Bruder. (T)

Hauptwerke: *Scenes of clerical life* 1857. – *Adam Bede* 1859. – *The mill on the Floss* 1860. – *Silas Marner* 1861. – *Romola* 1862/63. – *Felix Holt* 1866. – *The Spanish gipsy* 1868. – *Middlemarch* 1871/72. – *Daniel Deronda* 1876. – *Impressions of Theophrastus Such* 1879.

Bibliographien: W. H. Marshall, A selective bibliography of writings about George Eliot to 1965, in *Bulletin of Bibliography* 25 (1967), 70–2, 88–94, von D. L. Higdon unregelmäßig fortgesetzt.

Ausgaben: *The works*, Cabinet Edition, 21 vols 1878. – *The Clarendon edition of the novels*, gen. ed. G. S. Haight 1980– . – *The letters*, ed. G. S. Haight, 9 vols 1954–1978. – *Essays*, ed. T. Pinney 1963. – *George Eliot's Middlemarch notebook*, ed. J. C. Pratt und V. A. Neufeldt 1979. – *George Eliot. A writer's notebook 1854–1879*, ed. J. Wiesenfarth 1981.

Übersetzungen: *Adam Bede*, übers. von E. König 1987 (Reclam). – *Middlemarch*, übers. von I. Leisi 1962 (Manesse); übers. von R. Zerbst 1985 (Reclam). – *Die Mühle am Floss*, übers. von E. König 1983 (Reclam).

Biographien: J. W. Cross, *George Eliot's life as related in her letters and journals*, 3 vols 1885. – G. S. Haight, *George Eliot. A biography* 1968.

Sekundärliteratur: R. Stump, *Movement and vision in George Eliot's novels* 1959. – B. Hardy, *The novels of George Eliot* 1959. – W. J.

Harvey, *The art of George Eliot* 1961. – B. J. Paris, *Experiments in life. George Eliot's quest for values* 1965. – U. C. Knoepflmacher, *George Eliot's early novels* 1968. – E. Tetzeli v. Rosador, *Kunst im Werke George Eliots* 1973. – F. Bonaparte, *Will and destiny. Morality and tragedy in George Eliot's novels* 1975. – H. Witemeyer, *George Eliot and the visual arts* 1979. – A. Mintz, *George Eliot and the novel of vocation* 1978. – M. E. Doyle, *The sympathetic response. George Eliot's fictional rhetoric* 1981. – B. Hardy, *Particularities. Readings in George Eliot* 1982. – K. B. Mann, *The language that makes George Eliot's fiction* 1983. – S. Shuttleworth, *George Eliot and nineteenth-century science* 1984. – S. Graver, *George Eliot and community. A study in social theory and fictional form* 1984. – G. Beer, *George Eliot* 1986.

T. S. Eliot (1888–1965)

Zwischen den beiden Weltkriegen war Thomas Stearns Eliot der bedeutendste Lyriker und der einflußreichste Literaturkritiker englischer Sprache, der 1948 mit dem Nobelpreis ausgezeichnet wurde. Für seine vielfältigen Tätigkeiten als Dichter und Dramatiker, Kritiker und schließlich auch als Verlagsdirektor brachte Eliot infolge seiner Herkunft und Ausbildung die besten Voraussetzungen mit. Sein Großvater William Greenleaf Eliot studierte Theologie an der Harvard University, wurde später unitarischer Priester und zeigte einiges Interesse für deutsche Philosophie. Sein Vater Henry Ware Eliot erwarb als Geschäftsmann ein großes Vermögen und baute seiner Familie ein Landhaus in Eastern Point bei Gloucester (Massachusetts), wo Eliot einen Teil seiner Kindheit verbrachte. Seine Mutter Charlotte Champe Stearns zeichnete sich durch ihr schriftstellerisches Talent aus. Ihr Gedicht »A musical reverie« kann als eine Art Vorbild für Eliots eigene Kompositionsweise verstanden werden, wie sie besonders ausgeprägt in den *Four quartets* zutage tritt.

Eliot studierte zunächst an der Harvard University, wo Philosophie, Sanskrit, Psychologie und später die romanischen Literaturen seine besonderen Interessensgebiete waren. Nachhaltig wurde er während seiner Studienzeit von Irving Babbitt beeinflußt, der ihm Dantes *Göttliche Komödie* nahebrachte und sich – ähnlich wie T. E. Hulme in England – mit Rousseau und der romantischen Tradition auseinandersetzte. Grundlegend für Eliots literarische Entwicklung wurde die Lektüre von Arthur Symons' Buch *The symbolist movement in literature* (1899), durch das er nicht nur auf Verlaine und Rimbaud, sondern auch auf Jules Laforgue und Tristan Corbière aufmerksam gemacht wurde. Laforgues Dichtung wurde für Eliots eigene dichterische Versuche das Vorbild, das ihn dazu inspirierte, den Slang und das kolloquiale Englisch in die lyrische Diktion einzubeziehen.

Wie Ezra Pound und Henry James ging auch Eliot nach Europa, nach Frankreich, um Anschluß an die neuesten Tendenzen in der europäischen Dichtung und Philosophie zu gewinnen. Er studierte 1910/11 an der Sorbonne, dann hielt er sich für kurze Zeit in München auf; nach seiner Rückkehr nach Harvard begann er mit einer Dissertation über den Philosophen F. H. Bradley. Im Sommer 1914 reiste er ein zweites Mal nach Deutschland, um sich an der Marburger Universität mit dem Neukantianismus zu befassen. Der Kriegsausbruch zwang ihn jedoch, nach England überzusiedeln, wo er am Merton College in Oxford seine philosophischen Studien fortsetzte. Er beendete dort seine Dissertation, kehrte jedoch nicht zur mündlichen Prüfung nach Amerika zurück, sondern blieb in England und war zunächst als Lehrer, danach als Angestellter bei Lloyds Bank tätig. (Erst 1964 veröffentlichte Eliot seine Dissertation unter dem Titel *Knowledge and experience*.)

Im Sommer 1915 heiratete Eliot Vivienne Haigh-Wood, die Tochter eines Landschaftsmalers. Die Ehe war jedoch unglücklich, denn beide litten unter physischen und psychischen Schwächen. Vivienne wurde schließlich in eine psychiatrische Pflegeanstalt gebracht, wo sie 1947 in geistiger Umnachtung starb. 1957 ging Eliot eine zweite Ehe mit Esmé Valerie Fletcher ein, die für ihn als Sekretärin gearbeitet hatte. Obwohl Eliot keine Bekenntnislyrik und auch keine Autobiographie schrieb, ist nicht zu verkennen, daß die privaten Erlebnisse seine Lyrik und seine Dramatik beeinflußten.

Für seine dichterische Entwicklung war die Begegnung mit Ezra Pound entscheidend, der seit 1908 in Europa lebte und die bedeutendsten englischsprachigen Autoren (wie → Yeats oder → Joyce) persönlich kannte und beeinflußte. Pound stufte Eliots Begabung nach der Lektüre von »The love song of J. Alfred Prufrock« sofort sehr hoch ein und setzte sich für die Veröffentlichung dieses Gedichtes in der Zeitschrift *Poetry* ein. Als Eliot es in Verbindung mit weiteren Gedichten seiner frühen Zeit 1917 erneut publizierte, erlangte er damit in literarischen Kreisen hohes Ansehen. Für die enge Kooperation zwischen Eliot und Pound ist auch *The waste land* (1922) ein Beweis. Pound kürzte dieses ursprünglich viel umfangreichere Gedicht, und Eliot machte sich diese Vorschläge zu eigen. Das Gedicht stellt den Versuch dar, ein Porträt der zeitgenössischen Gesellschaft in lyrischer Sprache zu liefern. Die moderne Welt erscheint hier als eine unfruchtbare Wüste – die meisten Szenen spielen in der Großstadt London –, das Leben der Menschen ist geprägt von Langeweile; die Erinnerung an frühere Epochen und bedeutende Gestalten der Menschheitsgeschichte ist verblaßt. Zitate, die Eliot aus den verschiedenen Literaturen und Religionen in seine Dichtung eingebaut hat – wie Buddhas Feuerpredigt oder Stellen aus Augustinus' *Confessiones* –, bestätigen nur, was er in eigener Sprache über die Moderne sagt. Die Verwendung eines mythologischen Korrelates, das er Jessie L. Westons Buch *From ritual to romance* (1920) entnahm und das eine Deutung der Gralslegende im Anschluß an Frazers kulturanthropologische Studien über die Fruchtbarkeitsriten bietet, ermöglichte es ihm – in Anlehnung an Joyces *Ulysses* –, ein künstlerisches Ordnungsprinzip in die Darstellung des modernen Chaos einzuführen, an dem sich der Leser bei der Frage nach dem Sinn der dargestellten Wirklichkeit orientieren kann.

Bereits die frühe Dichtung Eliots läßt seine theologisch-religiösen Neigungen erkennen, auch wenn es sich zunächst nur um eine Art *theologia negativa* handelt. Das Gedicht »Ash-Wednesday« (1930) zeigt, daß sich in Eliot in den zwanziger Jahren ein entscheidender Wandel vollzog. Er schloß sich 1927 der anglikanischen Kirche an und definierte in der Vorrede zu dem Essayband *For Lancelot Andrewes* die neugewonnene Position: »Classicist in literature, royalist in politics, and anglo-catholic in religion.« Auf dieser Basis baut sich das gesamte weitere Schaffen Eliots als Lyriker, Dramatiker sowie als Literatur- und Kulturkritiker auf.

Den Höhepunkt seiner Entwicklung als Lyriker erreichte Eliot in den *Four quartets* (1943). Neben den französischen Symbolisten waren es vor allem die *Metaphysicals* des 17. Jahrhunderts, die Dramatiker des jakobäischen Zeitalters, die englischen Mystiker des 14. Jahrhunderts sowie die Mystik des Johannes vom Kreuz, die ihm Anregungen vermittelten. Auch wenn Eliot eine umfassende literarische Bildung in sein Werk einfließen ließ, sind seine Gedichte mehr als bloße Montagen von Zitaten. Er besaß in hohem Maße die Fähigkeit, überlieferte

Bilder, Symbole und Rhythmen in seine eigene Technik und Diktion zu integrieren. Wenn Eliot sich nicht mit einem längeren Gedicht – »Burnt Norton« stand zunächst allein – begnügte, sondern vier Quartette zu einem Zyklus zusammenfaßte, so entspricht dies seiner kompositorischen Absicht, die Summe der menschlichen Existenz darzustellen. Jedes der vier Quartette ist auf ein Symbol bezogen: »Burnt Norton« auf die Luft, »East Coker« auf die Erde, »The Dry Salvages« auf das Wasser, »Little Gidding« auf das Feuer. Da Eliot in »Little Gidding« zugleich auf das Zusammenspiel der Elemente zu sprechen kommt, gelingt es ihm, auf diesem Weg die »Quintessenz« der Menschheitsgeschichte (in seiner Sicht) herauszuarbeiten.

In seinen dramatischen Versuchen knüpfte Eliot an die Bestrebungen der Anglo-Iren an, ein neues poetisches Drama zu begründen, das sich von der Diktion des realistischen Theaters distanzierte, aber auch den fünfhebigen Blankvers der Shakespeare-Tradition mied. In seinem ersten Versuch *Sweeney Agonistes* (1932) schloß sich Eliot an das griechische Theater an – er nannte das Werk ein »aristophanisches Fragment« –, und er verwandte diese Technik auch in den nächsten Stücken: *Murder in the cathedral* (aufgeführt 1935) verbindet den Chor des antiken Dramas mit Elementen der mittelalterlichen Moralität und → Shaws *Saint Joan*. *The family reunion* (1939) ist der Orestie verpflichtet; *The cocktail party* (1949) und *The confidential clerk* (1953) verarbeiten Dramen des Euripides (*Alkestis* und *Ion*), und mit *The elder statesman* (1958) schloß sich Eliot an Sophokles' *Ödipus auf Kolonos* an. Durchgängig handeln seine Dramen von Schuld und Sühne, von Läuterung und Liebe. Die Stücke nach *Murder in the cathedral* lassen die christlichen Anspielungen oft nur verdeckt mitlaufen, und sie nähern sich dem neuzeitlichen Gesellschaftsdrama.

Das gesamte literarische Schaffen Eliots wurde ständig von literaturkritischen Arbeiten begleitet. Von 1917 bis 1919 war er Mitherausgeber des *Egoist*, der Zeitschrift der Imagisten; 1922 gründete er *The criterion*, eine Zeitschrift, die er bis 1939 fortführte. Seine literarischen Essays sind nicht als Bausteine eines Systems zu verstehen, wiewohl einige Grundüberzeugungen leitmotivisch wiederkehren. Sie sind Versuche, sich über die eigenen dichterischen Bemühungen Rechenschaft abzulegen und zugleich die bisherige Dichtungstradition kritisch zu bewerten. Über die Bedeutung dieser Tradition für sein Schaffen äußerte er sich programmatisch in dem Essay »Tradition and the individual talent« (1919). Er widersprach insofern herkömmlichen Vorstellungen, als er die These, Dichtung müsse den Erlebnissen des Autors Ausdruck verleihen, ablehnte. Erlebnisse müssen nach Eliot objektiviert, d.h. so verwandelt werden, daß sie für jeden Leser nachvollziehbare Symbole darstellen. Dies macht seine kritische Bewertung romantischer und nachromantischer Dichtung verständlich, auch seine Hinwendung zu den *Metaphysicals*, seine Betonung des Klassischen, vor allem bei Vergil und Dante.

Es konnte nicht überraschen, daß Eliot, insbesondere nachdem er sich politisch und religiös festgelegt hatte, in seinen Essays auch weltanschauliche Kontroversen, etwa mit den Anhängern eines romantischen Rousseauismus, austrug. Seine scharfen Urteile über →Blake, →Hardy oder D. H. →Lawrence erregten Aufsehen; seine Äußerungen über Demokratie, Erziehung, Liberalismus und gelegentlich auch über das Judentum stießen auf vielfältige Kritik. Seine in ihren Grundzügen konservative Position konnte dadurch jedoch nicht erschüttert werden; allgemein billigte man ihm als Kritiker die herausragende Rolle zu, die Matthew →Arnold im viktorianischen Zeitalter gespielt hatte.

Eliots skurril-komische Seite fand in *Old Possum's book of practical cats* (1939) ihren besten Ausdruck; durch das darauf basierende Musical *Cats* (1981) erlangte er posthum eine neue, unerwartete Popularität. (E)

Hauptwerke: *Prufrock and other observations* 1917. – *Ezra Pound. His metric and poetry* 1917. – *Poems* 1919. – *The sacred wood. Essays on poetry and criticism* 1920. – *The waste land* 1922. – *Poems 1909–1925* 1925. – *For Lancelot Andrewes. Essays on style and order* 1928. – *Dante* 1929. – *Ash-Wednesday* 1930. – *Thoughts after Lambeth* 1931. – *John Dryden. The poet, the dramatist, the critic* 1932. – *Sweeney Agonistes. Fragments of an Aristophanic melodrama* 1932. – *The use of poetry and the use of criticism* 1933. – *After strange gods. A primer of modern heresy* 1934. – *Elizabethan essays* 1934. – *The rock. A pageant play* 1934. – *Murder in the cathedral* 1935. – *Collected poems 1909–1935* 1936. – *Essays ancient and modern* 1936. – *Old Possum's book of practical cats* 1939. – *The idea of a Christian society* 1939. – *The family reunion* 1939. – *East Coker* 1940. – *The Dry Salvages* 1941. – *Points of view* 1941. – *Little Gidding* 1942. – *Four quartets* 1943. – *Notes towards the definition of culture* 1948. – *The cocktail party* 1950. – *The confidential clerk* 1954. – *On poetry and poets* 1957. – *The elder statesman* 1959. – *George Herbert* 1962. – *Knowledge and experience in the philosophy of F. H. Bradley* 1964.

Bibliographien: D. Gallup, *T. S. Eliot. A bibliography* (1952) 1969. – M. Martin, *A half-century of Eliot criticism. An annotated bibliography of books and articles in English, 1916–1965* 1972. – B. Ricks, *T. S. Eliot. A bibliography of secondary works* 1980.
Ausgaben: *Collected plays* 1962. – *Collected poems 1909–1962* 1963. – *The complete poems and plays* 1969. – *The letters*, ed. V. Eliot 1988–.
Übersetzungen: *Werke*, 4 Bde 1966–1972, 1988 (Suhrkamp). – *Das wüste Land* (zweispr.), übers. von E. R. Curtius 1975 (Suhrkamp).
Biographien: H. Kenner, *The invisible poet. T. S. Eliot* 1959. – A. D. Moody, *Thomas Stearns Eliot. Poet* 1979. – R. Bush, *T. S. Eliot. A study in character and style* 1983. – P. Ackroyd, *T. S. Eliot* 1984.
Sekundärliteratur: E. Drew, *T. S. Eliot. The design of his poetry* 1949. – H. Gardner, *The art of T. S. Eliot* 1949. – K. Smidt, *Poetry and belief in the work of T. S. Eliot* (1949) 1961. – R. Germer, *T. S. Eliots Anfänge als Lyriker (1905–1915)* 1966. – B. Bergonzi, *T. S. Eliot* 1972. – A. P. Frank, *Die Sehnsucht nach dem unteilbaren Sein. Motive und Motivation in der Literaturkritik T. S. Eliots* 1973. – T. R. Rees, *The technique of T. S. Eliot. A study of the orchestration of meaning in Eliot's poetry* 1974. – *Zur Aktualität T. S. Eliots. Zum 10. Todestag*, hrsg. von H. Viebrock und A. P. Frank 1975. – B. Rajan, *The overwhelming question. A study of the poetry of T. S. Eliot* 1976. – *The literary criticism of T. S. Eliot. New essays*, ed. D. Newton-De Molina 1977. – N. K. Gish, *Time in the poetry of T. S. Eliot. A study in structure and theme* 1981. – C. Raffel, *T. S. Eliot* 1982.

William Empson (1906–1984)

William Empson studierte von 1926 bis 1929 Mathematik und Englisch an der Universität Cambridge. Die mathematisch-naturwissenschaftliche Denkweise, die in Cambridge das geistige Klima prägte, und der neue Stil, den T. S. → Eliot insbesondere in den zwanziger Jahren unter dem Einfluß der wiederentdeckten *Metaphysical poetry* populär gemacht hatte, beeinflußten William Empson nachhaltig in allen seinen Versuchen als Lyriker wie als Kritiker. Der Band *Collected poems*, der zunächst 1949, in einer erweiterten Fassung 1955 erschien, ist nicht sonderlich umfangreich (insgesamt verfaßte Empson 67 Gedichte). Keines seiner Gedichte ist das Produkt eines Augenblickserlebnisses; sie sind »Argumente«, haben einen durchdachten logischen Aufbau, spiegeln eine Denkbewegung und zeugen von der strengen Selbstkontrolle, die sich Empson bei der Ausarbeitung der Thematik wie der Gestaltung der Form auferlegte.

Gattungsbezeichnungen wie »Aubade« und »Villanelle« als Gedichttitel beweisen, daß er sich gern traditioneller, kunstvoller metrischer Formen bediente. Bei aller klassischen Formenstrenge hat Empson zugleich am modernen Manierismus, an der Tendenz zum »dunklen Stil« Anteil. Er kombiniert Ambiguitäten und Paradoxa, gibt sich gesuchten Bild- und Ideenverknüpfungen hin, verbindet mit Raffinement und Kalkül Bilder und abstrakte Begriffe aus den Naturwissenschaften, so daß seine Gedichte, die mit Wortlabyrinthen verglichen wurden, oft ohne die vom Autor selbst verfaßten Anmerkungen kaum zu verstehen sind.

Als Kritiker stand er in Cambridge unter dem Eindruck von I. A. Richards, der eine neue Dichtungstheorie und Literaturkritik auf psychologischer Basis entwickelte, die in der Analyse der Organisation von psychischen Impulsen den geeigneten Ansatz für die Interpretation von Dichtung aus den verschiedensten Jahrhunderten sah. Bereits im Alter von 24 Jahren veröffentlichte William Empson das Buch *Seven types of ambiguity* (1930), das ihn als Kritiker mit einem Schlage berühmt machte und ihm bis heute einen herausragenden Platz in der vielgestaltigen Richtung der Literaturkritik sichert, die mit dem Namen *New Criticism* belegt wurde. Obwohl die Zahl sieben bei der Systematisierung der Ambiguitäten ein wenig willkürlich wirkt und manche der vorgelegten Interpretationen auf scharfe Kritik stießen, hat Empson mit seiner Methode den Sinn der Leser für die Mehrdeutigkeit zentraler Begriffe und Bilder in der gesamten englischen Dichtungstradition geschärft. Ergänzt wurde sein origineller kritischer Ansatz durch das Buch *The structure of complex words* (1951) sowie durch die stärker themenbezogenen Werke *Some versions of pastoral* (1935) und *Milton's god* (1961, rev. 1965).

Aufgrund seiner literaturkritischen Studien wurde Empson eingeladen, von 1931 bis 1934 an der Universität von Tokio zu unterrichten; anschließend (1937–1939) war er an der National University in Peking tätig. Nach dem Zweiten Weltkrieg kehrte er erneut nach China zurück und lehrte dort von 1947 bis 1952. Seit 1953 hatte er einen Lehrstuhl an der Universität Sheffield inne. Obwohl Empson als Dichter wegen seiner *obscurity* angegriffen wurde, hat er auf die jüngere Dichtergeneration bis heute einen starken Einfluß ausgeübt. Von seiner poetischen Technik profitierten insbesondere John Wain, Philip →Larkin, Donald Davie, Alfred Alvarez und D. J. Enright. (E)

Hauptwerke: *Letter IV* 1929. – *Seven types of ambiguity* 1930. – *Some versions of pastoral* 1935. – *Poems* 1935. – *Shakespeare survey* (mit G. Garrett) 1937. – *The gathering storm* 1940. – *The structure of complex words* 1951. – *Milton's god* (1961) 1965. – *Using biography* 1984. – *The royal beasts and other works* 1986. – *Essays on Shakespeare* 1986.

Bibliographie: F. Day, *Sir William Empson. An annotated bibliography* 1984.

Ausgabe: *Collected poems* (1949, 1955) 1961.

Biographie: J. H. Willis, *William Empson* 1969.

Sekundärliteratur: *William Empson. The man and his work*, ed. R. Gill 1974. – H. Meller, *Das Gedicht als Einübung. Zum Dichtungsverständnis William Empsons* 1974. – C. Norris, *William Empson and the philosophy of literary criticism* 1978. – P. Gardner und A. Gardner, *The god approached. A commentary on the poems of William Empson* 1978.

George Farquhar (1678–1707)

Wie → Goldsmith, → Wilde und → Shaw gehört Farquhar zu den irischen Autoren der englischen Literatur, und wie diese ist er ein Bühnenautor, dessen Stücke auch heute noch aufgeführt werden. Er stammte aus Londonderry, und sein Weg führte über das Trinity College (das er ohne Abschluß verließ) und das Smock Alley Theatre in Dublin nach London. Die Schauspielerlaufbahn in Dublin gab er auf, nachdem er in einem Stück von → Dryden einen anderen Schauspieler unabsichtlich verwundet hatte.

Farquhars Karriere als Bühnenautor war kurz und zudem von einer unglücklichen militärischen Karriere überlagert. Sein erstes Stück, *Love and a bottle* (1698), eine unterhaltsame, aber in ihren Elementen und ihrer Konstruktion konventionelle Komödie, wurde gut aufgenommen. Seinen Durchbruch erzielte Farquhar im Jahr darauf mit seinem besser konstruierten zweiten Stück, *The constant couple*. Es kündigte im Säkularjahr einen Typ Komödie an, der die Leichtigkeit der Restaurationskomödie bewahrte, aber ihr oft zynisches Menschenbild durch ein versöhnlicheres ersetzte. Ermutigt durch den Erfolg des (im ganzen 18. Jahrhundert populären) Dramas schrieb Farquhar eine nach der Hauptfigur benannte Fortsetzung, *Sir Harry Wildair* (1701), die aber gegen *The constant couple* abfiel. Seine nächsten beiden Dramen waren Bearbeitungen: *The inconstant* (1702), das auf → Fletchers *The wild-goose chase* (1621) beruht und *The stage-coach*, ein farcenhaftes Stück nach einer französischen Vorlage. Sie waren ebenso Lohnschreiberei wie die sentimentale Problemkomödie *The twin-rivals* (1703).

Farquhar scheint in militärischen Diensten in Holland gewesen zu sein, und er war als Werbeoffizier in der englischen Provinz tätig, um Soldaten für den Spanischen Erbfolgekrieg zu rekrutieren. Seine Erfahrungen aus dieser Lebenssphäre flossen in sein vorletztes Stück ein, *The recruiting officer*, das trotz seiner etwas seichten Handlung bis heute nichts von seinem Charme eingebüßt hat. Seine Wirkung beruht allein auf Farquhars Fähigkeit, gefällige Charaktere in einer Serie komischer und bisweilen satirischer Situationen darzustellen. Auch *The beaux' stratagem*, seine beste Komödie, spielt in der Provinz. Es gelingt Farquhar hier, alle traditionellen Elemente der Komödie in einer superben Synthese zu vereinigen, eine Handlung zu entwerfen, wie sie selbst → Congreve nicht gelang, und seinen Charakteren jene menschlich-moralische Dimension zu geben, die denen seiner Vorgänger meist fehlt.

Trotz seiner Erfolge lebte Farquhar in bedrängten Verhältnissen, und ein nicht eingelöstes Versprechen des Duke of Ormonde erschütterte ihn so, daß er, noch nicht dreißigjährig, 1707 starb. Mit seinem Tod brach eine Entwicklungslinie ab, die zu einer gleicherweise lebensnahen wie scharf zeichnenden und satirisch entlarvenden Komödie hätte führen können, zumal Farquhar nicht nur ein Praktiker sondern (mit einem *Discourse upon comedy* von 1702) auch ein Theoretiker der Komödie war. Farquhars Wirkung reichte über seine Zeit und sein Land hinaus. Lessing sah in ihm einen Modellautor, und Brecht stützte sich bei *Pauken und Trompeten* (1955) auf *The recruiting officer*. (F)

Hauptwerke: *The constant couple, or a trip to the Jubilee* 1699. – *The recruiting officer* 1706. – *The beaux' stratagem* 1707.

Bibliographie: E. N. James, *George Farquhar. A reference guide* 1986.

Ausgabe: *The works*, ed. S. S. Kenny, 2 vols 1986.

Biographie: W. Connely, *Young George Farquhar. The Restoration drama at twilight* 1949 (repr. 1980).

Sekundärliteratur. E. N. James, *The development of George Farquhar as a comic dramatist* 1972.

Henry Fielding (1707–1754)

Fieldings Ruhm gründet sich auf seine Romane, aber er war, wie → Defoe und → Richardson, ein Zufalls-Romancier, der erst spät und auf Umwegen zum Roman fand. Er begann früh mit literarischen Arbeiten, aber es steht nicht fest, ob er von vornherein eine literarische Karriere beabsichtigte. Fielding wurde in einem kleinen Ort in Somersetshire als Sohn eines späteren Generals geboren und standesgemäß in Eton erzogen, wo er zeitweise Thomas → Gray als Mitschüler hatte und seinen späteren Mäzen George Lyttelton (first Baron Lyttelton) kennenlernte. Sein Versuch, nach Abschluß des College eine junge hübsche Erbin zu entführen und zu heiraten, schlug fehl und veranlaßte ihn offenbar, in London sein Glück als Autor zu versuchen.

Fieldings Erstling war eine unbedeutende Verssatire, doch seine erste, an → Congreve orientierte Komödie, *Love in several masques*, bei der ihn Lady Mary Wortley → Montagu, eine entfernte Verwandte, ermunterte und wohl auch unterstützte, war in Drury Lane zumindest ein Achtungserfolg. Doch Fielding ging, zunächst entmutigt, zum Studium nach Leyden, kehrte aber bald nach London zurück, wo er schnell eine brillante Karriere als Dramatiker machte. Fieldings Begabung lag auf dem Gebiet von Farce und Komödie, und die mehr als 20 Dramen, die er zwischen 1729 und 1737 schrieb, haben meist einen burlesken oder satirischen Einschlag.

In einigen Komödien bediente sich Fielding klassischer Vorbilder, so in *The mock doctor* (nach Molières *Le médicin malgré lui*) oder in *The miser* (»taken from Plautus and Molière«). Weitaus häufiger jedoch griff er, da ihn seine Umwelt politisch, gesellschaftlich und literarisch zur Satire herausforderte, auf das Leben selbst als Vorlage zurück. *The author's farce* (1730) ist ein »realistisches« Stück über Theater und Literaturbetrieb in London. *Tom Thumb, a tragedy* aus dem gleichen Jahr (später umgearbeitet als *The tragedy of tragedies, or the life and death of Tom Thumb the Great*) ist eine sprühende Farce, die sich gegen den von seinen Zeitgenossen geschätzten Bombast der Restaurationstragödie richtet. Sie gilt als Fieldings bestes Stück. *Rape upon rape, or the justice caught in his own trap* (ebenfalls 1730), eine nicht ganz gelungene Komödie mit satirischen und romanzenhaften Elementen, zielt auf die korrupte Rechtsprechung.

In kurzer Zeit gewannen Fieldings Stücke jene professionelle Abrundung, die ihn nicht nur zu einem erfolgreichen Theaterautor machte, sondern zum dominanten Dramatiker seiner Epoche, der einen Vergleich mit → Dryden herausforderte. Fielding wurde um so erfolgreicher, je weiter er sich von der konventionellen Komödie entfernte. In den frühen und mittleren dreißiger Jahren fand er eine eigene Form, in der Handlung und Charaktere zu bloßen Trägern einer unterhaltsamen Burleske oder einer sich zunehmend verschärfenden Satire wurden. An die Stelle der konventionellen Satire (die Fielding und seine Zeitgenossen in Nachahmung der antiken Satiriker praktizierten) trat dabei mehr und mehr die aktuelle politische Satire.

The Welsh opera (1731) gilt als sein frühestes erkennbar politisches Stück: eine burleske Allegorie von noch milder, vornehmlich gegen den Hof gerichteter Satire, die ihn erstmals mit der Zensur zusammenstoßen ließ. Fielding schrieb hinfort nicht nur politische Stücke. *The modern husband* (1732) und *The universal gallant* (1735) etwa sind – nicht immer ganz geglückte – *social satire*. Seine erfolgreichste Schaffensperiode (als Dramatiker und als Impresario des Little Haymarket Theatre) wie sein abruptes Ende als Theaterautor verbinden sich jedoch mit dem politischen Drama. *Pasquin*, eine politische, doch nicht parteipolitische Satire, führte über *Euridyce* zu *The historical register for the year 1736*, einem unverhohlenen Angriff auf Sir Robert Walpole. Walpole reagierte mit dem Licensing Act von 1737, der eine Wende in Fieldings literarischer Karriere bedeutete.

Fielding begann eine juristische Laufbahn im Middle Temple und schloß sich der Opposition gegen Walpole als Herausgeber eines Periodikums an, das unter dem Titel *The champion* die Traditionen und literarischen Konventionen von → Addisons *Spectator* wieder aufnahm. In dieser Zeit dürfte auch sein erstes Erzählwerk entstanden sein, *The life of Mr. Jonathan Wild the Great*, eine der großen Prosasatiren des 18. Jahrhunderts, deren ironische Verherrlichung des Kriminellen wohl ursprünglich auf Walpole gemünzt war, die aber erst in umgearbeiteter Form nach Walpoles Rücktritt 1743 in den *Miscellanies* erschien. Auch sein nächstes Werk war eine Satire, obwohl anderer Art: eine Parodie auf Samuel Richardsons *Pamela*, deren große Popularität und angreifbare Moral Fielding zu einer Travestie herausforderten. *An apology for the life of Mrs Shamela Andrews* gehört zu den klassischen Burlesken der englischen Literatur.

Shamela ist nicht nur eng mit Richardsons erstem Roman verknüpft (Richardson verzieh Fielding nie), sondern auch mit Fieldings erstem eigenen Roman. *Joseph Andrews* war ursprünglich, mit Pamelas Bruder als Hauptfigur, als Gegenroman zu dem Richardsons gedacht, nahm aber die Gestalt einer neuen Erzählform an, deren Vorbild er in Cervantes' pikareskem Roman sah und die er als »comic epic poem in prose« bezeichnete. Gegenstand des Romans sollte das »wirklich Lächerliche« in der menschlichen Natur sein, das sich in der Begegnung mit einer Idealfigur (Parson Adams) enthüllt. Der Roman, fast überall gut aufgenommen, wurde in ganz Europa gelesen und etablierte Fielding neben Richardson als den bedeutendsten zeitgenössischen Romancier.

Die Jahre, die zwischen dem Erscheinen von *Joseph Andrews* und *Tom Jones* lagen, waren eine schwierige Zeit für Fielding. Der Tod seiner Frau Charlotte (die das Vorbild für Sophia in *Tom Jones* abgab) war nach zehnjähriger glücklicher Ehe ein schwerer Schlag für ihn, so daß er längere Zeit nur journalistisch arbeitete. Mit zwei politischen Periodika, *The true patriot* (1745/46) und *The Jacobite's journal* (1747/48), unterstützte er die neue Regierung unter Henry Pelham. Durch Lytteltons Vermittlung wurde er 1748 Friedensrichter für Westminster und später auch für Middlesex. Fielding nahm sich dieses nicht durchweg hochgeachteten Amtes pflichtbewußt an, soweit ihm das in den Grenzen des Rechtssystems und auch in den Grenzen seiner nicht immer ausgeglichenen Persönlichkeit möglich war. Davon zeugt eine Reihe von kleineren sozialreformatorischen Schriften, wie zum Beispiel *A proposal for making an effectual provision for the poor* (1753).

Tom Jones, über einen längeren Zeitraum entstanden, wurde sofort als das erkannt, was es war: nicht nur Fieldings Meisterwerk, sondern die perfekte Realisierung der neuen Großform des Romans. Mit der scheinbar einfachen Geschichte eines Findlings hatte Fielding ein Werk von epischen Dimensionen geschaffen, das die in *Joseph Andrews* entwickelte Theorie vollendet realisierte. In seinem Erzählkosmos repräsentierte es den Kosmos der zeitgenössischen Gesellschaft, und in seiner klassischen Ausgewogenheit konnte es als Abbild jener kosmischen Harmonie empfunden werden, die zu den Glaubensüberzeugungen des Zeitalters gehörte. *Tom Jones* wurde nicht nur in die meisten Sprachen des Kontinents übersetzt, sondern auch vielfach als Bühnenstück adaptiert. Es war, Samuel → Johnson zufolge (der Richardson Fielding vorzog), das erste Buch, von dem am Abend des Erscheinungstages eine zweite Auflage erforderlich wurde. Edward → Gibbon prophezeite ihm als einem »exquisite picture of human manners« ein längeres Leben als dem Escorial.

Zwei Jahre danach folgte *Amelia*, die Geschichte einer Ehe, Fieldings dritter und letzter Roman, düsterer als die beiden anderen und in manchem dem bürgerlichen Trauerspiel verwandt. Vielfach werden Fieldings Erlebnisse und Erfahrungen in seiner Tätigkeit als Friedensrichter damit in Verbindung gebracht. Obwohl es Fieldings Lieblingswerk war, hat es sich trotz eines großen Anfangserfolgs nicht in der Gunst der Leser und Kritiker behaupten können. Es ist weniger aus einem Guß als *Tom Jones*, und Fieldings Absicht – »to promote the cause of virtue« – wird vielfach als zu direkt empfunden.

Fieldings Schaffenskraft war aufgrund langer Krankheit früh erschöpft. Obwohl er mit dem *Covent-Garden journal* (1756) noch einmal hervorragende Essays vorlegte, blieb ihm ein weiteres großes Werk versagt. Sein Gesundheitszustand verschlechterte sich 1754 so rapide, daß er Besserung in Portugal suchte. Das *Journal of a voyage to Lisbon*, mit ungebrochener Beobachtungsgabe und mit unvermindertem Interesse am Menschen geschrieben, wurde sein letztes Werk. Es erschien posthum, nachdem Fielding in Lissabon gestorben war. (F)

Hauptwerke: *Tom Thumb, a tragedy* 1730. – *The historical register for the year 1736* 1737. – *The champion, or the British Mercury* 1739–1741. – *An apology for the life of Mrs Shamela Andrews* 1741. – *The history of the adventures of Joseph Andrews and of his friend Mr Abraham Adams*, 2 vols 1742. – *The life of Mr Jonathan Wild the Great* in *Miscellanies* 1743. – *The history of Tom Jones, a foundling*, 6 vols 1749. – *Amelia*, 4 vols 1752. – *The Covent-Garden journal* 1752. – *The journal of a voyage to Lisbon* 1755.

Bibliographien: In W. L. Cross, *The history of Henry Fielding* 1918. – H. G. Hahn, *Henry Fielding. An annotated bibliography* 1979. – J. A. Stoler und R. D. Fulton, *Henry Fielding. An annotated bibliography of twentieth-century criticism, 1900–1977* 1980. – L. J. Morrissey, *Henry Fielding. A reference guide* 1980.

Ausgaben: *The Wesleyan edition of the works*, ed. W. B. Coley, F. Bowers et al. 1967– . – *Complete works*, ed. W. E. Henley, 16 vols 1903 (repr. 1967). – Einzelausgaben der Romane in der Reihe *Oxford English novels*.

Übersetzungen: *Sämtliche Romane*, 4 Bde, hrsg. von N. Miller (Hanser). – *Die Tragödie der Tragödien*, übers. von W. Lange 1985

(Jonas). – *Mr. Jonathan Wild der Große*, übers. v. H. Höckendorf 1986 (Insel). – *Tom Jones*, übers. von S. Lang 1979 (Winkler). – *Die Geschichte des Tom Jones*, übers. von R. U. und A. Pestalozzi, hrsg. von N. Miller 1986 (Piper).

Biographien: W. L. Cross, *The history of Henry Fielding*, 3 vols 1918 (repr. 1963). – F. H. Dudden, *Henry Fielding. His life, works, and times*, 2 vols 1952 (repr. 1966). – P. Rogers, *Henry Fielding. A biography* 1979.

Sekundärliteratur: F. T. Blanchard, *Fielding the novelist. A study in historical criticism* 1926 (repr. 1966). – E. M. Thornbury, *Henry Fielding's theory of the comic prose epic* 1931 (repr. 1977). – W. R. Irwin, *The making of Jonathan Wild* 1941 (repr. 1966). – W. Iser, *Die Weltanschauung Henry Fieldings* 1952. – M. C. Battestin, *The moral basis of Fielding's art. A study of Joseph Andrews* (1959) 1975. – R. Alter, *Fielding and the nature of the novel* 1968. – H. Goldberg, *The art of Joseph Andrews* 1969. – *Henry Fielding und der englische Roman des 18. Jahrhunderts*, hrsg. von W. Iser 1972. – C. J. Rawson, *Henry Fielding and the Augustan ideal under stress. »Nature's dance of death« and other studies* 1972. – J. P. Hunter, *Occasional form. Henry Fielding and the chains of circumstance* 1975. – B. McCrea, *Henry Fielding and the politics of mid-eighteenth-century England* 1981. – T. R. Cleary, *Henry Fielding, political writer* 1984. – P. Lewis, *Fielding's burlesque drama. Its place in the tradition* 1987. – R. D. Hume, *Henry Fielding and the London theatre 1728–1737* 1988.

Edward FitzGerald (1809–1883)

Als Verfasser eines Werks von etwa 400 Zeilen, des *Rubáiyát of Omar Khayyám*, hat Edward FitzGerald es zu Berühmtheit, das Werk selbst seit seinem Erscheinen 1859 auf schätzungsweise 500 Ausgaben gebracht. Hinter dem singulären Sachverhalt steht eine singuläre Persönlichkeit; denn FitzGerald hat sich nie wie → Browning oder → Tennyson zum Dichter bestimmt oder wie Matthew → Arnold den zeitgemäß-typischen Weg zum Literaten beschritten. Als eines von acht Kindern aus reichem Hause erhält er die standesgemäße Erziehung (Schule in Bury St. Edmunds, 1818–1826; Trinity College, Cambridge, 1826–1830) und führt anschließend ein Leben als *gentleman of independent means* teils in London, überwiegend auf dem Lande, ein Leben, gekennzeichnet von Exzentrizität, Hilfsbereitschaft und Einsamkeit trotz einer großen Zahl von Freundschaften (etwa mit → Thackeray, Tennyson, → Carlyle, aber auch unterschwellig homoerotischen wie mit »Posh« Fletcher, einem Fischer aus Lowestoft). Eine Ehe scheitert nach langer Verlobung und kürzestem Zusammenleben katastrophal.

Materiell unabhängig bildet er sich – im positiven Sinne des 19. Jahrhunderts – zum künstlerischen Dilettanten. Er malt ein wenig und sammelt Bilder; er komponiert ein wenig und spielt Orgel; er dichtet ein wenig (ab 1830), vernichtet aber selbstkritisch das meiste. Ein Band *Occasional verses* erscheint 1891, ein knappes Jahrzehnt nach seinem Tode. Er lernt Sprachen und überarbeitet und ediert die Werke anderer Autoren. Er veröffentlicht die Gedichte des *Quaker Poet* Bernard Barton, gibt eine Aphorismensammlung heraus (*Polonius* 1852), übersetzt sechs Dramen Calderons sowie *Salámán and Absál*, ein persisches, allegorisches Epos. Dies alles kann als Vorarbeit zu seiner Auseinandersetzung mit dem *Rubáiyát of Omar Khayyám* verstanden werden. FitzGerald übersetzt nicht, sondern eignet sich die *rubaijat*, die Vierzeiler, Omars an. Elegant und witzig pointierend preist das Werk angesichts der Vergänglichkeit alles Menschlichen und der Abwesenheit transzendenter Sicherheit den Genuß. 1861, zwei Jahre nach seiner Veröffentlichung entdeckt, zählt das Gedicht bald → Rossetti, Milnes, → Meredith, → Morris, Burne-Jones, → Ruskin zu seinen Bewunderern. Der Ruhm verändert FitzGeralds Leben nicht. Er übersetzt weiterhin (Calderon, Aischylos, Sophokles) – mit deutlich geringerem Erfolg. Und er schreibt, bis zu seinem Tode in großer Zurückgezogenheit lebend, Briefe. Nunmehr ediert, sichern ihm diese einen ersten Rang in der noch ungeschriebenen Geschichte der Briefkunst des 19. Jahrhunderts. (T)

Hauptwerke: *Euphranor* 1851. – *Salámán and Absál* 1856. – *The rubáiyát of Omar Khayyám* 1859, 4. rev. Aufl. 1879.

Bibliographie: W. F. Prideaux, *Notes for a bibliography of Edward FitzGerald* 1901.

Ausgaben: *Letters and literary remains*, ed. W. A. Wright, 7 vols 1902/03. – *The letters*, ed. A. M. und A. B. Terhune, 4 vols 1980.

Biographien: A. M. Terhune, *The life of Edward FitzGerald* 1947. – R. B. Martin, *With friends possessed. A life of Edward FitzGerald* 1985.

Sekundärliteratur: J. Richardson, *Edward FitzGerald* 1960.

John Fletcher (1579–1625)

Wie sein Freund Francis → Beaumont, mit dem er später zusammenarbeitete, stammte Fletcher aus vornehmer Familie. Sein Vater war Bischof, College-Präsident von Corpus Christi, Cambridge, und Hofkaplan Elisabeths I., der später allerdings in Ungnade fiel und verarmt starb. Der gleichen Familie entstammen die Dichter Giles und Phineas Fletcher. John Fletcher studierte in Cambridge und wandte sich vermutlich aus Geldnot dem Theater zu, wo er unter dem Einfluß von Ben → Jonson Dramen für die Kindertruppen schrieb. *The faithful shepherdess* (gedruckt ca. 1610), eine pastorale Tragikomödie nach Giovanni Battista Guarini, war ein Mißerfolg. Danach begann die höchst erfolgreiche Zusammenarbeit mit seinem Freund Beaumont. Nach dessen Rückzug vom Theater schrieb Fletcher ab 1613 wahrscheinlich als Hausautor und Nachfolger → Shakespeares alle Stücke für die *King's Men.* Er hinterließ ein umfangreiches Werk, das er teils allein, teils mit anderen Dramatikern wie Beaumont, möglicherweise Shakespeare, Massinger u.a. verfaßte, wobei sich seine jeweiligen Anteile nicht genau feststellen lassen.

Am bekanntesten wurden die Tragikomödien, die er zusammen mit Beaumont verfaßte und die in ihrer Verbindung von heroischen und romanzenhaften Elementen schon ganz am Geschmack eines aristokratischen Publikums ausgerichtet sind. Sehr erfolgreich war Fletcher auch mit seinen *comedies of manners,* die von Jonsons satirischen Komödien beeinflußt sind. Mit Stücken wie *The wild goose chase* oder *The woman's prize* wirkte er auf die Restaurationskomödie. Seine Tragikomödien wie *The loyal subject, The island princess, The humorous lieutenant* oder *Monsieur Thomas* sind eine überaus elegante Mischung von komischen und farcenhaften Elementen mit Sentimentalität und Pathos, allerdings ohne Tiefgang. Sie sind der vollkommenste Ausdruck der aristokratischen Kultur der Stuart-Ära. (W)

Hauptwerke: *The faithful shepherdess* 1610. – *The humorous lieutenant* 1619. – *The wild goose chase* 1621.

Bibliographien: S. A. Tannenbaum, *Beaumont and Fletcher*, Elizabethan bibliographies 1938 (repr. 1967), suppl. by D. R. Tannenbaum 1950. – C. A. Pennel und W. P. Williams, *Beaumont and Fletcher 1937–1965*, Elizabethan bibliographies supplements VIII (1968).

Ausgabe: *The dramatic works in the Beaumont and Fletcher canon*, ed. F. Bowers, 6 vols 1966–1985.

Sekundärliteratur: E. M. Waith, *The pattern of tragicomedy in Beaumont and Fletcher* 1952. – C. Leech, *The John Fletcher plays* 1962. – M. Cone, *Fletcher without Beaumont. A study of the independent plays of John Fletcher* 1976.

John Ford (1586–ca. 1640)

Fords Dramen wurden von der Kritik lange Zeit als Dokumente der ästhetischen und moralischen Dekadenz des Theaters ab 1630 bewertet. Heute wird Ford als Dramatiker geschätzt, der durch seine differenzierte Schilderung zutiefst verstörter, oft pathologischer Charaktere inmitten einer korrupten Gesellschaft auf moderne Entwicklungen des europäischen Theaters vorauswies.

Er entstammte einer wohlhabenden Familie aus Devonshire. Es ist unsicher, ob er in Oxford studierte, bevor er sich zur juristischen Ausbildung in den Middle Temple einschrieb, den er allerdings schon bald wegen seiner Schulden verlassen mußte. Von da ab verdiente er sich seinen Lebensunterhalt als Schriftsteller. Bevor er sich dem Drama zuwandte, schrieb er eine Elegie auf den Earl von Devonshire und ein im damals veralteten euphuistischen (schwülstigen) Stil gehaltenes Prosagespräch *Honour triumphant, or peers' challenge* (1606), in dem nostalgisch ein höfisches Frauen- und Ritterideal beschworen wird.

Der Umfang von Fords dramatischem Œuvre ist unbekannt. Angeblich soll die Köchin des Literaten und Antiquars Warburton im 18. Jahrhundert mehrere von Fords Dramen verbrannt haben, die sich in Warburtons Besitz befanden. Das erste Stück, von dem seine Mitautorschaft bezeugt ist, ist *The witch of Edmonton,* das um 1621 entstanden sein dürfte. Die beiden anderen Autoren sind Thomas → Dekker und William Rowley. Die bürgerliche Tragödie behandelt komisch und derb-realistisch den historischen Fall der Elizabeth Sawyer, die das Opfer des Hexenwahns ihrer Nachbarn wurde. Ford wird die Nebenhandlung um einen jungen Mann, der zum Mörder wird, zugeschrieben. Die Tragikomödie *The lover's melancholy* (aufgeführt 1628) gilt als sein erstes selbständig verfaßtes Drama. Das handlungsarme düstere Stück steht ganz unter dem Eindruck von Robert → Burtons *Anatomy of melancholy,* das

Ford als Führer in die Abgründe der menschlichen Seele benutzt zu haben scheint.

Fords Interesse an Charakteren, die zutiefst unsicher und verstört sind, aus rätselhaften Motiven handeln und durch ihren heroischen Idealismus zu Außenseitern in ihrer Gesellschaft werden, zeigt sein nächstes Stück, *Love's sacrifice* (aufgeführt 1632), in dem eine Herzogin die Werbung eines Höflings zunächst abweist, um sich plötzlich diesem im Schlafzimmer anzubieten und mit anschließendem Selbstmord zu drohen. Die Ermordung der Herzogin durch den eifersüchtigen Herzog, der den Einflüsterungen eines Bösewichts unterliegt und sich am Ende selbst tötet, ist *Othello* nachempfunden. Die beiden Tragödien *'Tis pity she's a whore* und *The broken heart* gelten zusammen mit dem Historienstück *Perkin Warbeck* als Fords Meisterwerke. *'Tis pity,* vermutlich zwischen 1629 und 1633 entstanden, behandelt, im Gegensatz zu früheren Dramen, das Thema des Inzests zwischen den Geschwistern Annabella und Giovanni mit Ernst und psychologischem Einfühlungsvermögen. Die Geschwisterliebe wird von Ford weder als Laster noch als Perversion dargestellt, sondern als echte und leidenschaftliche Liebe, die tragisch zum Scheitern verurteilt ist. Im scharfen Kontrast dazu werden die oberflächlichen und egoistischen Beziehungen der anderen Paare und die Grausamkeit und Korruption der Gesellschaft gezeichnet.

Die um die gleiche Zeit entstandene Tragödie *The broken heart* spielt im alten Sparta. Der Konflikt entwickelt sich aus der von Ithocles, dem Bruder der Braut, verhinderten Heirat der Liebenden Penthea und Orgilus. Penthea, die mit einem alten, krankhaft eifersüchtigen Mann verbunden wird, entzieht sich dem Werben ihres Geliebten, hungert sich zu Tode und endet schließlich im Wahnsinn. Der Rache Orgilus' fällt Ithocles zum Opfer, dessen Braut, die Königstochter Calantha, an gebrochenem Herzen stirbt. Für beide Tragödien ist der Wechsel von subtilen Dialogen und plötzlichen Ausbrüchen von Gewalt typisch.

Ford wandte sich auch dem aus der Mode gekommenen Historiendrama zu. Seine *Chronicle history of Perkin Warbeck* (entstanden zwischen 1622 und 1632) hat das Schicksal des Perkin Warbeck zum Thema, der zur Zeit des ersten Tudor, Heinrichs VII., von dessen Feinden als einer der Prinzen und Thronprätendenten präsentiert wurde, der die Morde Richards angeblich überlebt hatte. Im Gegensatz zum historischen Warbeck glaubt Fords Titelfigur an seine Identität und beeindruckt seine Umgebung durch seinen natürlichen Adel. Die psychologisch differenzierte Zeichnung Warbecks und seines Gegenspielers Heinrichs VII. macht das Stück zu einem der bedeutendsten Historiendramen der Shakespeare-Zeit. Ford beendete seine dramatische Karriere mit zwei Komödien, *The fancies, chaste and noble* und *The lady's trial,* die allerdings nicht an seine Meisterwerke heranreichen.

Mit Shirley und Massinger ist Ford der letzte bedeutende Dramatiker vor der Schließung der Theater. Obwohl in seinem Werk Einflüsse von →Shakespeare, →Jonson, →Beaumont und →Fletcher verarbeitet werden und die dramatischen Handlungen mit komplizierten Intrigen überladen und schwer durchschaubar sind, ist er ein Dramatiker von großer Originalität und Wirkung. Unverwechselbar sind seine Figuren, die inmitten einer korrupten, grausamen und banalen Gesellschaft vereinsamt und unverstanden ihre eigenen Ideale zu leben versuchen und dabei zu extremen Handlungen und in die Selbstzerstörung getrieben werden. Das tragische Figurenspektrum des englischen Renaissancetheaters, das bis dahin im wesentlichen vom Bild des rationalen Menschen, der im Kampf mit seinen Leidenschaften liegt, geprägt war, hat Ford um die Bereiche der Selbstentfremdung und des Psychopathologischen erweitert. (W)

Hauptwerke: *'Tis pity she's a whore* 1629-1633. – *The broken heart* 1627–1631. – *The chronicle history of Perkin Warbeck* 1622–1632.

Bibliographien: S.A. Tannenbaum, *John Ford*, Elizabethan bibliographies 1939. – C.A. Pennel und W.P. Williams, *John Ford 1940–1965*, Elizabethan bibliographies supplements VIII (1968).

Ausgabe: *Dramatic works*, ed. W.Bang und H. de Vocht, 2 vols 1908, 1927.

Sekundärliteratur: M.J. Sargeaunt, *John Ford* 1935. – G.F. Sensabaugh, *The tragic muse of John Ford* 1944. – C. Leech, *John Ford and the drama of his time* 1957. – M. Stavig, *John Ford and the moral order* 1968. – R. Huebert, *John Ford. Baroque English dramatist* 1977. – D.M. Farr, *John Ford and the Caroline theatre* 1979.

E. M. Forster (1879–1970)

Edward Morgan Forster, in London geboren, wurde an der Tonbridge School erzogen; danach studierte er am King's College in Cambridge. Die Eindrücke, die er an der Public School und an der Universität gewann, waren höchst widersprüchlich und bestimmten sein Urteil nicht nur über das englische Erziehungssystem, sondern auch über die Tradition der englischen Mittelklasse. Seine Kritik an der Public School-Erziehung richtete sich gegen die Überbetonung der körperlichen Ertüchtigung und die Vernachlässigung der emotionalen Kräfte. Berühmt wurde Forsters Formel aus »Notes on the English character«: »Well-developed bodies, fairly developed minds, and undeveloped hearts.« Im Gegensatz dazu schätzte er den Erziehungs- und Lebensstil an der Universität Cambridge sehr hoch ein. Emotionale und intellektuelle Kräfte, künstlerische und wissenschaftliche Interessen wurden in gleicher Weise mit einer Nonchalance gefördert, die es den Studenten überhaupt nicht merken ließ, daß er und wie er erzogen und nicht nur ausgebildet wurde.

G. Lowes Dickinson, damals Fellow am King's College, wurde einer seiner besten Freunde; er stand dazu dem Kreis um Thoby Stephen und Clive Bell, der sogenannten Midnight Society nahe, aus der später in London die Bloomsbury Group hervorging. Mit R. C. Trevelyan gründete Forster *The Independent Review*, eine linksorientierte Zeitschrift, die den Liberalismus für moderne Fragestellungen offen zu halten versuchte. Zwischen 1901 und 1910 lebte Forster vorwiegend in Griechenland und Italien, wodurch seine ersten erzählerischen Versuche nachhaltig beeinflußt wurden. Sowohl die Romane *Where angels fear to tread* (1905) und *A room with a view* (1908) als auch einige seiner frühen Kurzgeschichten sind auf dem Kontrast zwischen den erstarrten Konventionen des englischen Bürgertums und der vital-sinnlichen Lebensweise der Südländer aufgebaut, wiewohl auch Grenzen der mediterranen Mentalität sichtbar gemacht werden.

In *The longest journey* (1907) verarbeitete Forster Eindrücke und Erinnerungen aus seiner Schul- und Studienzeit und übertrug die Spannung zwischen starrer Konvention und vitaler Spontaneität auf die Darstellung von Sawston (Tonbridge) und Cambridge; zugleich deutete er mit Stephen Wonham, dem Halbbruder des scheiternden Protagonisten Rickie Elliot, die

Möglichkeit einer Regeneration der englischen Gesellschaft an. In *Howards End* (1910) lieferte er eine eindrucksvolle Darstellung der englischen Mittelschicht vor dem Ersten Weltkrieg. Mr. Wilcox verliert sich an die Geschäftswelt von »telegrams and anger«, während mit Ruth Wilcox, den Schwestern Helen und Margaret Schlegel (die einen deutschen Vater und eine englische Mutter haben) und Leonard Bast (aus der *lower middle class* kommend) ein Weg zur Überwindung der Spannungen und Konflikte innerhalb der *middle class* angedeutet wird.

Den Höhepunkt seines künstlerischen Schaffens erreichte Forster mit dem Roman *A passage to India* (1924), in dem das Motto von *Howards End*, »Only connect«, auf die Verhältnisse in Indien übertragen wird. Forster beschreibt die privaten Begegnungen zwischen Europäern und Indern sowie die politischen und religiösen Verhältnisse, das Nebeneinander von Christen, Mohammedanern und Hindus. Auf vielerlei Weise hatte Forster Einblicke in die östlichen Kulturen gewonnen. 1912/13 und 1921/22 unternahm er zwei Indienreisen; er war mit Syed Ross Masood, dessen Tutor er einige Zeit war, und dem Maharadscha von Dewas, für den er später als Privatsekretär arbeitete, freundschaftlich verbunden. Dazu kam der Aufenthalt in Ägypten während des Ersten Weltkrieges, nachdem er sich entschieden hatte, beim Roten Kreuz Dienst zu tun. Der Roman *A passage to India* zeugt zugleich von seiner tiefen Verbundenheit mit dem europäischen, mediterranen Humanismus. Forster war als kritischer Beobachter hellsichtig genug, um zu erkennen, daß eine schnelle Versöhnung zwischen Indern und Europäern, insbesondere den Engländern, nicht möglich war.

Nach dem Roman *A passage to India*, der als einer der bedeutendsten englischen Romane des 20. Jahrhunderts angesehen werden muß, lieferte Forster keinen Beitrag mehr zum englischen Roman; er begnügte sich mit *short stories*. Den posthum erschienenen Roman *Maurice* (1971) hatte er schon 1914 niedergeschrieben, wegen seiner homosexuellen Thematik aber zurückgehalten. Diesem Themenkreis sind auch etliche der (ebenfalls posthum erschienenen) *short stories* in der Sammlung *The life to come and other stories* (1972) zuzuordnen.

Von den Werken, die er seit Ende der zwanziger Jahre veröffentlichte, sind hervorzuheben: *Aspects of the novel* (1927), eine einflußreiche Betrachtung struktureller Grundprobleme des Romans, die Forster in den »Clark lectures« vorgetragen hatte; die Biographien *Goldsworthy Lowes Dickinson* (1934) und *Ma-*

rianne Thornton 1797–1887. A domestic biography (1956), sowie der Band *Two cheers for democracy* (1951), in dem Vorträge und Rundfunkansprachen zusammengefaßt sind, in denen er sich vom Standpunkt des liberalistischen Humanismus aus mit den totalitären Tendenzen des 20. Jahrhunderts auseinandersetzte. (E)

Hauptwerke: *Where angels fear to tread* 1905. – *The longest journey* 1907. – *A room with a view* 1908. – *Howards End* 1910. – *The celestial omnibus and other stories* 1911. – *A passage to India* 1924. – *Aspects of the novel* 1927. – *The eternal moment and other stories* 1928. – *Billy Budd* (mit E. Crozier, Musik B. Britten; 1951) 1961. – *Maurice* 1971. – *The life to come and other stories* 1972.

Bibliographien: B. J. Kirkpatrick, *A bibliography of E. M. Forster* (1965) 1968. – A. Borrello, *E. M. Forster. An annotated bibliography of secondary materials* 1973. – F. P. W. McDowell, *E. M. Forster. An annotated bibliography of writings about him* 1976.

Ausgaben: *The collected tales* 1947. – *The Abinger edition*, ed. O. Stallybrass, 21 vols 1972– .

Übersetzungen: *Engel und Narren*, übers. von I. Tiedtge 1948 (Chr. Wegner). – *Howards End*, übers. von W. E. Süskind 1949 (Claassen & Goverts), 1958 (Fischer). – *Ansichten des Romans*, übers. von W. Schürenberg 1949, 1962 (Suhrkamp). – *Auf der Suche nach Indien*, übers. von W. v. Einsiedel 1960, 1985 (Fischer). – *Zimmer mit Aussicht*, übers. von W. Peterich 1986 (Nymphenburger), 1987 (Goldmann). – *Maurice*, übers. von N.-H. v. Hugo 1988 (Nymphenburger).

Biographien: J. R. Ackerley, *E. M. Forster. A portrait* 1970. – P. N. Furbank, *E. M. Forster. A life*, 2 vols 1977/78.

Sekundärliteratur: L. Trilling, *E. M. Forster. A study* (1943) 1967. – J. B. Beer, *The achievement of E. M. Forster* 1962. – F. C. Crews, *E. M. Forster. The perils of humanism* 1962. – W. Stone, *The cave and the mountain. A study of E. M. Forster* 1966. – N. Kelvin, *E. M. Forster* 1967. – J. S. Martin, *E. M. Forster. The endless journey* 1976. – G. K. Das, *E. M. Forster's India* 1977. – R. Advani, *E. M. Forster as critic* 1984. – N. Page, *E. M. Forster* 1987.

John Fowles (geb. 1926)

John Fowles gilt als einer der Hauptrepräsentanten des experimentellen englischen Romans der Gegenwart. Seine literarischen Experimente sind jedoch nicht so radikal wie diejenigen von James → Joyce, Samuel → Beckett oder Christine Brooke-Rose; er zögert, die Wörter und die Syntax der englischen Sprache gleichsam in Atome zu zerspalten und daraus ein völlig neues artistisches Konstrukt zu schaffen. Er wählt vielmehr konventionelle Darstellungsformen wie den realistischen Roman oder die Romanze, spielt sie gegeneinander aus und weist, wie dies auch bei Joyce schon zu beobachten ist, durch diese kontrapunktische Technik die Grenzen der Wirklichkeitserfassung eines jeden Romanmodells auf.

Bereits in der Schulzeit, die er an der Bedford School verbrachte, zeigte Fowles eine besondere Vorliebe für neuere Sprachen. Nachdem er von 1944 bis 1947 in der britischen Marine gedient hatte, studierte er von 1947 bis 1950 am New College in Oxford Französisch und Deutsch und schenkte dabei den Werken von Sartre und Camus besondere Aufmerksamkeit. In den Jahren 1950/51 war er Lektor in Poitiers, wo er sich bei seiner Lektüre vor allem Gide und Giraudoux sowie Horaz und Martial widmete. 1951 ging er als Lehrer nach Griechenland und begann während dieser Zeit den Roman *The magus*, der auf Honoré D'Urfés Schäferroman *L'astrée* aufgebaut ist und von dem abenteuerlichen Schicksal des Protagonisten Nicholas Urfe berichtet, der durch die Begegnung mit Maurice Conchis eine Art Initiation erfährt. Maskenspiele und dramatische Szenen fördern seinen Erziehungsprozeß; Phraxos, die griechische Insel, auf der er lebt, läßt die antiken Mythen in seinem Bewußtsein wieder lebendig werden und treibt ihn zur vorübergehenden Identifikation mit mythischen Gestalten. Die Erlebnisse lassen den Protagonisten den Unterschied zwischen der realen Welt und fiktionalen Weltentwürfen begreifen, bringen ihn aber auch zur Einsicht in den Wirklichkeitsgehalt der Fiktionen und Mysterien, mit denen er sich konfrontiert sieht. Conchis spielt in diesem Roman die Rolle eines Prospero und demonstriert zugleich die Rolle eines allwissenden Erzählers im Roman.

Von 1954 bis 1963 unterrichtete Fowles in London. In dieser Zeit schrieb er den Roman *The collector*, mit dessen Erscheinen er den Schuldienst verließ, um sich ganz seinen schriftstellerischen Arbeiten zu widmen. Der Roman erzählt die Geschichte eines Psychopathen namens Clegg, der ein leidenschaftlicher Schmetterlingssammler ist, eines Tages durch einen Wettgewinn zu Geld kommt und sich dadurch in der Lage sieht, eine Kunststudentin namens Miranda zu entführen, einzusperren und grausam zu behandeln, bis sie schließlich stirbt. Clegg ist ein sadistischer Voyeur, der mit einem Mädchen umgeht wie mit einem Schmetterling, den er für seine Sammlung gefangen hat. Die Ereignisse werden aus zwei Perspektiven berichtet: Sowohl Clegg als auch Miranda notieren in ihrem Tagebuch, was geschieht und wie sie die Ereignisse beurteilen. Clegg erinnert an Gestalten bei Dostojewski; gleichzeitig finden sich bei ihm Ideen wieder, die auf Nietzsche zurückgehen.

In *The aristos* (1964) lieferte Fowles ein »Selbstporträt in Ideen«, in dem er den Leser die Spannweite seiner geistigen Interessen nachvollziehen läßt. Ein Jahr später veröffentlichte er den Roman *The magus*, an dem er zwölf Jahre lang gearbeitet hatte; eine revidierte Fassung des Werkes erschien 1977. Im Jahre 1966 siedelte Fowles nach Underhill Farm, in die Nähe von Lyme Regis (Dorset) über, in eine Gegend, die den Hintergrund zu seinem berühmtesten (und auch verfilmten) Buch *The French lieutenant's woman* (1969) bildet. Dieser Roman bietet eine zutreffende Darstellung der gesellschaftlichen Verhältnisse und der intellektuellen Atmosphäre im viktorianischen England. Es ist jedoch zugleich zu erkennen, daß es sich um eine Beschreibung des 19. Jahrhunderts handelt, die ein Autor des 20. Jahrhunderts rekonstruiert, der seinerseits von der Philosophie des Existentialismus beeinflußt ist. Das Spiel mit der Zeitdifferenz tritt deutlich in den drei Romanschlüssen zutage, die den Leser anregen sollen, die gewohnten Formen der Darstellung von Wirklichkeit in Frage zu stellen.

Fowles ist ein sehr produktiver Autor, der Werke schnell zu konzipieren vermag, sie aber auch lange überarbeitet. 1973 erschien der Band *Poems*, 1974 die Novellensammlung *The ebony tower*, die an die *Lais* der Marie de France anknüpft, 1977 der Roman *Daniel Martin*, der die amourösen Abenteuer eines Drehbuchautors erzählt, 1980 eine kulturhistorische Studie, *The enigma of Stonehenge*, der Fowles 1983 *Lyme Regis, three town walks* zur Seite stellte. (E)

Hauptwerke: *The collector* 1963. – *The aristos. A self-portrait in ideas* (1964) 1968. – *The magus* (1965) 1977. – *The French lieutenant's woman* 1969. – *Poems* 1973. – *The ebony tower* 1974. – *Daniel Martin* 1977. – *Conditional* 1979. – *Mantissa* 1982. – *A maggot* 1985.

Bibliographie: B. N. Olshen und T. A. Olshen, *John Fowles. A reference guide* 1980.

Übersetzungen: *Der Magus*, übers. von W. Schürenberg 1969 (Ullstein), Neufass. bearb. von M. Kluger 1980 (Ullstein). – *Dies Herz für Liebe nicht gezähmt . . .*, übers. von R. Federmann 1970 (Ullstein), als *Die Geliebte des französischen Leutnants* 1982 (Ullstein). – *Der Eben-*

holzturm, übers. von E. Bornemann 1975 (Ullstein). – *Daniel Martin*, übers. von E. Bornemann 1980 (Ullstein). – *Mantissa*, übers. von E. Bornemann 1984 (Ullstein). – *Die Grille*, übers. von H. Wolf 1987 (Rowohlt).

Sekundärliteratur: W. J. Palmer, *The fiction of John Fowles. Tradition, art, and the loneliness of selfhood* 1974. – P. Wolfe, *John Fowles, magus and moralist* (1976) 1979. – B. N. Olshen, *John Fowles* 1978. – P. Conradi, *John Fowles* 1982. – H. W. Fawkner, *The timescapes of John Fowles* 1984. – B. Woodcock, *Male mythologies. John Fowles and masculinity* 1984. – S. Loveday, *The romances of John Fowles* 1985.

Christopher Fry (geb. 1907)

Zusammen mit T. S. → Eliot war Christopher Fry unmittelbar nach dem Zweiten Weltkrieg einer der Hauptvertreter des »poetischen Dramas« auf der Londoner Bühne. Seine Sprachkraft, seine Bilderfülle, sein Witz und sein Einfallsreichtum, seine heiter-souveräne Distanz zum Alltag und seine dem Leben zugewandte Weltsicht ließen ihn für einige Jahre zum Publikumsliebling werden – bis am 8. Mai 1956 mit der Aufführung von John → Osbornes *Look back in anger* sich eine neue Generation zu Wort meldete und einen für die damaligen Verhältnisse revolutionären Wandel im englischen Theater bewirkte. Heute erscheint die Sprache Osbornes wiederum überholt, während Frys Diktion nichts von ihrer dichterischen Kraft eingebüßt hat, wenngleich manieristische Züge nicht zu übersehen sind.

Die Quäkerfamilie, aus der seine Mutter stammte, deren Namen er an die Stelle des väterlichen Familiennamens Harris setzte, prägte ihn zeit seines Lebens. Zunächst war der in Bristol geborene Fry als Lehrer tätig. 1926/27 unterrichtete er am Bedford Froebel Kindergarten und von 1928 bis 1931 an der Hazelwood Preparatory School in Limpsfield (Surrey). Danach wechselte er zum Theater über und gehörte von 1932 bis 1935 als Schauspieler, Regisseur und Direktor den Tunbridge Wells Repertory Players an.

1938 wurde sein erstes Drama, *The boy with a cart*, aufgeführt, das von dem Leben eines Hirtenjungen, dem späteren St. Guthbert, erzählt und das als ein Kirchweihspiel konzipiert war. Fry entschied sich bereits hier für die Verssprache, die er in zahlreichen Modifikationen auch in den späteren Stücken beibehielt. Streng rhythmisierte Verse wechseln in seinen Stücken mit locker gefügten, prosaähnlichen Zeilen ab. Die Übergänge sind gleitend, werden durch Personen, Situationen und Stimmungen bedingt; das Vorbild des späten → Shakespeare ist nicht zu verkennen. Wie für die Vertreter des »poetischen Dramas« um die Jahrhundertwende ist für Fry nur die poetische, bildgesättigte, metrisch gestraffte Diktion das geeignete Instrument für die Darstellung der inneren Wirklichkeit.

Die religiöse Thematik, der Sieg der Lebenskräfte, der aus der göttlichen Liebe gespeisten menschlichen Liebe über Tod und Verderbnis, bildet die unveränderte Basis für sein gesamtes dramatisches Schaffen. 1946 erschien die Moses-Tragödie *The firstborn* (aufgeführt 1948), in der Moses begreift, daß er sich ganz dem göttlichen Willen unterstellen muß, um die Befreiung und die Wiedergeburt seines Volkes zu bewirken. 1948 folgte das Mirakelspiel *Thor, with angels*, das wiederum eine zentrale Epoche der Menschheitsgeschichte, die Christianisierung Britanniens, am Schicksal des Jüten Cymen verdeutlicht. 1951 brachte Fry das religiöse Traumspiel *A sleep of prisoners* heraus, das die Träume von vier Soldaten dramatisiert, die in einer Kirche gefangengehalten werden. In diesen Träumen werden alttestamentliche Episoden lebendig, welche archetypisch Erfahrungen erhellen, die diese Soldaten im Krieg gesammelt haben.

Mit dem Drama *Curtmantle* (1961) nahm Fry einen Stoff auf, den Eliot in anderer Weise und Akzentuierung in *Murder in the cathedral* behandelt hatte. Zwar gestaltet auch Fry die Auseinandersetzung zwischen Heinrich II. und Thomas Becket, aber bei ihm steht das Schicksal des Königs im Mittelpunkt, der vergeblich versucht, sein Gesetz der Welt aufzuzwingen. Der Konflikt zwischen den Mächten des Todes und des Lebens, des zerstörerischen Krieges und der rettenden Liebe, gibt auch den Komödien die besondere Gestalt.

In dem Einakter *A phoenix too frequent* (1946) griff Fry das alte Motiv der Witwe von Ephesos auf, die zunächst, von Trauer übermächtigt, ihrem Gatten in den Tod folgen möchte, dann aber durch die Begegnung mit Tegeus ins Leben zurückgelockt wird. Die Nähe zum Kriegserlebnis ist auch in *The lady's not for burning* (1948) zu spüren, dessen Handlung zwar ins Spätmittelalter verlegt ist, das aber zugleich am Schicksal des Soldaten Thomas Mendip modernes Erleben demonstriert. Diese Komödie repräsentiert im Jahreszeitenzyklus der Fryschen Komödien das Frühlingsspiel. In der barocken Bilderfülle läßt dieses Stück seine Begabung am stärksten zum Ausdruck kommen; allerdings verdecken lyrische Pracht und Wohlklang der Sprache gelegentlich thematische und handlungsmäßige Zusammenhänge.

In dem Herbstspiel *Venus observed* (1950) ist die Handlung dagegen stärker akzentuiert. Es ist dies ein Spiel vom Verzicht eines alternden Herzogs auf die jugendliche revolutionäre Perpetua, in der er eine Verkörperung der Venus zu erkennen glaubte, und der Wiederbegegnung mit Rosabel, einer seiner früheren Geliebten, die bereit ist, mit ihm die letzte Phase des Lebens zu teilen. *The dark is light enough* (1954), das Winterspiel, führt in die ungarischen Revolutionswirren von 1948 ein, in denen die Gräfin Rosmarin den Deserteur Richard Gettner rettet, der später seinerseits bereit ist, im Sinne der Gräfin für das Leben des Ungarn Janik einzutreten. Hier ist die Sprache klarer, nüchterner, der Winteratmosphäre entsprechend auch kälter geworden; aber in der Gestalt der Gräfin hat Fry einen bemerkenswerten Charakter geschaffen, der seiner Lebensauffassung wirkungsvoll Ausdruck verleiht. Die Sommerkomödie *A yard of sun* erschien erst 1970; sie spielt in Siena und greift Themen aus der Zeit nach dem Zweiten Weltkrieg auf. Bei allem sprachlichen Glanz fehlt diesem Stück jedoch die Ausstrahlungskraft der vorangehenden Komödien.

Die elisabethanische Komödie, vor allem → Lyly und → Shakespeare, vermittelte Fry wertvolle Anregungen; manche geistreiche Bemerkung erinnert an die Restaurationskomödie sowie an → Wildes Komödien. Fry trat auch als Übersetzer und Bearbeiter moderner französischer Dramen hervor und schulte auf diese Weise seine Diktion. Genannt seien von Jean Anouilh *Ring round the moon* (1950; frz. *L'invitation au chateau*) und *The lark* (1955; frz. *L'alouette*), von Jean Giraudoux *Tiger at the gates* (1955; frz. *La guerre de Troie n'aura pas lieu*) und *Judith* (1962). In Zusammenarbeit mit Jonathan Griffin, Ivo Perilli und Vittorio Bonicelli entstand der 1966 uraufgeführte Film *The Bible. In the beginning*, der ein weiterer Beweis für Frys tiefe Verwurzelung in der religiösen Tradition ist. (E)

Hauptwerke: *The boy with a cart. Cuthman, saint of Sussex* (1939) 1945. – *A phoenix too frequent* 1946. – *The firstborn* (1946) 1952. – *Thor, with angels* 1948. – *The lady's not for burning* (1949) 1950. – *Venus observed* 1950. – *A sleep of prisoners* 1951. – *An experience of critics* 1952. – *The dark is light enough. A winter comedy* 1954. –

Curtmantle 1961. – *The boat that mooed* 1965. – *The Bible. Original screenplay* (mit J. Griffin) 1966. – *A yard of sun. A summer comedy* 1970.

Bibliographie: B. L. Schear und E. G. Prater, A bibliography on Christopher Fry, in *Tulane Drama Review* 4,iii (1960), 88–98.

Ausgaben: *Plays* 1969. – *Plays* 1970. – *Plays* 1971. – *Selected plays* 1985.

Übersetzungen: *Die Dame ist nicht fürs Feuer*, übers. von H. Feist 1950, übers. von H. Feist und R. Schnorr 1986 (Fischer). – *Venus im Licht*, übers. von H. Feist 1951 (Fischer). – *Der Erstgeborne*, übers. von H. Feist 1952 (Fischer). – *Ein Schlaf Gefangner*, übers. von H. Feist 1952 (Fischer). – *Das Dunkel ist Licht genug*, übers. von R. Schnorr 1956 (Fischer).

Sekundärliteratur: D. Stanford, *Christopher Fry. An appreciation* 1951. – H. Itschert, *Studien zur Dramaturgie des »religious festival play« bei Christopher Fry* 1963. – E. Roy, *Christopher Fry* 1968. – S. M. Wiersma, *Christopher Fry. A critical essay* 1970. – S. M. Wiersma, *More than the ear discovers. God in the plays of Christopher Fry* 1983.

John Galsworthy (1867–1933)

In ihrem berühmten Essay »Mr. Bennett and Mrs. Brown« (1924) rechnete Virginia → Woolf die Zeitgenossen John Galsworthy, Arnold Bennett und H. G. → Wells zu den »Materialisten«. Darunter verstand sie Erzähler, die zwar die vielgestaltige Außenwelt des modernen Alltags in realistisch-naturalistischem Stil wiederzugeben suchten, es aber nicht vermochten, die psychische Komplexität auch einfacher Menschen in ihren Romanen zu erfassen. Dieses Urteil über Galsworthy hat sich in vielen englischen und amerikanischen Literaturgeschichten bis heute behauptet. Anders war die Reaktion breiter Leserschichten. Als 1922 Galsworthys *Forsyte saga* erschien, waren in wenigen Monaten in England und Amerika zwei Millionen Exemplare verkauft. Eine ähnliche Faszination ging Ende der sechziger Jahre auch von der Fernsehbearbeitung der *Forsyte saga* aus, die erneut die Verkaufsziffern der Romane hochschnellen ließ. Offenbar verstand es Galsworthy nach dem Urteil vieler Leser und Fernsehzuschauer, ein in seiner Art zutreffendes und faszinierendes Bild vom spätviktorianischen Bürgertum und dessen innerer Verfassung vor und nach dem Ersten Weltkrieg zu entwerfen.

Galsworthy stammte aus einer wohlhabenden Familie (sein Vater war ein angesehener Rechtsanwalt), und sein Leben vollzog sich zunächst in Bahnen, die vom Lebensstil der *upper middle class* vorgezeichnet waren. Er besuchte die Public School zu Harrow, von 1886 bis 1889 studierte er am New College in Oxford Jurisprudenz; 1890 wurde er Advokat. Von 1891 an unternahm er mehrere Reisen, die ihn nach Kanada, Rußland und Südafrika führten. Seit 1895 bestand eine enge Freundschaft zwischen ihm und Ada Cooper Galsworthy, der Frau eines seiner Vettern, die er aber erst nach ihrer Scheidung 1905 heiraten konnte.

Der Erlebnisbereich des jungen Galsworthy lieferte zugleich die stoffliche Basis für sein gesamtes künstlerisches Schaffen. Seinen ersten Romanversuch *Jocelyn* (1898) widmete er ganz dem Thema der Liebe. In seinem dritten Roman *The island pharisees* (1904) schildert er aus der Perspektive eines jungen, in Oxford ausgebildeten Rechtsanwaltes die verschiedenen gesellschaftlichen Milieus in England und richtet seine satirische Kritik gegen die pharisäerhafte Selbstgefälligkeit des Bürgertums. Am schärfsten kommt der Konflikt zwischen brutalem Besitzerstolz und einer verfeinerten, für künstlerische Werte offenen Lebensführung in *The man of property* (1906) zum Ausdruck.

Nach den Romanen *The country house* (1907), *Fraternity* (1909), *The patrician* (1911), *The dark flower* (1913) und *Beyond* (1917), die seine Gesellschaftsanalyse vertieften, entschloß sich Galsworthy nach dem Ersten Weltkrieg, die Darstellung der Forsytes und ihrer Schicksale zu einer Trilogie zu erweitern: *The man of property* wurde ergänzt durch die Romane *In chancery* (1920), *To let* (1921) und die Kurzgeschichten *The Indian summer of a Forsyte* (1918) und *Awakening* (1920): Hier wird gezeigt, wie das Glück der jüngeren Generation (von Jon und Fleur) zunichte gemacht wird. Die Schwächen und das Versagen der älteren Generation lassen auch die jüngere scheitern. Die nächste Trilogie, *A modern comedy* (1929), und schließlich auch die letzte, der Galsworthy den Gesamttitel *End of the chapter* (1934) gab, vervollständigten das Bild der zeitgenössischen Gesellschaft und des englischen Bürgertums, wobei er oft in eine mildere Tonart überwechselte und in der Familie Cherrell auch die im besten Sinne konservativen Kräfte des englischen Bürgertums akzentuierte. Es zeugt von dem Ansehen, das Galsworthy in den ersten Jahrzehnten dieses Jahrhunderts genoß, daß er 1932 den Nobelpreis für seine Romane, insbesondere für die *Forsyte saga*, erhielt.

Seinen literarischen Ruhm verdankte Galsworthy jedoch nicht nur den von den meisten Zeitgenossen geschätzten Romanen, sondern auch den gesellschaftskritischen Dramen, von denen *The silver box* (aufgeführt 1906), *Strife* (1909), *Justice* (1910) und *The skin game* (1920) genannt seien, die sich mit den Klassengegensätzen, einem sinnlosen Streik sowie Mängeln im englischen Gerichtswesen – insbesondere im Strafvollzug – auseinandersetzen. Galsworthy kann als Dramatiker Bernard → Shaw zur Seite gestellt werden, von dem er sich allerdings insofern unterscheidet, als er seine Stücke mit strenger künstlerischer Ökonomie komponierte und auf predigerhaft-belehrende Passagen völlig verzichtete. (E)

Hauptwerke: *Jocelyn* 1898. – *The island pharisees* (1904) 1908. – *The Forsyte saga* 1922: *The man of property* 1906; *The Indian summer of a Forsyte* 1918; *In chancery* 1920; *Awakening* 1920; *To let* 1921. – *The country house* 1907. – *Fraternity* 1909. – *The silver box* 1909. – *Strife* 1909. – *Justice* 1910. – *The patrician* 1911. – *The dark flower* 1913. – *The skin game* 1920. – *A modern comedy* 1929: *The white monkey* 1924; *The silver spoon* 1926; *Swan song* 1928. – *Escape* 1926. – *Exiled* 1929. – *The roof* 1929. – *End of the chapter* 1934: *Maid in waiting* 1931; *Flowering wilderness* 1932; *Over the river* 1933.

Bibliographie: E. E. Stevens und H. R. Stevens, *John Galsworthy. An annotated bibliography of writings about him* 1980.

Ausgaben: *Works*, Uniform edition, 18 vols 1921–1925. – *Works*, Manaton edition, 30 vols 1922–1936. – *Works*, Grove edition, 24 vols 1927–1934. – *The plays* 1929. – *Collected poems*, ed. A. Galsworthy 1934.

Übersetzungen: *Die Forsyte Saga*, übers. von L. Wolf und L. Schalit 1954 (Rowohlt). – *Moderne Komödie*, übers. von L. Schalit 1955 (Rowohlt). – *Meistererzählungen*, übers. von I. Wehrli 1984 (Manesse). – *Die Forsyte-Saga*, übers. von J. Schlösser 1985 (Kiepenheuer), 1988 (dtv).

Biographien: C. Dupré, *John Galsworthy. A biography* 1976. – J. Gindin, *The English climate. An excursion into a biography of John Galsworthy* 1979.

Sekundärliteratur: V. Dupont, *John Galsworthy. The dramatic artist* 1942. – D. Holloway, *John Galsworthy* 1968. – A. Fréchet, *John Galsworthy. A reassessment* 1982. – J. Gindin, *John Galsworthy's life and art. An alien's fortress* 1987.

David Garrick (1717–1779)

Garrick gehört in die Geschichte des Theaters, aber seine Bedeutung für die Literaturgeschichte ist nicht gering. Er war, wie kein anderer davor oder danach, zugleich Autor, Dramaturg, Darsteller und Theaterdirektor. Das Theaterspiel lag ihm von Kindheit an, doch führte sein Weg nicht sofort zur Bühne. Von hugenottischer Abkunft, wurde er in Hereford geboren und sollte nach dem Schulbesuch in Lichfield Weinkaufmann werden. Er besuchte statt dessen jedoch Samuel → Johnsons Schule und ging mit ihm zusammen nach London. Eine Weinhandlung gab er bald auf, um sich als Schauspieler zu versuchen.

Über Garricks frühe Karriere ist wenig bekannt. Sein Durchbruch gelang ihm 1741 in der Rolle Richards III., und hinfort galt er bei Mitwelt und Nachwelt als genialer Shakespeare-Darsteller. Etwa ein Fünftel aller Auftritte in Garricks fünfunddreißigjähriger Karriere waren Shakespeare-Rollen. Sein Erfolg beruhte auf einem radikalen Bruch mit dem bis dahin verbindlichen (und durch Garricks Gegenspieler James Quinn verkörperten) deklamatorischen Darstellungsstil, der in Tragödien besonders bombastisch wirkte. Garrick setzte dagegen einen »natürlichen« Stil, den er durch subtile Lebensbeobachtung ständig verfeinerte. Er machte damit Theatergeschichte und erschloß für seine Zeitgenossen Shakespeare auf neue Weise. Ab 1747 leitete Garrick das Drury Lane Theatre, das seine Hauptwirkungsstätte war; nach seinem Ausscheiden ging das Patent auf → Sheridan über.

Garrick bearbeitete zahlreiche Stücke und schrieb sie zum Teil für den Geschmack und die Bühnenpraxis der Zeit um (beispielsweise *The country girl*, eine purgierte Version von → Wycherleys *The country wife*). Auch mit Shakespeares Dramen ging er leger um und handelte sich dafür Kritik ein. Eine Fülle von Prologen und Epilogen, die er für Tragödien und Komödien schrieb (wie etwa für Sheridans *School for scandal*), zeigen eine geschickte Hand für gefällige Verse. Seine eigenen Stücke, mehrfach in Zusammenarbeit mit anderen Autoren verfaßt, sind unverdientermaßen in den Hintergrund gedrängt worden. Zu den besten gehören *Miss in her teens, or the medley of lovers*, eine Farce, in der er selbst mit großem Erfolg auftrat, und zwei glänzend ausgeführte, farcenhafte Komödien, *The lying valet* und *Bon ton, or high life above stairs*. In *The clandestine marriage*, einer Komödie, die einem Vergleich mit denen von → Goldsmith und Sheridan durchaus standhält, arbeitete er mit George Colman, dem Älteren (1732–1794) zusammen.

Garrick gehörte zu Johnsons berühmtem Club und damit zum Kreis der führenden Literaten. Seiner Kunst als Schauspieler zollten die Großen der Zeit fast ohne Ausnahme ihren Tribut, nicht zuletzt auch Joshua Reynolds und andere Maler mit ihren Porträts. Wie Johnson war er für die Zeitgenossen ein Geschmacksrichter, dessen Urteil verbindlich war. Was er der Epoche galt, brachte Goldsmith auf die Formel

As an actor, confest without rival to shine
As a wit, if not first, in the very first line. (F)

Hauptwerke: *The lying valet* 1741. – *Miss in her teens, or the medley of lovers* 1747. – *The clandestine marriage* (mit George Colman) 1766. – *Bon ton, or high life above stairs* 1775.

Bibliographien: M. E. Knapp, *A checklist of verse by Garrick* 1955. – G. M. Berkowitz, David Garrick. An annotated bibliography, in *Restoration and eighteenth-century theatre research* 11 (1972). – G. M. Berkowitz, *David Garrick. A reference guide* 1980.

Ausgaben: *The plays*, ed. H. W. Pedicord und F. L. Bergmann, 7 vols 1980–1982. – *Three plays*, ed. E. P. Stein 1928. – *Letters*, ed. D. M. Little und G. M. Kahrl, 3 vols 1963.

Biographie: G. W. Stone, Jr. und G. M. Kahrl, *David Garrick. A critical biography* 1979.

Sekundärliteratur: E. P. Stein, *David Garrick, dramatist* 1938 (repr. 1980). – K. A. Burnim, *David Garrick director* 1961. – C. Price, *Theatre in the age of Garrick* 1973. – L. Woods, *Garrick claims the stage. Acting as social emblem in eighteenth-century England* 1984.

Elizabeth Cleghorn Gaskell (1810–1865)

Das äußerlich wenig ereignisreiche Leben Mrs. Gaskells – es ist das ernsthafte und kultivierte Leben einer Angehörigen der Mittelschicht, bestimmt von Familie, karitativen Pflichten, Reisen und gesellschaftlichen Begegnungen – scheint zumindest latent von zwei Erfahrungen der Entwurzelung geprägt. Die erste wird früh gemacht: Das einjährige Kind wird nach dem Tod der Mutter von einer Tante aufgenommen und in dem ländlichen Knutsford, Cheshire, später in einer guten Internatsschule in Warwickshire (1822–1827) erzogen, während der Vater in London verbleibt und ein zweites Mal heiratet. Die zweite ist die Erfahrung der Industrie-Großstadt als neuem Lebensraum durch die Ehe mit dem Pfarrer William Gaskell aus Manchester, einem Unitarier wie sie selbst (1835). Die erste heißt sie, sich zunächst ihrer Familie zu widmen und ihren Wunsch zu schreiben zurückzustellen. Die zweite läßt sie die Stadt immer wieder fliehen und ein Landhaus als Ziel ihrer Wünsche erstreben.

Nicht minder bedeutsam sind die beiden Erfahrungen für ihr Werk. Dabei mag die erste, darin den Erfahrungen von → Dickens und → Trollope vergleichbar, ihr jenes Maß an Distanz gegenüber der Umwelt vermittelt haben, das deren genaue Beobachtung und, daraus folgend, deren Analyse und schöpferische Darstellung erst ermöglicht. Die zweite aber hat als der nationaltypische viktorianische Konflikt von Stadt und Land unmittelbare Auswirkungen auf die Thematik, die Struktur und Wertewelt ihrer Romane. Dabei sind in *Cranford*, der Darstellung einer Kleinstadt in lose verknüpfter, handlungsarmer Episodik, die traditionellen Werte der Idylle am reinsten gespiegelt. Aber Cranford ist auch die Stadt der Alten, des Vergehenden. Dagegen stehen die Industriestädte, Manchester in *Mary Barton* und »Milton« in *North and south*. Es sind dies Orte des Produzierens und Handelns, somit auch der Ausbeutung und Gewalt. Notwendig sind es melodramatische Handlungen, die diese in sich widersprüchliche Wirklichkeit einfangen und kritisieren. Die Welt ist jedoch nicht, wie zuweilen bei Dickens, dichotomisch geschieden: Mrs. Gaskell strebt nach Ausgleich.

Weder formal noch moralisch-ideologisch ist ein solcher Ausgleich leicht zu erzielen, zumal dann nicht, wenn eine didaktische Absicht aus unmittelbarer Betroffenheit verfolgt wird. So schildert *Mary Barton*, der Erstling, mit realistischer Drastik Armut, Krankheit, Prostitution und Verbrechen in den Elendsvierteln Manchesters sowie das Profitdenken und die Arroganz von Fabrikbesitzern; *Ruth* beschreibt das Los eines gefallenen Mädchens und die gesellschaftliche, von Doppelmoral und Heuchelei bestimmte Reaktion. Was jedoch als soziologisches Problem aufgegriffen wird, wird als ein moralisch-zwischenmenschliches bzw. durch den *long arm of coincidence* gelöst. Mrs. Gaskell, die gemäß dem Vorwort zu *Mary Barton* versucht, »the romance in the lives of some of those who elbowed me daily in the busy streets« zu gestalten, kann Realistik und Romanzenhaftes nicht zusammenbringen.

Weil die psychologische Entwicklung der Protagonisten die

soziologische enthält, gelingt hingegen ein Ausgleich in *North and south*. Sowohl Margaret Hale, die Geistlichentochter aus dem agrarischen Süden, wie John Thornton, der Fabrikbesitzer aus den industrialisierten Midlands, geben Vorurteile auf und lernen, den anderen, auch die anderen Klassen, zu tolerieren. Die episch ausgreifende Darstellung des gesamten sozialen Spektrums des ländlichen Englands in *Wives and daughters* bringt einen Ausgleich anderer Art, den des poetischen Realismus. Der Roman bleibt um wenige Seiten unvollendet. Ein bürgerliches Leben der Normalität, ein aktives Leben der karitativen Hilfe für die Armen Manchesters, der Berühmtheit vom ersten Werk an, der Geselligkeit und Freundschaften (so mit Charlotte → Brontë, der sie eine der besten Biographien des 19. Jahrhunderts widmet) findet in dem gerade bezogenen Traumhaus auf dem Lande durch Herzversagen ein jähes Ende. (T)

Hauptwerke: *Mary Barton* 1848. – *Ruth* 1853. – *Cranford* 1853. – *North and south* 1854/55. – *The life of Charlotte Brontë*, 2 vols 1857. – *Sylvia's lovers* 1863. – *Cousin Phillis* 1864. – *Wives and daughters* 1864–1866.

Bibliographie: J. Welch, *Elizabeth Gaskell. An annotated bibliography 1929–1975* 1977.

Ausgaben: *The works*, The Knutsford Edition, ed. A. W. Ward, 8 vols 1906–1911. – *The letters*, ed. J. A. V. Chapple und A. Pollard 1966.

Übersetzung: *Cranford. Roman aus einer englischen Kleinstadt*, übers. von M. Ehrenzeller 1984 (Manesse).

Biographie: W. Gérin, *Elizabeth Gaskell. A biography* 1976.

Sekundärliteratur: A. Pollard, *Mrs. Gaskell. Novelist and biographer* 1965. – E. Wright, *Mrs. Gaskell. The basis for reassessment* 1965. – M. Ganz, *Elizabeth Gaskell. The artist in conflict* 1969. – W. A. Craik, *Elizabeth Gaskell and the English provincial novel* 1975. – C. Lansbury, *Elizabeth Gaskell. The novel of social crisis* 1975. – A. Easson, *Elizabeth Gaskell* 1979. – P. Stoneman, *Elizabeth Gaskell* 1987.

John Gay (1685–1732)

Der Weg zu Gay führt heute über Brechts Dreigroschenoper, als deren Vorläufer und Vorbild seine *Beggar's opera* allgemein bekannt ist. Sie war Gays erfolgreichstes Werk, aber nicht das einzige, das ihm neben → Pope und → Swift einen Platz unter den bedeutenden Autoren des frühen 18. Jahrhunderts sichert. Gay kam früh, aber nicht ohne Umschweife zur Literatur. Er wurde in Devon geboren und nach dem Schulbesuch in Barnstaple einem Londoner Seidenhändler in die Lehre gegeben, die ihm so wenig lag, daß er krank nach Hause zurückkehrte. Erst mit dem zweiten Anlauf in London begann, zunächst zögernd, seine literarische Karriere. Typisch für die Zeit, war es weitgehend eine Karriere unter adligem Patronat (des Herzogs und der Herzogin von Queensberry).

Durch einen Bericht über die Literaturszene (*The present state of wit* 1711) machte Gay Pope und Swift auf sich aufmerksam. Mit ihnen und dem zum Kreis gehörenden Arzt John Arbuthnot verband ihn hinfort eine lebenslange Freundschaft, die gemeinsamen politischen Überzeugungen und ähnlichen literarischen Zielen so viel verdankt zu haben scheint wie Gays sorglosem Charme und seiner Umgänglichkeit (»the spoiled improvident child of the group of wits«). Gay hatte ein anderes persönliches und literarisches Temperament als Pope und Swift. Obwohl ihm das Engagement, die Intensität und der intellektuelle Radius beider abging, bestand er doch auf seine Weise neben ihnen. Gays Domäne war nicht das Reich der Ideen, sondern das tatsächliche Leben, das er mit dem Blick des versöhnlichen Satirikers wahrnahm.

Sein erster dramatischer Versuch über die Zustände in London (*The Mohocks* 1712) mißglückte, doch mit der satirischen Farce *The what d'ye call it*, einer Parodie auf die zeitgenössische Tragödie, fand er seine Form. Ebenso fand er in der Versdichtung über *The fan* (1713), eine Nachahmung von Popes *Rape of the lock*, bereits 1714 mit *The shepherd's week* die ihm gemäße Ausdrucksweise. In sechs Eklogen parodierte er unter Benutzung klassischer Stilmuster die Pastoraldichtung von Ambrose Philips durch eine »realistische« Darstellung des Landlebens. Von Swift kam die Anregung zu *Trivia, or, the art of walking the streets of London*, Gays bestem Gedicht und zugleich nach verbreiteter Meinung dem besten Gedicht über London. Gay führte sein Stadtporträt (das in einer eigenen literarischen Tradition steht) weithin in Hogarthscher Manier aus und bot eine Sequenz von minuziös und elegant gezeichneten Genrebildern, wie sie sonst in der Literatur der Epoche nicht vorhanden sind. Seine Kritik an der Stadt und am urbanen Lebensstil und die im Vergleich zum Optimismus der Zeit bisweilen düstere Einfärbung des Bildes waren nicht nur Ausdruck literarischer Konvention, sondern auch das Ergebnis unvoreingenommener Beobachtung.

Nach dem Mißerfolg von *Three hours after marriage* (einer gemeinsam von Gay, Pope und Arbuthnot verfaßten dramatischen Satire) schrieb Gay seine ursprünglich für Prince Henry bestimmten Fabeln in der Aesopschen Tradition, die als die besten in englischer Sprache angesehen werden und bis weit ins 19. Jahrhundert populär blieben. Die lange Arbeit daran (erst 1738 erschien der letzte Band) wurde von der *Beggar's opera* unterbrochen, die 1728 von John Rich auf die Bühne gebracht wurde, sofort eine Sensation war und bis zum heutigen Tage lebendig ist. Für Gay war sie auch ein finanzieller Erfolg (»it made Rich gay, and Gay rich«), der ihm nach dem Verlust seiner Einkünfte aus den *Poems* von 1720 durch unüberlegte Spekulationen durchaus zustatten kam.

Nach einer Idee von Swift sollte die Oper eine »Pastorale« aus dem Milieu von Newgate sein, dem Unterwelt und Kriminalität symbolisierenden Londoner Gefängnis. Gay gelang das literarisch fast Unmögliche: eine Parodie auf die »hohe« Oper zu schreiben, wie sie als italienische und Händelsche Oper dem Publikum geläufig war; eine Handlung zu erfinden, die zugleich romantisch und anti-romantisch anmutete; eine Heldin auf die Bühne zu bringen, die Burleske und Natürlichkeit in sich vereinigte; und aus allem eine Einheit von Sprech- und Musiktheater zu machen. Als *ballad opera* war Gays Stück, dem niemand einen sicheren Erfolg prophezeien wollte, Vorläufer und frühes Beispiel sowohl für die komische Oper wie für das Musical.

Gays nicht eben sparsame Kritik an den politischen und gesellschaftlichen Zuständen brachte die Zensur auf den Plan, und sein nächstes Stück, *Polly*, als zweiter Teil der *Beggar's opera* geplant, wurde vom Lord Chamberlain aus Rücksicht auf Hof und Regierung verboten. Es verkaufte sich deswegen gut, hat sich aber, von einigen Songs abgesehen, die Publikumsgunst ebensowenig erhalten können wie eine posthume Komödie, *The distressed wife* (1743), in der Manier, aber nicht von der Brillanz → Congreves. Seine Libretti *Achilles* und *Acis and Galatea* (ca. 1718 entstanden) leben in Händels Opern weiter.

Gay verbrachte seine letzten Jahre im Hause seines Gönners. Er liegt in Westminster Abbey begraben; Popes Epitaph beginnt mit den Zeilen

> Of Manners gentle, of Affections mild;
> In Wit, a Man; Simplicity, a Child. (F)

Hauptwerke: *The fan* 1714. – *The shepherd's week 1714*. – *The what d'ye call it* 1715. – *Trivia, or, the art of walking the streets of London* 1716. – *Acis and Galatea, an English pastoral opera* (ca. 1718, 1732). – *Poems on several occasions* 1720. – *Fables* 1727–1738. – *The beggar's opera* 1728. – *Polly* 1729.

Bibliographie: J. T. Klein, *John Gay. An annotated checklist of criticism* 1974.

Ausgaben: *Poetry and prose*, ed. V. A. Dearing und C. E. Beckwith, 2 vols 1974. – *Dramatic works*, ed. J. Fuller, 2 vols 1983. – *Letters*, ed. C. F. Burgess 1966.

Biographie: W. H. Irving, *John Gay, favorite of the wits* 1940.

Sekundärliteratur: F. Kidson, *The beggar's opera. Its predecessors and successors* 1922 (repr. 1971). – P. F. Gaye, *John Gay. His place in the eighteenth century* 1938 (repr. 1972). – S. M. Armens, *John Gay. Social critic* 1954 (repr. 1966). – A. Forsgren, *John Gay, poet ›of a lower order‹*, 2 vols 1964–1971. – J. V. Guerinot und R. D. Jilg, *The beggar's opera* 1976.

Edward Gibbon (1737–1794)

»I know by experience that from my early youth I aspired to the character of an historian.« Selten hat sich ein Jugendwunsch so uneingeschränkt erfüllt wie dieser von Edward Gibbon, der in Putney-on-Thames in eine wohlhabende Familie geboren wurde, nach dem Besuch der Westminster School am Magdalen College in Oxford studierte, doch dem traditionellen Bildungswesen so wenig abgewinnen konnte, daß er Oxford enttäuscht verließ, sich dem Selbststudium widmete, sechzehnjährig zum Katholizismus konvertierte, darauf von seinem Vater nach Lausanne geschickt, dort von einem calvinistischen Geistlichen unterrichtet und wieder zum Protestantismus bekehrt wurde und fünf Jahre später als kenntnisreicher junger Gelehrter mit bestem Latein und fließendem Französisch nach England zurückkehrte.

In London führte Gibbon zunächst das Leben eines *gentleman of letters*, der sich vor allem dem Aufbau einer eigenen Bibliothek widmete. Seine erste Veröffentlichung war ein französisch geschriebener *Essai sur l'étude de la littérature*, der Nutzen und Notwendigkeit des Studiums der antiken Klassiker demonstrierte. Der Essay wurde im Ausland besser aufgenommen als in England und verschaffte Gibbon nicht, wie ursprünglich erhofft, literarisches Prestige. Gibbon trat in den Militärdienst ein und verbrachte im Range eines Hauptmanns drei Jahre als »Englishman and soldier«. Danach begab er sich, unter Hintansetzung literarischer Projekte, auf die traditionelle Grand Tour (1764/65), die ihn über Frankreich und die Schweiz nach Italien führte. »It was at Rome«, schrieb er später, »that the idea of writing the decline and fall of that city first started to my mind«. Doch noch Jahre vergingen, bis er – nach dem Tode seines Vaters finanziell unabhängig – seinen großen Plan zu verwirklichen begann. Die Arbeit wurde nur durch eine größere Veröffentlichung unterbrochen: die *Critical observations on the sixth book of the Aeneid*, eine durch Gelehrsamkeit und Argumentation gleicherweise bestechende Kritik an William Warburtons Vergil-Interpretation.

Der erste Band von *The decline and fall of the Roman empire* (1776) war sofort eine literarische Sensation. Gibbon wurde praktisch über Nacht berühmt, sein Ruhm breitete sich über ganz Europa aus. Nicht nur hatte er für seine monumentale Darstellung das Thema par excellence gewählt – »the greatest, perhaps, and the most awful scene in the history of mankind«. Er bot es auch in einem Zeitalter, das an Meistern der Prosa und an Meistern der narrativen Geschichte nicht arm war, auf eine Weise dar, die ihn zu einem Klassiker der englischen Literatur wie der europäischen Historiographie gemacht hat. Seine Überschau über mehr als ein Jahrtausend ist von epischen Dimensionen, doch zugleich minuziös und nuanciert ausgeführt, und seine Darstellung, stets distanziert und bisweilen ironisch gebrochen, wird in ihrer bestechenden Klarheit von einer majestätischen Prosa getragen.

The decline and fall nahm Gibbon fast zwei Jahrzehnte in Anspruch. Das Werk erschien in drei in sich geschlossenen Teilen (Band II und III 1781, Band IV-VI 1788). Seine Betrachtung des Christentums wurde Gegenstand einer verbreiteten Kontroverse, in die Gibbon jedoch nur einmal souverän eingriff (*A vindication of some passages in the fifteenth and sixteenth chapters of the History of the decline and fall of the Roman empire* 1779). Während der Arbeit am zweiten Teil war Gibbon Mitglied des Parlaments, doch die Unzufriedenheit mit den politischen Entwicklungen und der Wunsch, ungestört zu arbeiten, veranlaßten ihn, den dritten Teil in Lausanne zu schreiben und bis 1791 dort zu bleiben. Gibbon unternahm keine größere Arbeit mehr (*Antiquities of the house of Brunswick* blieben unvollendet) und verbrachte seine letzten Jahre auf dem Landsitz seines Freundes John Baker Holroyd (first Earl of Sheffield). Ihm überließ er auch zur Veröffentlichung seine Memoiren, die ein über England hinaus kaum bekanntes Kleinod der autobiographischen Literatur sind. (F)

Hauptwerke: *Essai sur l'étude de la littérature* 1761. – *Critical observations on the sixth book of the Aeneid* 1770. – *The history of the decline and fall of the Roman empire*, 6 vols 1776–1788.

Bibliographien: J. E. Norton, *A bibliography of the works of Edward Gibbon* 1940 (repr. 1970). – P. B. Craddock, *Edward Gibbon. A reference guide* 1987.

Ausgaben: *The history of the decline and fall of the Roman empire*, ed. J. B. Bury, 7 vols 1909–1914 (repr. 1974); ed. O. Smeaton, 6 vols 1978. – *The English essays*, ed. P. B. Craddock 1972. – *Memoirs of my life*, ed. G. A. Bonnard 1966; ed. B. Radice 1984. – *The letters*, ed. J. E. Norton, 3 vols 1956.

Übersetzung: *Verfall und Untergang des Römischen Reiches*, übers. von J. Sporschil (1835–1837) 1987 (Auswahl; Greno).

Biographien: D. M. Low, *Edward Gibbon, 1737–1794* 1937. – P. B. Craddock, *Young Edward Gibbon. Gentleman of letters* 1982.

Sekundärliteratur: H. L. Bond, *The literary art of Edward Gibbon* 1960. – L. White, Jr. (ed.), *The transformation of the Roman world. Gibbon's problem after two centuries* 1966. – J. W. Swain, *Edward Gibbon the historian* 1966. – D. P. Jordan, *Gibbon and his Roman empire* 1971. – G. W. Bowersock et al. (ed.), *Edward Gibbon and the Decline and fall of the Roman empire* 1977. – L. Gossman, *The empire unpossess'd. An essay on Gibbon's Decline and fall* 1981. – W. B. Carnochan, *Gibbon's solitude. The inward world of the historian* 1987.

George Gissing (1857–1903)

Der schulisch sehr erfolgreiche Sohn eines Drogisten verspielt seine Chance, sozial aufzusteigen, als er 1876 wegen Diebstahls der Schule verwiesen wird und nach Amerika geht, wo er sich lehrend, schreibend, gelegenheitsarbeitend durchschlägt. Er stiehlt, um eine Prostituierte zu reformieren. Er heiratet diese 1879 nach seiner Rückkehr, wird jedoch bald desillusioniert und trennt sich 1884 endgültig von ihr. Nach ihrem Tod heiratet er 1891 in einer Art Wiederholungszwang erneut ein Mädchen des Proletariats, an dessen Aggressivität auch diese Ehe scheitert. Jahren der Armut folgen so Jahre der psychischen

Bedrückung. Es ist unzweifelhaft, daß diese Erfahrungen Gissings Gesellschaftsauffassung und somit sein Werk nachhaltig geprägt haben. Sie konterkarieren seinen aus unmittelbarer Anschauung resultierenden Zorn über das Elend, die Ausbeutung der Unterschicht, indem sie ihm deren Verrohung und Vulgarität vor Augen führen. Sie machen ihm die Welt des Bürgertums als die Welt des Anstands, der Kultur attraktiv, wiewohl er die Zwänge bürgerlicher Gesellschaftsmoral und die kommerzielle Basis dieser Kultur erkennt. Und sie legen dem Agnostiker Gissing pessimistische Gedanken schwärzester Couleur nahe (wie sie etwa in dem zu seiner Lebenszeit nicht veröffentlichten Essay »Hope of Pessimism« von 1882 in dem Ausblick auf eine menschenleere Welt Ausdruck finden).

So brüchig-ambivalent wie seine Gesellschaftsauffassung sind Gissings künstlerische Intentionen. Sein zeittypisches didaktisches Anliegen läßt sich nicht ohne weiteres mit seiner ebenso zeittypischen ästhetisierenden Absicht vereinbaren, die Wirklichkeit zu begreifen als »a collection of phenomena, which are to be studied and reproduced artistically«. Quer zu Didaxe und Ästhetisierung liegt seine Sehnsucht nach sozialer Anerkennung und finanziellem Erfolg. Diese Spannungen machen Gissings Romane, vor allem die der Schaffensphase bis 1893, zu soziohistorischen, literaturgeschichtlichen und biographischen Dokumenten von hohem Interesse.

Bereits der schwache Erstling, *Workers in the dawn* (1880), aber auch wichtige folgende Romane wie *The unclassed*, *Demos* und *The nether world* enthalten die auseinanderstrebenden Bestandteile: eine von Zufall, Melodramatik und Unwahrscheinlichkeit regierte Handlungsvielfalt; die auf Einfühlung beruhende psychologische Analyse einer oftmals Gissing ähnlichen, künstlerisch ambitionierten, sozial entwurzelten Intellektuellenfigur; das aus der Distanz detailliert und umfassend dargestellte Panorama des elenden Lebens der Unterschicht. Mit *New Grub Street* gelingt Gissing sein Meisterwerk. Die Unwahrscheinlichkeit der Fabel ist zurückgenommen; die psychologische wie soziologische Bestandsaufnahme der Literatenzunft und ihrer Probleme, Sehnsüchte und Niederlagen in einem Zeitalter der kommerziellen Versorgung von Lesermassen erfolgt distanziert und konkret.

Früh, mit *Isabel Clarendon* (1886), wendet sich Gissing auch der Darstellung des Bürgertums zu. Dies geschieht unter dem Einfluß Turgenjews mit der Absicht, die Tendenz aus seinen

Romanen zu verbannen, um so ein größeres (bürgerliches) Publikum zu gewinnen. *Born in exile*, eine Fabel vom Scheitern sozialen Aufstiegs angesichts eines mitleidlos wirkenden *law of consequences*, und *The odd women*, die klaustrophobische Darstellung des Schicksals unverheirateter Frauen, verbinden Kritik an der bürgerlichen Gesellschaft mit der psychologischen Analyse des bürgerlichen Individuums. Mitte der neunziger Jahre wendet sich Gissing Erfolgversprechenderem zu. Er bedient den Literaturmarkt und verfaßt eine große Zahl gut honorierter Kurzgeschichten sowie, in Abkehr vom Dreibandformat, kürzere Romane (wie den politischen Roman *Denzil Quarrier* 1892); eine Aphorismensammlung, *The private papers of Henry Ryecroft*, predigt Stoizismus und den Rückzug in die Idylle; ein historischer Roman, *Veranilda* (1904), wird konzipiert; eine Reisebeschreibung, *By the Ionian Sea* (1901), vermittelt Eindrücke eines bekannten Autors. Gissing hat die Genugtuung, daß sich der erstrebte Erfolg nun in Maßen einstellt. Das Glück, das er, wegen einer eheähnlichen Verbindung seit 1899 in Frankreich lebend, auch privat erfährt, währt nicht lange. 1903 stirbt er an einer Lungenkrankheit. (T)

Hauptwerke: *The unclassed* 1884. – *Demos* 1886. – *The nether world* 1889. – *New Grub Street* 1891. – *Born in exile* 1892. – *The odd women* 1893. – *The whirlpool* 1897. – *The private papers of Henry Ryecroft* 1903.

Bibliographien: J. J. Wolff, *George Gissing. An annotated bibliography of writings about him* 1974. – M. Collie, *George Gissing. A bibliographical study* 1985.

Ausgabe: Nachdrucke von Einzelwerken mit Vorworten verschiedener Herausgeber erscheinen bei Harvester Press (Brighton).

Übersetzung: *Zeilengeld*, übers. von A. Berger 1986 (Greno).

Biographien: J. Korg, *George Gissing. A critical biography* 1963. – G. Tindall, *The born exile. George Gissing* 1974.

Sekundärliteratur: U. Annen, *George Gissing und die Kurzgeschichte* 1973. – A. Poole, *Gissing in context* 1975. – J. Goode, *George Gissing. Ideology and fiction* 1978. – M. Collie, *The alien art. A critical study of George Gissing's novels* 1979. – D. Grylls, *The paradox of Gissing* 1986.

William Golding (1911–1993)

Um 1960 galt William Golding bei vielen englischen Kritikern als der beste aller englischsprachigen Erzähler, die in den fünfziger Jahren mit ersten Werken hervorgetreten waren. Sein früher literarischer Ruhm war vor allem auf den Roman *Lord of the flies* (1954) zurückzuführen, der als eine Art Anti-Robinsonade, als ein Gegenstück zu Daniel → Defoes *Robinson Crusoe* (1719) und Ballantynes *The coral island* (1857) gelesen werden kann. Am Schicksal einer Gruppe von Jungen, die während eines Atomkrieges auf eine Insel im Pazifik verschlagen wird, zeigt Golding die destruktiven Kräfte der menschlichen Natur. In St. Columb Minor (Cornwall) geboren und aufgewachsen, studierte Golding von 1930 bis 1935 in Oxford. Dann versuchte er sich als Schriftsteller, Schauspieler und Theaterproduzent, schließlich entschied er sich für das Lehramt (1939–1961). Unterbrochen wurde seine Lehrtätigkeit durch den Kriegsdienst bei der Royal Navy (1940–1945). Sein pädagogisches Talent schlägt sich in seiner gesamten schriftstellerischen Arbeit nieder. Auch die Romane, die auf *Lord of the flies* folgten, haben einen ausgesprochen didaktischen Charakter. Die Grundthematik bleibt die Gebrochenheit der menschlichen Existenz, die Grausamkeit und Triebhaftigkeit des Menschen. Das christliche Dogma von der Erbsünde findet sich in allen seinen Romanen, die realistische und symbolische Elemente zu Parabeln vereinigen.

In *The inheritors* (1955) werden die Neandertaler, Repräsentanten einer paradiesischen Unschuld, mit dem Homo Sapiens kontrastiert, der zwar Fortschritt bringt, aber auf Kosten der Neandertaler. In *Free fall* (1959) läßt Golding vor dem Hintergrund des Zweiten Weltkrieges und eines deutschen Gefangenenlagers den Lebenslauf des Sammy Mountjoy lebendig werden, der Beatrice Ifor verführte, quälte und im Stich ließ. Den Roman *The spire* (1964) verlegte Golding ins Mittelalter: Dean Jocelin betreibt den Bau eines Turmes der Salisbury Cathedral. Er wird dabei von Motiven bestimmt, die nicht klar voneinander zu trennen sind; er folgt seinem religiösen Glauben ebensosehr wie einer dämonischen Besessenheit, die Ausdruck der *superbia* des Menschen ist, und er bewirkt dadurch im buchstäblichen Sinn seinen Fall. *Pincher Martin* (1956) gehört neben *Lord of the flies* zu den besten Werken Goldings. Hier knüpft er an eigene Kriegserlebnisse an und schildert das Schicksal eines Marineoffiziers, der, nachdem sein Schiff von einem feindlichen Torpedo getroffen wurde, allein auf dem Atlantik treibt. Erst das Ende zeigt, daß die wenigen Sekunden, in denen der Ertrinkende sich zu retten versucht, im Roman zu einem Überblick über das Leben des Protagonisten ausgedehnt werden.

The pyramid (1967), ein Werk, in dem drei Geschichten lokker miteinander verknüpft sind, und *The scorpion god* (1971), ein Band, in dem drei inhaltlich und thematisch selbständige Novellen, die in verschiedenen Jahrhunderten und Kulturräumen spielen, nebeneinander stehen, stellen recht schwache Leistungen dar, die die Kritiker zu bitteren Kommentaren veranlaßten. Erst mit den Romanen *Darkness visible* (1979) und *Rites of passage* (1980) erreichte Golding sein ursprüngliches Niveau als Erzähler wieder. In *Darkness visible* ließ er sich von apokalyptischen Passagen des Alten und Neuen Testamentes inspirieren, die er mit Schilderungen der zeitgenössischen Terror- und Drogenszene verband. In dieses Milieu plazierte er die Figur des Matty Septimus Windrove. *Rites of passage* knüpft an die Tradition des Reiseromans an und schildert die Reise des jungen Edmund Talbot von Südengland nach Australien, auf der er den Selbstmord des vom Kapitän tyrannisierten Pfarrers Colley nicht verhindern kann. Auch in diesem Werk besticht Golding durch seine Fähigkeit, eine bestimmte kulturelle Epoche in ihrer Eigenart lebendig werden zu lassen; seine moralisch-didaktische Sicht der menschlichen Gesellschaft ist jedoch auch hier unverändert geblieben. 1983 wurde Golding mit dem Nobelpreis ausgezeichnet »for his novels which, with the perspicuity of realistic narrative art and the diversity and universality of myth, illuminate the human condition in the world of today.« (E)

Hauptwerke: *Lord of the flies* 1954. – *The inheritors* 1955. – *Pincher Martin* 1956. – *Free fall* 1959. – *The spire* 1964. – *The pyramid* 1967. – *The scorpion god* 1971. – *Darkness visible* 1979. – *Rites of passage* 1980. – *A moving target* 1982. – *The paper men* 1984. – *An Egyptian journal* 1985. – *Close quarters* 1987.

Bibliographie: R. J. Stanton, *A bibliography of modern British novelists* 1978.

Übersetzungen: *Herr der Fliegen*, übers. von H. Stiehl 1956, 1963 (Fischer). – *Der Felsen des zweiten Todes*, übers. von H. Stiehl 1960, 1981 (Fischer). – *Freier Fall*, übers. von H. Stresau 1963, 1983 (Fischer). – *Die Erben*, übers. von H. Stiehl 1964 (Suhrkamp). – *Der Turm der*

Kathedrale, übers. von H. Stiehl 1966 (Fischer). – *Das Feuer der Finsternis*, übers. von U. Leipe 1980 (Steinhausen). – *Äquatortaufe*, übers. von H. Schlüter 1983 (Bertelsmann). – *Papier Männer*, übers. von E. Bastuk 1984 (Bertelsmann). – *Ein ägyptisches Tagebuch*, übers. von R. Orth-Guttmann 1987 (List).

Sekundärliteratur: S. Hynes, *William Golding* (1964) 1968. – B. S. Oldsey und S. Weintraub, *The art of William Golding* 1965. – M. Kinkead-Weekes und I. Gregor, *William Golding. A critical study* (1967) 1984. – V. Tiger, *William Golding. The dark fields of discovery* 1974. – A. Johnston, *Of earth and darkness. The novels of William Golding* 1980. – P. Redpath, *William Golding. A structural reading of his fiction* 1986.

Oliver Goldsmith (ca. 1728–1774)

Goldsmith war einer der vielseitigsten Autoren seiner Zeit. In den Worten von Samuel →Johnsons Epitaph versuchte er sich in nahezu jedem literarischen Genre und veredelte dabei alle. Zur Literatur kam er indessen auf Umwegen. Irischer Herkunft und als zweiter Sohn eines Pfarrers geboren, besuchte Goldsmith bis 1750 das Trinity College in Dublin. Als er nicht ordiniert wurde, studierte er, ohne Abschluß, zunächst in Edinburgh und später in Leyden Medizin. Nach Reisen in Frankreich, der Schweiz und Italien kam er mittellos nach London, wo er nach beruflichen Fehlschlägen Gelegenheitsjournalist wurde. Als Rezensent für die *Monthly review*, eines der damals neuen literarischen Journale, gewann er mit einer Besprechung von Edmund Burkes *Philosophical enquiry into the sublime and beautiful* dessen Freundschaft und wenig später auch die von Thomas Percy, der als späterer Bischof von Dromore Goldsmiths erster Biograph wurde.

An enquiry into the present state of polite learning in Europe (1759) war Goldsmiths erste größere Arbeit, nach heutigen Begriffen ein literatursoziologischer Essay über den Niedergang von Literatur und Gelehrsamkeit und die Möglichkeiten ihrer Wiederbelebung. Mit einer eigenen Wochenschrift, *The bee*, etablierte er sich als Autor und zugleich als ein Essayist, der über ein breites Spektrum von Themen ebenso belehrend wie unterhaltsam schreiben konnte. Eine weitere Folge von 119 Essays ist unter dem Titel *The citizen of the world* (1762) zum festen Bestandteil der Literatur der Jahrhundertmitte geworden. Als Modell dienten Goldsmith Montesquieus *Lettres persanes*. Er betrachtet das Leben und Treiben in England mit den Augen eines imaginären Chinesen, und sein literarischer Kunstgriff erlaubt ihm, in lockerer Szenen- und Ereignisfolge eine Fülle von amüsierten und satirischen Kommentaren über seine Landsleute vorzutragen.

Obwohl »Dr. Goldsmith«, wie er genannt wurde, als Freund von Johnson und Gründungsmitglied von dessen berühmtem Club ein akzeptierter Homme de lettres war, trug ihn die Literatur finanziell nicht. Er mußte weiter Gelegenheits- und Auftragsarbeiten wahrnehmen. In den sechziger und noch in den frühen siebziger Jahren entstanden in schneller Folge biographische und historische Kompilationen, insgesamt mehr als vierzig Bände, die er allein wegen des Honorars zu Papier brachte. So ein gekürzter Plutarch (1762), eine englische Geschichte in Briefform (1764), eine römische und eine griechische Geschichte (1769, 1774) neben Biographien unter anderem von Voltaire (1761) und Beau Nash, dem Zeremonienmeister von Bath (1762).

Goldsmiths bekannte Werke sind Spätwerke. Es spricht für seine Versatilität, daß er binnen weniger Jahre als Lyriker, Erzähler und Dramatiker gleicherweise mit Produktionen von Rang hervortrat. *The traveller, or the prospect of society* (1764), das erste unter seinem Namen veröffentlichte Werk, gehört zu jener reflektierenden Gedankenlyrik des späteren 18. Jahrhunderts, die im Hinblick auf heraufziehende gesellschaftliche Veränderungen die Frage nach dem Bleibenden stellte. Stärker noch ist *The deserted village* (1770) Ausdruck einer persönlich empfundenen Melancholie angesichts der Verdrängung der dörflichen Kultur durch die beginnende Industrialisierung, obwohl das Gedicht als pastorale Elegie notwendigerweise durch Konventionen der Idealisierung geprägt ist.

Durch die Idylle war für viele Zeitgenossen, vor allem in Deutschland, auch *The Vicar of Wakefield* (1766) bestimmt, den Johnson für 60 Pfund an den Verleger brachte, um Goldsmith vor dem Schuldgefängnis zu retten. Für Herder war die Erzählung »eins der schönsten Bücher, die in irgendeiner Sprache existieren«, und Goethe bekannte, er sei Goldsmith »Unendliches schuldig geworden«. Der Roman wurde in Deutschland fast ausschließlich als Parabel vom sittlichen Glück der Selbstbescheidung gelesen, in England in einem anderen literarischen Kontext eher als Komödie, wenn nicht gar als Satire. Bis heute ist nicht klar, ob die Wirkung auf den Leser immer Goldsmiths Intentionen entsprach.

Schon in *The state of polite learning* hatte Goldsmith die sentimentale Komödie der Epoche kritisiert, und zu seinen letzten Werken gehören die beiden Versuche, eine »comedy of nature and humour« durchzusetzen. Der erste, *The good-natur'd man* (1767), wurde zunächst von David → Garrick vereitelt, dann aber doch ein leidlicher Bühnenerfolg. Der zweite, *She stoops to conquer* (1773), ist ein Meisterwerk und gehört zu den brillanten Leistungen der englischen Theatergeschichte. Mit seiner makellosen Charakterzeichnung und seinem sprühenden Dialog hat das Stück bis heute nichts von seinem Charme eingebüßt.

Goldsmith starb, beständig gegen Geldnot anschreibend, an nervöser Erschöpfung. Viele seiner Zeitgenossen urteilten hart über ihn; Horace → Walpole nannte ihn einen »inspirierten Idioten«. Manches ging auf sein unglückliches Aussehen zurück, anderes auf die Lebensuntauglichkeit eines künstlerischen Menschen. »Lord bless us what an anomalous character was his«, schrieb Hester Thrale. Niemand konnte ihm indessen eine in sich selbst gründende Originalität absprechen, und zusammen mit Samuel Johnson waren ihm einige seiner bedeutendsten Zeitgenossen in Bewunderung freundschaftlich verbunden. (F)

Hauptwerke: *An enquiry into the present state of polite learning in Europe* 1759. – *The citizen of the world*, 2 vols 1762. – *Essays* 1765. – *The vicar of Wakefield*, 2 vols 1766. – *The deserted village* 1770. – *She stoops to conquer* 1773.

Bibliographien: I. A. Williams in *Seven XVIIIth-century bibliographies* 1924. – S.H. Woods, Jr., *Oliver Goldsmith. A reference guide* 1982.

Ausgaben: *Collected works*, ed. A. Friedman, 5 vols 1966. – *Collected letters*, ed. K. C. Balderstone 1928.

Übersetzungen: *Der Pfarrer von Wakefield*, übers. von E. Susemihl, hrsg. von H. Hoefener 1978 (Harenberg; übers. von R. Weith, hrsg. von E. Wolff (Reclam); übers. von A. Ritter 1985 (Manesse). – *Der Weltbürger oder Briefe eines in London weilenden chinesischen Philosophen*, übers. von H. T. Heinrich 1986 (Beck).

Biographien: R. M. Wardle, *Oliver Goldsmith* 1957. – A. L. Sells, *Oliver Goldsmith. His life and works* 1974.

Sekundärliteratur: R. Quintana, *Oliver Goldsmith. A Georgian study* 1967. – R.H. Hopkins, *The true genius of Oliver Goldsmith* 1969. – A. Swarbrick (ed.), *The art of Oliver Goldsmith* 1984.

Thomas Gray (1716–1771)

Gray wurde in London geboren und in Eton erzogen, wo er sich mit Horace → Walpole und dem Dichter Richard West (1716–1742) befreundete. Peterhouse in Cambridge verließ er ohne Abschluß. Er begleitete Horace Walpole 1739 bis 1741 auf der Grand Tour, kehrte aber nach einem Streit vorzeitig zurück. Nach einem rechtswissenschaftlichen Studium in Cambridge ließ er sich dort auf Dauer nieder und widmete sich seinen vielfältigen, vornehmlich literarischen Studien.

Grays erste Dichtungen entstanden in den frühen vierziger Jahren, und Walpole, mit dem er sich wieder versöhnte, veranlaßte den Verleger Robert Dodsley, die *Ode on a distant prospect of Eton College* 1742 anonym herauszubringen. Das Gedicht war kein Erfolg. Erst die *Elegy wrote in a country church yard* (1742 begonnen, 1751 veröffentlicht), von der binnen kurzem elf Auflagen erschienen, machte ihn bekannt. Eine von Richard Bentley (1708–1782) illustrierte Ausgabe fand starke Beachtung, und eine spätere Ausgabe der Oden wurde von Walpole als erstes Werk auf der berühmten Privatpresse von Strawberry Hill gedruckt.

Der Erfolg von Grays Gedichten lag in der Verbindung traditioneller Formen mit neuen Themen. In Gray fand das dem neoklassischen Dichter eigene Streben nach Ebenmaß und Ausgewogenheit eine letzte Vollendung. Zugleich wies Grays *Elegy* in ihrer Reflexivität, ihrer Melancholie und in sich gekehrten Meditation auf das späte 18. Jahrhundert und die Romantik voraus. Gray bevorzugte die Odenform, und einige seiner wichtigsten Gedichte, so *The bard* (1757) sind Nachahmungen Pindarischer Oden. Die Hinwendung zu den pseudo-gälischen Dichtungen Macphersons und zu keltischen und isländischen Dichtungen bestimmte sein späteres Schaffen, so *The descent of Odin*. Grays Werk ist nicht umfangreich, aber von überraschender Spannweite. Er galt als der herausragende Dichter seiner Zeit. 1757 wurde ihm das Amt des Hofdichters angetragen, das er jedoch ablehnte.

Gray lebte zurückgezogen in Cambridge, wo er 1768 die Professur für moderne Geschichte übernahm. Er wurde als einer der belesensten und gelehrtesten Männer der Epoche bewundert; die Vielfalt seiner Kenntnisse wurde immer wieder bestaunt. Das Journal seiner Reise in den Lake District (1775) ist sein bestes Prosawerk. Seine Briefe, in denen sich Mitteilungsfreude, Beobachtungsgabe und Humor verbinden, gehören unbestritten zu den besten der englischen Literatur. (F)

Hauptwerke: *Ode on a distant prospect of Eton College* 1747. – *An elegy wrote in an country church yard* 1751. – *Odes* 1757. – *Poems* 1768. – *Ode performed in the Senate-House at Cambridge July 1, 1769* 1769.
Bibliographie: A. T. McKenzie, *Thomas Gray. A reference guide* 1982.
Ausgaben: *Complete poems*, ed. H. W. Starr und J. R. Hendrickson 1966. – *Complete English poems*, ed. J. Reeves 1973. – *The correspondence*, ed. P. Toynbee und L. Whibley, rev. H. W. Starr, 3 vols 1935 (repr. 1971).
Biographien: R. W. Ketton-Cremer, *Thomas Gray. A biography* 1955. – A. L. Lytton Sells, *Thomas Gray. His life and works* 1980.
Sekundärliteratur: A. L. Reed, *The background of Gray's Elegy. A study in the taste for melancholy poetry 1700–1751* 1924 (repr. 1962). – H. W. Starr, *Gray as a literary critic* 1941 (repr. 1974). – M. Golden, *Thomas Gray* 1964. – R. Lonsdale, *The poetry of Thomas Gray. Version of the self* 1973. – *Fearful joy. Papers from the Thomas Gray bicentenary conference*, ed. J. Downey und B. Jones 1974.

Graham Greene (1904–1991)

Graham Greene, der Sohn des Direktors der Berkhamsted School, war nach dem Studium in Oxford zunächst (1926–1930) bei der *Times* tätig und setzte diese journalistische Arbeit nach einigen Jahren der Unterbrechung beim *Spectator* (1937–1941) fort. Während des Krieges stand er bis 1944 in Diensten des Foreign Office. Von 1944 bis 1948 war er – als Verlagsdirektor – bei Eyre and Spottiswoode, von 1958 bis 1968 bei dem Verlag The Bodley Head beschäftigt. Zahlreiche Reisen erweiterten seinen Erfahrungshorizont: Über Liberia berichtete er in *Journey without maps. A travel book* (1936), über Mexiko in *The lawless roads. A Mexican journey* (1939) und über Afrika in dem Band *In search of a character. Two African journals* (1961). Seine ersten Versuche als Romancier – *The man within* (1929), *The name of action* (1930) und *Rumour at nightfall* (1931) – sind künstlerisch nicht sehr hoch zu bewerten. Mehr Aufmerksamkeit erregte er durch drei Romane der dreißiger Jahre, die er selbst als »Entertainment« klassifizierte: *Stamboul train* (1932), *A gun for sale* (1936) und *Brighton Rock* (1938). Diese Romane spielen im Milieu der Schmuggler, Mörder und Verbrecher und beweisen, daß Graham Greene, der Großneffe von Robert Louis → Stevenson, sich an Abenteuer- und Detektivgeschichten schulte, spannende Kriminalgeschichten zu schreiben verstand, zugleich aber wie sein Vorbild Joseph → Conrad danach strebte, die Komplexität der menschlichen Natur zu ergründen.

Bereits 1927 war Greene zum römisch-katholischen Glauben konvertiert; ein besonderes Interesse für religiöse Themen trat in seinen Werken jedoch erst mit *Brighton Rock* zutage. Greene ist jedoch offenbar mehr an der Abgründigkeit und Verworfenheit eines siebzehnjährigen Mörders sowie an der Bereitschaft des sechzehnjährigen Mädchens Rose interessiert, einen solchen Menschen zu lieben, als an den dogmatischen Lehren von der göttlichen Gnade. Der Roman *The power and the glory* (1940) ist auf dem Kontrast zwischen einem Schnapspriester und einem kommunistischen Leutnant aufgebaut, der diesen Priester schließlich in der Zeit der mexikanischen Christenverfolgung stellt, ohne damit freilich die Tradition der christlichen Kirche unterbrechen zu können. Von allen religiösen Romanen Greenes ist *The heart of the matter* (1948) künstlerisch der reifste: Hier schildert er das Schicksal des stellvertretenden Polizeikommissars Scobie, dessen Liebe zu seiner Frau Louise erkaltet ist. Er verliebt sich in die neunzehnjährige Witwe Helen und beschließt, als er keinen Ausweg mehr sieht, Selbstmord zu begehen. Die Paradoxie dieses Romans besteht darin, daß der Protagonist das Leben anderer Menschen, die er liebt und für die er Mitleid empfindet, höher einstuft als das Schicksal seiner eigenen Seele.

Nach *The end of the affair* (1951) rückte Greenes Interesse an der Verkettung von Politik und Moral wieder stärker in den Vordergrund. Dabei verlegte er die Ereignisse gern in Länder, die gerade Brennpunkte der Weltpolitik waren. So spielt *The quiet American* (1955) in Vietnam (während des französischen Vietnamkrieges), *Our man in Havana* (1958) schildert die Verhältnisse in Kuba vor der Revolution Fidel Castros, die Lage in Belgisch-Kongo beschreibt *A burnt-out case* (1961). Daneben publizierte Graham Greene einen Band Lyrik, mehrere *short story*-Bände, Dramen sowie zwei autobiographische Werke, *A sort of life* (1971) und *Ways of escape* (1980). Größten Ruhm erlangte Graham Greene in Deutschland vor allem durch das von ihm verfaßte Drehbuch zu dem Film *The third man*, den Carol Reed 1950 drehte. Eindrucksvoll ist darin die Atmosphäre festgehalten, die nach dem Zweiten Weltkrieg in dem zerbombten, von den vier Siegermächten besetzten Wien herrschte. (E)

Hauptwerke: *Stamboul train* 1932. – *A gun for sale* 1936. – *Journey without maps. A travel book* 1936. – *Brighton Rock* 1938. – *The confidential agent* 1939. – *The lawless roads. A Mexican journey* 1939. – *The power and the glory* 1940. – *The ministry of fear* 1943. – *The heart of the matter* 1948. – *The third man* 1950. – *The end of the affair* 1951. – *The quiet American* 1955. – *Our man in Havana* 1958. – *A burnt-out case* 1961. – *In search of a character. Two African journals* 1961. – *A sort of life* 1971. – *The honorary consul* 1973. – *The human factor* 1978. – *Ways of escape* 1980. – *The tenth man* 1985. – *The captain and the enemy* 1988.

Bibliographien: R. A. Wobbe, *Graham Greene. A bibliography and guide to research* 1979. – A. F. Cassis, *Graham Greene. An annotated bibliography of criticism* 1981.

Ausgaben: *Works*, Uniform edition, 15 vols 1949–1963. – *Collected essays* 1969. – *Collected stories* 1972.

Übersetzungen: *Das Herz aller Dinge*, übers. von W. Puchwein 1949, 1978 (Zsolnay), 1954 (Rowohlt). – *Am Abgrund des Lebens*, übers. von M. H. Larson 1950 (Rowohlt). – *Orientexpress*, übers. von J. Lesser 1950 (Rowohlt), 1958 (Zsolnay). – *Das Attentat*, übers. von H. B. Kranz 1950, 1978 (Zsolnay), 1951 (Rowohlt). – *Der Ausgangspunkt*, übers. von W. Puchwein 1951 (Zsolnay). – *Die Kraft und die Herrlichkeit*, übers. von V. Magd und W. Puchwein 1953 (Rowohlt). – *Der dritte Mann*, übers. von F. Burger 1957 (Rowohlt). – *Unser Mann in Havanna*, übers. von L. Winiewicz 1959 (Zsolnay), 1987 (Heyne). – *Eine Art Leben*, übers. von M. Felsenreich und H. W. Polak 1971 (Zsolnay). – *Der menschliche Faktor*, übers. von L. Wasserthal-Zuccari und H. W. Polak 1978 (Zsolnay). – *Fluchtwege*, übers. von U. Dülberg und H. W. Polak 1981 (Zsolnay). – *Ein Mann mit vielen Namen*, übers. von M. Blaich 1988 (Zsolnay).

Biographie: J. Atkins, *Graham Greene. A biographical and literary study* (1957) 1966.

Sekundärliteratur: D. Pryce-Jones, *Graham Greene* 1963. – D. Lodge, *Graham Greene* 1966. – G. R. Boardman, *Graham Greene. The aesthetics of exploration* 1971. – U. Böker, *Loyale Illoyalität. Politische Elemente im Werk Graham Greenes* 1982. – G. M. A. Gaston, *The pursuit of salvation. A critical guide to the novels of Graham Greene* 1984. – R. Kelly, *Graham Greene* 1984. – R. Sharrock, *Saints, sinners and comedians. The novels of Graham Greene* 1984. – G. Smith, *The achievement of Graham Greene* 1986. – P. O'Prey, *A reader's guide to Graham Greene* 1988.

ROBERT GREENE (1558–1592)

In Norwich geboren, besuchte Greene Cambridge, wo er 1583 den ersten M. A. erwarb, dem er 1588 den M. A. von Oxford folgen ließ. Angeblich unternahm er Reisen nach Italien und Spanien, wo er nach eigenen Aussagen ein ausschweifendes Leben geführt haben soll. Etwa um 1588 verließ er seine Familie, um sich in London als Schriftsteller durchzuschlagen. Er begann im bischöflichen Auftrag Pamphlete gegen die Autoren der *Marprelate tracts* zu schreiben. Daneben verfaßte er noch andere Schriften, unter denen vor allem seine Lebensbeichte *A groatsworth of wit* (1592) bedeutsam ist, weil in ihr zum ersten Mal → Shakespeare als Schauspieler und Dramatiker polemische Erwähnung findet. Zwischen 1588 und 1590 schrieb Greene fünf Dramen: *The comical history of Alphonsus, King of Aragon* und *The history of Orlando Furioso* standen unter dem Einfluß von → Marlowes *Tamburlaine the Great.* Seine letzten Stücke *Friar Bacon and Friar Bungay* (ca. 1591) sowie *James IV* (ca. 1591) sind dagegen höchst unterhaltsame Mischungen der verschiedensten dramatischen Elemente und Motive: Zauberei und Liebesgeschichten, moralische Unterweisungen und naiver Patriotismus, Sagengestalten, einfache Leute und Könige werden zu einer bunten Episodenfolge zusammengefügt.

Die Serie seiner Prosaromanzen begann Greene mit Nachahmungen von → Lylys *Euphues,* des *Dekameron* und *Heptameron.* Die beste ist *Menaphon* (1589), eine pastorale Romanze mit eingestreuten lyrischen Gedichten, in der Motive des griechischen Romans verarbeitet werden. Später verfaßte Greene sogenannte *Coney-catching pamphlets,* in denen die Praktiken von Gaunern und Betrügern detailliert und mit vielen Anekdoten illustriert zum Nutzen der Bürger beschrieben werden.

Greene gehörte zur Gruppe der sogenannten University Wits, die entscheidenden Anteil an der Entwicklung des Londoner literarischen Lebens und des Theaters hatten. Als Vielschreiber versorgte er ein rasch wachsendes Lesepublikum mit dem Stoff, den es zu lesen und auf der Bühne zu sehen wünschte: abenteuerliche Geschichten in bunter Fülle, romantische Liebeshandlungen, patriotische Selbstbestätigung und Belehrung. Seine Bedeutung liegt eher in der Stoffvermittlung und in seinem Einfluß auf die Sehgewohnheiten des Theaterpublikums als in der Entwicklung einer eigenen dramatischen Form. (W)

Hauptwerke: *A groatsworth of wit* 1592. – *Friar Bacon and Friar Bungay* ca. 1591. – *Menaphon* 1589. – *Coney catching pamphlets* 1592.

Bibliographien: S. A. Tannenbaum, *Robert Greene*, Elizabethan bibliographies 1939 (repr. 1967). – R. C. Johnson, *Robert Greene 1945–1965*, Elizabethan bibliographies supplements V (1968). – T. Hayashi, *Robert Greene criticism. A comprehensive bibliography* 1971. – J. S. Dean, *Robert Greene. A reference guide* 1984.

Ausgabe: *The life and complete works*, ed. A. B. Grosart, 15 vols 1881–1886 (repr. 1964).

Biographie: J. C. Jordan, *Robert Greene* 1915.

Sekundärliteratur: R. Pruvost, *Robert Greene et ses romans 1558–1592* 1938. – W. Senn, *Studies in the dramatic construction of Robert Greene and George Peele* 1973.

Thom Gunn (geb. 1929)

Thom Gunn ist der Lyriker der Lederjacken, der Teddyboys, der Beatles-Generation, der Drogenabhängigen und der Homosexuellen. Er wird der Gruppe von Lyrikern zugerechnet, die in England insbesondere seit 1956, als Robert Conquest die Anthologie *New lines* herausbrachte, unter dem Namen The Movement bekannt wurde.

Thom Gunn wurde 1929 in Gravesend (Kent) geboren. Sein Vater war Journalist und wurde 1944 Herausgeber des *Evening standard*. 1948 bis 1950 leistete Thom Gunn seinen Wehrdienst ab, danach arbeitete er in der Pariser Métro, bis er sich entschloß, am Trinity College in Cambridge englische Literatur zu studieren. Zu den Lehrern, die ihn am meisten beeindruckten, gehörte F. R. Leavis. Nach Abschluß des Studiums ging er für kurze Zeit nach Rom; 1954 reiste er in die Vereinigten Staaten. Er lehrte in San Antonio, Texas, und an der University of California in Berkeley (1958–1964); die meiste Zeit widmete er jedoch seinen dichterischen Arbeiten, wobei er durch die Freundschaft mit Yvor Winters und J. V. Cunningham nachhaltig gefördert wurde.

Bereits sein erster Band, *Fighting terms* (1954), ließ die Kritiker und das Publikum aufhorchen: Gunn gehörte zu der jungen Generation, die sich weder durch den Ton der Eliotschen Dichtung noch durch den dionysisch-rauschhaften Stil der *New Apocalypse* beeindrucken ließ. Er artikulierte seine Beobachtungen, Erlebnisse und Reflexionen in einer harten, direkten, manchmal brutalen Diktion und in einer konzentrierten metrischen Form, die von → Donne und → Marvell, → Yeats und → Empson beeinflußt ist. Der zweite Band, *The sense of movement* (1957), geht stärker noch als der erste auf das alltägliche Leben der Protestgeneration ein. Gunn nimmt aber zugleich mit der Darstellung der Lederjacken Ideen des französischen Existentialismus in sein Werk auf. »On the move«, ein Gedicht, das die hektische Bewegung der Motorradfahrer in Kalifornien, ihre ungehemmte Selbstentfaltung schildert, ist der paradigmatische Ausdruck des Lebensgefühls dieser Generation.

In *My sad captains* (1961) läßt Gunn neben der rastlosen *vita activa* auch eine moderne *vita contemplativa* zur Geltung kommen. Gedichte wie das Titelgedicht »My sad captains« oder »The annihilation of nothing« zeigen, daß der Lyriker Gunn nicht in auswegloser Verzweiflung endete oder das Leben nur als ein absurdes Spiel betrachtete: Er bewunderte die unerschütterlichen, wenn auch vom Leid gezeichneten Heroen, die dem Chaos trotzen.

Mitte der sechziger Jahre kehrte Gunn vorübergehend nach London zurück und ließ sich durch die Hochstimmung mitreißen, die er dort bei den Jungen antraf. Diese Stimmung dauerte in Amerika an, wo er utopische Vorstellungen von einem erfüllten Leben des einzelnen wie der menschlichen Gemeinschaften entwickelte. Am nachdrücklichsten kommt diese Erlebnislage in dem Band *Moly* (1971) zum Ausdruck, dessen Titel an die Droge erinnert, die Odysseus von Hermes erhielt, um sich von Circe zu befreien. Thom Gunn selbst bemerkte: »Moly [LSD] can help us to know our own potential for change.«

Die Euphorie, die in *Moly* zum Ausdruck kommt, ging jedoch in den siebziger Jahren wieder verloren. So stehen in dem Band *Jack Straw's castle* (1976) neben der Darstellung orgiastischer Erlebnisse auch Gedichte, in denen von den destruktiven Kräften der Realität gesprochen wird. *The passages of joy* (1982) hat sozialgeschichtlichen Wert wegen seiner freimütigen Darstellung der Homosexualität; da Gunn sich in diesem Band einer sehr einfachen und direkten Sprache bedient, ist er wegen dieser Reduktion der künstlerischen Ausdrucksmittel auf Kritik gestoßen. Insgesamt gilt für diesen Lyriker: Er erreicht dann seine künstlerisch besten Leistungen, wenn er die vitale Energie, die sich in seinen Gedichten artikuliert, durch eine strenge und in ihrer Strenge zugleich elegante Formkunst bändigt. (E)

Hauptwerke: *Fighting terms* 1954. – *The sense of movement* 1957. – *My sad captains and other poems* 1961. – *Touch* 1967. – *The garden of the gods* 1968. – *The explorers* 1969. – *The fair in the woods* 1969. – *Sunlight* 1969. – *Moly* 1971. – *Songbook* 1973. – *Mandrakes* 1974. – *To the air* 1974. – *Jack Straw's castle* 1976. – *The missed beat* 1976. – *The passages of joy* 1982.

Bibliographie: J. W. C. Hagstrom und G. Bixby, *Thom Gunn. A bibliography, 1940–1978. With an introductory biographical essay by Thom Gunn* 1979.

Sekundärliteratur: A. Bold, *Thom Gunn and Ted Hughes* 1976. – I. Rückert, *The touch of sympathy. Philip Larkin und Thom Gunn. Zwei Beiträge zur englischen Gegenwartsdichtung* 1982.

Joseph Hall (1574–1656)

Für sich selbst beanspruchte Hall den Titel »first English satirist«, der ihm aber von der Nachwelt angesichts der langen Reihe bedeutender englischer Satiriker vor ihm verweigert wird. Dafür wurde der Vielschreiber wegen seines kraftvollen Prosastils bereits zu seinen Lebzeiten mit dem ehrenvollen Beinamen »our English Seneca« ausgezeichnet.

Hall wurde in Bristow Park, Ashby-de-la Zouch, als Sohn eines Deputy des Earl of Huntington geboren. Seine Mutter war eine strenggläubige Puritanerin. Vielleicht war dies der Grund für seine Toleranz als Bischof gegenüber dieser religiösen Bewegung, die ihm allerdings schlecht gelohnt wurde. Hall wurde in Cambridge ausgebildet, wo der brillante Student 1595 zum Fellow ernannt wurde und später noch mehrere akademische Grade verliehen bekam.

Seinen ersten spektakulären Erfolg erzielte Hall mit seiner am Vorbild Juvenals geschulten Satirensammlung *Virgidemiarum* (= Rutenbündel; Books I–II 1597, Books III–VI 1598). Mit diesen Satiren, in denen auch zeitgenössische Schriftsteller scharf angegriffen wurden, löste er nicht nur satirische Gegenangriffe vor allem von John → Marston aus, sondern begründete auch eine Mode satirischen Schreibens, die bald so überhand nahm, daß 1599 John Whitgift, der Erzbischof von Canterbury, als oberster Zensor die öffentliche Verbrennung dieser Satiren durch Henkershand anordnete und den Druck von Satiren verbot.

Um 1600 ließ Hall sich zum Priester weihen und übernahm

eine Pfarrstelle. Dort wandte er sich mit *Meditations and vows divine and moral* (1605) dem religiösen Prosaschrifttum zu. Ebenfalls 1605 veröffentlichte er anonym in Frankfurt die lateinisch geschriebene Utopie *Mundus alter et idem*, die vier Jahre später ins Englische übersetzt wurde. Anders als → More oder → Bacon entwarf Hall in seinem Werk kein utopisches Ideal, sondern geißelte in seinen Beschreibungen grotesk-phantastischer Gesellschaften Erscheinungen und Tendenzen seiner Zeit. In der Folgezeit produzierte Hall eine Fülle von zumeist umfangreichen Schriften der verschiedensten Genres, darunter Briefsteller für Pfarrer, Essays und Charakterskizzen. Mit seiner Sammlung *Characters of vertues and vices* (1608) führte er das theophrastische Charakterporträt in die englische Literatur ein, das vor allem im 17. Jahrhundert gepflegt wurde. Gleichzeitig machte er kirchliche Karriere. 1608 wurde er Hofkaplan von Prinz Heinrich, nahm an diplomatischen Missionen teil und übernahm im Auftrag von Jakob I. kirchenpolitische Aufgaben, bei denen er sich um Ausgleich und Versöhnung zwischen den Sekten und Konfessionen bemühte.

Durch die Verschärfung der konfessionellen Auseinandersetzungen wurde Hall aber auch zu theologischen Streitschriften angeregt. Obwohl er bei Hof und in der anglikanischen Hierarchie wegen seiner Toleranz gegenüber den Sekten als heimlicher Puritaner verdächtigt und bespitzelt wurde, erhob ihn Jakob I. 1627 zum Bischof von Exeter und 1641 zum Bischof von Norwich. In der Zeit vor dem Bürgerkrieg wurde Hall, der in einer Schrift die anglikanische Liturgie und Hierarchie verteidigt hatte, zur Zielscheibe von Attacken eines puritanischen Autorenkollektivs, das unter dem Namen Smectymnus publizierte. In die anschließende Kontroverse griff auch → Milton mit fünf Streitschriften ein, in denen er Hall und die übrigen Bischöfe scharf angriff. Unmittelbar vor Ausbruch des Bürgerkriegs gehörte Hall zu den dreizehn Bischöfen, die das puritanische Parlament absetzen und vor Gericht stellen wollte. Nach kurzem Gefängnisaufenthalt im Tower konnte er jedoch in seine Diözese zurückkehren, wo er allerdings schon bald von den Puritanern aus seinem Amt vertrieben wurde. Die letzten Jahre vor seinem Tod verbrachte Hall in einem kleinen Dorf, wo er sich völlig verarmt seinen Studien widmete.

Hall war ein äußerst vielseitiger Schriftsteller, der ein kaum überschaubares Werk, vor allem auf theologischem Gebiet, hinterließ. Er verfügte zwar über eine spitze satirische Feder, aber sein Umgang mit seinen oft fanatischen Gegnern war stets von Toleranz und Fairness geprägt. Seine literarische Bedeutung lag zum einen in der Einbürgerung oder Durchsetzung von literarischen Genres in England, wie z.B. der juvenalischen Satire, der phantastisch-grotesken Spielart der Utopie oder des theophrastischen Charakterporträts, zum anderen in seinem glänzenden, an Seneca geschulten Prosastil. An der Ablösung des ornamentalen, in kunstvollen Satzperioden dahinfließenden ciceronianischen Stils durch eine klare und einfache Prosa nach dem Vorbild Senecas im 17. Jahrhundert hatte Hall maßgeblichen Anteil. (W)

Hauptwerke: *Virgidemiarum* 1597/98. – *Mundus alter et idem* 1605.
Ausgaben: *The collected poems*, ed. A. Davenport 1949. – *Heaven upon earth and characters of vertues and vices*, ed. R. Kirk 1948.
Biographie: T. F. Kinloch, *The life and works of Joseph Hall 1574–1656* 1951.
Sekundärliteratur: A.-R. Glaap, *Bischof Halls Virgidemiarum als Imitatio Juvenals* 1960. – F. L. Huntley, *Bishop Joseph Hall 1574-1656. A biographical and critical study* 1979. – R. A McCabe, *Joseph Hall. A study in satire and meditation* 1982.

Thomas Hardy (1840–1928)

Der Wille zum sozialen Aufstieg, von der dominierenden Mutter durch Bücher und die Ermöglichung eines recht langen Schulbesuchs (1848–1856) gefördert, bestimmt die erste Lebenshälfte des Dorseter Steinmetzsohns. Eine Architektenlehre (1856–1860) legt hierfür den Grundstein, Wunschziel aber bleibt für Hardy der Geistlichenberuf. 1866 zerbricht der Traum aufgrund der Erkenntnis, daß ein Universitätsstudium ihm, dem Autodidakten, unmöglich ist. Die Erosion seines religiösen Glaubens durch die Lektüre der Werke Fouriers, Comtes, → Mills und Darwins tut ein übriges. Die Desillusion wird für Hardy – im Gegensatz zum Titelhelden seines autobiographisch fundierten Romans *Jude the obscure* – nicht zur zerstörenden Erfahrung, weil sich ihm während seiner Zeit in einem Londoner Architektenbüro (1862–1867) eine Alternative aufgetan hat: die Literatur. Er schreibt Gedichte, und eine erste journalistische Veröffentlichung (1865) rückt auch dieses Metier in den Bereich des Möglichen.

Die Unsicherheit über Beruf bzw. Berufung hält an. Hardy pendelt zwischen London und Dorset, zwischen Architektur und Literatur. Die Unsicherheit, welche auch die des Autodidakten ist, drückt sich in Inhalt und Form seiner Werke aus. Sie macht ihn in nicht unbeträchtlichem Maße vom Kritikerratschlag abhängig (und in späteren Zeiten solchem gegenüber sehr empfindlich). Er hat das Glück, daß sein nicht erhaltener erster Roman *The poor man and the lady* von so kompetenten Kritikern wie John Morley und George → Meredith begutachtet wird. Des letzteren Anregung, dem Handlungsaufbau größere Beachtung zu schenken, kommt er in *Desperate remedies* (1871), einer *sensation novel* in der Nachfolge von Wilkie Collins, allzu eilfertig nach. Das Kritikerlob für die Darstellung des Landlebens in diesem Roman führt ihn zu seinen Ursprüngen zurück und damit zum Erfolg.

Nunmehr gründet Hardy seine Romane in der eigenen Erfahrung und lokalisiert sie sozial und geographisch in der Landschaft, der er entstammt. Mit *Under the greenwood tree* und *Far from the madding crowd* bietet Hardy nicht nur eine realistische Beschreibung der Landschaft und Bewohner Dorsets und der umliegenden Grafschaften, er beginnt mit diesem Material auch ein Land zu entwerfen, dem er den altvertrauten Namen Wessex gibt. Es ist dies ein Land, das in Geschichte und Mythos wurzelt, in dem Emotionen elementar zum Ausbruch kommen und das von einem indifferenten Fatum beherrscht wird. Aus den nicht harmonisierbaren Spannungen, die zwischen den pastoralen, realistischen und mythisch-melodramatischen Visionen und Darstellungen von Wessex bestehen, bezieht das Romanwerk Hardys seine wirkungsvolle Dramatik.

Der kritische wie finanzielle Erfolg von *Far from the madding crowd* ermöglicht es Hardy zu heiraten (1874), seine Architektentätigkeit aufzugeben und sich dem Schriftstellerberuf zu verschreiben – der Eintrag ins Pfarregister bei der Hochzeit gibt erstmals als Beruf Autor an. In der Tat haben die Romane und zahlreichen Kurzgeschichten, die bis in die Mitte der neunziger Jahre entstehen, Hardy bis zu seinem Lebensende Wohlstand beschert. Die künstlerische Entwicklung ist nicht vergleichbar geradlinig. Der experimentelle Geist des letzten Jahrhundertdrittels, vor allem aber der Drang, seine autodidaktischen Grenzen zu überwinden und künstlerische Meisterschaft vielfältig zu beweisen, lassen Hardy immer wieder mit eingeschränktem Erfolg zu neuen Romantypen greifen. *The hand of*

Ethelberta (1876) etwa ist ein Sittenroman, in dem mit einigem Zynismus und einiger Künstlichkeit ein Bild der feinen und weniger feinen Gesellschaft gezeichnet wird. *The trumpet-major* (1880) beschreibt im Genre des historischen Romans die Zeit der napoleonischen Kriege und der englischen Invasionsfurcht. *A Laodicean* bürdet einer recht losen und melodramatischen Fabel eine schwere gedankliche Fracht auf, während *The well-beloved* (1897) eine erotische Phantasie reigenhaft arrangiert. Den Wessex-Romanen hingegen kommt der aus der Autodidaxe geborene Drang zugute. Literarische Anspielungen und Zitate sowie mythische Parallelen poetisieren den Einzelfall, den Hardy stets im Blick hat, verweben Realistisches und Archetypisches und konkretisieren die überindividuellen Schicksalsmächte: *The Mayor of Casterbridge* wird so zu Hardys radikalstem, wenn auch nicht umfassendstem tragischen Roman.

Die Düsterkeit und leidvolle Tragik von Hardys Romanen ist Ausdruck einer ureigenen Weltanschauung, welche durch die Lektüre Darwins, Schopenhauers und von Hartmanns abgesichert wird. Sie sieht das Individuum allseits kaum widerstehbaren Kräften biologischer, sozialer und metaphysischer Natur ausgesetzt. Vererbung und Charakter, Milieu und Natur, Zufall und Fatum machen die Menschen tendenziell zu Opfern – und zu Objekten eines gleichermaßen ironisch-distanzierten wie mitleidigen Erzählens. Wird Hardy alsbald und stereotyp ob seines düsteren Pessimismus gescholten – er selbst hält sich für einen Melioristen und trennt die Diagnose von der Prognose –, so ist seine realistische Drastik, seine vermeintliche Immoralität noch heftiger Zielpunkt der Kritik. Für die Magazinveröffentlichung in Fortsetzungen gilt nach wie vor das Lesen im Familienkreis als Maßstab des Erlaubten, und Hardy akzeptiert die Auflagen seiner Herausgeber und Verleger meist bereitwillig, um in den Buchausgaben die beanstandeten Stellen zu restaurieren. Was sich mit *The return of the native* und *Tess of the d'Urbervilles* (mit dem provokativen Untertitel *A pure woman*) anbahnt, entzündet sich an Hardys offener Diskussion der Sexualität, seiner scharfen, von eigener Erfahrung geprägten Analyse der Zwänge der Institution Ehe in *Jude the obscure*. Vom Sturm der Entrüstung überrascht und verletzt, wohl aber auch, um nun einem höheren künstlerischen Ziel zu folgen, entsagt Hardy Mitte der neunziger Jahre dem Romanschreiben und wendet sich der Dichtung zu. Die beträchtlichen Tantiemen aus dem Verkauf der Romane schaffen die materielle Basis für den Rückzug.

Die lyrische Dichtung umfaßt Werke aus mehr als sechzig Jahren. Sie ist ebenso einheitlich wie vielfältig, einheitlich in der Kunstauffassung und der Diktion, vielfältig in der Struktur; denn Hardys Gedichte sind stets Notate dessen, was ist, von konkreten Ereignissen, Objekten, Gefühlen (als solche bewegend in dem Quasiepitaph für sich, »Afterwards«, beschrieben). Diese werden in karger, der gesprochenen Sprache angenäherter Diktion wiedergegeben, in einer der Spezifik des Moments angemessenen Form. Deshalb wiederholt sich kaum eine Strophenform, sind die überkommenen lyrischen Genres in seinem Werk selten. Liegt hierin bereits ein Teil von Hardys Modernität, so ist diese auch darin begründet, daß Hardys lyrische Gegenstände, Natur oder Liebe oder Metaphysik, nicht in sich sinntragend sind. Er beschreibt ein »nonchalant universe«. Es sind die Beschreibungen und Reflexionen des Sprechers, die dem Gegenstand Sinn zuweisen, der somit als ein eingeschriebener erscheint (»The darkling thrush«, »Beyond the last lamp«). Dies bedeutet auch, daß aus Hardys Gedichten ebensowenig wie aus seinen Romanen ein konsistentes Gedankensystem gewonnen werden kann. Seine Auseinandersetzung mit den napoleonischen Kriegen in einem episch dimensionierten Drama bestätigt dies: *The dynasts* (1904–1908) bietet Interpretationen an, Möglichkeiten der Sinnstiftung, aber keine eine Antwort.

Rückwärtsgewandt in der Liebe zum Partikularen, der Zuwendung zur Natur, der Erinnerung der eigenen Vergangenheit, modern in der Nüchternheit der Sprache, der Weigerung, Sinn anders denn als subjektive literarische Tat zu begreifen, wird Hardy, der Repräsentant zweier Epochen, zur (literarischen) Institution. Er verfaßt seine Autobiographie in einer Form, die seine zweite Frau als Verfasserin ausweist, um selbst das Bild zu prägen, das der Nachwelt überliefert werden soll (1917/18). Derjenige, der nicht studieren konnte, erhält akademische Ehrengrade; dem Kritiker gesellschaftlicher Institutionen von ehedem stattet der Kronprinz einen Besuch ab. Der Körper des Steinmetzsohns erhält in Westminster Abbey eine Ruhestätte, eine Ehrung, die seit → Dickens' Tod 1870 keinem Romancier und seit → Tennysons Tod 1892 keinem Lyriker mehr zuteil geworden war. Sein Herz aber wird in Stinsford, Dorset, beigesetzt. (T)

Hauptwerke: *Under the greenwood tree* 1872. – *Far from the madding crowd* 1874. – *The return of the native* 1878. – *A Laodicean* 1881. – *The Mayor of Casterbridge* 1886. – *The woodlanders* 1887. – *A group of noble dames* 1891. – *Tess of the d'Urbervilles* 1891. – *Jude the obscure* 1896. – *Wessex poems* 1898. – *The dynasts* 1904–1908. – *Time's laughingstocks and other verses* 1909. – *Satires of circumstance* 1914. – *Moments of vision* 1917. – *Late lyrics and earlier* 1922. – *Winter words* 1928.

Bibliographien: R. L. Purdy, *Thomas Hardy. A bibliographical study* 1954. – H. E. Gerber und W. E. Davis, *Thomas Hardy. An annotated bibliography of writings about him*, 2 vols 1973–1983.

Ausgaben: *Wessex Edition*, 24 vols 1912–1931. – *The complete poetical works*, ed. S. Hynes, 3 vols 1982–1985. – *The collected letters*, ed. R. L. Purdy und M. Millgate 1978– . – *Personal writings*, ed. H. Orel 1969. – *The literary notebooks*, ed. L. A. Björk, 2 vols 1974–1985.

Übersetzungen: *Am grünen Rand der Welt*, übers. von P. Marginter 1984 (dtv). – *Der Bürgermeister von Casterbridge*, übers. von E. König 1985 (Reclam). – *Tess von den d'Urbervilles*, übers. von P. Baudisch 1979 (Reclam).

Biographien: F. E. Hardy, *The early life of Thomas Hardy 1840–1891* 1928. – Dies., *The later years of Thomas Hardy 1892–1928* 1930. – M. Millgate, *Thomas Hardy. A biography* 1982.

Sekundärliteratur: D. Cecil, *Hardy the novelist* 1943. – J. O. Bailey, *Thomas Hardy and the cosmic mind* 1956. – A. J. Guerard, *Thomas Hardy. The novels and stories* 1964. – J. H. Miller, *Thomas Hardy. Distance and desire* 1970. – J. O. Bailey, *The poetry of Thomas Hardy* 1970. – M. Millgate, *Thomas Hardy. His career as a novelist* 1971. – D. Kramer, *Thomas Hardy. The form of tragedy* 1975. – F. B. Pinion, *A Hardy companion* 1976. – J. Bayley, *An essay on Hardy* 1978. – R. Sumner, *Thomas Hardy. Psychological novelist* 1981. – J. B. Bullen, *The expressive eye. Fiction and perception in the work of Thomas Hardy* 1986.

William Hazlitt (1778–1830)

Hazlitt kam aus einem Elternhaus, das als liberal, im Verständnis der Zeit sogar als radikal zu gelten hat. Er hielt an diesem Erbe fest und blieb, fast als einziger unter den Romantikern, sein Leben lang ein »Radikaler«. Sein Vater, ein unitarischer Geistlicher, wanderte mit seiner Familie von Kent nach Amerika aus, kehrte aber enttäuscht zurück und ließ sich in Wem in Shropshire nieder. Dort wuchs Hazlitt in ländlicher Umgebung auf, der Natur hingegeben und weitgehend sich selbst überlassen. Er war zum Geistlichen bestimmt, doch der Aufenthalt in einem nonkonformistischen Seminar weckte in ihm wohl die Lust zur Spekulation, nicht aber die Neigung zum geistlichen Beruf.

Ursprünglich wollte Hazlitt, angeregt durch seinen unter Joshua Reynolds arbeitenden Bruder, Maler werden, entschied sich aber nach einer Begegnung mit → Coleridge, der ihn mit → Wordsworth bekannt machte, für die Literatur. Ein *Essay on the principles of human action* (1805), nicht eben tiefschürfend, war seine erste Veröffentlichung, der eine Replik auf Malthus und seine Lehre folgte (*A reply to the Essay on population* 1807). In einer Sammlung von Parlamentsreden mit Charakterskizzen der großen Redner (1807) deutete sich bereits seine Essayistik an, und in den *Memoirs of the late Thomas Holcroft* (1816), der ersten größeren Arbeit, seine Literaturkritik.

Bereits 1812 war Hazlitt (von den → Lambs verheiratet) nach London gegangen, wo er zunächst als Theaterkritiker, dann auch als Parlamentsreporter für *The morning chronicle* tätig war. Die Theaterkritiken erschienen gesammelt als *A view of the English stage* und bilden den zeitgenössischen Hintergrund für seine literaturkritischen Arbeiten zu den älteren Epochen der englischen Literatur. Diese bestehen aus vier Vorlesungsreihen, die Hazlitt in den typischen Bildungseinrichtungen der Zeit hielt. *Characters of Shakespear's plays*, *Lectures on the English poets*, *Lectures on the English comic writers* und *Lectures chiefly on the dramatic literature of the age of Elizabeth* folgten innerhalb weniger Jahre aufeinander. Darin setzte sich die von Lamb begonnene Arbeit fort. Hazlitt war weder Historiker noch Philologe (sein enger Bildungshorizont wurde ihm immer wieder zum Vorwurf gemacht), aber von genügend kritischer Sensibilität, um seinen Zuhörern literarische Phänomene, zum Teil unter Rückgriff auf zeitgenössische Arbeiten wie die A. W. Schlegels, vermitteln zu können. Unter Hazlitts Händen wurde der literarkritische Essay zur Kunstform, in der sich eine nur ihm eigene Fähigkeit zur Nachschöpfung manifestierte. Er gab der Literatur der Vergangenheit eine neue Präsenz.

Anders als die meisten seiner Freunde und Zeitgenossen war Hazlitt ausschließlich Essayist. Auch in der mehr traditionellen Form des »persönlichen« Essays ragt er hervor, und die besten seiner Essays stehen denen von Charles Lamb nicht nach. Seine erste Sammlung, die auch Beiträge von Leigh → Hunt einschloß, waren »essays on literature, men and manners«, die unter dem Titel *The round table* erschienen, und seine letzte Sammlung, *The plain speaker. Opinions on books, men and things*, repräsentiert weitgehend diesen Typus von Essay. Dazwischen lag eine Übersetzung von La Rochefoucauld, der ihm neben Montaigne von den Franzosen am nächsten stand. Was ihm indessen am besten gelang, waren die intellektuellen Porträts seiner Zeitgenossen, die *The spirit of the age* nicht nur zu seinem besten Buch machen, sondern Hazlitt auch zu einem herausragenden Zeugen der Zeit.

Sein persönliches Leben war zerrissen. Seine beiden Ehen waren unglücklich, und nicht weniger unglücklich eine Affäre mit einem jungen Mädchen, über die er in *Liber amoris* berichtete, einem Bekenntnis à la Rousseau, das nicht bei jedem Leser nur Mitgefühl hervorruft. Er war irritabel, in sich gekehrt und unausgeglichen, »ill-conditioned yet high-minded« in Virginia Woolfs Worten. Seine letzten Jahre brachte er, gegen seine intellektuelle Veranlagung und gegen seine eigentlichen Fähigkeiten, mit einer Biographie des von ihm verehrten Napoleon zu. Er starb, zweiundfünfzigjährig, an Krebs – im Glauben, ein glückliches Leben gelebt zu haben. (F)

Hauptwerke: *The round table. A collection of essays on literature, men and manners*, 2 vols 1817 (mit Leigh Hunt). – *Characters of Shakespear's plays* 1817. – *A view of the English stage, or a series of dramatic criticisms* 1818. – *Lectures on the English poets* 1818. – *Lectures on the English comic writers* 1819. – *Political essays* 1819. – *Lectures chiefly on the dramatic literature of the age of Elizabeth* 1820. – *Table-talk, or original essays*, 2 vols 1821/22. – *The spirit of the age, or contemporary portraits* 1825. – *The plain speaker. Opinions on books, men and things*, 2 vols 1826.

Bibliographien: G. L. Keynes, *Bibliography of Hazlitt* 1931 (repr. 1982). – J. A. Houck, *William Hazlitt. A reference guide* 1977.

Ausgaben: *Complete works*, ed. P. P. Howe, 21 vols 1930–1934. – *The letters*, ed. H. M. Sikes, W. H. Bonner und G. Lahey 1978.

Biographien: H. Baker, *William Hazlitt* 1962. – R. M. Wardle, *Hazlitt* 1971.

Sekundärliteratur: E. Schneider, *The aesthetics of William Hazlitt* 1952 (repr. 1969). – R. Park, *Hazlitt and the spirit of the age. Abstraction and critical theory* 1971. – J. Kinnaird, *William Hazlitt. Critic of power* 1978. – J. L. Mahoney, *The logic of passion. The literary criticism of William Hazlitt* 1981. – D. Bromwich, *Hazlitt. The mind of a critic* 1983.

George Herbert (1593–1633)

Herbert ist der bedeutendste religiöse Lyriker Englands. Er entstammte einer englisch-walisischen Adelsfamilie. Seine hochgebildete und fromme Mutter, die zum Freundeskreis John → Donnes zählte, bestimmte Herbert schon früh zum Priestertum. Der Dichter, Historiker und Philosoph Herbert of Cherbury und der Master of the Revels Sir Henry Herbert waren seine Brüder. George Herbert studierte mit glänzendem Erfolg in Cambridge, wo er bereits mit siebzehn Jahren in seinem ersten Sonett gelobte, seine dichterische Begabung ausschließlich in den Dienst der Religion zu stellen, ein Versprechen, das er hielt. Er schwankte lange Zeit zwischen dem Ideal eines zurückgezogenen geistlichen Lebens und einer akademischen oder politischen Karriere, zu der ihn sein Ehrgeiz trieb. 1619 ernannte ihn Jakob I. zum University Orator, ein Amt, das als Sprungbrett für eine Staatskarriere galt. 1625 zog sich Herbert aus der Öffentlichkeit zurück. Nach heftigen inneren Kämpfen verzichtete er schließlich auf eine weltliche Karriere und ließ sich 1630 zum anglikanischen Priester ordinieren.

Während der letzten drei Jahre seines Lebens versah er die Pfarrstelle von Bemerton in Wiltshire, wo er sich mit Eifer der Seelsorge widmete. Von seinem Sterbebett aus sandte er das Manuskript seiner Gedichtsammlung *The temple* an seinen Freund Nicholas Ferrar, den Gründer der anglikanischen Gemeinschaft von Little Gidding, der es noch in Herberts Todesjahr mit außerordentlichem Erfolg herausgab. Stilistisch wird Herbert den *metaphysical poets* zugerechnet, und seine Gedichte zeigen deutlich den Einfluß Donnes. Er unterscheidet sich jedoch von diesem durch eine weniger esoterische Bildersprache und durch ein filigranes Formenspiel, das vom *pun* bis zum Figurengedicht alle traditionellen Formelemente einbezieht.

Seine Gedichte sind bei aller Einfachheit der Bilder und gedrängten Kürze überaus kunstvoll ziselierte Sprachwerke, deren ästhetische Form zur Meditation hinführen soll. Ähnlich wie Donne gestaltet auch Herbert vielfach spirituelle Konflikte, die jedoch nie in der Verzweiflung oder im Bewußtsein der Sündhaftigkeit enden, sondern immer, wie es auch der erbaulich-didaktischen Intention seiner Gedichte entspricht, im Hinweis auf die Gotteskindschaft gelöst werden. *The temple* ist ein sorgfältig komponierter Gedichtband, dessen Aufbau vom Kirchenjahr, von der kirchlichen Gemeinschaft und von den verschiedensten Erfahrungen des geistlichen Lebens bestimmt ist. Seine tiefe Religiosität, seine präzise Darstellung komplexer Empfindungen und sein lyrisch-musikalisches Sprachgefühl gewannen ihm durch die Jahrhunderte zahlreiche Leser über alle konfessionellen und weltanschaulichen Grenzen hinweg. Der strenge Puritaner Richard Baxter urteilte über Herberts Dichtung: »Herbert speaks to God like one that really believeth a God, and whose business in the world is most with God.« Aldous Huxley nannte ihn »the poet of inner weather«. (W)

Hauptwerk: *The temple* 1633.
Bibliographie: J.R. Roberts, *George Herbert. An annotated bibliography of modern criticism 1905–1974* 1978.
Ausgabe: *The works*, ed. F.E. Hutchinson 1941.
Biographie: A.M. Charles, *A life of George Herbert* 1977.
Sekundärliteratur: J.H. Summers, *George Herbert. His religion and art* 1954. – A. Stein, *George Herbert's lyrics* 1968. – M. Taylor, *The soul in paraphrase. George Herbert's poetics* 1974. – H. Vendler, *The poetry of George Herbert* 1975. – *Too rich to clothe the sunne. Essays on George Herbert*, ed. C.J. Summers und T.-L. Pebworth 1980. – D. Benet, *Secretary of praise. The poetic vocation of George Herbert* 1984.

Robert Herrick (1591–1674)

Der Sohn eines Londoner Goldschmieds studierte in Cambridge, wo er 1620 den Magister erwarb. Danach ließ er sich als Geistlicher ordinieren und zog 1627 als Armeekaplan mit einer Militärexpedition nach Frankreich. Nach seiner Rückkehr erhielt er die Pfarrstelle Dean Prior in Devonshire, aus der ihn die Puritaner nach ihrem Sieg vertrieben. Zurück in London, lebte er dort von der Unterstützung durch Freunde. Erst nach der Restauration erhielt er seine alte Pfarrstelle wieder, die er bis zu seinem Tode versah.

Herrick gehörte zum Kreis um Ben →Jonson, und seine Gedichte verraten in ihrer epigrammatischen Kürze und in ihrem *plain style* dessen starken Einfluß. In seinen weltlichen Gedichten verschmolz Herrick die anakreontische Tradition mit der Schilderung des englischen Landlebens. Er ist unerschöpflich in der prägnanten Darstellung ländlicher Szenen, festlicher Stimmungen und vorübergehender Augenblicke. Auf engstem Raum entwirft er eine Welt ländlicher Festesfreude und harmloser Verliebtheit. Im Gegensatz zu → Donne oder den *Cavalier Poets*, zu denen er zumeist gerechnet wird, spielt in seinen Gedichten weder die Liebe als tiefe persönliche Erfahrung noch die Sexualität eine Rolle. Mit seinen über 1500 Gedichten, unter denen die religiösen eine geringere Bedeutung haben, ist Herrick der bedeutendste englische Lyriker der anakreontischen Tradition. (W)

Hauptwerk: *Hesperides. Or, the works both humane & divine* 1648.
Bibliographien: M. M. Kerr, *A bibliography of Herrick* 1936. – S. A. und D. R. Tannenbaum, *Robert Herrick. A concise bibliography*, Elizabethan bibliographies 1949 (repr. 1967). – G. R. Guffey, *Robert Herrick 1949–1965*, Elizabethan bibliographies supplements III 1968.
Ausgaben: *Poetical works*, ed. L. C. Martin 1956. – *The complete poetry*, ed. J. M. Patrick 1963.
Biographie: G. W. Scott, *Robert Herrick 1591–1674* 1974.
Sekundärliteratur: R. H. Deming, *Ceremony and art. Robert Herrick's poetry* 1974. – A. L. Deneef, *›This poetick liturgy‹. Robert Herrick's ceremonial mode* 1974. – *Trust to good verses. Herrick tercentenary essays*, ed. R. B. Bollin und J. M. Patrick 1977.

Thomas Heywood (1573–1641)

Heywood war wohl der produktivste Dramatiker seiner Zeit. Aus einer wohlhabenden Familie aus Lincolnshire stammend, studierte er in Cambridge und tauchte ab 1596 in London auf, wo er als Dramatiker und Schauspieler der Admiral's Men bald erste Erfolge hatte. Später bei verschiedenen Truppen als Schauspieler tätig, schrieb Heywood 35 Jahre lang unermüdlich Stükke. Er behauptete von sich, an 220 Stücken mit »an entire hand in or at least a main finger« beteiligt gewesen zu sein. Acht Jahre lang verfaßte er auch das Programm für die Festzüge *(pageants)* der Stadt London. Daneben veröffentlichte er umfangreiche, aber wenig bedeutende Dichtungen über die englischen Könige, berühmte Frauen sowie die Hierarchie der Engel und verfaßte Pamphlete und Übersetzungen. Gegen die Angriffe der Puritaner schrieb er eine Verteidigung des Theaters, *An apology for actors*.

Unter seinen über zwanzig erhaltenen Stücken sind *chronicle plays*, romantische Komödien, Sittenkomödien, mythologische Dramen und *domestic tragedies* vertreten. Seiner Bildung nach zählte Heywood zu den *University Wits*, von denen er sich jedoch durch seine betont bürgerliche Gesinnung unterschied. Seine Stücke sind zumeist episodisch locker gebaut und vereinigen eine Fülle von Figuren aller Stände. Sein Meisterstück ist *A woman killed with kindness*, durch das die sentimentale bürgerliche Tragödie etabliert wurde. Gegen den adeligen Rachekodex geschrieben, wird in diesem Stück der Ehebruch einer Frau vom Ehemann nicht durch Tod vergolten, sondern durch Verbannung und Selbstbestrafung gesühnt, an deren Ende Vergebung und Versöhnung stehen. In seinen anderen Stücken dramatisierte Heywood vorzugsweise historische oder pseudo-historische Episoden, die mit farcenhaften Elementen angereichert und mit patriotischem Pathos präsentiert werden. Zusammen mit → Dekker war er der erfolgreichste unter den populären, für den bürgerlichen Geschmack schreibenden Dramatikern seiner Zeit. (W)

Hauptwerke: *A woman killed with kindness* 1607. – *The fair maid of the west* 1631. – *The English traveller* 1633.

Bibliographien: A. M. Clark, *A bibliography of Thomas Heywood*, in *Proceedings of the Oxford Bibliographical Society* 1 (1925). – S. A. Tannenbaum, *Thomas Heywood*, Elizabethan bibliographies 1939 (repr. 1967). – D. Donovan, *Thomas Heywood 1938–1965*, Elizabethan bibliographies supplements II (1967).

Ausgabe: *The dramatic works*, ed. R. H. Shepherd, 6 vols 1874 (repr. 1964).

Biographie: A. M. Clark, *Thomas Heywood. Playwright and miscellanist* 1931 (repr. 1967).

Sekundärliteratur: F. M. Velte, *The burgeois elements in the dramas of Thomas Heywood* 1922 (repr. 1966). – O. Cromwell, *Thomas Heywood. A study in the Elizabethan drama of everyday life* 1928 (repr. 1969). – F. S. Boas, *Thomas Heywood* 1950. – M. Grivelet, *Thomas Heywood et le drame domestique Elisabéthain* 1957.

Thomas Hobbes (1588–1679)

Der Philosoph, der seine Thesen im Widerspruch zu den herrschenden religiösen und gesellschaftlichen Überzeugungen seiner Zeit entwickelte, war der Sohn eines Landpfarrers aus Wiltshire. Nach Abschluß seines Studiums in Oxford wurde er Tutor von William Cavendish, dem späteren Earl von Devonshire, mit dem er den Kontinent bereiste. Später diente er für kurze Zeit Bacon als Sekretär. Ab 1628 begann er mit der Abfassung von philosophischen Studien, in denen er seine materialistischen und mechanistischen Thesen entwickelte. 1640 floh Hobbes nach Paris, wo er elf Jahre verbrachte, u.a. als Tutor von Prinz Karl, dem späteren Karl II. Im Exil des Antiklerikalismus, Materialismus und Atheismus verdächtigt, kehrte er 1651 nach London zurück, wo er sich mit dem Cromwell-Regime aussöhnte und seine philosophischen Studien fortsetzte. Nach der Restauration erhielt er eine Pension. Hobbes war mit den meisten Dichtern und Gelehrten seiner Zeit befreundet, die seine hohe Bildung und seinen Witz schätzten. Noch im Alter von 80 Jahren vollendete er eine Versübersetzung der homerischen Epen.

Sein Hauptwerk, *Leviathan, or the matter, forme, and power of a commonwealth*, ein staatsphilosophischer Traktat, wurde 1651 veröffentlicht und erregte sofort einen Sturm der Entrüstung. Seine politischen Thesen basieren auf einem mechanistischen und materialistischen Menschenbild und auf einer rein materialistischen Weltvorstellung. Den Menschen versteht er lediglich als Mechanismus inmitten eines nur aus Materie bestehenden Universums. Hobbes bekennt sich zu einem absolutistischen Staat und verwirft freiheitliche Gesellschaftssysteme mit der Begründung, daß nur durch das notwendige Übel autoritärer Regierungsformen der Kampf aller gegen alle vermieden werden könne, eine These, die Monarchisten und Puritanern gleichermaßen mißfiel.

Bedeutenden Einfluß hatten Hobbes' dichtungstheoretische Thesen, die er in *Answer to Sir William Davenant's preface before Gondibert* und im ersten Teil von *Leviathan* formulierte, auf die Entwicklung der klassizistischen Literaturtheorie. Wichtige poetologische Begriffe wie *fancy, judgement* und *wit* werden von ihm konsequent aus einer materialistischen Erkenntnistheorie entwickelt, und die literarischen Gattungen werden in Entstehung und Funktion den verschiedenen gesellschaftlichen Klassen zugeordnet. Hobbes, dem die »Aristotelity« der Universität bereits als Student mißfallen hatte, war der konsequenteste Gegner aller philosophischen Strömungen der Renaissance, des Aristotelismus, des Neoplatonismus und des Neostoizismus. So wie → Miltons Dichtungen, in denen sich humanistisches und reformatorisches Gedankengut noch einmal enzyklopädisch versammelten, das Ende der Renaissance anzeigen, so markierte, freilich in ganz anderer Weise, auch die

Philosophie seines Zeitgenossen Hobbes die endgültige Ablösung des Menschen- und Weltbildes der Renaissance. (W)

Hauptwerke: *Leviathan. Or the matter, forme, and power of a commonwealth* 1651. – *Answer to Sir William Davenant's preface before Gondibert* 1650.

Bibliographien: H. Macdonald und M. Hargreaves, *Thomas Hobbes. A bibliography* 1952. – C. H. Hinnant, *Thomas Hobbes. A reference guide* 1980.

Ausgaben: *Opera philosophica quae Latine scripsit*, ed. W. Molesworth, 5 vols 1839–1845 (repr. 1961). – *The English works*, ed. W. Molesworth, 11 vols 1839–1845.

Übersetzungen: *Leviathan, I und II*, übers. von J. P. Mayer, Nachwort von M. Diesselhorst 1970 (Reclam). – *Leviathan*, übers. von W. Euchner, hrsg. von I. Fetcher 1984 (Suhrkamp). – *Naturrecht und allgemeines Staatsrecht in den Anfangsgründen*, hrsg. von F. Tönnies (1926), Vorwort von A. Kaufmann (1983, Wiss. Buchgesellschaft). – *Vom Körper. Elemente der Philosophie I*, ausgewählt und übers. von M. Frischeisen-Köhler 1968 (Meiner). – *Vom Menschen - Vom Bürger. Elemente der Philosophie II und III*, hrsg. von G. Gawlick (1966) 1977 (Meiner).

Biographie: T. E. Jessop, *Thomas Hobbes* 1960.

Sekundärliteratur: C. De W. Thorpe, *The aesthetic theory of Thomas Hobbes* 1940 (repr. 1964). – S. J. Mintz, *The hunting of Leviathan. Seventeenth century reactions to the materialism and moral philosophy of Thomas Hobbes* 1962. – J. W. N. Watkins, *Hobbes's system of ideas. A study in the political significance of philosophical theories* 1965. – F. C. Hood, *The divine politics of Thomas Hobbes. An interpretation of Leviathan* 1964. – *Hobbes studies*, ed. K. C. Brown 1965. – F. S. McNeilly, *The anatomy of Leviathan* 1968. – D. P. Gauthier, *The logic of Leviathan. The moral and political theory of Thomas Hobbes* 1969. – T. A. Spragens, Jr., *The politics of motion. The world of Thomas Hobbes* 1973. – D. D. Raphael, *Hobbes. Morals and politics* 1977. – M. M. Reik, *The golden lands of Thomas Hobbes* 1977.

Gerard Manley Hopkins (1844–1889)

Sowohl die künstlerische wie die religiöse Neigung sind Hopkins in die Wiege gelegt worden. Der Vater, ein wohlhabender Versicherungskaufmann, verfaßt Gedichte, einen Roman sowie Lyrikbesprechungen für die *Times*; die ganze Familie vertritt aktiv einen moderaten hochanglikanischen Standpunkt; seine älteste Schwester tritt in einen anglikanischen Orden ein. Seine glänzenden intellektuellen Gaben lassen die Konversion des Oxforder Studenten zum Katholizismus (1866) als ein Resultat der Logik und Dialektik erscheinen: »I can hardly believe anyone ever became a Catholic because two and two make four more fully than I have.« Dies um so mehr, als er sich des Einflusses seiner herausragenden Tutoren zu erwehren hat, unter ihnen Benjamin Jowett, der führende Vertreter der liberalen Broad Church-Bewegung, der Hegelianer T. H. Green und der zukünftige Verkünder einer Ästhetenkultur, Walter → Pater. Seine bereits in der Schulzeit sichtbar werdende Neigung zur Askese führt ihn in den Jesuitenorden und dessen elitäre Außenseiterposition im spätviktorianischen England. 1870 legt er anschließend an das Noviziat die Gelübde ab, 1877 wird er zum Priester geweiht.

Schon der Schüler beginnt zu dichten. »The Escorial« gewinnt 1860 den Schulpreis und belegt bereits Hopkins' von → Ruskin beeinflußte, genaue Beobachtung der Architektur und Naturdinge (von der die späteren Beschreibungen und Skizzenzeichnungen in seinem Journal 1866 bis 1875 weiteres Zeugnis ablegen). Die Konversion zum Katholizismus veranlaßt Hopkins – als Askeseübung wie auch um der Versuchung des Ruhms zu entgehen –, dem Dichten zu entsagen und 1868 die eigenen Gedichte zu verbrennen. Trotz dieses »slaughter of the innocents« ist jedoch genug erhalten, um die stilistische Vielfalt der in Oxford seit 1863 entstandenen Gedichte sichtbar werden zu lassen: → Shakespeare, George → Herbert, → Keats und die → Rossettis werden von dem Studenten mehr als kompetent nachgeahmt, Ballade und Sonett erprobt. Als ihn 1875 nach mehr als siebenjährigem Schweigen ein Ordensoberer von seinem Entsagungsversprechen entbindet, entsteht mit »The wreck of the *Deutschland*« ein Werk sui generis und von beklemmender Gewalt. Es vereinigt spirituelle Autobiographie, Religionsgeschichte und Märtyrerpreis in einem komplex konstruierten Artefakt von hoher sprachlicher, syntaktischer und metrischer Kühnheit. In den Jahren des Schweigens hat Hopkins das Ruskinsche Interesse am Partikularen in seine sakramentale Sicht der Welt eingegliedert und die viktorianische Dichotomie von Subjekt und Objekt durch seine Konzepte von *inscape* (Ingestalt) und *instress* (Inkraft) überwunden. Diese besagen, daß in einer Welt, die Gottes Schöpfung ist, jedem Ding eine eigene Formkraft innewohnt, die seine Individualität sichert und dadurch ermöglicht, daß es den Betrachter – im

Wortsinne – beeindruckt. (Als Hopkins 1872 die Werke des mittelalterlichen Scholastikers Duns Scotus liest, findet er in dessen Ausführungen zur *haeccitas* der Dinge die philosophische Autorität für seine Gedanken.)

In dieser Weltsicht sind Form und Thematik von Hopkins' Werk begründet. Die Natur kann, ja muß in aller Ruskinschen Partikularität betrachtet und beschrieben werden, sollen Wolken, Wasser, Pflanzen und Tiere ihre Gestalt sinnlich manifestieren, dem Betrachter mitteilen und somit als Hieroglyphen Gottes erkennbar werden. Natur und Religion sind so die zentralen Themen von Hopkins' Dichtung (während Gesellschaftliches, trotz des *red letter* vom 2. August 1871 an Bridges, in dem Hopkins sich als Kommunist bezeichnet, trotz eines Sonetts wie »Tom's garland: upon the unemployed«, weitgehend außer acht bleibt). Gott, den Logos, zu enthüllen, können die Wörter, die *logoi*, in der gefallenen Welt aber nur anstreben, nie erreichen. Hopkins bricht Semantik, Syntax und Metrik auf, um die Sprache zu einem Instrument solchen Strebens zu machen. Neuartige Komposita, Nominalhäufungen, eine kühne Metaphorik, aber auch Elemente des Umgangssprachlichen, freie Wortstellung und ein nur Betonungen, nicht Silben zählendes Metrum (»sprung rhythm«) charakterisieren seinen Individualstil, erzeugen Mehrdeutigkeit und Dunkelheit.

Infolge der schwierigen Neuartigkeit von »The wreck of the *Deutschland*«, für das ein Schiffbruch und der heroische Tod von fünf aus Deutschland exilierten franziskanischen Nonnen unmittelbaren Stoff und Anlaß liefern, zieht der Herausgeber der Jesuitenzeitschrift *The month* die Abdruckzusage zurück. Dies und seine zweifelbeladene Einstellung zur eigenen Dichtertätigkeit sind die Ursachen dafür, daß Hopkins von weiteren Veröffentlichungsbemühungen Abstand nimmt. Er teilt seine Gedichte nur drei Freunden mit, dem Studienfreund und späteren *poeta laureatus* Robert Bridges sowie den christlichen Dichtern Richard Watson Dixon und Coventry Patmore, mit denen er auch einen literarkritischen Briefwechsel pflegt. (Insbesondere dank Bridges' Bewahrung von Manuskripten und Abschriften bleibt Hopkins' Werk der Nachwelt erhalten.)

Die Zweifel an der Angemessenheit des eigenen Dichtens sind es wohl auch, die Dichtung nur sporadisch entstehen lassen, dann freilich in expressiven Schüben. Sein Theologiat im Jesuitenkloster St. Bueno in Nordwales, an dem Hopkins wohl die glücklichste Zeit seines Lebens verbringt (1874–1877), gipfelt

1877 in der Entstehung grandios-hymnischer Sonette des Welt- und Gottespreises (unter ihnen »God's grandeur«, »Pied beauty« und »The windhover«). Seine geistige Isolation, sein Gefühl des Ungenügens als Professor für Griechisch am University College Dublin – wegen seiner Skrupulosität und seines Unvermögens, sich den Bedürfnissen seines Publikums anzupassen, war Hopkins in all seinen verschiedenen Stellungen als Lehrer, Prediger und Seelsorger meist ebenso erfolglos wie unglücklich – äußern sich in den sechs »terrible sonnets« des Jahres 1885 (unter ihnen »Carrion comfort«), in denen Verzweiflung und Gottverlassenheit selbstquälerisch analysierend dargestellt sind.

Hopkins' Werk ist, als er 1889 an Typhus stirbt, an Umfang gering. Erst 1918 hält Robert Bridges die Zeit für reif, die kühnen Formexperimente seines Freundes gesammelt zu veröffentlichen. Daß Hopkins unverzüglich für die Moderne beansprucht wurde, sollte nicht übersehen lassen, daß sich in den Inhalten, in der Lust am Partikularen, in der sakramentalen Weltsicht, in der Vorliebe für das Sonett (um mit seiner strengen Hilfe den Überschwang zu bändigen) Viktorianisches unentstellt zu erkennen gibt. (T)

Hauptwerke: *Poems*, ed. R. Bridges 1918.

Bibliographie: T. Dunne, *Gerard Manley Hopkins. A comprehensive bibliography* 1976.

Ausgaben: *The poems*, ed. W. H. Gardner und N. H. Mackenzie 1967. – *The letters of Gerard Manley Hopkins to Robert Bridges*, ed. C. C. Abbott 1955. – *The correspondence of Gerard Manley Hopkins and Richard Watson Dixon*, ed. C. C. Abbott 1955. – *The journals and papers*, ed. H. House und G. Storey 1959. – *The sermons and devotional writings*, ed. C. Devlin 1959.

Übersetzung: *Gedichte* (englisch-deutsch), übers. von U. Clemen und F. Kemp 1973 (Reclam).

Biographien: A. Thomas, *Hopkins the Jesuit* 1969. – B. Bergonzi, *Gerard Manley Hopkins* 1977.

Sekundärliteratur: W. H. Gardner, *Gerard Manley Hopkins (1844–1889)*, 2 vols 1944–1949. – D. A. Downes, *Gerard Manley Hopkins. A study of his Ignatian spirit* 1960. – T. K. Bender, *Gerard Manley Hopkins. The classical background and critical reception of his work* 1966. – E. W. Schneider, *The dragon in the gate. Studies in the poetry of Gerard Manley Hopkins* 1968. – H. W. Ludwig, *Barbarous in beauty. Studien zum Vers in Gerard Manley Hopkins' Sonetten* 1972. – P. Milward und R. V. Schoder, *Landscape and inscape. Vision and inspiration in Hopkins' poetry* 1975. – J. Robinson, *In extremity. A study of Gerard Manley Hopkins* 1978. – M. Sprinker, *A counterpoint of dissonance.*

The aesthetics and poetry of Gerard Manley Hopkins 1980. – W. J. Ong, *Hopkins, the self, and God* 1986.

Henry Howard, Earl of Surrey (1517–1547)

Die Familie der Howards zählte zu den vornehmsten des englischen Hochadels, und Henry Howard machte am Hof Heinrichs VIII., solange der König mit Howards Cousine Katherine verheiratet war, eine glänzende Karriere als Diplomat und militärischer Befehlshaber. Bei der Niederschlagung von Rebellionen und auf Feldzügen in Frankreich zeichnete er sich mehrfach aus. Von unruhigem Temperament, saß er wegen Erregung öffentlichen Ärgernisses allerdings auch mehrfach im Gefängnis. Nach der Niederlage des englischen Heeres bei Etienne unter seinem Kommando wurde ihm auf Betreiben der Seymour-Clique am Hofe der Prozeß gemacht, der mit seiner Verurteilung und Hinrichtung endete.

Mit dem älteren Sir Thomas → Wyatt wird Howard zu den *courtly makers* gezählt, höfischen Dichtern, die die englische Dichtung im humanistischen Sinne erneuerten. Wie Wyatt orientierte er sich an der italienischen Dichtung, insbesondere an Petrarca. Die italienische Sonettform gestaltete er dabei zum sogenannten Shakespeare-Sonett um, das aus drei Quartetten und einem Reimpaar besteht. Für seine Übersetzung des dritten und vierten Buches der *Aeneis* verwendete er zum ersten Mal in der englischen Literatur den Blankvers. Seine Lyrik erschien zusammen mit den Gedichten anderer *courtly makers* in *Tottel's miscellany* (1557) im Druck und wirkte vorbildlich auf spätere Generationen. Gegenüber Wyatt gilt Howard als der rhetorisch elegantere und metrisch gefälligere Lyriker, weshalb er von klassizistisch orientierten Literaturkritikern mehr geschätzt wurde als Wyatt, der ihn allerdings an dichterischer Originalität übertraf. (W)

Ausgabe: *The poems*, ed. F. M. Padelford 1928.
Biographie: E. Casady, *Henry Howard, Earl of Surrey* 1948.
Sekundärliteratur: J. M. Berdan, *Early Tudor poetry* 1920. – H. A. Mason, *Humanism and poetry in the early Tudor period* 1959.

Ted Hughes (geb. 1930)

Von allen Lyrikern, die seit den fünfziger Jahren die Entwicklung der englischen Dichtung bestimmten, ist Ted Hughes der originellste und bedeutendste. Er wurde 1930 in Mytholmroyd (West-Yorkshire) geboren. Die Landschaft, in der er groß wurde – von seinem siebten Lebensjahr an lebte er in Süd-Yorkshire – übte einen nachhaltigen Eindruck auf ihn aus. Nach seiner Schulzeit und dem Militärdienst bei der Royal Air Force studierte er in Cambridge zunächst englische Literatur, später Archäologie und Anthropologie. Dann arbeitete er ein paar Jahre lang als Gärtner, Lehrer, Zoowärter, bis er schließlich eine Stelle als Lektor bei den Pinewood Film Studios fand. 1956 heiratete er die amerikanische Lyrikerin Sylvia Plath, die damals in Cambridge studierte. Von 1957 bis 1959 hielten sie sich in Amerika auf, wo Ted Hughes vorübergehend an der University of Massachusetts unterrichtete. Im Dezember 1959 kehrte er zusammen mit Sylvia Plath nach England zurück. Nach der Geburt zweier Kinder kam es zu einer Ehekrise, sie trennten sich. Bevor es jedoch zur Scheidung kam, beging Sylvia Plath im Februar 1963 in London Selbstmord.

Hughes erlangte bereits mit seinem ersten Band, *The hawk in the rain* (1957), internationales Ansehen. Er bevorzugt die Form des Tiergedichtes; allerdings liegt eine weite Spanne zwischen »The horses«, einem Gedicht, in dem er das Wesen der Tiere zu erfassen versucht, und »The thought-fox«, in dem er den Prozeß der Entstehung eines Gedichtes mit dem Weg des Fuchses durch eine Schneelandschaft in Verbindung bringt. Sein zweiter Band, *Lupercal* (1960), zerstört alle Formeln romantisierend-sentimentaler Lyrik, um das Verhalten der Menschen zu den Tieren zu charakterisieren.

In *Wodwo* (1967), dessen Titel *Sir Gawain and the green knight* entnommen ist und soviel wie »Waldgeist« bedeutet, kommen Hughes' Studien im Bereich der Mythologie, der Völkerkunde und der okkulten Wissenschaft, auch seine Lektüre von Robert Graves' *The white goddess* (1948) zur Geltung. An künstlerischer Qualität und formaler Geschlossenheit wird dieser Band von *Crow. From the life and songs of the crow* (1970) übertroffen. Crow ist eine Tricksterfigur; er ist Gott, Widersacher Gottes, Dämon und Tier in einem. In seiner Brutalität erinnert Crow an Gestalten aus *King Lear* und Senecas *Ödipus*, einer Tragödie, die Hughes zuvor bearbeitet hatte. Die Gedichtsammlung gleicht weithin einer Anti-Theodizee, in der sich erst gegen Ende ein elementares Vertrauen auf die Lebenskraft bemerkbar macht.

Gaudete (1977), ein Band, in dem Prosa und Poesie miteinander gemischt sind, hat eine erzählerische Grundstruktur. Es wird berichtet von dem anglikanischen Pfarrer Nicholas Lumb, der von Geistern entführt und gegen einen Doppelgänger eingetauscht wird. Lumb taucht später als Wanderer durch West-Irland wieder auf, der – im Epilog – Lieder zu Ehren der Muttergottheit singt. In *Cave birds* (1975) verarbeitete Hughes erneut mythische Elemente, während er in *Remains of Elmet* (1979) nach Photographien von Fay Godwin arbeitete, die die Landschaften in Yorkshire festhalten. Ein besonderer Platz gebührt den Bänden *Moortown* (1979) und *River* (1983), insofern sie den dauerhaften Aspekt der Natur, ihre regenerierende Kraft, thematisch in den Mittelpunkt rücken. In *Moortown* berichtet Hughes von alltäglichen Erlebnissen auf der Farm seines Schwiegervaters aus der zweiten, 1970 mit Carol Orchard geschlossenen Ehe; in *River* schildert er aus verschiedenen Perspektiven die Erscheinungsformen eines Flusses. Die Spannweite des Lyrikers Ted Hughes läßt sich am besten an zwei Zitaten ablesen. Heißt es in »Hawk roosting« (aus *Lupercal*): »I kill where I please«, so liest man nun in »Salmon eggs« (aus *River*): »*Only birth matters* / Say the river's whorls.« 1984 wurde Ted Hughes zum Poeta laureatus ernannt, für viele, die nur sein Frühwerk kennen, eine Überraschung; von seinem künstlerischen Rang her eine gerechtfertigte Wahl. (E)

Hauptwerke: *The hawk in the rain* 1957. – *Lupercal* 1960. – *Wodwo* 1967. – *Crow. From the life and songs of the crow* (1970) 1972. – *Crow wakes* 1971. – *Eat crow* 1971. – *Cave birds* 1975. – *Gaudete* 1977. – *Moortown* 1979. – *Remains of Elmet* 1979. – *Under the north star* 1981. – *River* 1983. – *Flowers and insects. Some birds and a pair of spiders* 1986.

Bibliographie: K. Sagar und S. Tabor, *Ted Hughes. A bibliography 1946–1980* 1983.

Übersetzungen: *Gedanken-Fuchs. Gedichte*, übers. von E. Faas 1971 (Literarisches Colloquium). – *Krähe. Aus dem Leben und den Gesängen der Krähe* (zweispr.), übers. von E. Schenkel 1986 (Klett-Cotta).

Sekundärliteratur: W. Mitgutsch, *Zur Lyrik von Ted Hughes. Eine Interpretation nach Leitmotiven* 1974. – K. Sagar, *The art of Ted Hughes* (1975) 1978. – A. Bold, *Thom Gunn and Ted Hughes* 1976. – M. D. Uroff, *Sylvia Plath and Ted Hughes* 1979. – E. Faas, *Ted Hughes. The unaccommodated universe* 1980. – T. Gifford und N. Roberts, *Ted Hughes. A critical study* 1981. – S. Hirschberg, *Myth in the poetry of Ted Hughes. A guide to the poems* 1981. – *The achievement of Ted Hughes*, ed. K. Sagar 1983.

David Hume (1711–1776)

Hume war Philosoph, aber sein Werk reicht weit in den Bereich dessen hinein, was im 18. Jahrhundert als Literatur angesehen wurde. Seine Karriere war die eines Homme de lettres – »almost all my life has been spent in literary pursuits and occupations« –, und er gilt als der erste Autor der englischen Literatur, der sich mit seinen literarischen Arbeiten nicht nur schlecht und recht ernähren, sondern ein kleines Vermögen erwerben konnte. Hume war Schotte, wuchs in Edinburgh auf (wohin er immer wieder zurückkehrte) und fühlte sich schon früh zur Philosophie hingezogen. Ein Studium der Rechte in Edinburgh führte er nicht zu Ende, sondern zog sich zu privater philosophischer Arbeit zurück. Während eines Frankreich-Aufenthaltes schrieb er seinen *Treatise of human nature*, mit dem er die »Prinzipien« der menschlichen Natur darlegen wollte und empiristisch die Grundlage einer »Wissenschaft vom Menschen« zu legen hoffte. Das Buch des Siebenundzwanzigjährigen blieb indessen ohne die erhoffte Wirkung – »it fell dead-born from the press«.

Hume entschloß sich zu einer literarischen Präsentation seiner Philosophie und wurde, in seinen eigenen Worten, »a kind of resident or an ambassador from the domains of learning to those of conversation«. Seine *Essays moral and political*, in der Tradition des leicht rezipierbaren Essays gehalten und in einer an → Addison orientierten Manier ausgeführt, wurden weitaus besser aufgenommen und etablierten Hume nicht nur als philosophischen, sondern auch als literarischen Autor. Durch den anfänglichen Mißerfolg einer neuen Fassung von wesentlichen Teilen des *Treatise* (1748 als *Philosophical essays concerning human understanding* veröffentlicht, später in *Enquiry concerning human understanding* umbenannt) wurde Hume vorsichtiger und legte hinfort der »literarischen« Form nicht mehr die gleiche Bedeutung bei, ohne jedoch später im geringsten auf eine »literarische« Darbietung seiner Werke zu verzichten. Kein anderer Philosoph der Epoche maß der literarischen

Fassung einer philosophischen Aussage solche Bedeutung bei wie er.

Hume erhoffte sich mehrfach vergeblich eine Professur in Edinburgh. Im Dienst des Generals James St. Clair hielt er sich auf dem Kontinent auf (1746–1749), ehe er 1752 Bibliothekar an der Bibliothek der Faculty of Advocates (der damals bedeutendsten schottischen Bibliothek) wurde. Dies gab ihm Muße und Möglichkeit zu weiteren literarischen Arbeiten. Anfang der fünfziger Jahre war sein philosophisches Werk im wesentlichen abgeschlossen. Den Höhepunkt bildete nach seiner Auffassung die *Enquiry concerning the principles of morals* – »of all my writings, historical, philosophical, or literary incomparably the best«. Die Sammlung *Essays and treatises on several subjects* (1753–1756), mehrfach neu aufgelegt, revidiert und ergänzt, faßte seine philosophischen Schriften in ihrer letztgültigen Form zusammen. Die Spannweite ist beträchtlich: philosophische Anthropologie, Erkenntnistheorie, Ethik, Religionsphilosophie, Nationalökonomie, Ästhetik. Darauf folgten nur noch *Four dissertations* (die u. a. eine Naturgeschichte der Religion enthalten) und die *Dialogues concerning natural religion*, die Hume so brisant erschienen, daß er ihre posthume Publikation verfügte.

Bereits 1754 begann seine *History of Great Britain* zu erscheinen, die nach ihrer Vollendung eine politische Geschichte Englands von der römischen Eroberung bis zur Glorious Revolution darstellte. Hume schrieb sie in acht Jahren abschnittsweise und nicht in chronologischer Folge. Es war die erste Geschichte Englands, die aus »philosophischen Prinzipien« heraus geschrieben wurde. Hume bemühte sich um Unparteilichkeit und wurde in der Folge von allen Seiten kritisiert. Exzellente Stoffbeherrschung verbanden sich in seiner Darstellung mit einer aufgeklärten Weltsicht und literarischer Meisterschaft, so daß das Werk für ein gutes Jahrhundert zur Standardgeschichte Englands wurde. Hume hat daher nicht nur als der bedeutendste Philosoph, sondern nächst → Gibbon auch als der bedeutendste Historiker des mittleren 18. Jahrhunderts zu gelten.

Nach Abschluß seines Geschichtswerkes war Hume in einer der wenigen Unterbrechungen seines literarischen Lebens Gesandschaftssekretär in Paris, wo er als Autor gefeiert wurde. Von 1767 an diente er für zwei Jahre in einem Regierungsamt in London. Seine letzten Jahre verbrachte er ruhig in Edinburgh. Er starb an Krebs, und kurz vor seinem Tode schrieb er sein letztes Meisterwerk: einen kurzen autobiographischen Essay, der Lebenssumme und Nachruf in einem war. (F)

Hauptwerke: *A treatise of human nature* 1739/40. – *Essays moral and political* 1741/42. – *Philosophical essays concerning human understanding* 1748 (ab 1758 Enquiry). – *An enquiry concerning the principles of morals* 1751. – *History of Great Britain*, 2 vols 1754–1757. – *History of England*, 4 vols 1759–1763. – *Four dissertations* 1757. – *Dialogues concerning natural religion* 1779.

Bibliographien: T. E. Jessop, *A bibliography of David Hume and of Scottish philosophy from Francis Hutcheson to Lord Balfour* (1938) 1972. – W. B. Todd, *David Hume. A preliminary bibliography*, in *Hume and the Enlightenment. Essays presented to Ernest Campbell Mossner* 1974. – R. Hall, *Fifty years of Hume scholarship. A bibliographical guide* 1978.

Ausgaben: *Philosophical works*, ed. T. H. Green und T. H. Grose, 4 vols 1874/75 (repr. 1964). – *Letters*, ed. J. Y. T. Greig, 2 vols 1932 (repr. 1969). – *New letters*, ed. R. Klibansky und E. C. Mossner 1954 (repr. 1969).

Übersetzungen: *Dialog über natürliche Religion*, übers. von F. Paulsen, hrsg. von G. Gawlick 1980 (Meiner). – *Dialoge über natürliche Religion*, übers. von N. Hoerster (Reclam). – *Die Naturgeschichte der Religion. Über Aberglaube und Schwärmerei. Über die Unsterblichkeit der Seele. Über Selbstmord*, hrsg. von L. Kreimendahl 1984 (Meiner). – *Traktat über die menschliche Natur*, übers. und hrsg. von T. Lipps, Einleitung von R. Brandt, 2 Bde 1978 (Meiner). – *Eine Untersuchung über den menschlichen Verstand*, übers. von R. Richter, hrsg. von J. Kulenkampff 1984 (Meiner). – *Untersuchung über den menschlichen Verstand*, übers. von Herring (Reclam). – *Eine Untersuchung über die Prinzipien der Moral*, übers. von C. Winckler 1972 (Meiner); übers. von Streminger (Reclam).

Biographie: E. C. Mossner, *The life of David Hume* (1954, repr. 1970) 1980.

Sekundärliteratur: C. W. Hendel, *Studies in the philosophy of David Hume* (1925) 1963 (repr. 1981). – J. Laird, *Hume's philosophy of human nature* 1932 (repr. 1983). – N. K. Smith, *The philosophy of David Hume. A critical study of its origins and central doctrins* 1941 (repr. 1983). – J. A. Passmore, *Hume's intentions* (1952) 1980. – J. B. Stewart, *The moral and political philosophy of David Hume* 1963 (repr. 1973). – O. Brunet, *Philosophie et esthétique chez David Hume* 1965. – J. V. Price, *The ironic Hume* 1965. – J. Harrison, *Hume's moral epistemology* 1976. – J. Bricke, *Hume's philosophy of mind* 1980. – A. Flew, *David Hume. Philosopher of moral science* 1986. – G. Gawlik und L. Kreimendahl, *Hume in der deutschen Aufklärung. Umrisse einer Rezeptionsgeschichte* 1987.

Leigh Hunt (1784–1859)

Leigh Hunts Karriere erstreckte sich über zwei Epochen und währte ein halbes Jahrhundert; seine Produktion war umfangreich und mannigfaltig. Seine Bedeutung für die Literatur der Zeit ist indessen nicht einfach zu bestimmen. Er begann mit einem Gedichtband, angemessen als *Juvenilia* bezeichnet, den er mit siebzehn herausbrachte. Als Sohn eines Predigers, der in Barbados geboren und aus den Vereinigten Staaten nach England gekommen war, erbte er die Gabe des Wortes, so daß er schon in jungen Jahren leicht und gefällig schrieb. Mit seiner Versdichtung knüpfte er an das 18. Jahrhundert an und orientierte sich besonders an → Dryden. Hunt versuchte sich auch an längeren, erzählenden Gedichten, unter denen *The story of Rimini* (1816) einen gewissen Einfluß auf die Dichtart der jüngeren Romantiker hatte. Die Idee dazu fand er bei Dante, wie sich Hunt überhaupt zu den Italienern hingezogen fühlte und manches zur Verbreitung ihrer Literatur in England beitrug. Neben den großen Werken der Romantik kann *The story of Rimini* jedoch ebensowenig bestehen wie seine anderen Versuche im narrativen Genre, etwa *Hero and Leander* (1819). Mit Ausnahme einiger immer wieder in Anthologien aufgenommener Gedichte findet Hunts Versdichtung heute kaum mehr Leser.

Seine Begabung lag im Journalistischen, und mit Hilfe seines älteren und als Verleger ebenso engagierten wie erfolgreichen Bruders John begann er 1808 den (bis 1881 bestehenden) *Examiner*, eine radikale Wochenschrift, die sich Reformideen verschrieben hatte, und an der → Keats, → Shelley, → Lamb und → Hazlitt mitarbeiteten. Angriffe auf den Prince of Wales brachten die beiden Hunts 1813 ins Gefängnis. Zuvor hatte Hunt schon als kompetenter und daher allseits geschätzter Theaterkritiker auf sich aufmerksam gemacht. *Critical essays on the performers of the London theatres* war die erste in einer Reihe von Sammlungen seiner Gelegenheitsarbeiten. Seine tatkräftige Förderung der jüngeren Romantik begann mit der Veröffentlichung eines frühen Sonetts von Keats im *Examiner* und setzte sich im späteren *Indicator* (1819–1821) fort.

Shelley und → Byron, damals in Italien, versuchten Hunt für eine liberale Vierteljahrsschrift zu gewinnen. Hunt begab sich mit seiner Familie nach Italien (1821) und hielt sich dort, teilweise unter schwierigsten Bedingungen, bis 1825 auf. Nach Shelleys Tod nahm *The liberal, verse and prose from the south* nur zögernd Gestalt an und erwies sich, obwohl erstrangig, als kurzlebig. Hunts Verhältnis zu Byron, immer ambivalent und prekär, verschlechterte sich durch die kritische Bilanz, die Hunt mit *Lord Byron and some of his contemporaries* (1828) zog. Hunts nächstes Periodikum, *The companion*, brachte eine Reihe von Hunts besten Arbeiten, hielt sich aber, wie die in den dreißiger Jahren folgenden Zeitschriften, auch nur für kurze Zeit. Seine beste, *Leigh Hunt's London journal*, kam nicht einmal auf zwei Jahre. So lesbar viele von seinen Essays sind und so wichtig sie für die Zeit bleiben, den höchsten Rang erreichten sie nicht. Hunt war ein Mann von breiten Interessen und intellektueller Bonhomie, aber es fehlte ihm häufig die notwendige Schärfe des Zugriffs und die Sicherheit des Urteils.

Sein einziges Drama, *A legend of Florence*, eine den Elisabethanern nachempfundene Tragödie, war erfolgreich, wie auch sein einziger Roman, *Sir Ralph Esher*, mehrere Auflagen erreichte, ohne sich indessen einen festen Platz in der Literatur zu sichern. Hunts spätere Jahre sind durch zahlreiche Sammel- und Herausgeberarbeiten gekennzeichnet, unter denen sich eine Ausgabe der Dramatiker der Restauration und eine Anthologie italienischer Dichtung befinden. Sein bleibendes Werk, von Thomas → Carlyle als das beste der Gattung bezeichnet, ist seine Autobiographie, ein trotz journalistischer Züge scharfsichtiges, aber mit Charme konturiertes Bild des Mannes und seiner Zeit. (F)

Hauptwerke: *Critical essays on the performers of the London theatres* 1807. – *The story of Rimini* 1816. – *A legend of Florence* 1840. – *Autobiography*, 3 vols 1850. – *Table talk* 1851. – Zeitschriften: *The examiner* 1808–1821; *The indicator* 1819–1821; *The liberal* 1822/23; *Leigh Hunt's London journal* 1834/35.

Bibliographie: J. L. Waltman und G. G. McDaniel, *Leigh Hunt. A comprehensive bibliography* 1985.

Ausgaben: *Poetical works*, ed. H. S. Milford 1923. – *Dramatic criticism, 1808–1831*, ed. L. H. und C. W. Houtchens 1949. – *Literary criticism*, ed. L. H. und C. W. Houtchens 1956. – *Political and occasional essays*, ed. L. H. und C. W. Houtchens 1962. – *Prefaces*, ed. R. B. Johnson 1927 (repr. 1967). – *Autobiography*, ed. J. E. Morpurgo 1949. – *Correspondence*, 2 vols 1862 (repr. 1973).

Biographien: E. Blunden, *Leigh Hunt. A biography* 1930 (repr. 1970). – A. Blainey, *Immortal boy. A portrait of Leigh Hunt* 1985.

Sekundärliteratur: G. D. Stout, *The political history of Leigh Hunt's Examiner* 1949. – J. O. Hayden, *The Romantic reviewers, 1802–1824* 1969.

ALDOUS HUXLEY (1894–1963)

Aldous Huxley kann als einer der Hauptvertreter der englischsprachigen *littérature engagée* der Moderne bezeichnet werden: Er arbeitete in Europa für die Friedensbewegung und setzte später in Amerika seine Kampagnen fort, in denen er gegen den Hunger in der Welt und gegen die Übervölkerung focht.

Huxley stammt aus der englischen Bildungsaristokratie des 19. Jahrhunderts. Sein Vater Leonard Huxley, ein klassischer Philologe, gab seit 1901 das *Cornhill magazine* heraus. Sein Großvater Thomas Henry Huxley war Naturwissenschaftler und eng mit Charles Darwin befreundet. Durch seine Mutter Julia Arnold war Huxley mit Matthew → Arnold und der Schriftstellerin Mrs. Humphrey Ward verwandt. Sein Bruder Julian machte sich als Biologe einen Namen. Er setzte die Arbeit von T. H. Huxley im 20. Jahrhundert fort und teilte – bei unterschiedlichem Ausgangspunkt in der Analyse der zeitgenössischen Gesellschaft – die politischen Zielsetzungen Aldous Huxleys.

Aldous Huxley wurde von 1908 bis 1913 in Eton erzogen; gegen Ende seiner Schulzeit machte sich ein schweres Augenleiden bemerkbar, und erst während des Studiums am Balliol College in Oxford gewann er die volle Sehkraft zurück. Während dieser Zeit lernte er Lady Ottoline Morrell kennen, auf deren Landsitz in Garsington sich Künstler, Wissenschaftler und Kritiker wie Lytton Strachey, Bertrand Russell, Katherine Mansfield, J. M. Murry und D. H. → Lawrence trafen. Dadurch eröffnete sich für Huxley die Möglichkeit einer schriftstellerischen Laufbahn, so daß er nach seiner Studienzeit nur kurz in Eton lehrte (1918) und sich anschließend dem Journalismus zuwandte. 1919/20 arbeitete er für das von John Middleton Murry herausgegebene *Athenaeum*, 1920/21 als Theaterkritiker für die *Westminster gazette*. Bereits 1916 hatte er einen Band Gedichte, *The burning wheel*, veröffentlicht. 1920 folgte sein erster Kurzgeschichtenband *Limbo*.

Aufsehen erregte Huxley (nicht nur in literarischen Zirkeln), als in den zwanziger Jahren seine sozialkritischen Romane *Crome yellow* (1921), *Antic hay* (1923) und *Those barren leaves* (1925) erschienen. *Crome yellow* charakterisiert und karikiert die Verhältnisse auf Lady Ottoline Morrells Landsitz, sehr zu deren Mißfallen; *Antic hay* schildert die Atmosphäre in London nach dem Ersten Weltkrieg; *Those barren leaves* spielt zwar in

Italien, handelt aber zugleich von den weltanschaulichen Problemen, die alle Europäer in der Nachkriegszeit beschäftigten. Kritiker heben auch heute noch die brillanten Konversationen dieser Romane hervor, die ihr Vorbild in Thomas Love Peacocks Werken haben. Der Ton, der für alle Frühwerke charakteristisch ist, kann nur zynisch genannt werden. Eine Quintessenz seiner frühen Gesellschaftskritik lieferte Huxley in dem sehr kunstvoll gebauten Roman *Point counter point* (1928), in dem er die politischen, sozialen und religiösen (oft pseudoreligiösen) Strömungen der Zeit nach dem Ersten Weltkrieg anhand von kontrapunktisch einander zugeordneten Personen und Situationen darstellt. Die Anti-Utopie *Brave new world* (1932), in der er Eindrücke der amerikanischen Zivilisation verarbeitete und den wachsenden Einfluß der Naturwissenschaften auf das gesellschaftliche und politische Leben angriff, erweist sich auch heute noch als sein einflußreichstes Werk, wiewohl er keine Lösung für die von ihm dargestellten lebensbedrohlichen Tendenzen sah – John the Savage endet im Selbstmord.

In den zwanziger Jahren hatte Huxley mit seiner Frau meist auf dem Kontinent, in Italien und Frankreich, gelebt, wobei die Freundschaft mit D. H. Lawrence und dessen Frau Frieda für ihn von besonderer Bedeutung war. 1934 besuchte Huxley Mittelamerika und Mexiko, und 1937 ließ er sich in Kalifornien nieder. Hier war es die Begegnung mit Gerald Heard und dessen Vedanta Society of Southern California, die ihn in seiner späteren Schaffensphase nachhaltig beeindruckte. In *After many a summer* (1939), *Time must have a stop* (1944), *Ape and essence* (1948) und seinem letzten Roman *Island* (1962) treten die essayistischen Elemente stärker in den Vordergrund, die erzählerische Substanz wird schwächer.

Für das gesamte Schaffen Huxleys ist charakteristisch, daß seine erzählerischen Bemühungen von Anfang an von essayistisch-kommentierenden Publikationen begleitet waren. Für den Standort, dem er schließlich zustrebte, sind die beiden Bände *The perennial philosophy* (1945) und *Science, liberty and peace* (1946) am instruktivsten, weil in ihnen seine Versuche, eine Synthese zwischen östlicher und westlicher religiöser und philosophischer Tradition zu finden und mit liberalistischen und naturwissenschaftlichen Ideen zu verbinden, ihren Niederschlag fanden. Bei aller Bindung an die naturwissenschaftliche Forschung des Abendlandes zeigte sich Huxley stets offen für

Wege, die das materialistisch-szientifische Weltbild zu überwinden versuchten. (E)

Hauptwerke: *The burning wheel* 1916. – *Limbo* 1920. – *Crome yellow* 1921. – *Antic hay* 1923. – *Little Mexican and other stories* 1924. – *Those barren leaves* 1925. – *Two or three graces and other stories* 1926. – *Proper studies* 1927. – *Point counter point* 1928. – *Arabia infelix and other poems* 1929. – *Do what you will* 1929. – *Brief candles* 1930. – *The cicadas and other poems* 1931. – *Brave new world* 1932. – *Beyond the Mexique Bay* 1934. – *Eyeless in Gaza* 1936. – *After many a summer* 1939. – *Grey eminence. A study in religion and politics* 1941. – *Time must have a stop* 1944. – *The perennial philosophy* 1945. – *Science, liberty and peace* 1946. – *Ape and essence* 1948. – *The devils of Loudun* 1952. – *The doors of perception* 1954. – *The genius and the goddess* 1955. – *Brave new world revisited* 1958. – *Island* 1962. – *Literature and science* 1963.

Bibliographien: C. J. Eschelbach und J. L. Shober, *Aldous Huxley. A bibliography 1916–1959* 1961. – E. E. Bass, *Aldous Huxley. An annotated bibliography of criticism* 1981.

Ausgaben: *The collected works*, 35 vols 1946–1952. – *Collected short stories* 1957. – *Collected essays* 1959. – *Letters*, ed. G. Smith 1969. – *The collected poetry*, ed. D. J. Watt 1971. – *Moksha. Writings on psychedelics and the visionary experience (1931–1963)*, ed. M. Horowitz und C. Palmer 1977.

Übersetzungen: *Parallelen der Liebe*, übers. von H. Herlitschka 1948 (Steinberg). – *Die ewige Philosophie*, übers. von H. R. Conrad 1949 (Steinberg). – *Wackere neue Welt*, übers. von H. Herlitschka 1950, als *Schöne neue Welt* 1981 (Fischer). – *Kontrapunkt des Lebens*, übers. von H. Herlitschka 1951 (Piper). – *Geblendet in Gaza*, übers. von H. Herlitschka 1953, 1987 (Piper). – *Nach vielen Sommern*, übers. von H. Herlitschka 1954, 1986 (Piper). – *Meistererzählungen*, übers. von H. Herlitschka 1977 (Manesse). – *Eine Gesellschaft auf dem Lande*, übers. von H. Schlüter 1977 (Piper). – *Eiland*, übers. von M. Herlitschka 1973, 1984 (Piper). – *Narrenreigen*, übers. von H. Schlüter 1983 (Piper). – *Affe und Wesen*, übers. von H. Schlüter 1984 (Piper).

Biographien: P. Thody, *Aldous Huxley. A biographical introduction* 1973. – S. Bedford, *Aldous Huxley. A biography*, 2 vols 1973/74.

Sekundärliteratur: J. A. Atkins, *Aldous Huxley. A literary study* 1953. – S. Chatterjee, *Aldous Huxley. A study* (1955) 1966. – P. Bowering, *Aldous Huxley. A study of the major novels* 1968. – L. Fietz, *Menschenbild und Romanstruktur in Aldous Huxleys Ideenromanen* 1969. – L. Brander, *Aldous Huxley. A critical study* 1969. – J. Meckier, *Aldous Huxley. Satire and structure* 1969. – G. Woodcock, *Dawn and the darkest hour. A study of Aldous Huxley* 1972. – P. E. Firchow, *Aldous Huxley. Satirist and novelist* 1972. – K. M. May, *Aldous Huxley* 1972. – B. Krishnan, *Aspects of structure, technique and quest in Aldous Hux-*

ley's major novels 1977. – C. S. Ferns, *Aldous Huxley. Novelist* 1980. – K. Greinacher, *Die frühen satirischen Romane Aldous Huxleys* 1986.

Samuel Johnson (1709–1784)

Die mittleren Jahrzehnte des 18. Jahrhunderts werden häufig als »the age of Johnson« bezeichnet. Darin kommt, wie kaum sonst in der englischen Literaturgeschichte, die absolute Dominanz eines Autors zum Ausdruck. Im nationalen Bewußtsein Englands ist Johnson ähnlich präsent wie → Shakespeare, nicht als Dichter, sondern als Moralist. Durch → Boswells Biographie ist er unmittelbar lebendig, und wenn auch nicht jedermann zu seinem Werk Zugang findet, verkörpert er doch in archetypischer Weise den *man of letters*, wie er im 18. Jahrhundert Gestalt annahm. Johnson gilt zudem als archetypischer Londoner (»he who is tired of London is tired of life« ist sein berühmter Ausspruch), obwohl er als Sohn eines Buchhändlers in Lichfield aufwuchs und erst zu Beginn seiner Karriere nach London kam. Johnson besuchte unter schwierigen Bedingungen und ohne Abschluß Pembroke College in Oxford, schlug sich dann mühsam für einige Zeit in Birmingham durch. Nach dem Fehlschlag einer Privatschule (die er mit seiner sehr viel älteren Frau gründete) versuchte er (1737) zusammen mit seinem Schüler David → Garrick sein Glück im Zentrum des literarischen Lebens.

Johnsons erste größere Arbeit war die Übersetzung und Bearbeitung von Jeronymo Lobos *Voyage to Abyssinia* (1735). Längere Zeit war er Parlamentsberichterstatter und Redaktionsgehilfe für das *Gentleman's magazine*, die führende Zeitschrift der Epoche. Sein erstes literarisches Werk war *London*, eine in der neoklassischen Kunstform der *imitatio* gehaltene Neugestaltung einer Juvenal-Satire, der 1749 mit *The vanity of human wishes* eine weitere Juvenal-Nachahmung folgte. Beide gehören zu den großen moralistischen Dichtungen des 18. Jahrhunderts und sind Ausdruck einer tiefempfundenen, wenngleich illusionslosen Humanität. Johnsons hatte vielfach bittere Erfahrungen gemacht, und vom Leben in den Niederungen des Lohnschreibertums (Grub Street) gibt seine (nicht immer zutreffende) Biographie des Grub-Street-Dichters Richard Savage (1744) Zeugnis.

Mitte der vierziger Jahre begann Johnson mit den Vorarbeiten zu seinem großen Wörterbuch der englischen Sprache, das ihn fast zehn Jahre in Anspruch nahm. Sein Versuch, den am literarischen Leben der Zeit interessierten Earl of Chesterfield (den Verfasser der berühmten *Letters to his son*) als Mäzen zu gewinnen, schlug fehl, so daß er das Unternehmen mit anderen literarischen Werken finanzieren mußte. Die spätere Zurückweisung Chesterfields durch Johnson gehört zu den berühmten literarischen Episoden des 18. Jahrhunderts. Ihre Bedeutung reicht weit über das Biographische hinaus: Sie ist die erste von Selbstbewußtsein durchdrungene Unabhängigkeitserklärung des Literaten gegenüber dem Mäzenatentum.

In dem Jahrzehnt der Arbeit am Wörterbuch trat Johnson vor allem als Essayist in Erscheinung. *The vanity of human wishes* (das erste unter seinem Namen veröffentlichte Werk) fällt in diese Periode, und auch sein einziges Theaterstück, die Tragödie *Irene* (die er schon nach London mitgebracht hatte) wurde von Garrick auf die Bühne gebracht. Von größerer Wirkung waren jedoch die periodischen Essays, in denen Johnson die Tradition des *Tatler* und *Spectator* neu belebte. *The Rambler*, eine Folge von gut 200 Essays, bestritt er fast ausschließlich selbst, und zu dem späteren, von John Hawkesworth herausgegebenen *Adventurer* trug er regelmäßig bei. Daran schloß sich 1758 bis 1760 unter dem Signum *The Idler* eine Serie von Beiträgen zum *Universal chronicle, or weekly gazette* an. Johnsons Essays sind von ähnlicher Vielfalt wie die → Addisons und → Steeles, und sie schließen ebenfalls die Erzählung, die Literaturkritik und die moralistische Unterweisung ein. Aber sie sind – aufs Prinzipielle und Allgemeine gerichtet, wie es Johnsons Geistesart entsprach – von ungleich stärkerem Gewicht. Sie stellen, von den Zeitgenossen mit Beifall aufgenommen, einen Höhepunkt in der Entwicklung des Essays dar und waren Ausgangspunkt für zahlreiche Nachahmungen im späteren 18. Jahrhundert. Sein zu Latinismen neigender Periodenstil, vielfach kritisiert (»Johnsonese«), häufiger imitiert, aber nie in Treffsicherheit und Ausgewogenheit erreicht, ist hier bereits voll ausgeprägt.

Johnsons *Dictionary* erschien 1755 und ist ein Markstein in der Geschichte der Lexikographie. Das Werk vereinigte die besten Traditionen der Wörterbucharbeit und führte zugleich darüber hinaus. Was Johnson beabsichtigte, war nichts Geringeres als eine Fixierung des Entwicklungsstandes und des Standardgebrauchs der englischen Sprache, wie es sie bis dahin noch nicht gegeben hatte. Dem dienten nicht nur Definitionen, von denen manche klassisch geworden sind, während andere als schrullig weiterleben, sondern vor allem auch, als wichtigste Neuerung für England, Belege aus den besten Schriftstellern. Das *Dictionary* wurde zum Ausgangspunkt für die moderne englische Lexikographie, deren Monument das *New English dictionary* (später *Oxford English dictionary*) ist.

Mit dem Wörterbuch wurde Johnson für die Mitwelt wie für die Nachwelt zu einer Institution des literarischen und geistigen Lebens. Oxford verlieh ihm den Doktorgrad, die Krone gewährte ihm eine jährliche Pension. Später gründete Johnson auf Anregung von Joshua Reynolds den berühmten »Club« (auch Literary Club), dem auch → Goldsmith und Edmund Burke als Gründungsmitglieder angehörten und der mit kooptierten Mitgliedern wie dem Nationalökonomen Adam Smith und dem Naturforscher Joseph Banks die besten Köpfe der Epoche versammelte. Johnson stand damit im Zentrum des geistigen Lebens seiner Zeit.

Doch all dies sicherte seine Existenz nicht. Wie die Essays schrieb er auch seine philosophische Erzählung *Rasselas* (1759) für Geld – um das Begräbnis seiner Mutter bezahlen zu können. Es ist eine orientalische Geschichte im Geschmack der Zeit, dem Johnson schon mit kurzen Stücken dieser Art in seinen Essays gehuldigt hatte. Die Erzählung ist dabei nur das Vehikel für eine durchweg düstere und melancholische, aber nicht pessimistische Botschaft über Mensch und Leben. Wie die Essays die Arbeit am Wörterbuch unterbrachen, so schob sich *Rasselas* in das zweite große Projekt, das Johnson über lange Zeit begleitete: die 1765 erschienene Shakespeare-Ausgabe. Sie stellt in der Reihe der Editionen des 18. Jahrhunderts einen Höhepunkt dar. Wenn auch durch die moderne Forschung überholt, gehört sie gleichwohl zu den grundlegenden Arbeiten der Shakespeare-Philologie. Johnsons Vorwort, mit dem er das Shakespeare-Lob → Drydens wieder aufnahm, ist eine klassische Würdigung des Dramatikers geblieben.

Zu Beginn der sechziger Jahre kam es zu der Begegnung mit Boswell, aus der nicht nur die monumentale Biographie hervorging, sondern auch Johnsons einziger Beitrag zu der damals überaus beliebten Gattung der Reisebeschreibung: *A journey to the Western Islands of Scotland*. Es ist weniger ein Bericht über die Reise selbst (eine der wenigen, die Johnson unternahm) als eine kontinuierliche Folge von Reflexionen, mit denen er (so seine Definition des Reisezwecks) die Phantasie auf die Wirklichkeit abstimmte.

Johnsons drittes großes Unternehmen, zugleich sein kritisches Hauptwerk, waren die umfassenden biographisch-werkgeschichtlichen Einleitungen zu einer 68bändigen Ausgabe der englischen Versdichtung seit → Milton. Es war wiederum eine Auftragsarbeit: eine großangelegte Auswahl, die Johnson zwar nur teilweise bestimmte, die aber durch seine Beteiligung kanonbildend wirkte. Die Biographie war Johnsons ureigene Gattung, und die (separat publizierten) *Lives of the English poets*, in denen er das Profil jedes Autors bestimmte und vielfach verbindlich festlegte, sind in ihrer Durchdringung von Biographie und Literaturkritik einzigartig geblieben. Sie sind Höhepunkt und zugleich Abschluß der neoklassischen Literaturkritik.

Die letzten Jahre Johnsons waren nicht nur vom Tod seiner Freunde überschattet, sondern auch von seiner eigenen Hinfälligkeit. Zeitlebens von unzulänglicher Gesundheit, immer wieder um seine geistige Normalität bangend, war sein Leben ein Kampf um würdevolle Selbstbehauptung, und nicht zuletzt darin liegt sein Vermächtnis. Er starb nach längerer Krankheit und ist in Westminster Abbey bestattet. (F)

Hauptwerke: *London, a poem* 1738. – *The vanity of human wishes* 1749. – *Irene, a tragedy* 1749. – *The Rambler* 1750–1752. – *A dictionary of the English language*, 2 vols 1755. – *The Idler* 1758–1760. – *The prince of Abissinia, a tale* 1759. – *The plays of William Shakespeare* (Herausgeber), 8 vols 1765. – *A journey to the Western Islands of Scotland* 1775. – *Prefaces, biographical and critical, to the works of the English poets*, 10 vols 1779–1781.

Bibliographien: W. P. Courtney und D. N. Smith, *A bibliography of Samuel Johnson* (1915) 1925 (repr. 1968). – J. L. Clifford und D. J. Greene, *Samuel Johnson. A survey and bibliography of critical studies* 1970.

Ausgaben: *The Yale edition of the works*, ed. A. T. Hazen, J. H. Middendorf 1958– . – *The poems*, ed. D. N. Smith und E. L. McAdam 1941, rev. J. D. Fleeman 1974. – *A journey to the Western Islands of Scotland*, ed. J. D. Fleeman 1985. – *Lives of the English poets*, ed. G. Birkbeck Hill, 3 vols 1905 (repr. 1968). – *The letters*, ed. R. W. Chapman, 3 vols 1952 (repr. 1984).

Übersetzung: *Reisen nach den westlichen Inseln bei Schottland*, hrsg. von V. Wolf und B. Zabel 1982 (Insel).

Biographien: *Boswell's life of Johnson together with Boswell's Jour-*

nal of a tour to the Hebrides and Johnson's Diary of a journey into North Wales, ed. G. B. Hill, rev. L. F. Powell, 6 vols 1934–1950. – J. L. Clifford, *Young Samuel Johnson* 1955. – J. L. Clifford, *Dictionary Johnson. Samuel Johnson's middle years* 1979. – J. Wain, *Samuel Johnson* 1974. – W. J. Bate, *Samuel Johnson* 1977.

Sekundärliteratur: W. K. Wimsatt, Jr., *The prose style of Samuel Johnson* 1941. – J. W. Krutch, *Samuel Johnson* 1948. – J. H. Hagstrum, *Samuel Johnson's literary criticism* 1952. – D. J. Greene, *The politics of Samuel Johnson* 1960. – P. K. Alkon, *Samuel Johnson and moral discipline* 1967. – P. Fussell, *Samuel Johnson and the life of writing* 1971. – R. Folkenflik, *Samuel Johnson, biographer* 1978. – J. P. Hardy, *Samuel Johnson. A critical study* 1979. – C. E. Pierce, Jr., *The religious life of Samuel Johnson* 1982. – J. A. Vance, *Samuel Johnson and the sense of history* 1984. – R. De Maria, Jr., *Johnson's Dictionary and the language of learning* 1986. – J. Grundy, *Samuel Johnson and the scale of greatness* 1986. – P. J. Korshin (ed.), *Johnson after two hundred years* 1986. – T. Kaminski, *The early career of Samuel Johnson* 1987. – A. Kernan, *Printing technology, letters & Samuel Johnson* 1987. – D. Wheeler (ed.), *Domestick privacies. Samuel Johnson and the art of biography* 1987.

Ben Jonson (1572–1637)

Jonson war nicht nur erfolgreicher Dramatiker und Dichter, sondern auch der erste in der Reihe englischer Literaturpäpste, der aggressiv seine Überzeugungen vertrat, kritisch kommentierend das literarische Leben seiner Zeit verfolgte und einen großen Kreis von Bewunderern und Nachfolgern um sich scharte.

Als Sohn eines Geistlichen nach dessen Tod in Westminster geboren, wurde er zunächst wie sein Stiefvater Maurer, nachdem er zuvor in Westminster School von seinem bedeutenden Lehrer Camden eine sorgfältige humanistische Erziehung genossen hatte. Später diente Jonson, der nie eine Universität besuchte, als Soldat in den Niederlanden, wo er einen Spanier im Zweikampf zwischen den Fronten tötete. Ab 1597 arbeitete er als Schauspieler und Dramatiker für Philip Henslowe. Jonson vollendete vermutlich das von → Nashe begonnene satirische Stück *The isle of dogs*, das einen Skandal verursachte, der zur zeitweiligen Schließung der Theater führte und ihm seine erste Gefängnisstrafe einbrachte. Die zweite erhielt er anstelle der Todesstrafe für die Tötung des Schauspielers Gabriel Spencer im Duell. Im Gefängnis konvertierte Jonson zum Katholizismus, dem er zwölf Jahre anhing.

Seinen ersten Bühnenerfolg erzielte er mit der satirischen Komödie *Every man in his humour* (1598). Sein zweites Stück, *Every man out of his humour*, das 1599 aufgeführt wurde, war dagegen ein Mißerfolg. Danach schrieb er für die Kindertruppen, die 1601 seine allegorische Satire *Cynthia's revels* aufführten. Zum sogenannten »war of the theatres«, der zwischen ihm auf der einen Seite und → Marston und Thomas → Dekker auf der anderen in Form von satirischen Stücken und satirischen Porträts geführt wurde, steuerte Jonson den hastig geschriebenen *Poetaster* bei. Danach wandte er sich der Tragödie zu. *Sejanus his fall* (1603) und *Catiline his conspiracy* (1611) waren trotz ihrer historischen Quellentreue und ihrer klassizistischen Formstrenge Mißerfolge, was ihn bewog, von weiteren Versuchen in dieser Gattung abzusehen.

Ab 1605 begann Jonson, regelmäßig und mit großem Erfolg *masques* für den Hof zu schreiben. Er arbeitete dabei mit Inigo Jones, dem großen Architekten und Bühnenausstatter, bis 1631, als sie sich im Streit trennten, zusammen. Trotz seines Ansehens bei Hofe als Autor saß er 1605 erneut eine Gefängnisstrafe ab, weil er in *Eastward hoe*, das er zusammen mit → Chapman und Marston schrieb, den schottischen Neuadel lächerlich gemacht hatte. 1606 eröffnete Jonson mit *Volpone* die Serie seiner großen und erfolgreichen satirischen Komödien: 1609 folgte *Epicoene, or the silent woman*, 1610 *The alchemist* und 1614 *Bartholomew fair*, Stücke, die sich alle durch strenge Beachtung der Einheiten, durch realistische Sprache und beißende Kritik an der bürgerlichen Gesellschaft auszeichnen. Habgier, wirtschaftlicher Egoismus und Eitelkeit sind die Ziele seiner satirischen Attacken.

Wie er in seinen Dramen auf klassizistische Formstrenge achtete, so pflegte er auch in der Lyrik die antiken Formen des Epigramms, des Epitaphs, der Ode und der Versepistel. In ihr setzte er gegen den herrschenden Sprachschwulst, den er vor allem dem Einfluß → Spensers anlastete, den *plain style* durch. 1616 gab Jonson seine bis dahin vollendeten dramatischen und lyrischen Werke in einer Folioausgabe heraus, um die literarische Bedeutung sichtbar zu machen, die er seinem Werk zumaß. Im gleichen Jahr erhielt er vom König eine Staatspension zugesprochen. In seinem späteren Komödienschaffen vermochte er nicht mehr an die Erfolge seiner Meisterkomödien anzuknüpfen. Sein Alter war überschattet von Krankheit und vom Verlust seiner geliebten Bibliothek, die einer Feuersbrunst zum Opfer fiel. Jonson versammelte um sich einen großen Kreis von Freunden und Schülern, »tribe of Ben« oder »sons of Ben« genannt, die in ihm ihr literarisches Vorbild und ihren Lehrmeister sahen. Seine dichtungstheoretischen Ansichten legte er in *Timber*, einer Sammlung kritischer Notizen, nieder. Eine Reihe wichtiger kritischer Bemerkungen ist auch in den Aufzeichnungen des schottischen Dichters → Drummond of Hawthornden, den Jonson auf seiner Schottlandreise besuchte, festgehalten.

Neben → Shakespeare war Jonson der bedeutendste Dramatiker der Zeit. Zugleich verstand er sich als Reformer der Literatur und der Gesellschaft. Anders als Shakespeare war er Klassizist und bestrebt, dem Drama seiner Zeit, das nicht als seriöse Literatur galt, durch strengere Formgebung im Sinne der aristotelischen Poetik literarische Anerkennung zu verschaffen. Vom Menschenbild eines christlichen Humanismus ausgehend und als überzeugter Anhänger der absolutistischen Monarchie und einer hierarchischen Gesellschaftsordnung geißelte er die sich vor allem im puritanischen Bürgertum ausbreitenden wirtschaftlichen und sozialen Verhaltensweisen. Sein Eintreten für Einfachheit, Klarheit und Genauigkeit in der dichterischen Sprache und für die Anerkennung der aristotelischen Poetik verstärkte die Tendenz zu Formstrenge und Gattungsreinheit sowie zur Imitation antiker Formen in der Literatur seiner Zeit.

Sein Einfluß auf die Zeitgenossen, die seine umfassende Belesenheit, sein scharfes Urteil und seine Sprachkunst schätzten, war außerordentlich. Für die Restaurationszeit galt er als einer der Wegbereiter des englischen Klassizismus. Im aufkommenden Shakespeare-Kult des 18. Jahrhunderts wurde Jonson dagegen als Inbegriff eines korrekt-pedantischen Dramatikers gegenüber dem Naturgenie Shakespeare abgewertet. Erst im 20. Jahrhundert hat sich die Literaturkritik wieder um eine unvoreingenommene Beurteilung von Jonsons künstlerischem Rang bemüht und ihn als einen der größten satirischen Komödiendichter der Weltliteratur wiederentdeckt. (W)

Hauptwerke: *Every man out of his humour* 1599. – *Volpone* 1606. – *The alchemist* 1610. – *Bartholomew fair* 1614. – *Timber, or discoveries* 1640.

Bibliographien: S. A. Tannenbaum, *Ben Jonson*, Elizabethan bibliographies (1938) 1967, suppl. by S. A. and D. R. Tannenbaum 1947. –

G. R. Guffey, *Ben Jonson 1947–1965*, Elizabethan bibliographies supplements III (1968). – D. H. Brock und J. M. Welsh, *Ben Jonson. A quatricentennial bibliography 1947–1972* 1974. – W. D. Lehrman et al., *The plays of Ben Jonson. A reference guide* 1980. – D. C. Judkins, *The nondramatic works of Ben Jonson. A reference guide* 1982.

Ausgaben: *Ben Jonson*, ed. C. H. Herford und P. und E. Simpson, 11 vols 1925–1952. – *The complete plays of Ben Jonson*, ed. G. A. Wilkes, 4 vols 1981/82. – *Poems*, ed. I. Donaldson 1975.

Übersetzungen: *Volpone oder Der Fuchs. Der Alchemist. Der Bartholomäusmarkt*, übers. von A. Schlösser 1973 (Reclam). – *Volpone* (englisch-deutsch), übers. von W. Pache und R. C. Perry 1974 (Reclam). – *Ben Jonson, Volpone. Eine lieblose Komödie*, frei bearbeitet von S. Zweig 1926 (Kiepenheuer).

Biographien: M. Chute, *Ben Jonson of Westminster* 1953. – R. Miles, *Ben Jonson. His life and work* 1986.

Sekundärliteratur: E. B. Partridge, *The broken compass. A study of the major comedies of Ben Jonson* 1958. – J. A. Barish, *Ben Jonson and the language of prose comedy* 1960 (repr. 1970). – W. Trimpi, *Ben Jonson's poems. A study of the plain style* 1962. – *Ben Jonson. A collection of critical essays*, ed. J. A. Barish 1963. – C. G. Thayer, *Ben Jonson. Studies in the plays* 1963. – J. G. Nichols, *The poetry of Ben Jonson* 1969. – J. B. Bamborough, *Ben Jonson* 1970. – A. C. Dessen, *Jonson's moral comedy* 1971. – D. H. Brock, *A Ben Jonson companion* 1983. – A. Barton, *Ben Jonson, dramatist* 1984. – K. E. Maus, *Ben Jonson and the Roman frame of mind* 1984. – R. N. Watson, *Ben Jonson's parodic strategy. Literary imperialism in the comedies* 1987.

James Joyce (1882–1941)

James Joyce verbrachte seine Jugend in Irland, aber bereits im Alter von 22 Jahren verließ er seine Heimat und lebte – mit Ausnahme von drei Besuchen in Dublin – bis zu seinem Tode auf dem Kontinent. Dennoch übten das Land, in dem er geboren wurde, und das Milieu, dem er seine Erziehung verdankte, einen so nachhaltigen Einfluß auf ihn aus, daß er sich in seiner gesamten künstlerischen Entwicklung niemals davon lösen konnte. James Joyce besuchte von 1888 bis 1891 das jesuitische Internat Clongowes Wood College, von 1893 bis 1898 das Belvedere College und schließlich, von 1898 bis 1902, das University College in Dublin. Den Plan, Medizin zu studieren, konnte er jedoch weder in Dublin noch in Paris verwirklichen; ungünstige familiäre und finanzielle Umstände zwangen ihn, das Studium aufzugeben.

Joyce war zunächst ein Zögling der Jesuiten, und die Schulen, die er besuchte, ließen erwarten, daß er Priester werden würde. Er entwickelte sich jedoch sehr früh zum Kritiker seiner irischen Umgebung und lehnte sich gegen die religiöse Tradition auf, die das Leben in Dublin bestimmte. Beweise für seine frühe kritische Haltung sind die Artikel »Ibsen's new drama« und »The day of the rabblement«. Obwohl er in Dublin W.B. → Yeats, Lady Gregory, George Moore, John Millington → Synge und George Russell kennenlernte, distanzierte er sich von den – seiner Meinung nach – allzu nationalistischen Bestrebungen der *Irish Renaissance* und wandte sich dem Studium von in Europa weithin diskutierten Autoren wie Ibsen und Hauptmann zu. Eine besondere Faszination übten auf ihn die französischen Autoren aus, wie z. B. Flaubert, Maupassant und die Symbolisten.

Es lag daher nahe, daß er im Oktober 1904 versuchte, mit seiner Lebensgefährtin Nora Barnacle in Paris und dann in Zürich eine Heimat zu finden; nach anfänglichen Enttäuschungen wurde er schließlich in Triest (bei der Berlitz School) als Sprachlehrer angenommen. Nach dem zehnjährigen Aufenthalt in Triest, der 1906/07 durch ein kurzes Intermezzo in Rom unterbrochen wurde, siedelte er nach Zürich über (1915–1918), dann erneut nach Triest (1918–1920), nach Paris (1920–1939) und schließlich wieder nach Zürich, wo er am 13. Januar 1941 bei einer Darmoperation starb.

Joyce versuchte sich zwar in allen Gattungen, aber seine Lyrik – *Chamber music* (1907) und *Pomes penyeach* (1927) – und sein Drama *Exiles* (1918) haben bei allen künstlerischen Feinheiten im Detail nicht den literarischen Wert seiner Prosa. Als Erzähler begann Joyce mit einer Sammlung von Kurzgeschichten, die er *Dubliners* (1914) nannte und in der er das Leben seiner Zeitgenossen – der Kinder, der Jugendlichen, der Erwachsenen – aus der privaten wie aus der politischen Perspektive schilderte. Die einzelnen Szenen und Figuren werden mit realistischer Schärfe und Präzision erfaßt; in die Wiedergabe der Dubliner Atmosphäre werden naturalistische Details eingebettet, die jedoch niemals nur dokumentarische Beweise für die Paralyse des religiösen, politischen und gesellschaftlichen Lebens sind. Sie werden vielmehr in ein subtiles symbolisches Bezugssystem integriert, das die Geschichten auf eine höchst komplexe Weise miteinander verbindet. Den Höhepunkt bildet die Erzählung »The dead«, in der Joyce mit Gabriel Conroy eines der Selbstporträts lieferte, wie sie in seinen Werken häufig zu finden sind.

Der autobiographische Zug seines künstlerischen Schaffens wurde sehr früh erkennbar. Anfang 1904 schrieb Joyce für die von John Eglinton und Fred Ryan geplante Zeitschrift *Dana* ein kurzes Prosastück, dem er auf Vorschlag seines Bruders Stanislaus den Titel *A portrait of the artist* gab. Da Eglinton diesen Beitrag ablehnte, begann Joyce mit einem großen autobiographischen Roman, für den er den Titel *Stephen Hero* wählte. Mit der Arbeit an diesem Roman war Joyce in den Jahren 1904 bis 1907 befaßt, und das handschriftliche Manuskript, das er damals anfertigte, umfaßte nahezu 1000 Seiten; die erhaltenen Teile lassen den Schluß zu, daß der Akzent auf der Darstellung der dichterischen Entwicklung des Helden lag, so daß man ihn Oscar → Wildes Künstlerroman *The picture of Dorian Gray* (1891) und Samuel → Butlers Bildungsroman *The way of all flesh* (1903) zur Seite stellen kann.

Stephen Hero belegt, daß Joyce in seiner Frühphase der Überzeugung war, es sei Aufgabe des Künstlers, Momentaufnahmen aus dem alltäglichen Leben zu sammeln, die er Epiphanien nannte. Darunter verstand er »a sudden spiritual manifestation, whether in the vulgarity of speech or of gesture or in a memorable phase of the mind itself.« Zufällig mit angehörte Gespräche, Gebärden oder auch Träume machen die nahezu 70 Epiphanien aus, die Joyce sammelte und in seine späteren Werke einarbeitete.

Als sich um 1907 Joyces Einstellung zu seiner Jugend wie zu seinem künstlerischen Schaffen änderte, entschloß er sich, das Material von *Stephen Hero* in strenger Konzentration neu zu formen. Entsprechend der klassischen fünfaktigen Struktur des Dramas werden nun die Hauptphasen der Entwicklung des Protagonisten in fünf Kapiteln dargeboten – I: die Erlebnisse im Elternhaus und in Clongowes Wood; II: das rebellische Aufbegehren in der Adoleszenz; III: die religiöse Wandlung von der Verfallenheit an die Sünde bis zur Reue und Beichte; IV: die Entscheidung, ob er Priester oder Künstler werden wolle; V: Stephens Entschluß, sich von allen irischen Traditionen zu lösen und nach Paris zu fliehen. Im letzten Kapitel läßt Joyce den Leser die Entstehung der Kunsttheorie des Stephen Dedalus miterleben, die zwar mit der Begriffssprache der Scholastik arbeitet, ihre Wurzeln aber in der Ästhetik des *l'art pour l'art* hat. Auf Vermittlung von Ezra Pound erschien *A portrait of the artist as a young man* zunächst in der Zeitschrift *The egoist* (1914/15) und danach (1916) in Buchform in Amerika.

Ulysses, Joyces zweiter Roman, entstand zwischen 1914 und 1921 und wurde 1922 in Paris veröffentlicht. Das alltägliche Leben der Dubliner am 16. Juni 1904 – an diesem Tage hatte Joyce sein erstes Rendezvous mit Nora Barnacle – liefert den epischen Horizont für den *Ulysses*. In den drei ersten Episoden steht Stephen Dedalus im Vordergrund: Er ist aus Paris zurückgekehrt, wohnt mit dem Mediziner Buck Mulligan und dem englischen Studenten Haines im Martello Tower und arbeitet bei Mr. Deasy als Lehrer. Den Mittelpunkt des Romans bildet die Alltagsodyssee des Annoncenakquisiteurs Leopold Bloom. Der Leser beobachtet ihn zunächst bei allerlei Verrichtungen im Hause. Gegen 10 Uhr beginnt Bloom seine Wanderungen durch die Stadt. Das Postamt, eine Kirche, ein öffentliches Bad, der Friedhof und die Zeitungsredaktion des *Freeman's journal* sind die Stationen seiner Wanderung bis zur Mittagszeit. Später sucht er die Bibliothek, das Ormond Restaurant und Barney Kiernans Pub auf. Nach einem Flirt am Strand erkundigt er sich in der Entbindungsanstalt nach Mrs. Purefoy, dann folgt er Stephen in das Bordell der Bella Cohen. Danach kehren sie in eine Kutscherkneipe ein; anschließend bewirtet Leopold Bloom Stephen in seiner Wohnung mit einer Tasse Kakao. Stephen verabschiedet sich sodann, und Leopold begibt sich neben seiner Frau Molly zur Ruhe, die ihn nachmittags mit ihrem Impressario Blazes Boylan betrogen hat. Mollys langer Monolog beendet den Roman.

Aus der veränderten Einstellung des Autors zur Realität ergab sich ein neuer Erzählstil. An die Stelle der optimistischen Überzeugung, daß der einzelne seine Umgebung gestalten, sein Schicksal bestimmen könne, trat im 20. Jahrhundert in zunehmendem Maße das Gefühl der Unsicherheit und Orientierungslosigkeit; das künstlerische Individuum büßte das Vertrauen in die schöpferische Autonomie und damit auch den Glauben ein, die Welt in Analogie zum Naturwissenschaftler deuten zu können. Daher fehlt bei Joyce die stabile Erzählperspektive: er berichtet nicht mehr aus der fixen Sicht eines Erzählers, der sich in seinen Urteilen in Übereinstimmung mit seiner Leser- oder Hörergemeinde weiß, sondern zeigt mit Hilfe moderner Techniken wie der erlebten Rede und des inneren Monologs die Realität in einem ständigen Wandel. Die Wirklichkeit, aber auch die sprachlichen Möglichkeiten, über Wirklichkeit zu sprechen, gleichen einem Labyrinth. Eine gewisse künstlerische Einheit gewinnt das Werk durch die Korrespondenzsysteme, die Joyce einarbeitete; dabei dominieren die Anspielungen auf die *Odyssee*, die jedoch ebenfalls dem Gestaltungsprinzip der permanenten Metamorphose unterworfen sind. Man wird Joyces *Ulysses* am ehesten gerecht, wenn man ihn als einen komischen Roman liest, der in souveräner Weise mit der Sprache und den literarischen Darstellungstechniken sein Spiel treibt. Literarhistorisch ist Joyces *Ulysses* Rabelais' *Gargantua et Pantagruel* und Laurence → Sternes *Tristram Shandy* gegenüberzustellen.

An *Finnegans wake* arbeitete Joyce zwischen 1923 und 1939; die Erstausgabe erschien in London noch im Jahre 1939. Läßt sich *Ulysses* aufgrund der erzähltechnischen Experimente als die Quintessenz der Moderne bezeichnen, so kann man *Finnegans wake* die Basis der Postmoderne nennen. *Finnegans wake* ist eine Traumdichtung, die von einem Dubliner Kneipenwirt, H. C. Earwicker, und dessen Familie berichtet. Die Form des Traumes gestattet es Joyce, das Prinzip der Entgrenzung in der Wirklichkeitsdarstellung und das Prinzip der Metamorphose ins Extrem zu steigern. Dies gilt für die Personendarstellung, die verwendeten Korrespondenzsysteme (von der Geschichtsphilosophie bis zur Psychoanalyse) und schließlich auch für die Diktion, in der Elemente aus 65 Sprachen mit dem Englischen zu einem polyglotten Idiom verschmolzen sind. Das mimetische Prinzip ist in Joyces letztem Roman aufgegeben: *Finnegans wake* ist ein Werk, in dem die Sprache ihre Autonomie gewinnt und – einmal freigesetzt – mit sich selbst spielt, um im Leser das Bewußtsein für die Fülle der in jedem Wort enthaltenen Ausdrucksmöglichkeiten zu wecken und zu verfeinern. (E)

Hauptwerke: *Chamber music* 1907. – *Dubliners* 1914. – *A portrait of the artist as a young man* 1916. – *Exiles* 1918. – *Ulysses* 1922. – *Pomes penyeach* 1927. – *Finnegans wake* (1939) 1975. – *Stephen Hero. Part of the first draft of A portrait of the artist as a young man*, ed. T. Spencer 1944, ed. J. J. Slocum und H. Cahoon (1956) 1963.

Bibliographien: J. J. Slocum und H. Cahoon, *A bibliography of James Joyce 1882–1941* 1953. – R. H. Deming, *A bibliography of James Joyce studies* (1964) 1977. – T. J. Rice, *James Joyce. A guide to research* 1982.

Ausgaben: *Collected poems* 1936. – *Letters*, ed. S. Gilbert und R. Ellmann, 3 vols 1957–1966. – *The critical writings*, ed. E. Mason und

R. Ellmann 1959. – *A first-draft version of Finnegans wake*, ed. D. Hayman 1963. – *Ulysses. A facsimile of the manuscript*, ed. C. Driver, 3 vols 1975. – *Ulysses. A critical and synoptic edition*, ed. H. W. Gabler, W. Steppe und C. Melchior, 4 vols 1984/85. – *Ulysses. The corrected text*, ed. H. W. Gabler, W. Steppe und C. Melchior 1986.

Übersetzungen: *Werke. Frankfurter Ausgabe*, Bd 1– , Redaktion K. Reichert 1969– (Suhrkamp): *Dubliner*, übers. von D. E. Zimmer 1969. *Briefe*, hg. von R. Ellmann, übers. von K. H. Hansen, 3 Bde 1969–1974. *Stephen der Held. Ein Porträt des Künstlers als junger Mann*, übers. von K. Reichert 1971. *Kleine Schriften*, übers. von K. Marschall u. a., 2 Bde 1974–1981. *Ulysses*, übers. von H. Wollschläger, 2 Bde 1975.

Biographien: H. S. Gorman, *James Joyce* (1940) 1948. – S. Joyce, *My brother's keeper. James Joyce's early years* 1958. – R. Ellmann, *James Joyce* (1959) 1982. – J. Paris, *James Joyce in Selbstzeugnissen und Bilddokumenten* 1960. – C. G. Anderson, *James Joyce and his world* 1968.

Sekundärliteratur: H. Levin, *James Joyce. A critical introduction* (1941) 1960. – H. Kenner, *Dublin's Joyce* 1956. – S. L. Goldberg, *The classical temper. A study of James Joyce's Ulysses* 1961. – A. W. Litz, *The art of James Joyce. Method and design in Ulysses and Finnegans wake* (1961) 1964. – C. Hart, *Structure and motif in Finnegans wake* 1962. – S. L. Goldberg, *Joyce* 1962. – R. Ellmann, *Ulysses on the Liffey* 1972. – A. Burgess, *Joysprick. An introduction to the language of James Joyce* 1973. – B. Benstock, *James Joyce. The undiscover'd country* 1977. – C. MacCabe, *James Joyce and the revolution of the word* 1978. – S. R. Brivic, *Joyce between Freud and Jung* 1980. – U. Multhaup, *James Joyce* 1980. – H. Kenner, *Ulysses* (1980) 1986. – *James Joyce. New perspectives*, ed. C. MacCabe 1982. – U. Eco, *The aesthetics of chaosmos. The middle ages of James Joyce* 1982. – *A companion to Joyce studies*, ed. Z. Bowen und J. F. Carens 1984. – R. Brown, *James Joyce and sexuality* 1985. – B. Benstock, *James Joyce* 1985.

John Keats (1795–1821)

Mit → Shelley und → Byron gehört Keats zu den drei großen Dichtern der jüngeren Romantik, einer früh vollendeten und früh verstorbenen Generation. Er war der jüngste der drei, und er schuf sein dichterisches Werk, das von großer Unmittelbarkeit und Geschlossenheit ist, in einem überaus kurzen Zeitraum.

Keats war Londoner und wurde als Sohn eines Stallmeisters geboren. Seine Kindheit war vom frühen Tod des Vaters und der Wiederverheiratung seiner (ebenfalls früh verstorbenen) Mutter überschattet. Statt des Elternhauses wurde die Schule in Enfield sein Zuhause. Mit dem Sohn ihres Leiters, Charles Cowden Clarke (1787–1877), später selbst ein erfolgreicher Literat, schloß Keats eine dauerhafte Freundschaft. Clarke vermittelte ihm nicht nur Schulwissen, sondern weckte auch die Liebe zur Literatur in ihm – »you first taught me all the sweets of song« (»Epistle to Charles Cowden Clarke« 1816). Auf Wunsch seines Vormunds sollte Keats Arzt werden und wurde zunächst zu einem Arzt und Apotheker in die Lehre gegeben. Der kurzen Lehrzeit schloß sich 1815 eine Ausbildung am Guy's Hospital in London an, die Keats 1816 mit einem Diplom der Society of Apothecaries abschloß. Die weitere Ausbildung, die zur Aufnahme ins Royal College of Surgeons führen sollte, brach er ab.

Schon während seiner Lehrzeit schrieb Keats, angeregt durch Clarke, erste Gedichte, in denen er zunächst, wie etwa in der »Imitation of Spenser« große Vorbilder nachahmte. Im Mai 1816 veröffentlichte Leigh → Hunt im *Examiner* sein Sonett »O solitude«. Damit beschleunigte sich Keats' Hinwendung zur Literatur. Durch Clarke fand er Aufnahme in den Kreis um Hunt, kurz danach begegnete er Shelley. Statt der Medizin widmete er sich, einundzwanzigjährig und damit von seinem Vormund unabhängig, ganz der Dichtung. Hunts Aufsatz »Young poets« machte auf ihn aufmerksam, doch fanden seine *Poems* (1817), die er Hunt widmete, wenig Beachtung. John Gibson Lockhart verriß sie in *Blackwood's magazine* als *cockney poetry*: Dichtung aus der Feder eines Londoners von niederer Herkunft.

Keats' erstes großes Gedicht war *Endymion*, eine Versromanze in vier Büchern, in der er eine abgewandelte, idealisierte Version der – in der englischen Literatur häufiger bearbeiteten – Legende des in den Schlaf versetzten Hirten darbot. Es ist ein bilderreiches, in seinen allegorischen Bezügen nicht immer leicht durchschaubares Werk, als dessen zentrales Motiv die Suche nach Liebe und Vollkommenheit intendiert ist. Keats selbst empfand das Gedicht als unausgereift, gekennzeichnet durch »great inexperience, immaturity, and every error denoting a feverish attempt, rather than a deed accomplished«. Doch es ist in der Benutzung der klassischen Mythologie als Medium für die eigene poetische Botschaft charakteristisch für Keats, und es enthält einige seiner meistgeschätzten Verse.

Die Reaktionen auf *Endymion* waren ebenso unfreundlich wie die auf die *Poems*, und auch sonst blieb Keats Unangenehmes nicht erspart. Die Rezensenten griffen ihn unter anderem wegen seiner Verbindung zu Leigh Hunt an, über den er sich in der Tat Illusionen gemacht hatte. Eine Begegnung mit → Wordsworth wurde zur Enttäuschung, da dieser sich egoistisch gab. Keats' persönliche Verhältnisse verschlechterten sich; er war fast mittellos. Einer seiner Brüder erkrankte an Tuberkulose, der Familienkrankheit, der andere wollte nach Amerika auswandern. Gleichwohl setzte Keats seine Arbeit fort, und wenige Monate nach *Endymion* erschien *Isabella, or The pot of basil*, ein makabres erzählendes Gedicht nach Boccaccios *Decamerone*, das neben Charles → Lamb nur wenige Bewunderer fand und auch Keats selbst nicht genügte.

Bald nach *Endymion* plante Keats ein weiteres großes, von der klassischen Mythologie getragenes Gedicht. Der Beginn der Arbeit daran war indessen durch »a siege of contraries« gekennzeichnet: Keats wollte das traditionelle, ihm durch → Milton vorgegebene Epos mit der ihm in Wordsworth gegenwärtigen Selbstdarstellung moderner Subjektivität verbinden. Um seine Phantasie anzuregen, unternahm er mit seinem (ihm bis zum Tode eng verbundenen) Freund Charles Armitage Brown (1786–1842), einem Literaten geringeren Ranges, eine Wandertour im Lake District, von der er erkrankt vorzeitig zurückkehren mußte. Im Herbst 1818 begegnete er Fanny Brawne, mit der ihn eine tiefe, aber unerfüllte und durch die Divergenz von Persönlichkeit und Temperament auch unerwiderte Liebe verband. Zahlreiche Briefe und mehrere Gedichte sind an sie gerichtet.

Das Jahr vom Herbst 1818 bis zum Herbst 1819 war das Goldene Jahr in Keats' Schaffen, und es gilt als ein produktiver Zeitraum, wie er keinem zweiten Autor der englischen Literatur zuteil wurde. Innerhalb weniger Monate entstanden die berühmten Oden: »On a Grecian urn«, »To psyche«, »To a nightingale«, »On melancholy« und »To autumn«. Sie entsprechen den traditionellen Konventionen der Gattung nicht, sondern sind lyrische Meditationen von höchster Intensität über Schönheit, Dauer und Vergänglichkeit. Überdies schrieb Keats die vielbewunderte Ballade *La belle dame sans merci* und die erzählenden Gedichte *The eve of St. Agnes* (eines seiner wirkungsvollsten Werke) und *Lamia* (mit einem aus → Burtons *Anatomy of melancholy* entnommenen Vorwurf). In beiden Erzählungen verbirgt sich ein allegorischer Sinn, und wie die Ballade werden sie durchaus unterschiedlich gedeutet.

Das große Gedicht, das ihn im Jahr 1819 mit Beschlag belegte, ist *Hyperion*. Es sollte ein Epos von ähnlichen inneren Dimensionen wie → Miltons *Paradise lost* werden, blieb jedoch Fragment. Der Mythos vom Titanen Hyperion und die künstlerische Gestaltungsweise, der sich Keats verschrieben hatte, waren offenbar inkompatibel. Gleichwohl bietet das Gedicht eine eigene, durch Keats' Vision des Schönen und Wahren geprägte mythologische Landschaft dar. Eine zweite Version, *The fall of Hyperion. A dream*, erst posthum veröffentlicht, ist der Keats' Dichtart eher angemessene Versuch, den Mythos aus der Perspektive des Dichters zu sehen und dabei gleichzeitig seine eigene Auffassung von der Bedeutsamkeit der Dichtung zum Ausdruck zu bringen. Auch sie blieb Fragment.

Die Gedichte des Jahres 1819, publiziert unter dem Titel *Lamia, Isabella, The eve of St. Agnes and other poems*, wurden gut aufgenommen, brachten aber Keats nicht die dringend erforderlichen Einkünfte. Seine Schaffenskraft war erschöpft, die Tuberkulose, die er sich wohl bei der Pflege seines Bruders zugezogen hatte, war weit fortgeschritten. Freunde kümmerten sich um ihn, Shelley lud ihn nach Italien ein. Mit seinem Freund Joseph Severn begab er sich nach Rom, wo er im Winter 1821 starb.

Eine Reihe von Keats' Werken erschien posthum, darunter eine (nie aufgeführte) Tragödie, *Otho the Great*, die er ebenfalls 1819 zusammen mit Charles Brown geschrieben hatte. Spätestens seit Matthew → Arnold ist Keats als einer der großen romantischen Dichter anerkannt. Seine Briefe, die als persönliche Bekenntnisse wie als ästhetische Kommentare bedeutsam sind, werden von der modernen Kritik vielfach seinen Gedichten als gleichrangig zur Seite gestellt. (F)

Hauptwerke: *Poems* 1817. – *Endymion, a poetic romance* 1818. – *Lamia, Isabella, the Eve of St. Agnes and other poems* 1820. – *Hyperion* (in Lamia) 1820.

Bibliographien: J. R. MacGillivray, *Keats. A bibliography and reference guide with an essay on Keats's reputation* 1949. – R. B. Hearn, *Keats criticism since nineteen fifty-four. A bibliography* 1981. – J. W. Rhodes, *Keats' major odes. An annotated bibliography of the criticism* 1984.

Ausgaben: *The poetical works*, ed. H. W. Garrod 1939, rev. 1958. – *The complete poems*, ed. M. Allott 1970, rev. 1972. – *The complete poems*, ed. J. Barnard (1973) 1977. – *The poems*, ed. J. Stillinger 1978. – *Letters 1814–1821*, ed. H. E. Rollins, 2 vols 1958. – *Letters*, ed. R. Gittings 1970.

Übersetzungen: *Gedichte und Briefe*, übers. von H. W. Häusermann 1950. – *Gedichte*, übers. von A. von Bernus 1958. – *Gedichte*, übers. von H. Piontek 1984 (Schneekluth).

Biographien: A. Ward, *John Keats. The making of a poet* 1963. – R. Gittings, *John Keats* 1968.

Sekundärliteratur: M. R. Ridley, *Keats' craftsmanship. A study in poetic development* 1933 (repr. 1963). – E. R. Wasserman, *The finer tone. Keats' major poems* 1953 (repr. 1967). – E. C. Pettet, *On the poetry of Keats* (1957) 1970. – W. J. Bate, *John Keats* 1963. – W. H. Evert, *Aesthetic and myth in the poetry of Keats* 1965. – D. Bush, *John Keats. His life and writings* 1966. – I. Jack, *Keats and the mirror of art* 1967. – M. Dickstein, *Keats and his poetry. A study in development* 1971. – S. M. Sperry, *Keats the poet* 1973. – C. Ricks, *Keats and embarrassment* 1974. – S. A. Ende, *Keats and the sublime* 1976. – R. M. Ryan, *Keats. The religious sense* 1976. – H. Viebrock, *John Keats* (Erträge der Forschung) 1977. – R. A. Sharp, *Keats, skepticism, and the religion of beauty 1979*. – H. Vendler, *The odes of John Keats* 1983. – M. Aske, *Keats and Hellenism. An essay* 1985. – J. Baker, *John Keats and symbolism* 1986. – J. Barnard, *John Keats* 1987. – M. Levinson, *Keats's life of allegory. The origins of a style* 1988.

Rudyard Kipling (1865–1936)

Kein anderer Autor des 19. Jahrhunderts hat der Parteien Haß und Gunst vergleichbar heftig erfahren wie Rudyard Kipling. Dies galt zu seinen Lebzeiten, dies gilt noch heute. Ursache hierfür ist eine konservative Ideologie, die in nicht wenigen Gedichten und Kurzgeschichten mit rassistischen (»Fuzzy-Wuzzy«, »Gunga Din«), sexistischen (»The female of the species«) und vor allem imperialistischen (»The white man's burden«) Tendenzen Ausdruck findet. Diese antidemokratische und antiliberale Gesinnung verdeckt Spannungen in Kiplings Leben und Werk (und mag darum auch Schutzcharakter haben). Der evangelikal-rigiden Erziehung, die er als Pflegekind in Southsea erleidet (1871–1877), stehen die ästhetizistischen Neigungen und Affiliationen seiner Eltern gegenüber. Der Vater ist seit 1865 Professor of Architectural Sculpture in Bombay, Edward Burne-Jones ist sein Onkel. Statt Offizier zu werden, wie dies das Ausbildungsziel seiner *public school* ist (1878–

1882), wird er Journalist und Redakteur bei Zeitungen in Bombay und Allahabad (1882–1889), ein überaus erfolgreicher im übrigen. Die journalistische Notwendigkeit, die Kolumnen zu füllen, widerspricht der künstlerischen Pflicht, zu wägen und zu sieben. Der Drang, die Welt zu erfahren – er bereist alle Kontinente, lebt längere Zeit in Indien, den Vereinigten Staaten, Südafrika –, ist nicht minder stark als der, sich auf die eigene Scholle, sei es in Vermont (1892–1896) oder Sussex (ab 1902), zurückzuziehen und die Welt auszuschließen. Er verehrt die »Sons of Martha«, die Männer der Tat etwa in Gestalt von Cecil Rhodes, den Träumern aber gilt seine Sehnsucht. Er lehnt Ehrungen wie das Amt des *poeta laureatus* (1895), Orden und Nobilitierung ab, um in seiner Kunst frei zu sein, und wird doch in den Jahren vor dem Ersten Weltkrieg zum schrillen Propagandisten des rechten Flügels der Tories.

Mögen solche nie harmonisierte Spannungen im Psychischen begründet oder Ausdruck eines Lebens in mehreren Welten bzw. des Übergangscharakters der Epoche von Jahrhundertende und -wende sein – der Komplexität und Reichweite von Kiplings Werk waren sie gewiß förderlich. Dies gilt schon für das lyrische Œuvre, das seine populäre Kraft aus den Traditionen der Balladendichtung (»Danny Deever«), der *music hall* (»The song of the banjo«) und des Kirchenliedes (»Recessional«, »Cities and thrones and powers«) bezieht. Dabei haben die Inhalte, etwa Kiplings insistent vorgetragenes *public school*-Ethos (»If«), oft den Blick verstellt für die metrische, rhythmische und strophische Virtuosität, für die Exaktheit der Beobachtung, für die Verwendung des Cockney als Sprache der Dichtung, für die Darstellung der neuen Welten des Soldaten- und Seemannslebens (*Barrack-room ballads*, *The seven seas*). All dies weist Kipling als einen Dichter des ausgehenden Jahrhunderts aus, der die beiden auseinanderstrebenden Tendenzen Realismus und Ästhetizismus durch die virtuose Behandlung des Konkret-Drastischen zu vereinbaren sucht.

Bedeutender freilich ist das Prosawerk (wenn es auch die Lyrik ist, die der Umgangssprache und dem englischen Zitatenschatz zahllose Formulierungen hinzugefügt hat). Kipling ist der Meister der Kurzgeschichte. Von *Plain tales from the hills*, in denen die Kolonialherrschaft in Indien zynisch-drastisch geschildert wird, bis zu *Limits and renewals* (1932) entsteht ein ebenso umfängliches wie vielfältiges Werk, das keine Zusammenfassung duldet; denn wiewohl Kipling auch hier Exotisches, Soldaten- und Seemannsleben vorzugsweise behandelt (*Soldiers three*; *Abaft the funnel* 1909), so erweitert er seinen Stoffkreis Schritt um Schritt und bezieht Okkultes (»They«) ebenso ein wie Geschichtliches (*Puck of Pook's Hill*; *Rewards and fairies*), die Maschinenwelt wie die *science fiction* (»As easy as A.B.C.«). Die psychische Analyse (»Mary Postgate«) gehört zu seinem Instrumentarium wie die erzählerisch raffinierte Abenteuergeschichte (»The man that would be king«). Der realistischen Darstellungsweise seiner frühen Geschichten fügt er die allegorische der *Jungle books* und die mythisierende seiner Sussex-Geschichten (»Friendly brook«) hinzu. Vermochte Kipling bereits mit diesen formal und inhaltlich so verschiedenartigen Werken ein breites Publikum anzusprechen, so hat er mit seinen Kinder- und Jugendbüchern (*The jungle book*; *Stalky & Co.* 1899; *Just so stories* 1902) alle Lesenden nicht nur seiner Epoche erreicht. Und mit *Kim* glückt ihm schließlich – nach dem Versuch in *The light that failed* (1890), seine Kindheit in Southsea aufzuarbeiten – auch die Großform des pikaresken Initiationsromans.

Die Vielzahl der Formen und Themen macht sowohl Reichtum wie Mangel sichtbar: den Reichtum an Entwürfen, den Mangel eines Plans. Dieser wird auch nicht dadurch behoben, daß Kipling stets erneut »the Law« als Norm verkündet; denn Kiplings Definitionen des Gesetzes verweisen – wie in »McAndrew's hymn«: »Law, Order, Duty an' Restraint, Obedience, Discipline!« – auf andere definitionsbedürftige Konzepte oder überantworten die Definition einer unbefragten Autorität: »But the head and the hoof of the Law and the haunch and the hump is – Obey!« So wird der zivilisatorische Imperativ → Carlyles und → Tennysons bei Kipling zum Preis der Tat an sich, des Ingenieurs, der ein Schiff betreibt, ohne zu fragen, wohin die Reise geht, des Soldaten, der ohne Bedenken marschiert und tötet. Die vielgerügte Vulgarität und Brutalität des Kiplingschen Werks scheinen in diesem Mangel begründet (ein Mangel, der zeittypische Berührungspunkte zum Werk der Ästhetizisten oder auch Conan Doyles erkennen läßt). Er mag auch Grund für die Heftigkeit der Invektiven gewesen sein, mit der Kipling allen Gegnern seiner Werte, Liberalen, Iren, Deutschen, Buren, »Wilden«, entgegentrat – kein Selbstzweifel konnte so laut werden.

Seiner Popularität freilich hat die Fragwürdigkeit seiner Wertvorstellungen keinen Abbruch getan: Die Neuartigkeit und Breite seiner Themen, die Exotik der Stoffe, die Virtuosität der Behandlung, die Beschwörung populärer Werte sicherten ihm unverzüglich den Erfolg, auch den kommerziellen. Er erhält als erster Engländer 1907 den Nobelpreis für Literatur, mehr als ein halbes Dutzend Ehrendoktorhüte folgen. 1927 wird gegen seinen Willen eine Kipling Society gegründet. Als er 1936 im Poets' Corner in Westminster Abbey beigesetzt wird, befinden sich unter den Trägern des Sarges der Premierminister, ein General, ein Admiral – jedoch kein Schriftsteller von Rang. (T)

Hauptwerke: *Plain tales from the hills* 1888. – *Soldiers three* 1888. – *Barrack-room ballads* 1892. – *The jungle book* 1894. – *The second jungle book* 1895. – *The seven seas* 1896. – *Kim* 1901. – *Puck of Pook's Hill* 1906. – *Rewards and fairies* 1910. – *Debits and credits* 1926.

Bibliographie: J. M. Stewart, *Rudyard Kipling. A bibliographical catalogue* 1959.

Ausgaben: *The Sussex edition of the complete works*, 35 vols 1937–1939. – *Rudyard Kipling's verse. Definitive edition* 1940.

Übersetzungen: *Zürcher Edition*, übers. von G. Haefs, 1987– (Haffmans). Bisher erschienen: *Vielerlei Schliche* (1987), *Das Dschungelbuch* (1987), *Kim* (1987), *Stalky & Co.* (1988).

Biographie: C. Carrington, *Rudyard Kipling. His life and work* 1978.

Sekundärliteratur: J. M. S. Tompkins, *The art of Rudyard Kipling* 1965. – *Kipling's mind and art*, ed. A. Rutherford 1964. – P. Mason, *Kipling. The glass, the shadow, and the fire* 1975. – S. Islam, *Kipling's law. A study of his philosophy of life* 1975. – A. Wilson, *The strange ride of Rudyard Kipling. His life and his works* 1977. – J. A. McClure, *Kipling and Conrad. The colonial fiction* 1981. – E. Mertner, *Rudyard Kipling und seine Kritiker* 1983. – *Kipling. Interviews and recollections*, ed. H. Orel 1983. – N. Page, *A Kipling companion* 1984.

Thomas Kyd (1558–1594)

Thomas Kyd hat sich mit einem einzigen Drama in die englische Theatergeschichte hineingeschrieben. Er war der Sohn eines wohlhabenden Londoner Notars, besuchte aber wahrscheinlich nie eine Universität, sondern erlernte den väterlichen Beruf. Sein frühestes erhaltenes Werk ist eine Übersetzung von Robert Garniers Tragödie *Cornélie*. Um diese Zeit scheint er im Dienst des Earl of Sussex gestanden zu haben. Ab 1591 bezog er mit → Marlowe eine gemeinsame Wohnung. Zwei Jahre später wurde Kyd unter der Anschuldigung verhaftet, durch Balladen und Pamphlete englische Arbeiter gegen ausländische Arbeitskräfte aufgewiegelt zu haben. Im Verlauf der Untersuchungen wurden in der Wohnung der beiden Dramatiker »atheistische« Schriften gefunden. Unter der Folter versuchte sich Kyd zu entlasten, indem er alle Schuld auf Marlowe schob, der kurz darauf ermordet wurde. Mit nur 36 Jahren starb Kyd in äußerster Armut.

Kyd wurde nach seinem Tod eine Reihe anonymer Dramen zugeschrieben, ohne daß sich dafür sichere Beweise hätten erbringen lassen. Er soll nach einer Anspielung von → Nashe auch der Verfasser einer Hamlettragödie gewesen sein, des sogenannten »Ur-Hamlet«, die → Shakespeare als Anregung gedient haben soll. Gesichert ist lediglich Kyds Verfasserschaft von *The Spanish tragedy* (ca. 1585). Mit diesem Stück allein hat er die Entwicklung des elisabethanischen Dramas maßgeblich beeinflußt. Es wurde zu einem der erfolgreichsten und bekanntesten Dramen der gesamten Epoche, auf das in anderen Stükken immer wieder angespielt wurde, bevor es dann in der Stuart-Ära als altmodisch der Lächerlichkeit verfiel. Mit diesem spannungsreichen, dramaturgisch glänzend gebauten Stück gelang Kyd die erfolgreiche Adaption der Tragödienkonzeption Senecas für die Bühne des Volkstheaters, und er begründete damit die überaus populäre Gattung der Rachetragödie.

Die Motive und Elemente, die Kyd verwendete, wie das Rache-, Wahnsinns- und Selbstmordmotiv, die Geistererscheinung, das Spiel im Spiel, die Unentschlossenheit des Rächers, der machiavellistische Schurke, die tatkräftige Heroine, Verstümmelungen auf offener Bühne, wurden die ganze Shakespeare-Zeit über in immer neuen Varianten und Kombinationen verwendet, auch wenn sich spätere Autoren über den Sprachschwulst und die steife Rhetorik Kyds lustig machten. Mit → Lyly und Marlowe zählt er zu den tonangebenden Begründern des elisabethanischen dramatischen Stils. (W)

Hauptwerk: *The Spanish tragedy* ca. 1585.

Bibliographie: S. A. Tannenbaum, *Thomas Kyd*, Elizabethan bibliographies 1941 (repr. 1967).

Ausgaben: *The works*, ed. F. S. Boas 1901 (repr. 1954). – *The Spanish tragedy*, ed. E. Philip 1959.

Sekundärliteratur: F. Carrère, *Le théâtre de Thomas Kyd* 1951. – A. Freeman, *Thomas Kyd. Facts and problems* 1967. – P. Murray, *Thomas Kyd* 1970.

Charles Lamb (1775–1834)

Kaum ein unvoreingenommener Leser der *Essays of Elia* würde vermuten, daß hinter der liebenswürdigen *persona* ein Mann mit einem schweren und ungewöhnlichen Schicksal stand. Lamb kam aus ärmlichen Verhältnissen (sein Vater war Schreiber und Faktotum für einen Rechtsanwalt), durchlief Christ's Hospital, die berühmte Londoner Armenschule, wo er mit → Coleridge eine dauerhafte Freundschaft schloß, und trat dann in die Fußstapfen seines Vaters: Er wurde Sekretär, zunächst im South Sea House, wo auch sein älterer Bruder John arbeitete, drei Jahre später in der Buchhaltung des India House, wo er bis zu seiner frühzeitigen Pensionierung (1825) blieb. Es wäre ein gänzlich ereignisloses Leben gewesen, wenn nicht eine Tragödie über die Familie hereingebrochen wäre. Im September 1796 erstach seine zehn Jahre ältere Schwester Mary in einem Anfall geistiger Umnachtung die Mutter. Kaum volljährig, nahm Lamb seine Schwester in Obhut und betreute sie in ihrer progressiven Geistesverwirrung ein Leben lang unter teilweise schwierigsten Umständen.

Seine ersten Gedichte, vier Sonette, veröffentlichte Lamb 1796 in einem Gedichtband von Coleridge. Weitere Gedichte von ihm (darunter sein bekanntestes, »The old familiar faces«) und von dem als Persönlichkeit interessanten, aber als Dichter schlechten Charles Lloyd (1775–1839) folgten 1798 in *Blank verse*. Lamb versuchte sich alsbald mit geringem Erfolg als Erzähler (*A tale of Rosamund Gray* 1798) und als Dramatiker (*John Woodvil* 1802). Die Tragödie mißglückte ihm ebenso wie eine spätere Farce. Sie dokumentiert indessen sein Interesse am älteren Drama, das in den *Specimens of the English dramatic poets who lived about the time of Shakespeare* (1808), der besten in einer Reihe fast gleichzeitig erscheinender Anthologien der elisabethanischen Literatur, seinen Ausdruck fand. Die Nacherzählungen der Shakespeare-Dramen, die er zusammen mit seiner Schwester schrieb, waren als *Tales from Shakespear, designed for the use of young persons* durch das ganze Jahrhundert populär, wurden in mehrere Sprachen übersetzt und sind in ihrer Art zu einem klassischen Werk geworden.

Lambs Anfänge als Journalist waren bescheiden. Er arbeitete an → Hunts frühen Periodika mit, doch erst durch seine Beiträge zum *London magazine*, das in John Scott einen fähigen Herausgeber und dazu einen brillanten Mitarbeiterkreis hatte, wurde er zu einem der großen englischen Essayisten. Seine Essays erschienen unter dem Pseudonym Elia – dem Namen eines Italieners aus dem South Sea House. Das biographisch Erstaunliche an ihnen ist die Idiosynkrasie, der Einfallsreichtum, die Launigkeit und der empfindsame Humor, die fürs erste nicht zu einem Kanzleischreiber zu passen scheinen. Doch darin manifestiert sich Lambs *alter ego*, das sich neben den Essays, wiewohl in wieder anderen Ausdrucksformen, in seinen Briefen findet. »I write in misery«, heißt es in einem Brief. Essays und Briefe waren der Ausbruch in eine Welt der Phantasie und der Erinnerung, in der er selbst zum fiktiven Charakter wurde. Lambs Ressourcen waren nicht unerschöpflich, aber aus ihnen speisten sich so verschiedene Essays wie »A dissertation upon roast pig«, »On the artificial comedy of the last century«, »The praise of chimney-sweepers« oder »Dream-children«. Die erste Sammlung, anfänglich kein Verkaufserfolg, später unzählige Male nachgedruckt, erschien 1823; 1835 folgte, mit einem Nachruf auf Elia als Einleitung, als *The last essays of Elia* eine zweite Serie von Beiträgen zu anderen Periodika.

Elia ist die in ihrem stilistischen Duktus durchweg originelle literarische Selbstinszenierung eines introspektiven Autors, anders als die von → Sterne, aber ihr vergleichbar. Statt sich in ihr zu offenbaren, wie lange geglaubt wurde, verbarg sich Lamb hinter seiner *persona*, wie er auch kaum mit prononcierten politischen Überzeugungen (er war ein sehr gemäßigter Radikaler) oder scharf konturierten literarkritischen Äußerungen hervortrat. Seine Bedeutung als Kritiker wurde in der Vergangenheit hoch angesetzt, aber sicher überschätzt. (F)

Hauptwerke: *Blank verse* 1798. – *Tales from Shakespear, designed for the use of young persons* (mit Mary Lamb), 2 vols 1807. – *Specimens of English dramatic poets who lived about the time of Shakespeare* 1808. – *Elia. Essays which have appeared under that signature in the London Magazine* 1823. – *The last essays of Elia* 1833. – Beiträge zu Periodika.

Bibliographie: J. C. Thomson, *Bibliography of the writings of Charles and Mary Lamb* 1908.

Ausgaben: *The works of Charles and Mary Lamb*, ed. E. V. Lucas, 7 vols 1903–1905. – *The works in prose and verse of Charles and Mary Lamb*, ed. T. Hutchinson, 2 vols 1908. – *Letters of Charles and Mary Anne Lamb*, ed. E. W. Marrs, Jr., 2 vols 1975/76.

Übersetzung: *Eine Abhandlung über Schweinebraten und andere Essays*, übers. von W. Föhl und H. Appeltshauser 1984 (Winkler).

Biographien: E. V. Lucas, *The life of Charles Lamb* 1905 (repr. 1968). – W. F. Courtney, *Young Charles Lamb, 1775–1802* 1982. – D. Cecil, *A portrait of Charles Lamb* 1983.
Sekundärliteratur: E. Blunden, *Charles Lamb and his contemporaries* 1933 (repr. 1967). – G. L. Barnett, *Charles Lamb. The evolution of Elia* 1964. – H. Weber, *Studien zur Form des Essays bei Charles Lamb* 1964. – F. V. Randel, *The world of Elia. Charles Lamb's essayistic Romanticism* 1975. – W. McKenna, *Charles Lamb and the theatre* 1978. – C. A. Prance, *Companion to Charles Lamb. A guide to people and places 1760–1847* 1983.

Walter Savage Landor (1775–1864)

Landor war ein »klassizistischer« Romantiker, und das erklärt wohl, warum er, großenteils zu Unrecht, nur noch wenig gelesen wird. Er selbst erwartete keine breite literarische Wirkung: »I claim no place in the world of letters; I am alone, and will be alone, as long as I live, and after.« Von Anfang an war er, in Staffordshire als Sohn eines Arztes geboren, ein teils bewußter, teils zufälliger Außenseiter. In Rugby, wo er sich ein vorzügliches Latein aneignete, wurde er ebenso relegiert wie später – wegen jakobinischen Verhaltens – in Oxford. Da er von Hause aus wohlhabend war, konnte er zunächst privatisieren und sich literarischen Neigungen widmen. Sein erstes größeres Werk war ein erzählendes Gedicht von orientalisch-märchenhafter Thematik: *Gebir, a poem in seven books*, das er später ins Lateinische übersetzte. Es hatte bereits das Schicksal der meisten seiner Werke: von einigen bewundert (darunter → Southey und → Coleridge), aber ohne Nachhall.

Republikanisch gesinnt, nahm Landor am Kampf der Spanier gegen Napoleon teil, und das literarische Ergebnis dieser Episode war sein erstes Drama, *Count Julian*, eine Tragödie, die nie aufgeführt wurde und 1812 nur unter Schwierigkeiten veröffentlicht werden konnte. Gut situiert, konnte Landor, inzwischen verheiratet, dies auf seinem Landsitz in Monmouthshire verschmerzen. Lokale Streitigkeiten veranlaßten ihn jedoch, Wales zu verlassen und zunächst in Frankreich, dann von 1815 bis 1835 in Florenz zu leben – seine glücklichste und literarisch produktivste Zeit. Hier entstand sein Hauptwerk, die fünf Bände der *Imaginary conversations of literary men and statesmen*, an die sich 1853 die *Imaginary conversations of Greeks and*

Romans anschlossen. Es sind fiktive Dialoge zwischen realen Personen, die einander begegnet sind oder begegnet sein könnten. Meist sind sie, eine Vielfalt von Themen berührend, ohne dramatische Zuspitzung – eben Unterhaltungen, die im Ton vom Idyllischen bis zum Satirischen variieren. Landor fand darin nicht nur eine ihm gemäße Gestaltungsweise, sondern auch ein Ausdrucksmedium für eigene Auffassungen, die er Figuren wie Epikur in den Mund legte. Manche der *Conversations* arbeitete er später zu größeren eigenständigen Werken aus (*Pericles and Aspasia*). Die zeitgenössische Reaktion auf das Werk war nicht nur positiv, aber unter Kennern hat es seinen Rang behauptet.

Landor war ein Meister der kleinen Form. Das Drama, an dem er sich nochmals in den vierziger Jahren versuchte, lag ihm nicht, dafür gelangen ihm eine Reihe von lyrischen Gedichten, die zum festen Bestand der englischen Dichtung gehören. Ebenso sind seine Briefe, von denen es nicht nur private, sondern auch offene gibt (so 1856 an Ralph Waldo Emerson) von Bedeutung. Überall dokumentiert sich in der Prägnanz und Luzidität seines Stils die innere Nähe zur römischen Klassik, und seine späteren Versdichtungen sind häufig lateinisch. Daß er nach England zurückkehrte, mehr als zwanzig Jahre in Bath lebte und dann schließlich, nicht ganz freiwillig, den Rest seines Lebens in Italien verbrachte, entbehrt nicht der inneren Konsequenz, war doch Landor, immer in Distanz zu seiner Zeit, Ästhet und Republikaner in einem. (F)

Hauptwerke: *Poems* 1795. – *Gebir, a poem in seven books* 1798. – *Imaginary conversations of literary men and statesmen*, 5 vols 1824–1829. – *Pericles and Aspasia*, 2 vols 1836. – *Imaginary conversations of Greeks and Romans* 1853.

Bibliographien: T. J. Wise and S. Wheeler, *A bibliography of the writings in prose and verse of Landor* 1919. – R. H. Super, *The publication of Landor's works* 1954.

Ausgaben: *Complete works*, ed. T. E. Welby and S. Wheeler, 16 vols 1927–1936 (repr. 1969). – *Poetical works*, ed. S. Wheeler, 3 vols 1937. – *Letters, private and public*, ed. S. Wheeler 1899 (repr. 1985).

Biographie: R. H. Super, *Walter Savage Landor. A biography* 1954.

Sekundärliteratur: M. Elwin, *Landor. A replevin* 1958 (repr. 1970). – P. Vitoux, *L'œuvre de Walter Savage Landor* 1964. – R. Pinsky, *Landor's poetry* 1968. – C. L. Proudfit, *Landor as critic* 1979.

Philip Larkin (1922–1985)

Philip Larkin hat England zeit seines Lebens kaum verlassen. Er wurde in Coventry (Warwickshire) geboren, besuchte dort auch die Schule und studierte von 1940 bis 1943 am St. John's College in Oxford. Zu den Freunden, die er dort gewann, gehörte Kingsley Amis, der ihm den Roman *Lucky Jim* widmete. Larkin war zunächst (seit 1943) als Bibliothekar in Wellington, Leicester und Belfast tätig, bis er schließlich 1955 an die Universitätsbibliothek nach Hull (Yorkshire) kam. Zu seinen ersten literarischen Versuchen gehören die auf autobiographischem Material beruhenden Romane *Jill* (1946) und *A girl in winter* (1947), die einige Anerkennung fanden, jedoch seine Begabung nicht voll zum Durchbruch kommen ließen.

Als Lyriker begann Larkin mit dem Band *The north ship* (1945), der unter dem Einfluß von W. B. → Yeats geschrieben wurde. In diesem Gedichtband, der vorwiegend von Liebeserlebnissen handelt, dominiert ein monotoner Klageton. Es fehlt die Überzeugungskraft, die sich bei Texten einstellt, die tatsächlich Erfahrenes und Erlebtes darstellen. Bei Larkin bleibt die klagende Haltung weitgehend nur ein rhetorischer Habitus. Wiewohl Larkin sich an der Diktion von Yeats schulte, widersprach die aristokratische Haltung, die Yeats in vielen seiner Gedichte zum Ausdruck bringt, auf die Dauer der Mentalität Philip Larkins.

Erst die eingehende Beschäftigung mit Thomas → Hardys Lyrik gab Larkins Begabung die ihr gemäße Formung und Zielrichtung. Beide Autoren bevorzugen die Darstellung des einfachen, bescheidenen, oft kaum beachteten Lebens in der Provinz oder, im Falle Larkins, auch in den Vorstädten der Industriemetropolen. Es überrascht daher nicht, daß beide, Hardy und Larkin, zunächst mit den Mitteln der epischen Dichtung dieses Sujet zu erfassen versuchten. Gemeinsam ist beiden auch eine skeptische, oft agnostische Haltung: die religiösen Ordnungsmuster, die etwa für T. S. → Eliot Gültigkeit besitzen, haben für Hardy wie für Larkin ihre Bedeutung eingebüßt. Das Gedicht »Church going« wurde für viele englische Leser in der Zeit nach dem Zweiten Weltkrieg zum Paradigma ihrer eigenen geistigen Einstellung: Skepsis gegenüber der religiösen Tradition und Verehrung für bestimmte Formen überlieferten religiösen Brauchtums sind hier auf ganz eigenwillige Art miteinander verbunden.

In gleicher Weise galt das Titelgedicht des Bandes *The whitsun weddings* (1964) als charakteristisch für den Lebensstil und die Stimmung in den fünfziger und den beginnenden sechziger Jahren in England, insbesondere in den vorstädtischen, von der Massenkultur geprägten Bezirken. In diesem Gedichtband wie auch in späteren Gedichten verbindet Larkin strenge Beobachtung, wahrheitsgetreue Darstellung und bildhaft-eindringliche Erfassung der Wirklichkeit mit einem geschulten Sinn für klangliche und rhythmische Effekte. Er hat ein sicheres Gespür für die wirkungsvolle Kombination von Stilmitteln, die verschiedenen Sprachebenen entstammen, und für die von der jeweiligen Situation geforderte Modulation der lyrischen Tonlage. Von eindringlicher Wirkung sind, vor allem in *The whitsun weddings*, die Gedichte, in denen der Sprecher in kühlem Ton eine Art Selbstporträt oder das Porträt eines anderen Menschen liefert; in »Mr. Bleaney« sind beide Möglichkeiten in raffinierter Weise miteinander kombiniert. Wie hoch Larkin von zeitgenössischen Kritikern eingeschätzt wurde, ging aus einer Bemerkung von Anthony Thwaite aus dem Jahre 1982 hervor: »He is our finest living poet.« (E)

Hauptwerke: *The north ship* (1945) 1966. – *Jill* 1946. – *A girl in winter* 1947. – *XX poems* 1951. – *The less deceived* 1955. – *The whitsun weddings* 1964. – *High windows* 1974.

Bibliographie: B. C. Bloomfield, *Philip Larkin. A bibliography, 1933–1976* 1979.

Übersetzung: *Gedichte* (zweispr.), übers. von W. A. Mitgutsch 1988 (Klett-Cotta).

Biographien: B. K. Martin, *Philip Larkin* 1978. – *Larkin at sixty*, ed. A. Thwaite 1982.

Sekundärliteratur: D. Timms, *Philip Larkin* 1973. – L. Kuby, *An uncommon poet for the common man. A study of Philip Larkin's poetry* 1974. – S. Petch, *The art of Philip Larkin* 1981. – A. Motion, *Philip Larkin* 1982. – G. Latré, *Locking earth to the sky. A structuralist approach to Philip Larkin's poetry* 1985. – T. Whalen, *Philip Larkin and English poetry* 1986.

D. H. Lawrence (1885-1930)

David Herbert Lawrence war in der englischen Literatur des 20. Jahrhunderts der erste Schriftsteller von Rang, der aus einer Arbeiterfamilie stammte. Der Vater war Grubenarbeiter, die Mutter kam aus einer bürgerlichen Familie und übte einen entscheidenden erzieherischen Einfluß auf ihre Kinder aus. Lawrence verbrachte seine Jugend in Nottinghamshire, wo sich die alten ländlich-bäuerlichen Lebensverhältnisse mit den Lebensgewohnheiten der Arbeiter im Industriebezirk eng berührten. Körperliche Schwächen machten sich früh bei Lawrence bemerkbar. Dazu kamen die Spannungen zwischen den Eltern, die tiefgehende Spuren bei den Kindern hinterließen.

1906 bis 1908 absolvierte Lawrence eine pädagogische Ausbildung und war von 1908 bis 1912 in Croydon als Lehrer tätig. Entscheidend für seine gesamte Entwicklung wurde die Begegnung mit Frieda von Richthofen, die in erster Ehe mit Professor Ernest Weekley verheiratet war, von dem sie 1914 geschieden wurde, so daß sie mit Lawrence eine zweite Ehe eingehen konnte. Seitdem Lawrence sich entschlossen hatte, sein Leben ausschließlich als Schriftsteller zu verbringen, führte er mit seiner Frau ein unstetes Wanderleben. Die Gegend um den Gardasee, Deutschland, England, die Schweiz und Italien waren bis zum Ersten Weltkrieg Stationen dieser Wanderschaft; nach 1919 reiste er nach Ceylon, Australien, dann lebte er in New Mexico und Mexiko und schließlich wiederum in England, Italien und Frankreich, wo er 1930 im Alter von 44 Jahren an einem Lungenleiden starb.

Die Fülle der Eindrücke, die er bei seinen Wanderungen aufnahm, hat er in Reisebüchern wie z. B. *Mornings in Mexico* (1927) oder *Etruscan places* (1932), aber auch in seinen Romanen, Kurzgeschichten und in seiner Lyrik verarbeitet. Für seine erzählerischen Anfänge waren Thomas → Hardy und George → Eliot Vorbilder. Mit *Sons and lovers* (1913) gelang Lawrence der Durchbruch: Autobiographische Erlebnisse wie das Verhältnis zur Mutter und zu Jessie Chambers dienten ihm als Grundlage dieses künstlerischen Selbstporträts, bei dem die Liebeskonflikte Paul Morels, insbesondere die ödipale Beziehung zur Mutter, im Mittelpunkt stehen. Die beiden folgenden Romane schildern in der Abfolge dreier Generationen (*The rainbow* 1915) und im Verhältnis zweier Paare (*Women in love* 1920) die allmähliche Entstehung des modernen Bewußtseins und die Konflikte, in die die Charaktere dadurch geraten. Die zentrale Thematik, die er in immer neuen erzählerischen Anläufen zu bewältigen versucht, ist die Harmonisierung der komplexen, von polaren Spannungen erfüllten menschlichen Natur -

und dies unter den besonderen Bedingungen des Industriezeitalters.

Von seinen späteren Romanen verdient *The plumed serpent* (1926) besondere Aufmerksamkeit, weil er in diesem Buch die Regeneration einer ganzen Gesellschaft vor dem Hintergrund mythisch-religiöser Kräfte beschreibt, die er in Mexiko noch lebendig sah. In *Lady Chatterley's lover* (1928) behandelt er die sexuellen Beziehungen eines Mannes und einer Frau mit einer Freimütigkeit, aufgrund derer der Roman bis 1960 nicht in England publiziert werden durfte.

Gleich → Huxley hat Lawrence Themen, die ihn grundsätzlich beschäftigten, auch in Essays abgehandelt, so etwa in *Psychoanalysis and the unconscious* (1921), *Pornography and obscenity* (1929) oder *Movements in European history* (1921). In seinen Gedichten - von denen besonders der Band *Birds, beasts and flowers* (1923) erwähnt sei - strebte D. H. Lawrence nach einer leidenschaftlichen Einfühlung in Naturvorgänge und nach einer intuitiven Erfassung der kosmischen Gesetzmäßigkeiten, der Tiere und Pflanzen unterstellt sind. Er versuchte im Leser den Blick für die Eigengesetzlichkeit eines jeden Tieres und einer jeden Pflanze zu schärfen. Die Form des Gedichtes ergab sich aus dem besonderen Rhythmus des dargestellten Erlebnisses: Er mied eine Kompositionsweise, die sich den Regeln einer normativ verstandenen, vorgegebenen Form unterwarf. Im *vers libre* fand er das geeignete Ausdrucksmittel. Diese aufgelockerte Form dichterischer Darstellung ermöglichte es ihm, in der Lyrik mit der gleichen sinnlich wirksamen Intensität zu sprechen wie in den besten Szenen seiner Romane oder in den grandiosen Naturbeschreibungen seiner Reisebücher. (E)

Hauptwerke: *The white peacock* 1911. – *The trespasser* 1912. – *Sons and lovers* 1913. – *The Prussian officer and other stories* 1914. – *The rainbow* 1915. – *Twilight in Italy* 1916. – *Women in love* 1920. – *The lost girl* 1920. – *Psychoanalysis and the unconscious* 1921. – *Movements in European history* 1921. – *England, my England and other stories* 1922. – *Aaron's rod* 1922. – *The ladybird; The fox; The captain's doll* 1923. – *Kangaroo* 1923. – *Birds, beasts and flowers* 1923. – *Studies in classic American literature* 1923. – *St. Mawr, together with The princess* 1925. – *The plumed serpent* 1926. – *Mornings in Mexico* 1927. – *The woman who rode away and other stories* 1928. – *Lady Chatterley's lover* 1928. – *Pansies* 1929. – *Pornography and obscenity* 1929. – *Nettles* 1930. – *The virgin and the gipsy* 1930. – *The man who died* 1931. – *Apocalypse* 1931. – *Etruscan places* 1932. – *Fire and other poems* 1940.

Bibliographien: W. Roberts, *A bibliography of D. H. Lawrence* (1963) 1982. – J. M. Phillips, *D. H. Lawrence. A review of the biographies and literary criticism. A critically annotated bibliography* 1978. – J. C. Cowan, *D. H. Lawrence. An annotated bibliography of writings about him*, 2 vols 1982–1985. – T. J. Rice, *D. H. Lawrence. A guide to research* 1983.

Ausgaben: *The Phoenix edition*, 27 vols 1954–1972. – *Collected letters*, ed. H. T. Moore, 2 vols 1962. – *Complete poems*, ed. V. de Sola Pinto und F. W. Roberts, 2 vols 1964. – *The Cambridge edition of the letters and works* 1979– .

Übersetzungen: *Lady Chatterley* 1960, 1973 (Rowohlt), 1983 (Goldmann). – *Der Regenbogen*, übers. von G. Günther 1964, 1984 (Rowohlt). – *Liebende Frauen*, übers. von T. Mutzenbecher 1967 (Rowohlt). – *Sämtliche Erzählungen und Kurzromane*, 8 Bde 1976 (Diogenes). – *Söhne und Liebhaber*, übers. von G. Goyert 1978, 1982 (Rowohlt). – *Der Atem des Lebens* (zweispr.), übers. von E. Schönwiese 1981 (Limes). – *Etruskische Stätten*, übers. von O. v. Nostitz 1985 (Diogenes). – *Italienische Dämmerung*, übers. von G. Goyert 1985 (Diogenes). – *Mexikanischer Morgen*, übers. von A. Kuoni 1985 (Diogenes). – *Die gefiederte Schlange*, übers. von G. Goyert 1986 (Diogenes).

Biographien: *D. H. Lawrence. A composite biography*, ed. E. Nehls, 3 vols 1957–1959. – R. Aldington, *D. H. Lawrence in Selbstzeugnissen und Bilddokumenten* 1961. – A. Burgess, *Flame into being. The life and work of D. H. Lawrence* 1985.

Sekundärliteratur: F. R. Leavis, *D. H. Lawrence. Novelist* 1955. – M. Spilka, *The love ethic of D. H. Lawrence* 1955. – G. Hough, *The dark sun. A study of D. H. Lawrence* 1956. – E. Vivas, *D. H. Lawrence. The failure and the triumph of art* 1960. – H. M. Daleski, *The forked flame. A study of D. H. Lawrence* 1965. – G. H. Ford, *Double measure. A study of the novels and stories of D. H. Lawrence* 1965. – K. Sagar, *The art of D. H. Lawrence* 1966. – F. Kermode, *D. H. Lawrence* 1973. – S. Sanders, *D. H. Lawrence. The world of the five major novels* 1973. – J. Worthen, *D. H. Lawrence and the idea of the novel* 1979. – G. Salgādo, *A preface to Lawrence* 1982. – R. C. Murfin, *The poetry of D. H. Lawrence. Texts and contexts* 1983. – *D. H. Lawrence. New studies*, ed. C. Heywood 1987.

Doris Lessing (geb. 1919)

In den Romanen Doris Lessings spiegeln sich die politischen Konflikte Südafrikas, die gesellschaftlichen, insbesondere die sexuellen Probleme der Frau in einer *permissive society* und die

Ängste, die in allen Völkern der Erde die atomare Aufrüstung ausgelöst hat. Bei der Ausarbeitung ihrer erzählerischen Werke griff sie auch auf autobiographisches Material zurück.

Doris Lessing wurde 1919 in Persien geboren; aber bereits 1925 siedelte die Familie nach Rhodesien über, wo sie zunächst auf einer Maisfarm, später in Salisbury lebte. In erster Ehe war Doris Lessing mit dem Kolonialbeamten Frank Wisdom, in zweiter Ehe mit dem deutschen kommunistischen Emigranten Gottfried Anton Lessing verheiratet; beide Ehen wurden jeweils nach wenigen Jahren geschieden. 1949 verlegte sie ihren Wohnsitz nach England und gehörte einige Jahre lang der Kommunistischen Partei Großbritanniens an, die sie, enttäuscht über die Haltung der englischen Kommunisten zum Ungarnaufstand, 1956 verließ.

Bereits 1950 erzielte Doris Lessing mit dem Roman *The grass is singing* einen großen Erfolg. Sie stellt in diesem Werk den Rassenkonflikt in Südafrika dar und schildert beispielhaft die Beziehungen zwischen einer weißen Frau und einem Schwarzen. Mit diesem Roman ist das Thema angeschlagen, das ihrer Romanserie *Children of violence* zugrunde liegt. *Martha Quest* (1952) stellt die Erlebnisse der heranwachsenden Protagonistin dar, die in vielerlei Beziehung an die Autorin erinnert: Martha sagt sich von ihren Eltern los, ergreift einen Beruf, bindet sich an Douglas Knowell, das literarische Ebenbild von Frank Wisdom. *A proper marriage* (1954) beschreibt das Scheitern dieser Ehe und Marthas Hinwendung zur Politik; hier erinnert Anton Hesse an Gottfried Anton Lessing.

A ripple from the storm (1958) berichtet von Marthas verstärkter Hinwendung zur parteipolitischen Arbeit im Lager der Kommunisten. *Landlocked* (1965) behandelt ihre Affäre mit dem polnischen Flüchtling Thomas Stern, der sie schließlich verläßt. *The four-gated city* (1969) verlegt den Schauplatz nach England, schildert die Verhältnisse in den fünfziger und sechziger Jahren, zieht aber auch eine Linie bis ans Ende des Jahrhunderts und beschreibt die Zustände nach einem dritten Weltkrieg, in dem atomare Waffen eingesetzt wurden. Der Roman wirkt wie eine Anti-Utopie, in der auch die sehr persönliche Suche der Martha Quest behandelt und in Frage gestellt wird.

The four-gated city antizipiert die zweite fünfteilige Serie, die die Autorin der Gattung „space-fiction" zuwies. Sie trägt den Sammeltitel *Canopus in Argos. Archives* und umfaßt folgende Werke: *Re:colonized planet 5, Shikasta* (1979), *The marriages between zones three, four, and five* (1980), *The Sirian experiments* (1981), *The making of the representative for planet 8* (1982) und *Documents relating to the sentimental agents in the Volyen empire* (1983). Doris Lessing entwirft in diesen Romanen ein Weltbild, in dem Vorstellungen des Neuplatonismus und des Sufismus, der mohammedanischen Mystik, miteinander verschmolzen sind. Die Frage jedoch, wie der individuelle Entscheidungsspielraum und die Selbstbestimmung in Einklang mit dem Gesetz kosmischer Harmonie zu bringen sind, bleibt letztlich ungelöst.

Die geschlossenste künstlerische Form weisen *The golden notebook* (1962) und *Briefing for a descent into hell* (1971) auf. In beiden Werken benutzt Doris Lessing traditionell-realistische und modern-experimentelle Erzählweisen, um die komplexen psychischen und moralischen Konflikte darzustellen, die sie in der zeitgenössischen Gesellschaft und an sich selbst beobachtet hat. (E)

Hauptwerke: *The grass is singing* 1950. – *Children of violence: Martha Quest* 1952; *A proper marriage* 1954; *A ripple from the storm* 1958; *Landlocked* 1965; *The four-gated city* 1969. – *Retreat to innocence* 1956. – *No witchcraft for sale* 1956. – *The habit of loving* 1957. – *The golden notebook* 1962. – *African stories* 1964. – *Winter in July* 1966. – *The black madonna* 1966. – *Nine African stories* 1968. – *Briefing for a descent into hell* 1971. – *The story of a non-marrying man and other stories* 1972. – *The summer before the dark* 1973. – *The memoirs of a survivor* 1974. – *Canopus in Argos. Archives: Re:colonized planet 5, Shikasta* 1979; *The marriages between zones three, four, and five* 1980; *The Sirian experiments* 1981; *The making of the representative for planet 8* 1982; *Documents relating to the sentimental agents in the Volyen empire* 1983. – *The diaries of Jane Somers* 1984. – *The good terrorist* 1985. – *The fifth child* 1988.

Bibliographien: C. Ipp, *Doris Lessing. A bibliography* 1967. – D. Seligman, *Doris Lessing. An annotated bibliography of criticism* 1981.

Übersetzungen: *Afrikanische Tragödie*, übers. von E. Sander 1953 (Bertelsmann), 1980, 1982 (Fischer). – *Der Sommer vor der Dunkelheit*, übers. von J. Abel 1975 (Rowohlt). – *Der Zauber ist nicht verkäuflich. Afrikanische Erzählungen*, übers. von M. Hackel, L. Krüger und E. Schnack 1976, 1981 (Diogenes). – *Das goldene Notizbuch*, übers. von I. Wagner 1978 (Fischer/Goverts). – *Die Memoiren einer Überlebenden*, übers. von R. Hermstein 1979 (Fischer). – *Erzählungen*, übers. von A. Dormagen, Bd 1– 1979– (Klett-Cotta). – *Kinder der Gewalt*, 5 Bde, übers. von K. Kersten und I. Wagner 1981–1984 (Klett-Cotta), 1985–1988 (dtv). – *Anweisung für einen Abstieg zur Hölle*, übers. von I. Wagner 1981 (Fischer/Goverts). – *Canopus in Argos. Ar-*

chive, 5 Bde, übers. von H. Pfetsch, M. Ohl u. a. 1983–1985, 1987 (Fischer). – *Das fünfte Kind*, übers. von E. Schönfeld 1988 (Hoffmann und Campe).

Sekundärliteratur: P. Schlueter, *The novels of Doris Lessing* 1969. – M. A. Singleton, *The city and the veld. The fiction of Doris Lessing* 1977. – R. Rubenstein, *The novelistic vision of Doris Lessing. Breaking the forms of consciousness* 1979. – R. Spiegel, *Doris Lessing. The problem of alienation and the form of the novel* 1980. – H. Kessler, *Individuum und Gesellschaft in den Romanen der Doris Lessing. Zum kontroversen Wandel eines Werkes* 1982. – L. Sage, *Doris Lessing* 1983. – B. Draine, *Substance under pressure. Artistic coherence and evolving form in the novels of Doris Lessing* 1983. – M. Knapp, *Doris Lessing* 1984. – K. Fishburn, *The unexpected universe of Doris Lessing. A study in narrative technique* 1985.

George Lillo (1693–1739)

Lillo war von flämischer Abkunft, in London geboren und, soweit aus seiner kargen Biographie bekannt ist, wie sein Vater ein leidlich erfolgreicher Juwelier. Als »Dissenter« war er von festem Glauben und strenger Moral, und dies erklärt vielleicht, warum er sich erst spät der Literatur und dem bei den Puritanern in Mißkredit stehenden Theater zuwandte.

Sein erstes Werk, *Silvia, or the country burial* (1730) gehörte zum Genre der *ballad opera*, das → Gay populär gemacht hatte. Allerdings repräsentierte *Silvia* eine ernst-moralische Variante und erfreute sich wohl deswegen weit geringerer Publikumsgunst als die *Beggar's opera*. Lillos zweite Tragödie dagegen war, mit dem berühmten Theophilus Cibber in der Hauptrolle, ein spontaner Bühnenerfolg, der über lange Zeit anhielt. *The merchant*, bald umbenannt in *The London merchant, or the history of George Barnwell*, war ein Stück ohne Vorläufer und ohne literarische Tradition. Es beruhte auf einer alten Ballade aus dem 17. Jahrhundert, die für die Aufführung neu gedruckt und in Tausenden von Exemplaren verkauft wurde.

Traditionell gehörten Tragödie und »hoher« Charakter zusammen. Doch Lillo glaubte, die Tragödie, ohne ihr die Würde zu nehmen, den »circumstances of the generality of mankind« anpassen zu dürfen und sogar anpassen zu müssen. Damit war die »bürgerliche« Tragödie begründet, und die Aufnahme des Stückes in London und die Nachwirkung, die es haben sollte, gaben ihm recht. Mit dieser »Erweiterung« der ernsthaften Literatur war nicht nur → Pope einverstanden, der das Stück empfahl, oder → Fielding, der in seinem Nachruf Lillo generös und grandios »den Geist eines alten Römers und die Unschuld eines frühen Christen« zuerkannte. Das Theaterpublikum schloß den Hof ebenso ein wie die Kaufleute der City, und das Stück wurde bis weit ins 19. Jahrhundert immer wieder aufgeführt. Doch der Umstand, daß → Thackeray mit *George de Barnwell* eine Burleske schrieb, läßt erkennen, daß die tragische Bürgerlichkeit potentiell nicht nur das Melodrama in sich barg.

In bescheideneren Grenzen konnte Lillo 1736 nochmals das Publikum mit einer bürgerlichen Tragödie für sich gewinnen. *Fatal curiosity* wurde im Haymarket Theatre von Fielding selbst inszeniert, der Lillos »Realismus« viel abgewann. Dem Stück lag eine Geschichte aus Cornwall zugrunde, die Lillo wiederum aus einer alten Ballade kannte. Ein drittes Mal gelang ihm eine solche Umsetzung nicht. Mit *Marina*, einer Adaptation, griff er auf die konventionelle Tragödie mit »hohen« Charakteren zurück, und auch seine weiteren Versuche schlugen fehl. Offenbar hatte sich seine dramatische Gestaltungskraft binnen kurzer Zeit erschöpft. Bei seinem Tode hinterließ er eine unfertige Bearbeitung von *Arden of Feversham* (1592), einer gelegentlich Shakespeare zugeschriebenen elisabethanischen Tragödie unbekannter Autorschaft und »bürgerlichen« Einschlags.

Wie Lillo ohne Vorgänger war, so hatte er in England auch kaum Nachfolger. Die Idee, daß auch der »niedere« Charakter eine tragische Figur sein kann, faßte im englischen Drama der Epoche nicht Fuß. Sie setzte sich indessen in Frankreich und vor allem in Deutschland durch. In der Theorie der Tragödie spielte sie hinfort eine erhebliche Rolle, und Lessings *Miss Sara Sampson* (1755) begründete hier eine Tradition, die über das 18. Jahrhundert hinausreichte und von Friedrich Hebbel neu belebt wurde. (F)

Hauptwerke: *The London merchant, or the history of George Barnwell* 1731. – *Fatal curiosity* 1736.

Ausgabe: *Works* 1775 (repr. 1973).

Übersetzung: *Der Kaufmann von London*, übers. von H. A. Bassowitz (1752), hrsg. von K. D. Müller 1981 (Niemeyer).

Sekundärliteratur: G. Lossack, *Lillo und seine Bedeutung für die Geschichte des englischen Dramas* 1939. – R. Daunicht, *Die Entstehung des bürgerlichen Trauerspiels in Deutschland* 1963.

John Locke (1632–1704)

Als Philosoph der Aufklärung hatte Locke eine Wirkung, die weit über den Bereich der Philosophie hinausreichte. Die Vorstellungs- und Empfindungsweise eines ganzen Zeitalters wurde von ihm zumindest mitgeprägt, und in einem der einflußreichsten Romane der englischen Literatur, → Sternes *Tristram Shandy*, fand seine Assoziationspsychologie sogar eine unmittelbare literarische Gestaltung. Locke selbst hat diese breite Ausstrahlung seines Werkes weder gesucht noch zur Kenntnis nehmen können: sie begann erst nach seinem Tod.

Als Sohn eines Rechtsanwalts in der Nähe von Bristol geboren, durchlief Locke die Westminster School und Christ Church College in Oxford, wo er verschiedene akademische Funktionen wahrnahm. Von der scholastischen Philosophie abgestoßen, fühlte er sich zu Medizin und Naturwissenschaften hingezogen und attachierte sich unter anderem dem Chemiker Robert Boyle. 1666 trat er in die Dienste von Lord Ashley, dem späteren First Earl of Shaftesbury, und begleitete dessen Aufstieg in hohe Staatsämter. Locke wurde in die Royal Society aufgenommen, und dort entstand die Idee zu seinem *Essay concerning humane understanding*, deren Ausführung jedoch zwei Jahrzehnte in Anspruch nehmen sollte. Nach Shaftesburys Sturz hielt sich Locke zunächst in Frankreich auf, später – der Komplizenschaft mit Shaftesbury verdächtigt – in Holland, wo er seine *Epistola de tolerantia* schrieb, ein Plädoyer für die Religionsfreiheit, mit dem er vornehmlich den in England wie in Frankreich bedrohten Protestantismus verteidigen wollte.

Im Gefolge Wilhelms III. kehrte Locke nach der Glorious Revolution nach England zurück und nahm (nach Ablehnung des ihm angetragenen Gesandtenpostens in Brandenburg) ein Regierungsamt an, das ihn indessen wenig belastete und ihm ermöglichte, außerhalb Londons zu leben. In schneller Folge erschienen nun seine wesentlichen Werke: die englische Übersetzung des Toleranz-Briefes (dem sich weitere Briefe anschlossen), *Two treatises of government* und der *Essay concerning humane understanding*. Eingängig geschrieben und dem allenthalben empfundenen Bedürfnis nach einer zeitgemäßen Erkenntnislehre entsprechend, fand der *Essay*, nicht zuletzt durch die französische Übersetzung von Pierre Coste (1700), in ganz Europa Widerhall.

Auf Bitten seines Freundes Edward Clarke, der sich während des Holland-Aufenthaltes seiner Angelegenheiten angenommen hatte, hatte Locke sich verschiedentlich brieflich zu Erziehungsfragen geäußert. In *Some thoughts concerning education* faßte er diese Äußerungen zu einer Erziehungslehre zusammen. Für den Landadel gedacht, fand sie indessen in England wie auf dem Kontinent weiteste Beachtung und gilt heute als eine klassische Erziehungstheorie. Lockes letztes großes Werk, *The reasonableness of Christianity*, ist Fragen einer rationalen Theologie gewidmet; seine Studien zu einigen Paulus-Briefen erschienen posthum, ebenso wie *The conduct of the understanding*, das für eine überarbeitete Fassung des *Essay* gedacht war. Solange es ihm seine Gesundheit gestattete, nahm Locke, dem die Welt der Macht und der Politik nicht weniger wichtig war als die Welt des Geistes, Regierungsämter wahr, zuletzt als Mitglied des Council of trade.

Lockes Bedeutung für das 18. Jahrhundert und darüber hinaus für die gesamte Neuzeit gründet sich auf seine Erkenntnistheorie und auf seine Staatstheorie. Im Widerspruch zu Descartes, der ihn stark beeinflußte, begründete er den Empirismus, für den die einzige Quelle des Wissens und Erkennens die Erfahrung ist. Der Empirismus wird häufig als ein der englischen Mentalität besonders kommensurabler philosophischer Standpunkt angesehen. In der Tat lassen sich von Locke Verbindungslinien sowohl zur Wissenschaftsbewegung des 17. und 18. Jahrhunderts wie auch zu einer in der Literatur des 18. Jahrhunderts immer wieder hervortretenden Geistesart ziehen. Seine Staatslehre, die von der Idee der Volkssouveränität bestimmt ist, lieferte nicht nur eine Theorie für die englische Demokratie, sondern auch die Rechtfertigung für die Unabhängigkeitserklärung der Vereinigten Staaten. (F)

Hauptwerke: *Epistola de tolerantia* 1689; *A second letter concerning toleration* 1690; *A third letter ...* 1692. – *Two treatises of government* 1690. – *An essay concerning humane understanding* 1690. – *Some thoughts concerning education* 1693.

Ausgaben: *The Clarendon edition of the works*, ed. P. H. Nidditch 1975– . – *The educational writings of John Locke*, ed. J. L. Axtell 1968. – *The correspondence*, ed. E. S. de Beer, 8 vols 1976–1987.

Übersetzungen: *Ein Brief über die Toleranz*, übers. und hrsg. von J. Ebbinghaus 1975 (Meiner). – *Über die Regierung* (Reclam). – *Versuch über den menschlichen Verstand*, 2 Bde 1981 (Meiner). – *Einige Gedanken über die Erziehung*, übers. von J. B. Deermann 1967 (Schöningh).

Biographie: M. Cranston, *John Locke. A biography* (1957) 1985.
Sekundärliteratur: K. MacLean, *John Locke and English literature of the eighteenth century* 1936 (repr. 1984). – R.I. Aaron, *John Locke* (1937) 1955. – J.W. Gough, *John Locke's political philosophy* (1950) 1973. – J.W. Yolton, *John Locke and the way of ideas* 1956 (repr. 1968). – E.L. Tuveson, *The imagination as a means of grace. Locke and the aesthetics of Romanticism* 1960 (repr. 1973). – J. Dunn, *The political thought of John Locke. An historical account of the argument of the Two treatises of government* 1969. – J.W. Yolton, *Locke and the compass of human understanding. A selective commentary on the Essay* 1970. – J.D. Mabbot, *John Locke* 1973.

John Lyly (ca. 1554–1606)

Lyly, der einer Familie mit humanistisch-akademischer Tradition entstammte – sein Großvater, der berühmte Grammatiker William Lyly, war der Freund Erasmus' und Thomas → Mores – wandte sich, der Gelehrsamkeit überdrüssig, der Schriftstellerei zu, ohne allerdings das familiäre Erbe gänzlich verleugnen zu können.

Sein größter Erfolg war die Romanze *Euphues, the anatomy of wit* (1578), der er 1580 die weniger erfolgreiche Fortsetzung *Euphues and his England* folgen ließ. Die breite Wirkung dieser handlungsarmen Werke lag zum einen in der Fülle der Themen, die in langen Gesprächen und Briefen diskutiert werden, wie z.B. Religion und Moral, Freundschaft und Liebe, Mode und höfisches Benehmen, zum anderen im Stil, dem sogenannten Euphuismus. In ihm werden rhetorische Schmuckelemente, wie Alliteration, parallele Wort- und Satzanordnung, Euphonie und Rhythmik gehäuft verwendet, die Sprache wird mit exotischen Bildern und Vergleichen überhäuft, und die Sätze und Satzglieder werden zu symmetrischen Mustern geordnet. Dieser Stil wurde am Hof und in den gebildeten Schichten für eine Reihe von Jahren zur vielfach nachgeahmten Mode, bis er schließlich der Lächerlichkeit verfiel.

Ab 1583/84 übernahm Lyly das Blackfriars Theatre, wo er aus Chorsängern der Hofkapelle und der St. Paul's Cathedral eine Kindertruppe formierte, mit der er seine Komödien zur Aufführung brachte. Mit Ausnahme von *Mother Bombie* sind Lylys Komödien elegante Mischungen aus Debatten über Liebe und Ehre mit Liedern und Tänzen. Die Figuren entstammen nicht der derben und farcenhaften einheimischen Komödientradition, sondern sind der antiken Geschichte oder Mythologie entnommen, an denen Lyly Normen des humanistischen und höfischen Verhaltens demonstriert. Mit diesen Stücken wurde er zum Begründer der romantischen höfischen Komödie, die insbesondere von → Shakespeare aufgegriffen und weiterentwickelt wurde. (W)

Hauptwerke: *Euphues, the anatomy of wit* 1587. – *Euphues and his England* 1580. – *Endimion* 1591. – *Mother Bombie* 1594.

Bibliographien: S. A. Tannenbaum, *John Lyly. A concise bibliography*, Elizabethan bibliographies 1940 (repr. 1967). – R. C. Johnson, *John Lyly 1939–1965*, Elizabethan bibliographies supplements V (1968).

Ausgaben: *The complete works*, ed. R. W. Bond, 3 vols 1902 (repr. 1967). – *Euphues*, ed. M. W. Croll und H. Clemons 1916 (repr. 1964).

Sekundärliteratur: A. Feuillerat, *John Lyly. Contribution à l'histoire de la Renaissance en Angleterre* 1910. – V. M. Jeffrey, *John Lyly and the Italian Renaissance* 1928 (repr. 1969). – G. K. Hunter, *John Lyly. The humanist as courtier* 1962. – P. Saccio, *The court comedies of John Lyly. A study in allegorical dramaturgy* 1969.

Thomas Babington Macaulay (1800–1859)

Schon sein Geburtstag, der Tag des Hl. Crispin, von → Shakespeares Heinrich V. als Jahrestag der Schlacht von Agincourt patriotisch gefeiert, prädestiniert Thomas Babington Macaulay dazu, erfolgreich zu sein und der Verkünder von Englands konstitutioneller und bürgerlicher Glorie zu werden. In der Tat ist Macaulays öffentliches Leben – und als ein öffentliches, zu veröffentlichendes wird es von ihm in Briefen und Tagebüchern konzipiert – die Geschichte von frühen großen Erfolgen zu späteren, größeren. Die Interessen des Elternhauses – der Vater Zachary ist als Angehöriger der evangelikalen Clapham-Gemeinde ein führender Philanthrop und Gegner der Sklaverei – führen ihn frühzeitig zu Geschichte und Politik: Der Siebenjährige verfaßt eine Weltgeschichte und – in der Nachfolge → Scotts – Balladen.

Das Studium am Trinity College in Cambridge (1818–1822) und die Befähigung, den Rechtsanwaltberuf auszuüben (1826), ändern nichts an der früh gefaßten Absicht, Autor und Politiker zu werden. Macaulay betätigt sich ab 1823 als Essayist und Rezensent und besucht, um Erfahrungen zu sammeln, seit etwa 1827 Parlamentssitzungen. Sein erster Essay (zu Milton) für die wichtigste Zeitschrift der Whigs, die *Edinburgh review*, macht ihn 1825 über Nacht berühmt, 1830 wird er ins Parlament gewählt. Seine Plädoyers für die Wahlrechtsreform 1831/32 weisen ihn als einen der besten Redner der Zeit aus. Die Jahre 1834 bis 1838 verbringt er als hoher Regierungsbeamter in Indien, um finanzielle Unabhängigkeit zu erlangen, 1839 wird er in das Kabinett berufen, 1846 ein zweites Mal. 1857 erfolgt die Erhebung in den erblichen Adelsstand. Der steilen öffentlichen Karriere entspricht die literarische. Macaulays literarkritische und historische Essays für die *Edinburgh review* etablieren ihn schnell als einen der einflußreichsten Kritiker seiner Zeit. Seinen *Lays of ancient Rome*, der balladesken Aufarbeitung römischer Geschichte und Legende in robusten Versen –

> Then out spake brave Horatius
> The Captain of the Gate:
> »To every man upon this earth
> Death cometh soon or late.« –

ist großer kommerzieller Erfolg beschieden. Dieser wird von der Veröffentlichung seiner (unvollendet gebliebenen) *History of England* noch in den Schatten gestellt.

Ein gut Teil seines Erfolges ist in Macaulays Sprachrohrfunktion begründet: In ihm verkörpern sich früh- und mittviktorianische Glaubensartikel. Als führender Whig fordert er Reform, sieht Fortschritt als das Gesetz der Geschichte, der vom englischen Bürgertum getragen wird. So beginnt ihm die Geschichte Englands recht eigentlich mit der Glorreichen Revolution von 1688; sie strebt im viktorianischen Zeitalter ihrer Vollendung entgegen. Nicht minder erfolgversprechend und zeitgemäß ist Macaulays historische und literarische Methode. Ein stupendes Gedächtnis, das ihm von Kindheit an alles, Wichtiges wie Triviales, wortgetreu speichern hilft, stellt das Material, Fakten, Präzedenzfälle, Anekdotisches, in reicher Fülle bereit. In bewußter Anlehnung an die Veranschaulichung der Geschichte in Scotts historischen Romanen faßt Macaulay Geschichte als *romance* und bereitet sie dem Leser durch seine glänzende Erzählkunst als solche auf: »To me a book which is not amusing wants the highest of all recommendations.« Es ist dies ein Bewußtsein, das Macaulays Werk trotz mancher, schon von Matthew → Arnold und Lord Acton gerügten, philiströsen Insularität der Wertvorstellungen dem modernen Historiker, der geschichtlichen und literarischen Diskurs nicht mehr unterscheiden will, empfehlen sollte. (T)

Hauptwerke: *Lays of ancient Rome* 1842. – *Critical and historical essays*, 3 vols 1843. – *The history of England from the accession of James II*, 5 vols 1849–1861.

Ausgaben: *The works*, ed. Lady Trevelyan, 8 vols 1866. – *The letters*, ed. T. Pinney 1974– .

Biographie: G. O. Trevelyan, *The life and letters of Lord Macaulay*, 2 vols 1876.

Sekundärliteratur: G. L. Levine, *The boundaries of fiction. Carlyle, Macaulay, Newman* 1968. – J. Clive, *Macaulay. The shaping of the historian* 1973. – J. Millgate, *Macaulay* 1973. – J. Hamburger, *Macaulay and the Whig tradition* 1976. – N. Kinne, *Die Literaturkritik Thomas Babington Macaulays und ihre Rezeption* 1979.

Louis MacNeice (1907–1963)

Louis MacNeice war mit Stephen → Spender und W. H. → Auden befreundet und wurde deshalb zur »Macspaunday«-Gruppe der politischen Lyrik der dreißiger Jahre gerechnet, deren Ziele und Leistungen er in seinem Buch *Modern poetry. A personal essay* (1938) treffend charakterisiert hat. Er zeigte Sympathie für die politische Linke und schrieb auch zeitkritische Gedichte, jedoch ohne das politische Engagement, das beispielsweise Cecil → Day Lewis in den dreißiger Jahren in seinen schriftstellerischen Arbeiten wie in seinen Aktivitäten in der Kommunistischen Partei zum Ausdruck brachte. MacNeice gewann vor allem mit dem Band *Poems* (1935) großes Ansehen bei der zeitgenössischen Kritik. Gedichte wie »Belfast« oder »Birmingham« zeugen von seiner Fähigkeit, das großstädtische Milieu in prägnanten Bildern zu evozieren. Aufschlußreich für MacNeices Fähigkeit, in komprimiertem Stil ein distanziertes, kritisch-sarkastisches Panorama des Industriezeitalters zu liefern, ist das Gedicht »Bagpipe music« aus *I crossed the Minch* (1938), einem Band, der lyrische Gedichte und Reiseberichte enthält.

Autumn journal (1939) ist ein Gedicht von 24 Cantos, in dem private Stimmungen und Konflikte, aber auch die Reaktionen auf die politischen Ereignisse der Zeit vor dem Zweiten Weltkrieg festgehalten werden. Der Band verrät jedoch auch, daß MacNeice weder politisch noch religiös eine eindeutige Position bezogen hatte, die es ihm erlaubt hätte, das zeitgenössische Geschehen als wirkungsvoller Satiriker zu kommentieren. MacNeice, der Sohn eines Geistlichen und späteren Bischofs der Anglo-Irish Church, hatte sich früh von der christlichen Tradition gelöst und blieb in den gesellschaftlichen und geistigen Auseinandersetzungen seiner Zeit letztlich ein skeptisch-melancholischer Einzelgänger, an dessen Gedichten sich das Dilemma des liberalistischen Individualismus ablesen läßt.

Für seine dichterische Praxis war das Studium der klassischen Sprachen und Literaturen von Bedeutung, das er in Oxford mit Erfolg abschloß, so daß er zunächst (1930–1936) als Assistant Lecturer an der Universität Birmingham und danach (1936–1940) als Lektor für Griechisch am Bedford College in London tätig sein konnte. Seine Fähigkeiten als Übersetzer antiker Dichtung kommen in seiner Übertragung von Aeschylos' *Agamemnon* voll zur Geltung, die 1936 aufgeführt wurde und deren literarischer Wert von Altphilologen wie von Literaturkritikern sehr hoch veranschlagt wird. Weniger geglückt ist die (gekürzte) *Faust*–Übersetzung (Teil 1 und 2), die er 1949 für den BBC anfertigte und die 1951 veröffentlicht wurde. Seit 1941 war er als regulärer Mitarbeiter des BBC beschäftigt und legte eine umfangreiche Serie von Manuskripten für den Rundfunk vor.

Die Lyrik-Bände, die MacNeice in den Nachkriegsjahren veröffentlichte – so z.B. *Ten burnt offerings* (1952) –, waren weniger erfolgreich; erst mit den letzten Bänden *Solstices* (1961) und *The burning perch* (posthum 1963 publiziert) gewann der Lyriker MacNeice etwas von seiner ursprünglichen dichterischen Kraft und sprachlichen Originalität zurück. (E)

Hauptwerke: *Blind fireworks* 1929. – *Poems* 1935. – *Letters from Iceland* (mit Auden) 1937. – *The earth compels* 1938. – *I crossed the Minch* 1938. – *Modern poetry. A personal essay* 1938. – *Autumn journal* 1939. – *The last ditch* 1940. – *Plant and phantom* 1941. – *The poetry of William Butler Yeats* 1941. – *Collected poems 1925–1948* 1949. – *Ten burnt offerings* 1952. – *Autumn sequel. A rhetorical poem in XXVI cantos* 1954. – *Visitations* 1957. – *Solstices* 1961. – *The burning perch* 1963. – *The strings are false. An unfinished autobiography* 1965.

Bibliographie: C. M. Armitage und N. Clark, *A bibliography of the works of Louis MacNeice* 1973.

Ausgaben: *The collected poems*, ed. E.R. Dodds 1966. – *Selected literary criticism*, ed. A. Heuser 1987– .
Biographien: E.E. Smith, *Louis MacNeice* 1970. – *Time was away. The world of Louis MacNeice*, ed. T. Brown und A. Reid 1974.
Sekundärliteratur: W.T. McKinnon, *Apollo's blended dream. A study of the poetry of Louis MacNeice* 1971. – D. B. Moore, *The poetry of Louis MacNeice* 1972. – T. Brown, *Louis MacNeice. Sceptical vision* 1975. – W. Rebetzky, *Die Antike in der Dichtung von Louis MacNeice* 1981. – R. Marsack, *The cave of making. The poetry of Louis MacNeice* 1982. – A. Haberer, *Louis MacNeice, 1907–1963. L'homme et la poésie*, 2 vols 1986.

Bernard Mandeville (1670–1733)

Mandevilles Biographie ist nur in Umrissen bekannt. Er war Holländer, studierte in Leyden Philosophie und Medizin und praktizierte als Arzt, zunächst in Holland, später in England, wohin er ursprünglich nur gekommen war, um die Sprache zu erlernen. Er eignete sich jedoch das Englische so vollkommen an, daß er zu den bedeutenden englischen Autoren zählt, deren Muttersprache nicht Englisch ist – auch wenn er an den Polen Joseph → Conrad und an den Russen Vladimir Nabokov nicht heranreicht.

Wie gut Mandevilles Londoner Praxis ging, ist umstritten. Auf sich aufmerksam machte er jedenfalls eher als Autor denn als Arzt. Es gibt von ihm eine Reihe von medizinischen und psychologischen Schriften, darunter einen in Dialogform abgefaßten, medizinisch-literarischen *Treatise of the hypochondriack and hysterick passions* (1711, 1730), dessen Lektüre kein Geringerer als Samuel → Johnson empfahl.

Berühmt – und in ganz Europa berüchtigt – wurde Mandeville als Satiriker. Nach einigen Fabeln in der Manier von La Fontaine und einem burlesken Gedicht in der Manier von Paul Scarron (1610–1660) veröffentlichte er 1705 ein in Knittelversen geschriebenes Gedicht, *The grumbling hive, or knaves turn'd honest*. Es bildet das Kernstück seiner Bienenfabel, die mehrfach erweitert und durch einen zweiten Teil vervollständigt zwischen 1714 und 1729 erschien. Mit der »Moral«, daß private Laster einem Gemeinwesen öffentliche Vorteile einbringen, wurde die Fabel zu einem der philosophischen Skandalbücher des 18. Jahrhunderts.

Literarisch betrachtet, gehört Mandevilles Fabel zu den paradoxen Satiren mit negativer idealer Norm, einem im Goldenen Zeitalter der Satire durchaus beliebten Genre. Aber seine Absicht ging tiefer. → Swift vergleichbar, konfrontierte Mandeville seine großenteils optimistischen, der Philosophie des Grafen Shaftesbury zuneigenden Zeitgenossen mit einem Bild von Mensch und Gesellschaft, das über die Schockwirkung hinaus gesellschaftstheoretische Bedeutung hat. Die Entrüstung darüber schlug sich in einer weitverzweigten zeitgenössischen Kontroversliteratur in England und auf dem Kontinent nieder. Auf einen der wichtigsten Angriffe, die der Philosoph George Berkeley (1685–1753) in *Alciphron* (1732) vortrug, antwortete Mandeville in seinem letzten Werk, *A letter to Dion*, das seine Argumente nochmals erklärte und verdeutlichte. Die Nachwelt steht Mandeville mit besonnenem und häufig positivem Urteil gegenüber und reiht ihn unter die wichtigen philosophischen Köpfe der Epoche ein.

Hinter der *Fable of the bees* bleiben die anderen Satiren Mandevilles zurück, so geschickt sie im einzelnen auch angelegt sind. Sein frühestes Prosawerk, *The virgin unmask'd* (1709), bietet in gefälliger Dialogform feministische Argumente, die von einer ernsthaften moralischen Absicht durchdrungen sind. In *A modest defence of public stews* setzte sich Mandeville in der Erkenntnis, daß die Prostitution nicht abzuschaffen ist, für ihre öffentliche Kontrolle ein. Ähnliche Äußerungen in der Bienenfabel brachten ihm eine Anklage der Grand Jury von Middlesex ein.

In philosophischen Kontroversschriften äußerte Mandeville ebenfalls unorthodoxe Auffassungen. So trat er in *Free thoughts on religion, the Church and national happiness*, einem von dem französischen Aufklärer Pierre Bayle (1647–1706) beeinflußten Werk, für religiöse Toleranz ein und wurde dafür allenthalben als Freidenker und Deist gebrandmarkt. Und in *An enquiry into the origin of honour*, worin sich ein Exkurs der Bienenfabel fortsetzt, zeigt er die Diskrepanz zwischen Krieg und christlicher Moral auf. Auch hierin erweist sich Mandeville als ein Denker, der gegen seine Epoche dachte, und der im historischen Rückblick immer mehr an Bedeutung gewinnt. (F)

Hauptwerke: *The virgin unmask'd* 1709. – *A treatise of the hypochondriack and hysterick passions* 1711 (1730 erweitert). – *The fable of the bees, or private vices, publick benefits* 1714 (1723 erweitert, Teil II

1729). – *Free thoughts on religion, the Church and national happiness* 1720. – *An enquiry into the origin of honour, and the usefulness of Christianity in war* 1732. – *A letter to Dion* 1732.

Bibliographie: F. B. Kaye, The writings of Mandeville, in *Journal of English and Germanic Philology* 20 (1921).

Ausgaben: *The fable of the bees*, ed. F. B. Kaye, 2 vols 1924 (repr. 1957). – *Collected works*, ed. B. Fabian und I. Primer, 8 vols 1981– .

Übersetzung: *Die Bienenfabel oder Private Laster, öffentliche Vorteile*, hrsg. von W. Euchner 1968 (Suhrkamp).

Sekundärliteratur: *Mandeville Studies. New explorations in the art and thought of Dr. Bernard Mandeville*, ed. I. Primer 1975. – H. Monro, *The ambivalence of Bernard Mandeville* 1975. – T. A. Horne, *The social thought of Bernard Mandeville. Virtue and commerce in early eighteenth-century England* 1978. – M. M. Goldsmith, *Private vices, public benefits. Bernard Mandeville's social and political thought* 1985.

Christopher Marlowe (1564–1593)

Im Urteil der Nachwelt stand Marlowe stets im Schatten des gleichaltrigen → Shakespeare, und nicht selten wurde ihm lediglich die Rolle eines genialischen Vorläufers des großen Dramatikers zuerkannt. Als Sohn eines Schusters in Canterbury geboren, studierte er in Cambridge als Stipendiat, ohne anschließend, wie man erwartete, einen geistlichen Beruf zu ergreifen. 1587 entfernte er sich für mehrere Monate von der Universität, weshalb ihm der Grad eines Magisters erst aufgrund einer Intervention des Privy Council verliehen wurde, für den er vermutlich als Agent gearbeitet hatte. Die restlichen Jahre seines Lebens verbrachte er in London, wo die Behörden mehrfach gegen ihn wegen Totschlags, Landfriedensbruchs, Gotteslästerung, Atheismus und Homosexualität ermittelten. Bei einem Streit in einem Wirtshaus in Deptford wurde Marlowe erstochen.

Noch als Student in Cambridge schrieb er seine erste Tragödie, *Dido, Queen of Carthage.* Sein größter Bühnenerfolg, *Tamburlaine the Great, Part I,* wurde 1587 aufgeführt; bereits im nächsten Jahr folgte der ebenso populäre zweite Teil. Seine übrigen Stücke sind nur schwer zu datieren. Marlowe übersetzte auch Ovids *Amores* (1597) und das erste Buch von Lucans *Pharsalia.* Seine bedeutende Verserzählung *Hero and Leander,* mit der er das erotische Kleinepos populär machte, blieb unvollendet und wurde von George → Chapman abgeschlossen. Mit »Come live with me and be my love« schrieb Marlowe das populärste Gedicht der Zeit, das vielfach nachgeahmt wurde.

Marlowe war der bedeutendste Dramatiker vor Shakespeare. Seine Figuren und seine dramatische Sprache haben das Schaffen späterer Dramatiker stark beeinflußt. Mit Tamburlaine, dem skythischen Hirten, der zum Weltherrscher aufsteigt und sich als grausame Gottesgeißel der Menschheit versteht, stellte er die Verkörperung rücksichtslosen, amoralischen Machtwillens auf die Bühne. In *The Jew of Malta* schuf er im Juden Barabas den Prototyp des machiavellistischen Schurken. Mit der Dramatisierung des Fauststoffes gestaltete er als erster die Tragödie eines Gelehrten, der von unstillbarem Wissensdurst und dem Drang nach absoluter Naturbeherrschung getrieben, sich dem Teufel ausliefert und in Verzweiflung endet. In *Edward II*, einem der bedeutendsten *history plays*, zeichnete er das tragische Schicksal eines schwachen, homosexuellen Königs.

Neben der Kühnheit seiner Figurenkonzeption war es vor allem »Marlowe's mighty line« (→ Jonson), seine unerreichte Kunst des Blankverses, die das Publikum wie die Kollegen in seinen Bann zog. Mit seiner rhetorischen, ganz auf Rhythmus und Wohlklang berechneten Verskunst und mit seinen hypnotischen Bildkaskaden setzte er für die dramatische Sprache einen neuen Standard. Marlowes dramatisches Genie wurde von Shakespeare, Jonson, → Nashe, Chapman ebenso wie später von Goethe bewundert. (W)

Hauptwerke: *Tamburlaine the Great*, Part I 1587, Part II 1588. – *The Jew of Malta* 1633. – *Edward II* 1594. – *Doctor Faustus* 1604.

Bibliographien: S. A. Tannenbaum, *Christopher Marlowe*, Elizabethan bibliographies 1937 (repr. 1967). – R. C. Johnson, *Christopher Marlowe 1946–1965*, Elizabethan bibliographies supplements VI (1967). – L. M. Chan, *Marlowe criticism. A bibliography* 1978.

Ausgaben: *The complete works*, ed. F. Bowers, 2 vols 1973. – *Complete works*, ed. R. Gill 1987- .

Übersetzungen: *Tamburlaine*, Teil I und II (englisch-deutsch), hrsg. von F. Lichius, H.-H. Pfingsten und P. Wenzel 1979 (Reclam). – *Edward II* (englisch-deutsch), übers. von H. Bolte und D. Hamblock, hrsg. von D. Hamblock 1981 (Reclam). – *Die tragische Historie vom Doktor Faustus*, übers. von A. Seebaß 1964 (Reclam); hrsg. von Athanor 1986 (Greno).

Biographie: J. Bakeless, *The tragicall history of Christopher Marlowe*, 2 vols 1941.

Sekundärliteratur: F. S. Boas, *Christopher Marlowe. A biographical and critical study* (1940) 1953. – P. H. Kocher, *Christopher Marlowe. A study of his thought, learning, and character* 1946 (repr. 1962). – H. Levin, *The overreacher. A study of Christopher Marlowe* 1952. – F. P. Wilson, *Marlowe and the early Shakespeare* 1953. – J. B. Steane, *Marlowe. A critical study* 1964. – *Critics on Marlowe. Readings in literary criticism*, ed. J. O'Neill 1970. – V. M. Meehan, *Christopher Marlowe. Poet and playwright. Studies in poetical method* 1974. – W. L. Godshalk, *The Marlovian world picture* 1974. – J. Weil, *Christopher Marlowe. Merlin's prophet* 1977. – C. Leech, *Christopher Marlowe. Poet for the stage* 1986. – K. Friedenreich, R. Gill und C. B. Kuriyama (eds.), *»A poet and a filthy play-maker«. New essays on Christopher Marlowe* 1988.

John Marston (ca. 1576–1634)

Neben Ben →Jonson gilt Marston als der bissigste Dramatiker seiner Zeit. Als Sohn eines bekannten Juristen in London geboren, studierte er in Oxford und begann anschließend eine juristische Ausbildung, die er jedoch bald zugunsten einer literarischen Karriere aufgab. Seine ersten Werke, das ovidische Kleinepos *The metamorphosis of Pygmalion's image ... and certain satires* sowie *The scourge of villainy* (1598), eine Sammlung bissiger Satiren, veröffentlichte er unter dem Pseudonym W. Kinsayder. Sie wurden auf Anordnung des Bischofs von Canterbury durch Henkershand verbrannt. Seine Tätigkeit für die Bühne begann Marston 1599, wobei er sich durch seine Mitarbeit an *Histriomastix* und später an *Satiromastix* (1602) mit Ben Jonson anlegte, sich jedoch später wieder mit ihm versöhnte.

Marston schrieb Tragödien und Tragikomödien, die sich durch besondere Grausamkeiten und durch eine düstere Schilderung der Gesellschaft auszeichnen, in der die menschlichen Beziehungen von Bösartigkeit geprägt sind und die Tugend zur Wirkungslosigkeit und zum Untergang verurteilt ist. Seine bedeutendste Schöpfung ist die Figur Malevoles, ein entmachteter Herzog in *The malcontent* (1604), der verkleidet an seinem eigenen Hof lebt und seine bitter-satirischen Kommentare und Beschimpfungen in die Welt hinausschleudert. In seiner Bissigkeit und negativen Gesellschaftsschilderung gilt Marston als typischer Vertreter des düsteren *Jacobean drama*, das von Gewalt und Hoffnungslosigkeit geprägt ist. Marston ließ sein letztes Stück, *The insatiate countess*, unvollendet: Er zog sich plötzlich von der Bühne zurück, ließ sich zum Priester ordinieren und betreute von 1616 bis 1631 eine Pfarrei in Hampshire. (W)

Hauptwerk: *The malcontent* 1604.
Bibliographien: S. A. Tannenbaum, *John Marston. A concise bibliography*, Elizabethan bibliographies 1940 (repr. 1967). – C. A. Pennel and W. P. Williams, *John Marston 1939–1965*, Elizabethan bibliographies supplements IV (1968).
Ausgaben: *The plays*, ed. H. H. Wood, 3 vols 1934–1939. – *The poems*, ed. A. Davenport 1961.
Sekundärliteratur: A. J. Axelrad, *Un malcontent élizabethain: John Marston (1576-1634)* 1955. – A. Caputi, *John Marston, satirist* 1961. – P. F. Finkelpearl, *John Marston of the Middle Temple. An Elizabethan dramatist in his social setting* 1969. – M. Scott, *John Marston's plays. Theme, structure and performance* 1978. – G. L. Geckle, *John Marston's drama. Themes, images, sources* 1980.

Andrew Marvell (1621–1678)

Sein äußeres Leben als Privatlehrer, im Staatsdienst und als Parlamentsabgeordneter ist gut dokumentiert; aber bis heute ist es der Forschung nicht gelungen, von der Persönlichkeit dieses großen Lyrikers ein überzeugendes Bild zu geben. Als Sohn eines anglikanischen Geistlichen in Hull geboren, studierte er von 1633 bis 1639 in Cambridge, wo er für kurze Zeit zum Katholizismus konvertierte. Von 1642 bis 1646 bereiste er als Tutor Frankreich, Italien und Spanien. Nach England zurückgekehrt, schloß er sich im Bürgerkrieg keiner Partei ganz an; er hatte ebenso Sympathien für die royalistische Position wie er in Cromwell die Verkörperung in die Zukunft weisender Kräfte sah. 1651 weilte er als Tutor der Tochter des Generals Fairfax auf dessen Landsitz in Yorkshire, wo er wahrscheinlich einen großen Teil seiner pastoralen Lyrik schrieb. → Milton, der ihn sehr schätzte, betrieb als *Secretary of Foreign Tongues* Marvells Ernennung zu seinem Assistenten, ein Amt, das ihm vom Parlament 1657 übertragen wurde. Von 1659 bis zu seinem Tod war er außerdem Mitglied des Parlaments für Hull.

Marvells Gedichte wurden erst nach seinem Tod veröffentlicht. Er gilt als einer der letzten *metaphysical poets*, aber sein lyrisches Werk verrät sowohl Einflüsse von → Jonson wie von John → Donne, und seine späteren politischen Gedichte zeigen seine Nähe zum klassizistischen Satiriker → Dryden. Seine *Horatian ode upon Cromwell's return from Ireland* (1650) ist eine meisterhafte geschichtsphilosophische Deutung der politischen Auseinandersetzungen seiner Zeit. In seinen Garten- und Landhausgedichten, darunter das berühmte tiefsinnige *The Garden*, verbindet Marvell die Anschaulichkeit und Klarheit der Naturbilder in der Tradition Jonsons und seiner Schüler mit der spekulativen Argumentationskunst John Donnes. Die Gedichte Marvells werden damit zum ironischen Ausdruck eines Bewußtseins, das die menschliche Situation als unaufhebbares Paradoxon zwischen leidenschaftlicher Sinnlichkeit und asketischer Lebensverneinung begreift.

Mit seiner Dichtung steht Marvell am Ende einer langen Tradition, und er erzeugt Ironie und perspektivische Vielfalt, indem er bewußt die vielen Bedeutungen, die den Mythen und Bildern in ihrer Geschichte zugewachsen sind, in seine Gedichte einbringt. Er gewann im Zuge der Entdeckung der *metaphysical poets* im 20. Jahrhundert wieder neue Beachtung und gilt heute als der modernste Dichter des 17. Jahrhunderts. (W)

Bibliographie: D. G. Donovan, *Andrew Marvell 1927–1967*, Elizabethan bibliographies supplements XII (1969).

Ausgaben: *The poems and letters*, ed. H. M. Margoliouth, 2 vols (1927) 1971. – *The complete English poems*, ed. E. S. Donno 1972.

Übersetzung: *Gedichte*, übers. und hrsg. von W. Vordtriede. Mit einem Essay von T. S. Eliot (1962) 1982 (Henssel).

Biographien: J. D. Hunt, *Andrew Marvell. His life and writings* 1978. – M. Craze, *The life and lyrics of Andrew Marvell* 1979.

Sekundärliteratur: P. Legouis, *Andrew Marvell. Poet, Puritan, patriot* 1965. – H. E. Toliver, *Marvell's ironic vision* 1965. – J. B. Leishman, *The art of Marvell's poetry* 1966. – J. M. Wallace, *Destiny his choice. The loyalism of Andrew Marvell* 1968. – D. M. Friedman, *Marvell's pastoral art* 1970. – *Andrew Marvell. A collection of critical essays*, ed. G. de F. Lord 1968. – A. E. Berthoff, *The resolved soul. A study of Marvell's major poems* 1970. – *Tercentenary essays in honor of Andrew Marvell*, ed. K. Friedenreich 1977. – *Approaches to Marvell. The York tercentenary lectures*, ed. C. A. Patrides 1978. – *Andrew Marvell. Essays on the tercentenary of this death*, ed. R. L. Brett 1979. – W. Chernaik, *Politics and religion in the works of Marvell* 1983. – M. Stocker, *Apocalyptic Marvell. The second coming in seventeenth century poetry* 1986.

W. Somerset Maugham (1874–1965)

William Somerset Maugham gehört zu den englischen Schriftstellern des 20. Jahrhunderts, die weltweit bekannt sind und durch ihre erzählerischen Werke wie durch ihre Dramen den Standard guter Unterhaltungsliteratur bestimmt haben, ohne jemals zu den *major authors* gerechnet worden zu sein.

Seine Begabung als Erzähler und sein Talent als Dramatiker waren von Anfang an deutlich ausgeprägt, sie traten jedoch in den verschiedenen Phasen seines Lebens in ganz unterschiedlicher Stärke hervor, wenngleich nicht zu übersehen ist, daß bei Maugham ein Stoff mühelos aus einer Gattung in die andere wandern konnte. Zu seinen besten Werken gehören die Komödien *Lady Frederick* (aufgeführt 1907), *Penelope* (1909), *Our betters* (1917), *The circle* (1921), *The constant wife* (1926), die Farcen *Jack Straw* (1908) und *Mrs. Dot* (1908) sowie die Romane *Of human bondage* (1915), *The moon and sixpence* (1919), *Cakes and ale* (1930) und *The razor's edge* (1944).

In *Of human bondage* und *The razor's edge* verarbeitete Maugham autobiographisches Material; so hat der Protagonist in *Of human bondage* ein physisches Leiden, ähnlich dem Autor, der starke Sprechhemmungen hatte. Und wie Maugham verliert auch Philip Carey sehr früh seine Eltern, wird dann bei einem Onkel erzogen, gerät in eine religiöse Krise, studiert Medizin und findet nach amourösen Abenteuern einen Kompromiß mit der Wirklichkeit – allerdings wird er im Gegensatz zum Autor Landarzt. Von den philosophischen und religiösen Interessen Maughams zeugt der Roman *The razor's edge*, der den Lebensweg des Amerikaners Larry Darrell verfolgt und dessen innere Entwicklung beschreibt, die durch die Begegnung mit der europäischen und indischen Kultur beeinflußt wird.

Maughams Ehe mit Gwendolen Maud Syrie Barnado Wellcome, die er 1917 heiratete und von der er 1927 geschieden wurde, seine homosexuelle Bindung an seinen Sekretär Gerald Haxton, mit dem er bis zu dessen Tod im Jahre 1944 zusammenlebte, seine Erlebnisse während des Ersten Weltkrieges, in dem er zeitweilig als Geheimagent in der Schweiz und in Rußland tätig war und schließlich die ausgedehnten Reisen, die ihn nach Ostasien und zu den Südseeinseln führten – all dies bildete den Erfahrungsbereich, dem Maugham die Stoffe und Themen für seine künstlerischen Werke entnahm. Maugham war ein

Schriftsteller von kosmopolitischem Zuschnitt: Seine Werke beruhen auf eigenen Beobachtungen, die er skeptisch-kritisch verarbeitet, und er bedient sich seiner medizinischen und psychologischen Kenntnisse, um die Menschen mit unbestechlichem Blick darzustellen und zu deuten.

Bei der Fülle des Produzierten konnte es nicht ausbleiben, daß Maugham sich gelegentlich selbst zitierte, daß bestimmte Wendungen und stilistische Prägungen als Versatzstücke aus einem in das andere Werk übernommen wurden. Thematisch stand der Konflikt zwischen Sexus und Eros einerseits und gesellschaftlicher Konvention und ökonomischer Sekurität andererseits im Mittelpunkt von Maughams Schaffen. Von der Bereitschaft einer Frau, gesellschaftliche Konventionen zu durchbrechen, zeugt die Komödie *The circle*. In *The constant wife* erlangt die Frau eines Chirurgen, der sie mit ihrer Freundin betrügt, finanzielle und gesellschaftliche Unabhängigkeit und erlaubt sich ihrerseits einen Seitensprung. Ähnlich wie bei → Wilde und Ibsen bewegen sich die dramatischen Vorgänge um die beiden Pole Verbergen und Entlarven. Und ähnlich wie bei → Shaw bekundet sich seine besondere künstlerische Einfallsgabe darin, daß er die Konventionen des Theaterspielens (und Geschichtenerzählens) oft auf den Kopf stellt, allerdings mit dem Unterschied, daß Shaw mit der witzig-unerwarteten Verkehrung sozialkritische Wirkungen erzeugt, während es Maugham meist bei einer objektiv-kühlen, sachlich-nüchternen Präsentation der einzelnen Ausschnitte aus dem gesellschaftlichen Leben beläßt. Und selbst dann, wenn Maugham sozialkritische Spitzen in seine Dramen und Romane einbaut, entzieht er sich einer ideologisch-parteilichen Festlegung. (E)

Hauptwerke: *Liza of Lambeth* (1897) 1904. – *The making of a saint* 1898. – *The magician* 1908. – *Lady Frederick* 1912. – *Jack Straw* 1912. – *Mrs. Dot* 1912. – *Penelope* 1912. – *Of human bondage* 1915. – *The moon and sixpence* 1919. – *The circle* 1921. – *Our betters* 1923. – *The Casuarina tree* 1926. – *The constant wife* 1927. – *Ashenden; or, The British agent* 1928. – *Cakes and ale; or, The skeleton in the cupboard* 1930. – *Ah king* 1933. – *The summing up* 1938. – *The razor's edge* 1944. – *Creatures of circumstance* 1947. – *Great novelists and their novels* (1948) 1954. – *The travel books* 1955. – *Purely for my pleasure* 1962.

Bibliographien: R. T. Stott, *A bibliography of the works of W. Somerset Maugham* (1956) 1973. – C. Saunders, *W. Somerset Maugham. An annotated bibliography of writings about him* 1970.

Ausgaben: *Collected works*, 35 vols 1931–1969. – *The complete short stories*, 3 vols 1951. – *The collected plays*, 3 vols 1952.

Übersetzungen: *Auf Messers Schneide*, übers. von N. O. Scarpi 1949 (Steinberg), 1973 (Diogenes). – *Der Menschen Hörigkeit*, übers. von R. Seiler 1950 (Desch), übers. von M. Zoff und S. Feigl 1978 (Diogenes). – *Silbermond und Kupfermünze*, übers. von H. Kanders 1950 (Europa-Verlag), übers. von S. Feigl 1973 (Diogenes). – *Liza von Lambeth*, übers. von I. Muehlon 1953 (Diana), 1985 (Diogenes). – *Gesammelte Erzählungen in 10 Bänden*, übers. von F. Gasbarra, M. Hackel u. a. 1976 (Diogenes).

Biographien: K. G. Pfeiffer, *W. Somerset Maugham. A candid portrait* 1959. – F. Raphael, *W. Somerset Maugham and his world* 1976. – A. Curtis, *Somerset Maugham* 1977. – T. Morgan, *Maugham. A biography* 1980.

Sekundärliteratur: R. A. Cordell, *Somerset Maugham. A writer for all seasons. A biographical and critical study* (1937) 1969. – L. Brander, *Somerset Maugham. A guide* 1963. – W. Menard, *The two worlds of Somerset Maugham* 1965. – R. E. Barnes, *The dramatic comedy of William Somerset Maugham* 1968. – I. Brown, *W. Somerset Maugham* 1970. – R. L. Calder, *W. Somerset Maugham and the quest for freedom* 1972. – A. Curtis, *The pattern of Maugham. A critical portrait* 1974. – J. Whitehead, *Maugham. A reappraisal* 1987.

George Meredith (1828–1909)

Merediths Leben setzt sich aus Elementen zusammen, die als prototypisch für die Karriere eines viktorianischen Romanciers gelten können. Wie → Dickens, → Thackeray und → Trollope macht auch er die Erfahrung der sozialen Degradierung durch den Bankrott des Vaters (1838) sowie der emotionalen Isolierung durch den Zerfall der Familie. Wie Dickens und Trollope erhält er nur eine unzulängliche schulische Ausbildung (1833–1844), unter anderem in einer Schule der Mährischen Brüder in Neuwied, die ihn weder für ein Universitätsstudium noch für einen Brotberuf qualifiziert. Wie Dickens beginnt er eine Rechtslehre (1846), um sie nach kürzester Zeit zugunsten der Karriere aufzugeben, die der entwurzelten viktorianischen Intelligenz attraktiv erscheint, derjenigen des *man of letters*.

Die Erfahrung der sozialen und persönlichen Isolierung verlangt nach künstlerischer Bewältigung und fundiert Merediths Werke im Autobiographischen. Sie öffnet aber auch die Augen für moralische und soziale Probleme, rückt den Autor in ironische Distanz zu seiner Zeit, läßt ihn Illusionen und Rollenspiel durchschauen. Die Bruchstückhaftigkeit der Ausbildung muß durch einen erhöhten intellektuellen und ästhetischen Anspruch kompensiert werden. Die Karriere des *man of letters* schließlich steht unter dem Zwang des »writing under a sharp necessity for payment«. Nimmt man hinzu, daß Meredith sich zunächst als Lyriker und erst dann als Romancier empfindet, so wird verständlich, warum unter solchen Voraussetzungen und in einer Zeit der zunehmenden sozialen und ideologischen Spannungen nur ein unebenes, schwieriges Werk entsteht.

Durch die Bekanntschaft mit der Familie Thomas Love Peacocks, des Verfassers witziger Konversationsromane wie *Nightmare Abbey* (1818), findet Meredith in London 1846 Zugang zu literarischen Zirkeln. Es entstehen Naturgedichte, zunächst in der Nachfolge → Tennysons, später als Ausdruck eines eigenen erdmystischen Naturvertrauens (darunter sein mehrfach überarbeitetes, wohl bekanntestes Gedicht »Love in the valley«). Er heiratet die Tochter Peacocks (1849), die ihn nach unglücklicher Ehe 1857 verläßt. Die Erfahrung verstärkt den ohnehin schon starken autobiographischen Impuls in seinen Werken. Nicht nur in *Modern love*, einem Zyklus sechzehnzeiliger Sonette, hat Meredith die psychischen Motivationen und Leiden der »union of this ever-diverse pair« exakt metaphorisch konzentriert. Die Problematik ehelicher Beziehungen bleibt bis zu seinem letzten Roman, *The amazing marriage* (1895), ein zentrales Thema seines Werks. Insbesondere die moralischen und gesellschaftlichen Zwänge und psychischen Verformungen, denen die Frau in der viktorianischen Männergesellschaft ausgesetzt ist, werden in *Emilia in England* (1864) oder *Diana of The Crossways* einsichtsvoll analysiert. Unter den Minderheiten, die Meredith früh zu schätzen beginnen, sind folgerichtig die Vertreter und Vertreterinnen der Emanzipationsbewegung.

Die Vielfalt und Art seiner journalistischen Broterwerbsarbeit – er wird 1860 Verlagslektor bei Chapman & Hall, zudem Leitartikler und Kommentator des *Ipswich journal*, später der *Morning post*, und liest allwöchentlich einer exzentrischen, reichen Dame vor – drängen das Romanschreiben in den Hintergrund. Sie verstärken zudem eine Neigung, in der Konversation wie im Roman *ex cathedra* zu sprechen. Durch das journalistische Element seiner Werke scheint sich freilich auch ein schneller Weg zur Publikumsgunst aufzutun: Meredith greift zu Ereignisfülle und (Melo-)Dramatik und glättet seine Sprache. Das Ergebnis sind Machwerke wie *Vittoria* (1866), die zu Recht weder eine intellektuelle Minderheit noch eine breite Leserschicht erreichen.

Dabei hatte Meredith schon mit seinem zweiten größeren Werk bewiesen, was psychologische Notwendigkeit und Kunstabsicht hervorzubringen vermögen: *The ordeal of Richard Feverel* vereinigt Bildungsroman und Sozialkritik, spiegelt diese durch feinste psychologische Analysen dank einer oft preziösen, metaphernreichen und kryptisch-epigrammatischen Sprache. Hier ist angelegt, was später so unterschiedliche Autoren wie → Hardy, → Gissing, → Stevenson und Lionel Johnson an Meredith faszinieren wird. Die Romane – und dies gilt auch für die späteren Hauptwerke wie *Harry Richmond* oder *Beauchamp's career* – können auf einer autobiographisch-realistischen, sozialkritischen Ebene gelesen werden, als Plädoyers für Emanzipatorisches und freiere Formen des Zusammenlebens. Sie können aber auch als sprachliche Konstrukte von großer Künstlichkeit verstanden werden: Realisten und Ästhetizisten vermögen sich so in ihnen wiederzufinden.

Merediths Theorie des Komischen, in dem Vortrag »The idea of comedy« 1877 entwickelt und eine der wenigen viktorianischen literaturtheoretischen Äußerungen von zeitenüberschreitendem Einfluß, verstärkt die janusgleiche Orientierung der Romane. Sie legt eine ironische Distanz zwischen Betrachter und Gegenstand, zielt auf die Entlarvung aller Illusionen kraft der Vernunft und setzt auf die Therapie des Lachens. In *The egoist*, einem stilistisch fein geklügelten Sittenroman, findet sie reinsten Ausdruck mit dem Ziel, Merediths Grundübel, die Selbstsucht, tragikomisch zu entlarven. Die ironisch-distanzierte Betrachtung läßt die so dargestellte Welt aber gleichzeitig als ein kunstvoll-künstlerisches Arrangement erscheinen. Mit *The egoist* stellt sich der lang ersehnte kommerziell-populäre Erfolg ein, den Meredith noch ein zweites Mal mit *Diana of The Crossways* erzwingt. Seine Psycho-Analyse, seine stilistische Preziosität, seine Satire, seine Darstellung der Frauenfrage machen ihn zum Guru der Intelligenz (dessen Dikta als *The pilgrim's scrip, or, wit and wisdom of George Meredith* Lebenshilfe vermitteln). Sein Haus in Surrey wird zur Pilgerstätte; er wird zum Vorsitzenden der Society of Authors gewählt. Nach wie vor freilich, achtzig Jahre nach seinem Tod, gehört Meredith zu den Autoren, die weniger erhoben und fleißiger gelesen sein wollen. (T)

Hauptwerke: *The ordeal of Richard Feverel* 1859. – *Evan Harrington* 1861. – *Modern love and poems of the English roadside* 1862. – *The adventures of Harry Richmond* 1871. – *Beauchamp's career* 1876. – *The egoist* 1879. – *Poems and lyrics of the joy of earth* 1883. – *Diana of the crossways* 1885. – *An essay on comedy and the uses of the comic spirit* (1877) 1897.

Bibliographien: M. Collie, *George Meredith. A bibliography* 1974. – J. C. Olmsted, *George Meredith. An annotated bibliography of criticism, 1925–1975* 1978.

Ausgaben: *Works*, ed. A. Esdaile, 27 vols 1909–1911. – *The poems*, ed. P. B. Bartlett 1978. – *The letters*, ed. C. L. Cline, 3 vols 1970.

Übersetzung: *Richard Feverel*, übers. von R. Kraushaar 1961 (Manesse).

Biographie: L. Stevenson, *The ordeal of George Meredith* 1954.

Sekundärliteratur: R. Galland, *George Meredith, les cinquante premières années. 1828–1878* 1923. – N. Kelvin, *A troubled Eden. Nature and society in the works of George Meredith* 1961. – V. S. Pritchett, *George Meredith and English comedy* 1969. – G. Beer, *Meredith. A change of masks* 1970. – *Meredith now*, ed. I. Fletcher 1971. – J. Wilt, *The readable people of George Meredith* 1975. – K. L. Pfeiffer, *Bilder der Realität und die Realität der Bilder. Verbrauchte Formen in den Romanen George Merediths* 1981. – J. Moses, *The novelist as comedian. George Meredith and the ironic sensibility* 1983.

Thomas Middleton (1580–1627)

Middleton gehört wie → Marston, → Webster und → Ford zu den Theaterautoren, die in jakobäischer Zeit das Drama ihrer Vorgänger durch grelle Effekte und satirische Schärfe zu übertreffen und weiterzuentwickeln versuchten. Als Sohn eines wohlhabenden Londoner Maurers geboren, studierte Middleton in Oxford. Seine frühe Versdichtung ist mit Ausnahme seiner Satiren, die er 1599 unter dem Titel *Cynicon, six snarling satires* veröffentlichte, bedeutungslos. Seine Laufbahn als Dramatiker begann 1602, als er zusammen mit Thomas → Dekker, Michael → Drayton und Anthony Munday für Philip Henslowe Stücke verfaßte. Erfolge erzielte er mit sechs Londoner Sittenkomödien, die er zwischen 1602 und 1608 für die Kindertruppen schrieb. Nach deren Auflösung begann eine Periode fruchtbarer Zusammenarbeit mit William Rowley. Die dabei entstandenen Stücke, wie etwa *A fair quarrel* (1615–1617), zeichnen sich durch besonderen sprachlichen Realismus und durch scharfe Zeichnung der Londoner Halb- und Unterwelt aus. Später wandte sich Middleton der Tragödie zu: *The changeling* (1622) und *Women beware women* (1625–1627) sind Tragödien in der Art Websters und Fords, in denen sich Menschen in leidenschaftlichem Haß, ehebrecherischer Liebe und im Inzest, umgeben von einer korrupten Gesellschaft, gegenseitig zerstören.

Middleton war ein Meister der knappen und präzisen Charakterisierung, mischt allerdings in greller Weise tragische, melodramatische und farcenhafte Szenen. Eines seiner letzten Stücke, *A game at chess* (1624), eine allegorische Satire gegen die katholische Kirche und die Friedensverhandlungen des Königs mit Spanien, wurde zu einem großen Erfolg und Bühnenskandal, der dem Autor eine Gefängnisstrafe eintrug und zur Schließung der Theater führte. Middleton gehört zu den experimentierfreudigsten Dramatikern seiner Zeit; die Stücke allerdings haben höchst unterschiedliche Qualität. (W)

Hauptwerke: *The changeling* 1622. – *Women beware women* 1625–1627.

Bibliographien: S. A. Tannenbaum, *Thomas Middleton*, Elizabethan bibliographies 1940 (repr. 1967). – D. G. Donovan, *Thomas Middleton 1939–1965*, Elizabethan bibliographies supplements I (1967). – S. J. Steen, *Thomas Middleton. A reference guide* 1984.

Ausgabe: *The works*, ed. A. H. Bullen, 8 vols 1885/86 (repr. 1964).

Sekundärliteratur: S. Schoenbaum, *Middleton's tragedies. A critical study* 1955. – R. H. Barker, *Thomas Middleton* 1958. – D. H. Holmes, *The art of Thomas Middleton. A critical study* 1970. – D. M. Farr, *Thomas Middleton and the drama of realism. A study of some representative plays* 1973. – M. Heinemann, *Puritanism and theatre. Thomas Middleton and opposition drama under the early Stuarts* 1980. – A. L. und M. K. Kistner, *Middleton's tragic themes* 1984.

John Stuart Mill (1806–1873)

Als John Stuart Mill 1873 stirbt, hat er maßstabsetzende, provokativ-anregende Werke zur Philosophie, Psychologie, Wirtschaftswissenschaft, Literatur und Politik verfaßt. Wie weit umfassende Interessen und überlegene Behandlung der Materie Früchte des Erziehungsexperiments des Vaters sind, wird nie auszumachen sein. James Mill, der es, aus kleinen Verhältnissen stammend, zu einer hohen Stellung in der Ostindischen Handelsgesellschaft gebracht hat (John Stuart wird ihm in dieser 1856 folgen), erzieht seinen Sohn *strictissime* nach den utilitaristischen Theorien Jeremy Benthams und der Assoziationspsychologie David Hartleys. Im Alter von drei Jahren beginnt John im väterlichen Privatunterricht Griechisch und Arithmetik zu lernen, mit acht kommen Latein, Algebra und Geometrie hinzu, mit zwölf Logik (von Plato bis Hobbes), mit fünfzehn Psychologie. 1821 schließlich erfolgt als Krönung das Studium von Benthams Hauptwerk in der Ausgabe Dumonts, *Traité de legislation*: »I now had opinions; a creed, a doctrine, a philosophy.« Mill sieht nun seine Lebensaufgabe darin, die Gesellschaft zu reformieren. Die Werke der englischen, griechischen und lateinischen Literatur, die ebenfalls umfassend gelesen werden, dienen hingegen der Entspannung oder als Vehikel des Spracherwerbs. Schul- und Universitätsbesuch werden ausgespart, um schädliche Einflüsse zu vermeiden. Das Produkt dieser Erziehung verfaßt achtzehnjährig bedeutende Aufsätze für das neu gegründete Organ der Radikalen und Utilitaristen, die *Westminster review*, brilliert in von ihm inspirierten und dominierten Debattierzirkeln und ediert meisterhaft Benthams *Rationale of judicial evidence* (1825–1827).

Die schwere geistige Krise der Jahre 1826/27 sowie deren Beschreibung in der 1856 weitgehend abgeschlossenen *Autobiography* haben Mills Entwicklung zum Exempel für die Unzulänglichkeit aller Erziehungsdogmen und die Einseitigkeit rationalistischer, utilitaristischer Systeme werden lassen. Mill verliert den Glauben an »the pursuit of happiness«, das vornehmste utilitaristische Ziel. Die Lektüre der Lyrik → Wordsworths hilft ihm, die unterdrückten Gefühle als integrale Bestandteile seines Lebens und Werks zu begreifen. Die Liebe zu der verheirateten Harriet Taylor (1830), die zunächst zu einer ebenso toleranten wie enthaltsamen *ménage à trois*, schließlich nach dem Tod des Mannes zur Heirat führt (1851), tut ein übriges (wobei Harriet Taylors exakter Einfluß auf Mills Denken und Schriften umstritten bleibt). Gewiß ist Mill ökonomisch weiterhin Utilitarist (davon legt das überaus populäre Standardwerk *Principles of political economy* Zeugnis ab), philosophisch, wie sein *System of logic* ausweist, Rationalist und politisch, nicht nur als Abgeordneter in Westminster (1865–1868), ein Radikaler. Der väterlich ererbte und anerzogene Dogmatismus aber wird nun modifiziert. In Mills Werk machen sich nun Ansätze zu viktorianischer Perspektivierung und Historisierung, ja zum mittviktorianischen Ausgleich bemerkbar. Von Saint-Simon und de Tocqueville lernt er, die menschliche Natur und deren Institutionen als historisch variabel zu begreifen; zu Bentham tritt → Coleridge, der intuitive Transzendentalist – »the two great seminal minds of England in this age«; das induktive Verfahren der Erkenntnisgewinnung verfällt nicht länger der Acht; sozialistisches Gedankengut beginnt in Mills Wirtschafts- und Gesellschaftstheorien einzudringen.

Neben der *Autobiography*, in ihrer analytischen Klarheit auch logisch und stilistisch ein Klassiker des Genres, haben insbesondere zwei Werke ob ihres Ideengehaltes und ihrer sprachlichen und argumentativen Kraft bis heute nichts von ihrer Aktualität verloren. Beide sind sie Resultat der Neuorientierung in Mills Leben und Denken um 1830 als Folge der Seelenkrise und der Begegnung mit Harriet Taylor: *On liberty* ist das brillante Plädoyer eines toleranten *und* rigorosen Liberalismus: »... the sole end for which mankind are warranted, individually or collectively, in interfering with the liberty of action of any of their number is self-protection.« Und *The subjection of women*, 1861 bereits abgeschlossen, aus strategischen Gründen aber erst acht Jahre später veröffentlicht, vertritt »a principle of perfect equality, admitting no power or privilege on the one side, nor disability on the other«.

Mills unmittelbarer Beitrag zur Literaturkritik hingegen ist gering. Seine Marginalien in → Brownings *Pauline*, die diesen mitveranlaßten, Form und Inhalt seines Dichtens neu zu konzipieren, seine 1835 erschienene Rezension von → Tennysons *Poems* sowie sein Essay »What is poetry?« (1833) sind zu nennen. Indirekt, *ex negativo*, freilich hat er die Literatur des viktorianischen Zeitalters mitbestimmt; denn er bleibt trotz aller Modifizierungen der prominente Vertreter des Rationalismus, Utilitarismus, Liberalismus – jener Richtungen, die, weil dichtungs-, gefühls- und menschenfeindlich, von → Carlyles »Signs of the times« und *Past and present* bis zu → Dickens' *The chimes* und *Hard times* die besten unter den Autoren zur Stellungnahme provozierten. (T)

Hauptwerke: *A system of logic*, 2 vols 1843. – *Principles of political economy*, 2 vols 1844. – *On liberty* 1859. – *Utilitarianism* 1863. – *The subjection of women* 1869. – *Autobiography* 1873.

Bibliographien: N. MacMinn et al., *Bibliography of the published writings of John Stuart Mill* 1945. – M. Laine, *Bibliography of works on John Stuart Mill* 1982.

Ausgabe: *The collected works and letters*, ed. F. L. Priestley und J. M. Robson 1963– .
Übersetzung: *Gesammelte Werke*, übers. von T. Gomperz, 10 Bde 1869–1886 (repr. 1968, Scientia).
Biographie: M. St. J. Packe, *The life of John Stuart Mill* 1954.
Sekundärliteratur: L. Stephen, *The English utilitarians*, vol III, 1900. – F. A. Hayek, *John Stuart Mill and Harriet Taylor* 1951. – F. P. Sharpless, *The literary criticism of John Stuart Mill* 1967. – J. M. Robson, *The improvement of mankind. The social and political thought of John Stuart Mill* 1968. – A. Ryan, *The philosophy of John Stuart Mill* 1970. – B. Semmel, *John Stuart Mill and the pursuit of virtue* 1984. – S. Hollander, *The economics of John Stuart Mill*, 2 vols 1985.

John Milton (1608–1674)

Leben und Werk dieses humanistischen *poeta doctus* und strengen Puritaners, der seit dem 18. Jahrhundert zusammen mit → Shakespeare als eine der großen Dichtergestalten der englischen Welt verehrt wird, sind von den höchst gegensätzlichen geistigen und politischen Strömungen des 17. Jahrhunderts geprägt. Als traditionsbewußter Dichter steht Milton am Ende der englischen Renaissance; als engagierter politischer Schriftsteller, der für die individuelle Freiheit gegen jede religiöse oder staatliche Bevormundung stritt, wird er zu einem frühen Herold der liberalen Staatstheorie der Neuzeit.

Als Sohn eines wohlhabenden Notars und Finanziers, der auch als Komponist und Musiker hervortrat, in London geboren, wurde Milton in der St. Paul's School erzogen und studierte anschließend in Cambridge, wo er 1632 den Magistergrad erwarb. Bereits früh faßte er den ehrgeizigen Plan, Englands großer Dichter zu werden, und in Vorbereitung darauf betrieb er mit strenger Disziplin ein gründliches Studium und eine ausgedehnte Lektüre. Sein erstes bedeutendes Werk ist die Ode *On the morning of Christ's nativity*, die zwar noch unter dem Einfluß von → Spenser steht, aber in ihrer feierlichen, strengen Verskunst und in ihrem kunstvollen Wechsel von Naturbildern mit kosmischen Räumen bereits alle typischen Züge von Miltons Dichtkunst aufweist. Nach dem Studium zog er sich für fünf Jahre in das Landhaus seines Vaters in Horton zurück, um sich auf den Beruf des Dichters vorzubereiten. In dieser Zeit entstanden die Doppelgedichte *L'Allegro* und *Il Penseroso* sowie zwei *masques, Arcades* und *Comus.* 1637 schrieb Milton *Lycidas,* eine der größten pastoralen Elegien der englischen Sprache, in der der frühe Tod eines Studienfreundes zum Anlaß wird, Kritik am Klerus mit der Reflexion über sein eigenes Leben zu verbinden.

Von 1637 bis 1639 bereiste Milton Italien, wo er eine Reihe von bedeutenden Gelehrten traf, unter ihnen Grotius und Galilei. Wegen der politischen und religiösen Krise in England kehrte der überzeugte Puritaner vorzeitig in die Heimat zurück, wo er sich zunächst als Privatlehrer versuchte. 1641 eröffnete er mit dem Traktat *Of reformation touching church discipline in England* die Reihe seiner politisch-religiösen Prosaschriften, in denen er vor allem die Episkopalhierarchie angriff und puritanische Pamphletisten verteidigte. 1642 heiratete Milton die bedeutend jüngere Mary Powell, die einer royalistischen Familie entstammte. Die Ehe erwies sich als Fehlschlag und Mary kehrte nach sechs Wochen zu ihren Eltern zurück. Da die Kirche nur eine Scheidung wegen Ehebruchs gestattete, schrieb Milton eine Reihe von Traktaten, um eine Änderung der Scheidungsgesetze herbeizuführen, unter ihnen *The doctrine and discipline of divorce* (1643). Die Scheidungspamphlete verursachten einen Skandal und ließen im Parlament den Ruf nach strengerer Handhabung der Zensurbestimmungen laut werden. Aus diesem Anlaß schrieb er seine bedeutendste Streitschrift *Areopagitica* (1644), ein eindrucksvolles Plädoyer für die Abschaffung der Zensur und die Freiheit der Presse. 1645 kehrte seine Frau zu ihm zurück.

Die Hinrichtung Karls I. 1649 löste in ganz Europa eine heftige publizistische Kampagne gegen die puritanische Regierung aus. Milton verteidigte das Urteil in seiner Schrift *The tenure of kings and magistrates* (1649), unter deren Eindruck die Regierung ihn zum Secretary of Foreign Tongues ernannte, ein Amt, das er bis zu seiner völligen Erblindung 1652 mit großem Eifer versah. Mit *Eikonoklastes* (1649), *Defense of the English people* (1650) und *Second defense* (1654) setzte er die Verteidigung des puritanischen Regimes gegen den Vorwurf des Königsmordes fort. 1652 starb seine erste Frau, die ihm drei Töchter geboren hatte. Vier Jahre später heiratete er Katherine Woodstock, die bereits zwei Jahre später starb. Die dritte Ehe ging er 1662 mit Elizabeth Minshull ein, die ihn überlebte.

Zu weiteren Abhandlungen wurde Milton durch die Krise nach Cromwells Tod angeregt. *A treatise of civil power in eccle-*

siastical causes (1659) ist der Religionsfreiheit gewidmet. 1660, am Vorabend der Restauration, versuchte er, mit der Schrift *The ready and easy way to establish a free commonwealth* den Parlamentarismus gegen die Wiedererrichtung der Monarchie zu verteidigen. In der Restaurationszeit saß Milton zunächst für kurze Zeit im Gefängnis, wurde jedoch bald freigelassen und mit einer Geldstrafe belegt. Er zog sich daraufhin aus der Öffentlichkeit zurück und widmete sich vor allem der Vollendung seines großen Werks *Paradise lost,* das er bereits 1642 begonnen hatte und dem er *Paradise regained* und *Samson Agonistes* folgen ließ. Daneben verfaßte er unter anderem eine lateinische Grammatik (1669) und eine Geschichte Englands (1670). Ein wichtiges nachgelassenes Werk, das erst 1825 gedruckt wurde, ist der lateinische Traktat *De doctrina Christiana,* der nicht nur Einblick in seine religiösen Überzeugungen gibt, sondern auch wichtige Hinweise für das Verständnis seiner großen Dichtungen enthält.

Zu Lebzeiten war Milton durch seine Prosaschriften bekannter als durch seine Dichtungen. In der Restaurationszeit wurde sein Dichterruhm von seinem Ruf als Verteidiger des Königsmords und als Verräter überschattet. Außerdem entsprachen seine Auffassung von Dichtung und sein Stil nicht dem klassizistischen Geschmack. Seine breite Anerkennung als bedeutendster Epiker Englands setzte deshalb erst um die Mitte des 18. Jahrhunderts ein, nachdem allerdings schon vorher → Dryden, → Addison und andere sein Genie bewundert hatten. Miltons Ruhm beruht auf dem frühen lyrischen Werk und vor allem auf den epischen Dichtungen seiner letzten Lebensphase. *Paradise lost,* das zunächst in zehn, später in zwölf Bücher gegliederte Epos, ist nicht eine fromme Nacherzählung der Bibel in Blankversen, sondern ein aus einer fast unübersehbaren Fülle verschiedenster Quellen gespeistes Renaissanceepos. Von Homer bis Lucrez, von der italienischen Epik bis zu Spenser, von klassischen Mythen bis zum Talmud reichen die literarischen, philosophischen und theologischen Einflüsse auf dieses Werk, das dem Thema der Theodizee gewidmet ist – »to justify the ways of God to man«.

Milton argumentiert in diesem Epos nicht im Rahmen der kalvinistischen Theologie, sondern entwirft ein christlich-humanistisches Menschenbild, das von biblischen und klassischen Quellen gleichermaßen bestimmt ist. Das Epos, dessen kosmischer Weltentwurf im Widerspruch zur Naturwissenschaft seiner Zeit noch ptolemäisch geprägt ist und dessen zeitliche Dimension durch Visionen so weitgespannt wird, daß sie alle entscheidenden Stationen der Heilsgeschichte umfaßt, ist zugleich eine Enzyklopädie des gesamten Wissens in Form einer umfassenden Weltbeschreibung. Von schier unbegrenztem Einfallsreichtum, deutet Milton in Szenen, Visionen, Prophezeiungen und Lehrgesprächen die Heilsgeschichte als Kampf zwischen den göttlichen und satanischen Mächten, in den der Mensch gestellt ist und in dem er sich zwischen Vernunft und Leidenschaft, Liebe und Haß, Ordnung und Anarchie entscheiden muß.

Seine epische Sprache wurde bald bewundert, bald verdammt. Die weiträumigen Satzperioden und die Vorliebe für Latinismen wurden ebenso oft kritisiert, wie der Orgelklang seiner Blankverse gerühmt wurde. Die Rezeptionsgeschichte von Miltons Werk kennt mehrere Umorientierungen. →Blake und →Shelley sahen in Satan, den sie als Freiheitskämpfer gegen einen tyrannischen Gott deuteten, den eigentlichen Helden des Epos, dem Miltons heimliche Sympathien gegolten hätten. Spätere Kritiker versuchten dagegen Miltons Orthodoxie herauszustellen. Die Kontroverse um den dichterischen Wert des Epos hält im 20. Jahrhundert unvermindert an.

Paradise regained (1671) ist nicht wie *Paradise lost* ein Epos im klassischen Stil, sondern ein biblisches Kurzepos nach dem Vorbild des Buches Hiob. In ihm werden die drei Versuchungen Christi durch Satan beschrieben, der Christus zu sinnlichem Genuß, zur weltlichen Macht und zu Ruhm verführen will. Es erreichte jedoch nie die Popularität des längeren Epos. *Samson Agonistes* (1671), ein Lesedrama über das Ende des geblendeten Samson, wurde von Milton in Form einer griechischen Tragödie gestaltet. Wie Christus in *Paradise regained* muß Samson den verschiedensten Versuchungen widerstehen, bevor ihm der Sieg über die Feinde Israels geschenkt wird.

Miltons Nachruhm als Dichter durchlief verschiedene Phasen: Bald wurde die Tiefe seiner theologischen Dichtung gewürdigt, bald wurde er – wie in der Romantik – als der sprachgewaltige Rebell gegen die Tyrannei verehrt. Im Viktorianismus wurde er schließlich zum erhabenen Klassiker verklärt. Nachdem er im 20. Jahrhundert gegenüber den neuentdeckten *metaphysical poets* als Rhetoriker abgewertet wurde, ist die Literaturkritik gegenwärtig bemüht, ihm als großem Epiker und engagiertem Schriftsteller zugleich gerecht zu werden. (W)

Hauptwerke: *Lycidas* 1637. – *Areopagitica* 1644. – *Paradise lost* 1667. – *Paradise regained* 1671. – *Samson Agonistes* 1671.

Bibliographien: J. T. Shawcross, *Milton. A bibliography for the years 1624–1700* 1984. – H. F. Fletcher, *Contributions to a Milton bibliography 1800-1930* 1931. – C. Huckabay, *John Milton. An annotated bibliography, 1929-1968* 1969. – C. A. Patrides, *An annotated critical bibliography of Milton* 1987. – W. C. Johnson, *Milton criticism. A subject index* 1978.

Ausgaben: *Complete works (Columbia edition)*, ed. F. A. Patterson, 20 vols 1931–1940. – *Complete prose works*, ed. D. M. Wolfe, 8 vols 1953–1982. – *The complete poetical works*, ed. D. Bush 1966. – *The poems*, ed. J. Carey und Alistair Fowler 1968. – *A variorum commentary on the poems of John Milton*, ed. M. Y. Hughes, 4 vols 1970-1975.

Übersetzungen: *Das verlorene Paradies*, übers. und hrsg. von H. H. Meier 1969 (Reclam). – *Das verlorene Paradies; Das wiedergewonnene Paradies*, übers. von B. Schuhmann, Nachwort von D. Mehl 1966 (Winkler). – *Samson Agonistes* (englisch-deutsch), übers. von H. Ulrich 1947 (Herder).

Biographien: *The early lives of Milton*, ed. H. Darbishire 1932. – *The life records of John Milton*, ed. J. M. French, 5 vols 1949–1958. – D. Masson, *The life of John Milton. Narrated in connexion with the political, ecclesiastical, and literary history of his time*, 7 vols 1859–1894 (repr. 1965). – W. R. Parker, *Milton. A biography*, 2 vols 1968. – A. N. Wilson, *The life of John Milton* 1983.

Sekundärliteratur: R. D. Havens, *The influence of Milton on English poetry* 1922. – A. Sewell, *A study in Milton's Christian doctrine* 1939. – C. S. Lewis, *A preface to Paradise lost* 1942 (repr. 1960). – D. Bush, *Paradise lost in our time* 1945. – A. J. A. Waldock, *Paradise lost and its critics* 1947 (repr. 1961). – R. M. Adams, *Ikon. John Milton and the modern critics* 1955. – D. Bush, *John Milton. A sketch of his life and writings* 1955. – K. Svendson, *Milton and science* 1956. – J. B. Broadbent, *Some graver subject. An essay on Paradise lost* 1960. – C. Ricks, *Milton's grand style* 1963. – M. H. Nicolson, *John Milton. A reader's guide to his poetry* 1964. – C. A. Patrides, *Milton and the Christian tradition* 1964 (repr. 1979). – J. B. Leishman, *Milton's minor poems* 1969. – *John Milton: Introductions*, ed. J. Broadbent 1973. – M. Lieb und J. T. Shawcross (eds.), *Achievements of the left hand. Essays on the prose of John Milton* 1974. – C. Hill, *Milton and the English revolution* 1977. – M. A. Radzinowicz, *Toward Samson Agonistes. The growth of Milton's mind* 1978. – E. W. Taylor, *Milton's poetry. Its development in time* 1978. – *A Milton encyclopedia*, ed. W. B. Hunter, 9 vols 1978 bis 1983. – C. A. Patrides (ed.), *Milton's ›Lycidas‹. The tradition and the poem* (1961) 1983. – C. R. Geisst, *The political thought of John Milton* 1984. – B. K. Lewalski, *Paradise lost and the rhetoric of literary forms* 1985. – M. Ferguson und M. Nyquist (eds.), *Re-membering Milton. Essays on the texts and the traditions* 1988.

Mary Wortley Montagu (1689–1762)

Lady Mary, die gelegentlich mit ihrer angeheirateten Kusine, der als Blaustrumpf bekannten Elizabeth Montagu verwechselt wird, war eine hochgebildete adlige Dame, die sich als *bel esprit* verstand. In London als Tochter des Grafen von Kingston geboren, privat erzogen, heiratete sie den Politiker und Diplomaten Edward Wortley Montagu, von dem sie sich jedoch 1739 trennte. Bis zu seinem Tode (1761) führte sie ein privates Leben in Italien und kehrte dann nach London zurück.

Lady Mary nahm intensiv am literarischen Geschehen in London teil, war mit → Addison bekannt und soll zum *Spectator* beigetragen haben. Mit dem in neun Nummern erscheinenden *Nonsense of common sense* verteidigte sie Premierminister Walpole gegen die Opposition. Mit → Pope verband sie eine Freundschaft, die aus unbekannten Gründen in Haß umschlug, so daß sie später zu Popes eingeschworenen Feinden gehörte. Sie verfaßte zahlreiche Gelegenheitsgedichte, die jedoch nur im Manuskript zirkulierten. Bei ihren gelungensten Gedichten, den *Town eclogues*, sechs Satiren auf die Hofgesellschaft, sollen ihr Pope und → Gay geholfen haben. Eine Komödie, *Simplicity*, blieb zu ihren Lebzeiten unveröffentlicht und wurde erst 1988 im Cambridge Arts Theatre erfolgreich uraufgeführt.

Ihren literarischen Ruhm verdankt Lady Mary ihren Briefen. Unter ihnen sind besonders die aus der Türkei ein Kleinod. Sie begleitete 1716 bis 1718 ihren Mann als Gesandten dorthin und berichtete mit Witz, Charme und scharfer Feder aus Konstantinopel, wo sich ihr manche sonst verschlossene Tür öffnete. Von ihr selbst ediert und posthum veröffentlicht, gelten diese Briefe als eines der großen Reisebücher der Epoche. Die privaten Briefe, gekennzeichnet durch Offenheit und Sympathie ebenso wie durch praktischen Sinn und Lebensklugheit, stehen den Reiseberichten nicht nach. (F)

Hauptwerke: *Court poems* 1716. – *Six town eclogues with some other poems* 1747. – *Letters written during her travels*, 3 vols 1763.

Ausgaben: *Essays and poems and Simplicity, a comedy*, ed. R. Halsband und I. Grundy 1977. – *Complete letters*, ed. R. Halsband, 3 vols 1965–1967.

Übersetzung: *Briefe aus dem Orient*, übers. von J. Eckert, hrsg. von I. Bühler 1982 (Societäts Verlag).

Biographie: R. Halsband, *The life of Lady Mary Wortley Montagu* 1956.

Thomas Moore (1779–1852)

Wenige Autoren, die zu ihrer Zeit in hohem Maße populär waren, sind so in historische Distanz gerückt wie Thomas Moore. Er war ein Kaufmannssohn aus Dublin, der dieselbe Schule wie → Sheridan und ebenfalls das Trinity College durchlaufen hatte, ehe er 1799 nach London kam, um am Middle Temple eine juristische Laufbahn vorzubereiten. Seine erste größere Veröffentlichung waren *Odes of Anacreon, translated into English verse, with notes* (1800). Sie blieb ohne großen Widerhall, machte aber den Prince of Wales auf ihn aufmerksam. Den bald darauf erscheinenden *Poetical works of the late Thomas Little* (1801) war ebenfalls keine gute Aufnahme beschieden. 1803 wurde Moore Admiralty Registrar in Bermuda, überließ aber seinen Posten einem Vertreter, während er durch die Vereinigten Staaten reiste und anschließend nach London zurückkehrte. Veruntreuungen seines Vertreters stürzten ihn später in Schulden, so daß er einige Jahre außer Landes gehen mußte.

Moores Stärke lag darin, daß er Versdichtung und Musik miteinander zu verbinden vermochte. Er gab sich als moderner Barde und griff dabei auf das traditionelle Liedgut Irlands zurück. Spielend und singend war er ein beliebter Gast der Londoner Aristokratie. *A selection of Irish melodies, with symphonies and accompaniments by Sir John Stevenson and characteristic words by Moore* begann 1808 zu erscheinen und wurde in immer neuen Fortsetzungen bis 1834 weitergeführt. Stevenson war in Irland durch seine Theater- und Kirchenmusik bekannt, und seine eingängigen Melodien, ergänzt durch einige Kompositionen von Moore und durch traditionelle Volkslieder, sicherten den *Irish melodies* weite Verbreitung. Moore wurde zu einem gefeierten irischen »Nationaldichter«, und seine Melodien waren so beliebt, daß Friedrich von Flotow bei ihm für *Martha* Anleihen machte. Moores Einkünfte aus der Publikation waren beträchtlich.

Ein zweiter großer Erfolg war *Lalla Rookh*, eine »orientalische Romanze« in Form einer Rahmengeschichte in Prosa, in die Verserzählungen eingebettet sind. Sie entsprach ganz dem Geschmack der Zeit und machte Moore überall in Europa so bekannt, wie → Scott und → Byron es waren. Friedrich de la Motte-Fouqué übertrug sie ins Deutsche, und Schumann vertonte daraus »Paradise and the Peri«. Moore erhielt dafür das höchste Honorar, das bis dahin für ein Gedicht gezahlt worden war. Er fuhr in diesem Genre mit *The loves of the angels* fort (»machinery and allusions entirely Mahometan«), das zugleich sein letztes großes Gedicht war.

In *The Fudge family in Paris* (1818, Fortsetzung 1835) erwies sich Moore als Humorist in Versen; in *Intercepted letters. The two-penny post bag* mit Angriffen gegen den Prinzregenten als (politischer) Satiriker; in *The epicurean*, einer weiteren orientalischen Geschichte, als Prosa-Erzähler. Unter seinen späten Werken befinden sich Biographien, so von Sheridan und Byron (als Beigabe zu einer Ausgabe von *Letters and journals*) und eine Geschichte Irlands (1835–1846), die aber ein Fehlschlag war. Seine letzten Jahre waren, vielleicht infolge persönlicher Schicksalsschläge, durch einen rapiden Verfall der geistigen Kräfte gekennzeichnet. Sein Ruhm ist völlig verblichen, aber ein positives Bild seiner Persönlichkeit hat sich erhalten. (F)

Hauptwerke: *A selection of Irish melodies* 1808–1834. – *Intercepted letters, or the two-penny post bag* 1813. – *Lalla Rookh, an oriental romance* 1817. – *The Fudge family in Paris* 1818; *The Fudges in England* 1835. – *The loves of the angels, a poem* 1823. – *The Epicurean, a tale* 1827. – Herausgeber: *Letters and journals of Lord Byron*, 2 vols 1830.

Bibliographie: M. J. MacManus, *A bibliographical hand-list of the first editions of Moore* 1934.

Ausgaben: *Poetical works*, 10 vols 1840/41 (repr. 1980). – *Memoirs, journal, and correspondence*, ed. J. Russell, 8 vols 1853–1856. – *The journal*, ed. W. S. Dowden 1982– . – *Letters*, ed. W. S. Dowden, 2 vols 1982– . – *Letters*, ed. W. S. Dowden, 2 vols 1964.

Biographien: H. M. Jones, *The harp that once - . A chronicle of the life of Thomas Moore* 1937 (repr. 1970). – L. A. G. Strong, *The minstrel boy. A portrait of Tom Moore* 1937 (repr. 1973). – H. H. Jordan, *Bolt upright. The life of Thomas Moore*, 2 vols 1975.

Sekundärliteratur: A. Stockmann, *Moore. Der irische Freiheitssänger* 1910. – A. B. Thomas, *Moore en France . . ., 1819–1830* 1911. – W. F. Trench, *Tom Moore* 1934 (repr. 1973).

Thomas More (1478–1535)

In der Persönlichkeit und im Werk des von der katholischen Kirche als heilig Verehrten fand die englische Variante des Humanismus, in der sich tiefe Religiosität mit politischem Engagement verband, seine reinste Ausprägung. More wurde in London als Sohn eines hohen Richters geboren und als Page im Haus von Kardinal Morton, dem Erzbischof von Canterbury, erzogen. In Oxford war er Schüler der Humanisten Colet, Grocyn und Linacre. Von 1494 bis 1499 wurde er an den Inns of Court zum Juristen ausgebildet und begann 1504 als Mitglied des Parlaments seine politische Laufbahn. Im Jahr darauf heiratete er Jane Colt, die 1511 starb; aus der Ehe gingen drei Töchter und ein Sohn hervor. In zweiter Ehe war More mit Alice Middleton verheiratet. Schon bald wurde sein Haus in Chelsea ein Treffpunkt für Humanisten, unter ihnen Erasmus von Rotterdam, der sein berühmtes *Encomium moriae (Lob der Torheit)* dort vollendete.

More hatte mehrere juristische Ämter inne, bevor er 1515 in diplomatischer Mission nach Flandern ging, wo er das zweite Buch der *Utopia* begann. Das erste schrieb er nach seiner Rückkehr nach England. Durch die Gunst des Königs machte More rasch politische Karriere: 1518 wurde er Privy Councilor, 1521 war er Subtreasurer, 1523 Speaker of the House of Commons und 1525 wurde er Chancellor of the Duchy of Lancaster. In dieser Zeit schrieb er eine Reihe von lateinischen Pamphleten gegen Sektierer und Häretiker. Nach Kardinal Wolseys Sturz wurde More von Heinrich VIII. zum Lordkanzler ernannt. Nach dem Act of Supremacy (1534), der den König als Oberhaupt der Kirche einsetzte, verweigerte er jedoch den Eid, weil er nur die weltliche Autorität des Königs anerkennen konnte. Daraufhin wurde er in den Tower geworfen und schließlich zum Tod verurteilt und hingerichtet. 1935 sprach ihn die katholische Kirche heilig.

Unter Mores zahlreichen lateinischen Schriften ragt die *Utopia* (1516) hervor, ein Werk von weltliterarischer Bedeutung, mit dem die Geschichte der modernen Utopie beginnt und das der Gattung der Staatsromane ihren Namen gab. Es wurde 1551 von Ralph Robinson ins Englische übersetzt. *Utopia* ist als humanistischer Dialog gestaltet, in dem ein Problem von allen Seiten beleuchtet wird, Argumente und Gegenargumente ausgetauscht werden, ohne daß dem Leser eine Meinung aufgedrängt wird. Im ersten Band werden die sozialen Verhältnisse Englands scharf kritisiert, im zweiten wird der Staat Utopia beschrieben, in dem weder Armut noch Reichtum herrschen, Verbrechen und Kriege unbekannt sind, absolute religiöse Toleranz herrscht und das Geld abgeschafft ist. In der Kontrastierung der sozialen Wirklichkeit mit dem idealen Nirgendwo, in der Figur des Berichterstatters Raphael Hythlodeus und in vielen ironischen und relativierenden Kommentaren wird Utopie nicht als politisches Progamm entworfen, sondern der Dialog präsentiert sich dem Leser eher als geistreich-spielerische Einführung in das gesellschaftliche Ordnungsdenken. Das Werk machte More in ganz Europa berühmt, und bis heute fand es Kritiker, Nachahmer und Bewunderer. Unter seinen in Englisch geschriebenen Werken ist das bedeutendste *The history of Richard the Third* (1513–1514), das als erste moderne Biographie gilt; sie hat → Shakespeares Darstellung von Richard III. geprägt. (W)

Hauptwerke: *Utopia* 1516. – *The history of Richard the Third* 1513/14.

Bibliographie: R. W. Gibson, *St. Thomas More. A preliminary bibliography of his works and of Moreana to the year 1750* 1961.

Ausgaben: *The Yale edition of the complete works*, ed. L. L. Martz und R. S. Sylvester, 15 vols 1963–1986. – *The correspondence*, ed. E. F. Rogers 1947.

Übersetzung: *Der utopische Staat. Utopia, Sonnenstaat, Neu-Atlantis. Von Thomas Morus, Tommaso Campanella, Francis Bacon*, hrsg. von K. J. Heinisch 1966 (Rowohlt).

Biographien: R. W. Chambers, *Thomas More* 1935. – R. Marius, *Thomas More. A biography* 1984.

Sekundärliteratur: H. W. Donner, *Introduction to Utopia* 1945. – J. H. Hexter, *More's Utopia. The biography of an idea* 1952. – *Essential articles for the study of Thomas More*, ed. R. S. Sylvester und G. P. Marc'hadour 1977. – A. Fox, *Thomas More. History and providence* 1982. – G. M. Logan, *The meaning of More's Utopia* 1983.

William Morris (1834–1896)

Kindheit und Jugend des aus wohlhabendem Hause stammenden William Morris verlaufen in konventionellen Bahnen (wozu durchaus gehört, daß schon der Vierjährige → Scotts *Waverley*-Romane liest). Während der Studienzeit in Oxford (1853–1855) beginnt gemeinsam mit dem Studienkollegen und Freund Edward Jones (später Burne-Jones) jene Flucht, die zugleich Zielsuche ist und die Morris' Leben nachdrücklich bestimmen wird. Es ist zunächst eine Flucht aus dem von den Eltern gewünschten Beruf des Geistlichen – die entsprechenden Studien bricht er 1855 ab. (Eine mit der Volljährigkeit ausgesetzte Jahresrente von £ 900 macht eine endgültige Berufswahl wenig dringlich.) Von → Carlyles *Past and present*, vor allem aber von → Ruskins *The stones of Venice* (1851–1853) beeinflußt – das Zentralkapitel »The nature of Gothic« wird Morris noch vierzig Jahre später in seiner Kelmscott Press separat veröffentlichen –, ist es insbesondere eine Flucht aus der zeitgenössischen Gesellschaft, ihrer Mechanisierung und Häßlichkeit, dem »age of shoddy«.

Mit Hilfe nichtentfremdeter Arbeit und handwerklicher Künste wird Morris sein Leben lang versuchen, die Ruskinsche Lehre von der Kunst als »the expression of man's pleasure in labour« umzusetzen. Er beginnt in Ton, Holz und Stein zu arbeiten; unter dem dominierenden Einfluß → Rossettis zu malen; Bücher zu illuminieren; Glas zu bemalen; zu weben und zu färben. Er gründet mit Freunden, unter ihnen Ford Madox Brown, Rossetti, Philip Webb und Burne-Jones, eine Firma für – heute würde man sagen – Innenausstattung (1861). Nützlichkeit und Schönheit sind die Ideale: »Have nothing in your houses that you do not know to be useful, or believe to be beautiful«. Das Wissen um Material und Handwerk ist die Grundlage von Morris' Entwürfen für Glasfenster, Tapeten, Wandbehänge, Stoffe. Kalligraphie (1888) und Buchdruck (1891) kommen hinzu. Mit dem *Kelmscott Chaucer*, einer Werkausgabe mit 87 Illustrationen von Burne-Jones und von Morris entworfenen Initialen und Bordüren, entsteht eines der schönsten gedruckten Bücher.

Freilich: Seine Ziele hat Morris bei allem kommerziellen Erfolg nicht erreicht. Er schafft Oasen der Schönheit, dekoriert die Häuser der Wohlhabenden. Entschiedener und bewußter ist seiner Dichtung ein eskapistisches Element zu eigen, das durch Rossettis Ästhetizismus, aber auch durch die Leichtigkeit, mit der ihm Vers und Prosa aus der Feder fließen, verstärkt wird. »Well, if this is poetry, it's very easy to write«, kommentiert der Zweiundzwanzigjährige seine von Freunden bewunderten ersten Versuche. Schönheit und Brutalität, sich wechselseitig effektvoll steigernd, kennzeichnen die im Mittelalter angesiedelten Gedichte des ersten Bandes, *The defence of Guenevere*, unter ihnen so manches Anthologiestück wie »The haystack in the flood«. Auch hinfort greift »the dreamer of dreams« für seine Stoffe zu antiker und mittelalterlicher Geschichte, Mythos und Legende. Von *The earthly paradise*, einer → Chaucers

Canterbury tales strukturell verpflichteten Sammlung von 24 Verserzählungen sowie Monatsgedichten, bis zu den Prosaromanzen der letzten Lebensjahre offeriert er dem viktorianischen Zeitalter Traumwelten und Fluchträume. Eine stoffliche Erweiterung bringen das Erlernen des Altnordischen und zwei Reisen nach Island (1871 und 1873) – auch sie Fluchten, und zwar vor seiner schönen Frau Jane, die ein Verhältnis zu Dante Gabriel Rossetti unterhält. Er übersetzt nordische Sagas und dichtet einen der wichtigsten episch-heroischen Stoffe nach: *Sigurd the Volsung*.

Von den frühesten Werken an ist Morris' Eskapismus, sein Traum von anderen Welten, nur selten gänzlich Selbstzweck, ist in ihm ein Quantum Kritik an der herrschenden Unkultur auszumachen, die kraft ihrer Allmacht Kritik eben nur im Träumen zuläßt. Wie Ruskin beschreitet Morris folgerichtig den Weg vom Dichten zum Tun, von der Ästhetik zur Politik (und kann damit gleichzeitig seine Sehnsucht nach menschlicher Gemeinschaft stillen). Die türkischen Massaker in Bulgarien (1876) geben den Anstoß. Seine Unterstützung der Liberalen freilich währt nicht lange. Er wird 1883 Mitglied von H. M. Hyndmans Democratic Federation, trennt sich 1885 von dieser, um seine Socialist League zu gründen. Von Anarchisten aus dieser hinausgedrängt, gründet er schließlich 1890 die Hammersmith Socialist Society. Vorträge und Aufsätze zum Verhältnis von Kunst, Gesellschaft und Politik sowie Straßenagitation und die Edition einer sozialistischen Zeitschrift stehen nun im Mittelpunkt seines Lebens (1876–1891), ohne daß er seine Tätigkeit in der Firma hintanstellt. Hintangestellt wird hingegen für mehrere Jahre – und dies nicht zum ersten Mal in seinem Leben – die Dichtung. Was nun entsteht, ist ideologisch eindeutiger und stärker an der Wirklichkeit sowie einer (zukünftigen) Praxis orientiert: Die *Chants for socialists* (1885) sind exakt das, was der Titel verspricht; *The pilgrims of hope* gestaltet die (autobiographische) Problematik eines Dreiecksverhältnisses zur Zeit der Pariser Kommune und bezieht auch Sozialkritisches, »The nights of the wretched, the days of the poor«, ein. Am reichsten dargestellt ist die dialektische Spannung von Fluchtbewegung und Zielsuche, von Schönheitskult und Realistik, von Traum und Gesellschaftskritik, von Vergangenheit, Gegenwart und Zukunft in *A dream of John Ball*, dem Dialog eines Sozialisten mit dem Anführer des Bauernaufstandes von 1381, sowie in *News from nowhere*, der utopischen Projektion einer agrarischkooperativen Lebensform, in der Arbeit Kunst ist und Kunst »the spontaneous expression of the pleasure of life innate in the whole people« – letzteres Morris' Antwort auf Edward Bellamys technologische Utopie *Looking backward* (1888).

Die zahllosen, rastlos verfolgten Tätigkeiten, zu denen die Gründung der Society for the Protection of Ancient Buildings (1877) hinzuzuzählen wäre, fordern zu Beginn der neunziger Jahre auch physisch ihren Tribut. Zur notwendigen Ruhe läßt Morris das, was ihn stets trieb, auch jetzt nicht kommen. 1896 stirbt er, wie sein Arzt treffend diagnostiziert, an »being William Morris«. (T)

Hauptwerke: *The defence of Guenevere and other poems* 1858. – *The earthly paradise*, 4 vols 1868–1870. – *The story of Sigurd the Volsung, and the fall of the Niblungs* 1877. – *The pilgrims of hope* 1886. – *A dream of John Ball* 1888. – *News from nowhere* 1890.

Bibliographie: T. Scott, *A bibliography of the works of William Morris* 1897.

Ausgaben: *The collected works*, ed. M. Morris, 24 vols 1910–1915. – *The collected letters*, ed. N. Kelvin 1984– .

Übersetzung: *Kunde von Nirgendwo. Eine Utopie der vollendeten kommunistischen Gesellschaft*, hrsg. von G. Selle 1982 (Schwarzwurzel).

Biographie: J. W. Mackail, *The life of William Morris*, 2 vols 1899.

Sekundärliteratur: E. P. Thompson, *William Morris. Romantic to revolutionary* 1977. – P. Thompson, *The work of William Morris* 1967. – P. Henderson, *William Morris, his life, work and friends* 1973. – C. H. Oberg, *A pagan prophet. William Morris* 1978. – P. Faulkner, *Against the age. An introduction to William Morris* 1980. – A. Hodgson, *The romances of William Morris* 1987.

Iris Murdoch (geb. 1919)

Im Jahre 1953 veröffentlichte Iris Murdoch eine philosophische Studie, *Sartre. Romantic rationalist*; ein Jahr später erschien ihr erster Roman *Under the net*. In diesen beiden Büchern ist bereits ihre Doppelbegabung zu erkennen: Nach ihrem Studium am Somerville College in Oxford (1938–1942) und am Newnham College in Cambridge (1947/48) war sie von 1948 bis 1967 als Dozentin für Philosophie tätig. Gleichzeitig entfaltete sie eine reiche Tätigkeit als Romanschriftstellerin und veröffentlichte mehr als 20 Romane.

In ihren romantheoretischen Abhandlungen trat sie – zum Teil auch unter dem Einfluß der literaturkritischen Theorien John Bayleys, mit dem sie seit 1956 verheiratet ist – für eine Form des Romans ein, die sowohl die naturalistische, ungeordnete Fülle eines »journalistischen« Romans meidet, als auch Distanz wahrt zur strikten ästhetischen Autonomie des »kristallinen« Romans, in dem die unerschöpfliche Fülle möglicher und tatsächlicher Erfahrung strengen künstlerischen Gesetzen unterworfen ist. Ihr Ziel ist es »to combine form with a respect for a reality in all its odd contingent ways«. Ihr gesamtes Romanschaffen läßt sich als eine Serie von Versuchen verstehen, diesem ästhetischen Programm gerecht zu werden. Dabei zeigt sich, daß ihre ästhetische und ihre moralische Einstellung übereinstimmen. Ihre moralische Kritik richtet sich gegen jede Vergewaltigung des Lebens durch vorgefertigte Schemata.

In ihrem ersten Roman *Under the net* (1954) lehnte sich Iris Murdoch an das pikareske Modell des Romans an, verarbeitete aber auch Anregungen aus → Becketts *Murphy* und Queneaus *Pierrot mon ami*. Sie rückte die Erfahrung der Kontingenz, der Zufälligkeit der Realität, in den Mittelpunkt, in der sich Jake Donaghue mit List und Witz behauptet und schließlich auch lernt, egozentrisch-solipsistische Sinnmuster aufzugeben und die Realität in ihrer Eigengesetzlichkeit zu akzeptieren. In *The flight from the enchanter* (1956) repräsentiert Mischa Fox eine Macht, die Menschen einerseits stärkt, frei und unabhängig zu werden, die aber jeden versklavt, der sich ihrer Faszination willenlos hingibt. *The sandcastle* (1957) und *The bell* (1958) berichten vom Zusammenstoß des einzelnen mit gesellschaftlichen und religiösen Mächten und deren Versuch, über das Individuum und dessen Anspruch auf Selbstentfaltung zu bestimmen.

In *The sandcastle* steht die Eheproblematik, in dem symbolisch souverän durchkomponierten Roman *The bell* die Homosexualität im Vordergrund. *A severed head* (1961) geht dem Einfluß unterbewußter Kräfte auf das menschliche Verhalten nach und rekurriert dabei auf Einsichten der psychoanalytischen, sexologischen und mythologischen Forschung. Dabei werden Gefährdungen verdeutlicht, denen der einzelne sich aussetzt, wenn er sich selbst und seinen Standort in der Realität nicht angemessen zu beurteilen versteht. Weicht der Mensch dieser Aufgabe aus, wie Ann in *An unofficial rose* (1962), so liefert er sich damit der Manipulation durch andere aus. Und auch Hannah in *The unicorn* (1963) wird das Opfer von Wirklichkeitsvorstellungen, die andere ihr aufzwingen. In *The time of the angels* (1966) ging Iris Murdoch den zwischenmenschlichen Konflikten nach, die sich in einem Zeitalter ergaben, das von der Richtigkeit des Diktums »Gott ist tot« überzeugt war.

Die Romane, die Iris Murdoch nach 1968 veröffentlichte, sind einerseits durch eine Weiterentwicklung der aus den Frühwerken bekannten Themen gekennzeichnet; andererseits hat die Tendenz zur epischen Breite und die Bereitschaft zum erzählerischen Experiment zugenommen. So ist Julius King in *A fairly honourable defeat* (1970) mit Mischa Fox verglichen worden, und Charles Arrowby in *The sea, the sea* (1978) hat die Züge eines Prospero, dessen Wirkungen freilich vorwiegend zerstörerisch sind. Die Neigung zur epischen Erweiterung zeichnet sich in den beiden genannten Romanen ebenso ab wie in *The nice and the good* (1968) und in *The black prince* (1973). Diese formale Entwicklung steht im Einklang mit den romantheoretischen Überlegungen, von denen Iris Murdoch ausging. Sie stilisiert das Material, um ihre Romane nicht formlos werden zu lassen, weist jedoch durch eine differenzierte Technik zugleich auf die Begrenztheit eines jeden Standpunktes hin, von dem aus Wirklichkeit erlebt, gedeutet und erzählerisch dargestellt werden kann. (E)

Hauptwerke: *Sartre. Romantic rationalist* 1953. – *Under the net* 1954. – *The flight from the enchanter* 1956. – *The sandcastle* 1957. – *The bell* 1958. – *A severed head* 1961. – *An unofficial rose* 1962. – *The unicorn* 1963. – *The Italian girl* 1964. – *The red and the green* 1965. – *The time of the angels* 1966. – *The nice and the good* 1968. – *Bruno's dream* 1969. – *A fairly honourable defeat* 1970. – *The sovereignty of good* 1970. – *An accidental man* 1971. – *The black prince* 1973. – *Henry and Cato* 1976. – *The fire and the sun. Why Plato banished the artists* 1977. – *The sea, the sea* 1978. – *Nuns and soldiers* 1980. – *The philosopher's pupil* 1983. – *The good apprentice* 1985. – *The book and the brotherhood* 1987.

Bibliographie: T.T. Tominaga und W. Schneidermeyer, *Iris Murdoch and Muriel Spark. A bibliography* 1976.

Übersetzungen: *Lauter feine Leute*, übers. von M. Hervás 1968 (Scherz). – *Der schwarze Prinz*, übers. von H. Schlüter 1975 (Claassen), 1979 (dtv). – *Uhrwerk der Liebe*, übers. von K. Stromberg und M. Kluger 1977 (Claassen). – *Ein Mann unter vielen*, übers. von I. Wiskott 1980 (Ehrenwirth). – *Das Meer, das Meer*, übers. von M. Hervás und K. Stromberg 1981 (Claassen). – *Das italienische Mädchen*, übers. von I. Wiskott 1982 (Ehrenwirth).

Sekundärliteratur: A. S. Byatt, *Degrees of freedom. The novels of Iris Murdoch* 1956. – P. Wolfe, *The disciplined heart. Iris Murdoch and her novels* 1966. – R. Rabinovitz, *Iris Murdoch* 1968. – D. Gerstenberger, *Iris Murdoch* 1975. – R. Todd, *Iris Murdoch. The Shakespearian interest* 1979. – R. Todd, *Iris Murdoch* 1984. – C. B. Bove, *A character index and guide to the fiction of Iris Murdoch* 1986. – P. J. Conradi, *Iris Murdoch. The saint and the artist* 1986. – D. Johnson, *Iris Murdoch* 1987.

Thomas Nashe (1567–1601)

Nashe ist einer der frühesten Berufsliteraten, die mit ihrer gewandten Feder ein immer größer werdendes Publikum mit Lesestoff der verschiedensten Art versorgten. Der Sohn eines Pfarrers studierte in Cambridge, das er ohne akademischen Grad verließ, um sich gegen Ende der achtziger Jahre als Literat in London durchzuschlagen. Schon in seinen ersten Schriften, Vorwörtern, Pamphleten und Prosasatiren in der Martin Marprelate-Kontroverse (*Piers pennilesse his supplication to the devil* 1592), sparte er nicht mit harter, witziger Kritik an literarischen Strömungen und mit persönlichen Attacken auf seine Gegner, zu denen vor allem der Gelehrte Gabriel Harvey zählte. Einen ernsteren Ton schlug er in *Christ's tears over Jerusalem* (1592/93) an, einer Sittenpredigt an London, und in *The terrors of the night* (1594), einer Schrift über Dämonen, Hexen und den Satan. 1594 erschien auch seine pseudohistorische Prosaromanze *The unfortunate traveller, or the life of Jack Wilton,* die als erste englische pikareske Erzählung gilt. 1597 verfaßte er zusammen mit → Jonson die dramatische Satire *The isle of dogs,* für die Jonson ins Gefängnis geworfen wurde, während sich Nashe der Strafe durch die Flucht nach Yarmouth entzog. Dort schrieb er *Nashe's lenten stuffe* (1599), ein Lob des Herings. Sein einziges allein verfaßtes Drama ist *Summer's last will and testament* (1592).

Nashe schrieb einen witzigen, bilderreichen Prosastil, der sich vor allem in Satiren und Beschimpfungen zu ungehemmten Wortkaskaden steigern konnte. Juvenal, Rabelais und Aretino waren seine Vorbilder. Als bissiger Kritiker und anekdotenreicher Erzähler vermittelt er ein farbiges Bild der damaligen Welt und viele Einblicke in das damalige literarische Leben. (W)

Hauptwerke: *Piers pennilesse his supplication to the devil* 1592. – *The unfortunate traveller, or the life of Jack Wilton* 1594.

Bibliographien: S. A. Tannenbaum, *Thomas Nashe*, Elizabethan bibliographies 1941 (repr. 1967). – R. C. Johnson, *Thomas Nashe 1941–1965*, Elizabethan bibliographies supplements V (1968).

Ausgabe: *The works*, ed. R. B. McKerrow, 5 vols 1904-1908 (repr. 1966).

Übersetzung: *Der unglückliche Reisende oder die Abenteuer des Jack Wilton*, hrsg. von W. von Koppenfels 1970 (Winkler).

Biographie: C. Nicholl, *A cup of news. The life of Thomas Nashe* 1984.

Sekundärliteratur: G. R. Hibbard, *Thomas Nashe. A critical introduction* 1962. – R. G. Howarth, *Two Elizabethan writers of fiction. Thomas Nashe and Thomas Deloney* 1956. – J. V. Crewe, *Unredeemed rhetoric. Thomas Nashe and the scandal of authorship* 1982. – S. S. Hilliard, *The singularity of Thomas Nashe* 1986.

John Henry Newman (1801–1890)

Der asketische, mönchische Zug im Wesen des jungen John Henry Newman ist 1816 durch die evangelikale Konversion zu einem moderaten Calvinismus gewiß verstärkt worden. Er wird Newman sein Leben überwiegend in kleinen Männergemeinschaften verbringen lassen, sei es als Student am Trinity College, Oxford (1816–1820), als Fellow und Tutor des Oriel College (1822–1832), als Leiter einer halbmonastischen Bruderschaft in Littlemore (1842–1845) oder, seit 1848, des römisch-katholischen Oratory of St. Philip Neri in Birmingham. Er verstärkt die evangelikale Pflicht zur Selbstanalyse. Diese führt Newman früh zur fundamentalen Erkenntnis der Existenz von »two and two only absolute and luminously self-evident beings, myself and my Creator«. Die intensiv gestellte Frage nach der Erscheinung Gottes und dem Wesen des Glaubens kann als zentral für Newmans Leben und Werk betrachtet werden. Sie läßt ihn zunehmend an evangelikalen Doktrinen zweifeln. Das Gewissen ist ihm zwar unzweifelhaft die individuelle und innere Instanz des Göttlichen, die innere Instanz verlangt jedoch nach einem objektiven Korrelat. Newman findet es in einer Kirche, die in der apostolischen Nachfolge steht und – im Wortsinne – katholisch ist.

Diese Einstellung, wie sie um 1830 feststeht, muß sich in der Realität bewähren. Gegen den Versuch eines Staatseingriffs setzen sich 1833 John Keble, Newman und Edward Pusey zur Wehr: Das Oxford Movement entsteht, das sich in den *Tracts for the times* (1833–1841) artikuliert. Der Ansatz, durch das Studium der geschichtlichen Entwicklung zu erkennen, welches die wahre apostolische und katholische Kirche sei, resultiert in einer großen Edition patristischer Schriften und Newmans langsam wachsender Einsicht, daß es die anglikanische Kirche ist, welche im Schisma lebt. *Tract* XC, Newmans Versuch, die Katholizität der 39 Artikel zu beweisen, führt zum Skandal und dem Rückzug aus Pfarre und Oxford (1841). Am 9. Oktober 1845 konvertiert er zum römisch-katholischen Glauben, 1847 wird er in Rom zum Priester geweiht.

Als Katholik ist es Newman gelungen, sich dem Dogmatismus der römischen Kurie zu entziehen, wie auch, durch persönliches Beispiel und zahllose Schriften in einem immer noch heftig antipapistischen England Vorurteile abzubauen. Er bringt in *An essay on the development of Christian doctrine* die historische Perspektive in die theologische Problematik ein und trennt Glaubens- von Wissensbereichen. Als Rektor der neugegründeten katholischen Universität zu Dublin (1854–1858) formuliert er *The idea of a university*, in der Bildung, und zwar die eines *homo religiosus*, nicht Ausbildung oder Forschung im Mittelpunkt steht. Die persönlich motivierte Attacke Charles Kingsleys auf seine Wahrheitsliebe und die der Katholiken generell beantwortet er in der in drei Monaten geschriebenen *Apologia pro vita sua*. Mit zwingender Logik und großer Redlichkeit gestaltet Newman seine spirituelle Autobiographie und fängt flüchtige geistige und emotionale Momente in kristalliner Prosa ein. Auch seine Gegner zollen Newman Anerkennung. Seine Schriften werden neu aufgelegt; 1877 schließt Oxford durch die Ernennung zum Honorary Fellow des Trinity College Frieden; 1879 beruft ihn Leo XIII. ins Kardinalskollegium.

Das unbedingte Streben nach dem Göttlichen, das von Newman als ein essentiell Anderes, Transzendentes gewußt wird, mag in dem romantisch-poetischen Element seines Wesens begründet sein. Wie nahezu alle seine Zeitgenossen wird auch er durch die Dichtungen und Romane → Scotts geprägt. Er verfaßt 1829 einen poetologischen Essay, *Poetry with reference to Aristotle's poetics*, in dem Originalität und Imagination gepriesen werden und das lyrische Gedicht als Inbegriff der Dichtung verstanden wird. Seine eigene Dichtung, etwa die des mit anderen Tractarians verfaßten Sammelbandes *Lyra apostolica* (1836), wird hingegen in den Dienst der Propaganda gestellt, ist oftmals ornamentierte Rhetorik oder Argumentation. Eine berühmte Ausnahme stellt »Lead, kindly light« dar, ein von allen Denominationen gesungenes Kirchenlied, das um Zweifel und Ausgesetztsein weiß, eine andere *The dream of Gerontius* (1865), das den qualvollen Weg eines Sterbenden zu Glaubenszuversicht und Gottespreis nachzeichnet: »Praise to the holiest in the height,/And in the depth be praise.«

Es ist jedoch der Prosastilist Newman, der in der Literaturgeschichte einen vornehmen Platz einnimmt. Damit sind weniger seine beiden, deutlich autobiographisch geprägten Romane gemeint, von denen der erste, *Loss and gain*, den mühebeladenen Weg des Protagonisten Charles Reding zum römisch-katholischen Glauben beschreibt, nicht ohne andere Positionen und das zeitgenössische Oxford karikierend aufzuspießen, der andere, *Callista* (1856), das Martyrium eines frühchristlichen Konvertiten. Gemeint sind die Predigten, Traktate, seine Autobiographie: Newman beherrscht ein breites Ausdrucksrepertoire, das Satirische ebenso wie die logische Argumentation und die Gefühlsdarstellung – letztere bei aller bewußten Zurücknahme, die ihm seine theologisch und persönlich bedingte *doctrine of reserve* auferlegt. Es ist diese Spannung zwischen Ausdrucksdrang und Zurücknahme, die seine Autobiographie zu einem bewegenden menschlichen Dokument macht, aber auch zu einem des Zeitgeistes, der Spannung von Romantik und Viktorianismus. (T)

Hauptwerke: *Parochial sermons*, 6 vols 1834–1842. – *An essay on the development of Christian doctrine* 1845. – *Loss and gain* 1848. – *The idea of a university* 1859. – *Apologia pro vita sua* 1864. – *Verses on various occasions* 1868. – *An essay in aid of a grammar of assent* 1870.

Bibliographien: V. F. Blehl, *John Henry Newman. A bibliographical catalogue of his writings* 1978. – John R. Griffin, *Newman. A bibliography of secondary studies* 1980.

Ausgaben: *Works*, Uniform edition, 41 vols 1908–1918. – *The letters and diaries*, ed. C. S. Dessain et al. 1961– .

Biographien: W. P. Ward, *The life of John Henry Cardinal Newman based on his private journals and correspondence*, 2 vols 1912/13. – C. S. Dessain, *John Henry Newman* 1981.

Sekundärliteratur: A. D. Culler, *The imperial intellect. A study of Newman's educational ideal* 1955. – G. L. Levine, *The boundaries of fiction. Carlyle, Macaulay, Newman* 1968. – J. Coulson, *John Henry Newman and the common tradition. A study of the church and society* 1970. – H. L. Weatherby, *Cardinal Newman in his age. His place in English theology and literature* 1973. – R. C. Selby, *The principle of reserve in the writings of John Henry Cardinal Newman* 1975. – C. S. Dessain, *Newman's spiritual themes* 1977. – O. Chadwick, *Newman* 1983.

Sean O'Casey (1880–1964)

Von allen anglo-irischen Dramatikern des 20. Jahrhunderts, die internationalen Ruhm erlangten, ist Sean O'Casey derjenige, der das stärkste politische Engagement zeigte und es dennoch verstand, sich stets einen Freiraum für die Entfaltung seiner künstlerischen Absichten zu sichern.

O'Casey wurde in Dublin geboren, als Kind protestantischer Eltern. Der Vater, ein kaufmännischer Angestellter, starb früh. Dennoch gelang es der Familie, sich wirtschaftlich einigermaßen zu behaupten. Die Bibel und → Shakespeare bildeten den Grundstock für O'Caseys religiöse und literarische Bildung, auf die er auch als Dramatiker immer wieder zurückgriff. Dazu versuchte er, sich in jungen Jahren durch die Lektüre von Darwin und → Shaw in die Probleme seines Zeitalters einzuarbeiten. 1903 schloß er sich der Gälischen Liga an, die jedoch wegen ihrer betont bürgerlichen Einstellung keine dauernde politische Heimat für ihn sein konnte. 1913 unterstützte er den Streik der Irish Transport and General Workers' Union; vorübergehend war er First Secretary of the Irish Citizen Army. Am Osteraufstand des Jahres 1916 nahm er nicht teil; er plädierte für eine internationale, vom Proletariat getragene Lösung und schloß sich deshalb der Socialist Party of Ireland an.

1918 brachte er *Songs of the wren* heraus, meist satirische Lieder, die sich gegen England und den Ersten Weltkrieg richteten. Auf der Bühne hatte er erst 1923 mit seinem fünften Stück *The shadow of a gunman* Erfolg, das die Auseinandersetzung zwischen der Irish Republican Army und den *Black and Tans* (Hilfstruppen der British Forces) zum Hintergrund hat, die zu Beginn der zwanziger Jahre Irland in Schrecken versetzten. Im Stil der Tragikomödie sind die beiden Werke verfaßt, die O'Caseys internationalen Ruhm begründeten: *Juno and the paycock* (aufgeführt 1924) und *The plough and the stars* (1926). Schauplatz von *Juno and the paycock* ist eine Mietwohnung in Dublin: Die dreiaktige Handlung stellt das Schicksal der Familie Boyle dar. Johnny wird bei den Unabhängigkeitskämpfen (nach 1921) erschossen; Mary, die Tochter, fällt auf einen englischen Hochstapler herein; Jack Boyle, der Vater, ein eingebildeter, arbeitsscheuer Kranker, ein *miles gloriosus* und einen Akt lang auch ein vermeintlicher Reicher, steht am Ende vor dem Chaos; nur Mrs. Boyle hat genug Lebenskraft und praktischen Sinn, um sich zu behaupten. Sprachlich näherte sich O'Casey an den Dubliner Stadtdialekt an, ohne ihn sklavisch zu imitieren. Die poetische Stilisierung läßt die irische Lust an der Erfindung einer illusionären Wirklichkeit, die im Kontrast zum schäbigen Alltag steht, besonders deutlich zum Ausdruck kommen.

In *The plough and the stars* behandelt O'Casey in vier Akten die Ereignisse im November 1915 und in der Osterwoche 1916. Die politischen Aktionen sind hinter die Bühne verlegt. O'Casey ging es nicht darum, den Freiheitskampf zu verherrlichen, sondern die deprimierenden Schicksale aufzuzeigen, die sich aus dem Aufstand ergaben. Als es bei diesem Drama zu einem Theaterskandal kam, weil der Dramatiker die Realität entlarvte und sich nicht in den Dienst politischer Interessen nehmen ließ, ging O'Casey nach England, heiratete dort 1927 die irische Schauspielerin Eileen Reynolds (Bühnenname Carey) und verbrachte den Rest seines Lebens im freiwillig gewählten Exil.

Mit *The silver tassie* (1929) schlug er dramaturgisch neue Wege ein. Im Anschluß an die Techniken des Expressionismus gelang es ihm, im zweiten Akt das Grauen auf die Bühne zu bringen, das die Materialschlachten im Ersten Weltkrieg mit sich brachten. Umrahmt wird dieser Akt von drei Akten, in denen das Schicksal irischer Kriegsteilnehmer geschildert wird.

The star turns red (1940) und *Red roses for me* (1943) sind politische Lehrstücke: Sozialismus und Kommunismus erscheinen als die notwendige historische Weiterentwicklung des Christentums. In *Purple dust* (1943), *Cock-a-doodle dandy* (1949), *The bishop's bonfire* (1955) und *The drums of Father Ned* (1959) wendet sich O'Casey gegen die Herrschaftsstrukturen, sei es der Engländer, sei es der bürgerlichen Kapitalisten, und gegen die Verkrustungen des gesellschaftlichen Lebens, die ein primitiver Aberglaube, starre gesellschaftliche, religiös sanktionierte Konventionen in Irland verursachten. Die Mischung von farcenhaften und grotesken, satirischen und lyrischen, naturalistisch-derben und romantisch-poetischen Stilelementen erinnert an die Tradition des Volkstheaters sowie an opernhafte Märchenspiele. Das Fehlen einer Bühne, mit der er kontinuierlich zusammenarbeiten konnte, war der Preis, den er für das Exil bezahlen mußte. An der Verbreitung seiner Dramen auf dem Kontinent haben die deutschen Theater der Bundesrepublik wie der DDR erheblichen Anteil.

O'Caseys sechsbändige Autobiographie zeugt von der kaum zu zügelnden Vitalität und dem Einfallsreichtum dieses Autors. Er bedient sich auch hier der lyrischen wie der satirischen Stilmittel, der poetischen wie der expositorischen Prosa, um in vielperspektivischer Brechung seine Sicht der Wirklichkeit darzustellen. Er bedarf des tragischen wie des komischen Darstellungsmodus, um alle Nuancen seiner Lebenserfahrung auszudrücken. Hinzu kommt, daß sich sein unruhiger Intellekt immer wieder der Festlegung auf einseitige Deutungsschemata der Wirklichkeit entzieht und eigene dogmatische Verfestigungen kritisch unterläuft. (E)

Hauptwerke: *Songs of the wren*, 2 vols 1918. – *The story of the Irish citizen army* 1919. – *The shadow of a gunman* 1925. – *Juno and the paycock* 1925. – *The plough and the stars* 1926. – *The silver tassie* 1928. – *Within the gates* 1933. – *I knock at the door. Swift glances back at things that made me* 1939. – *The star turns red* 1940. – *Purple dust. A wayward comedy* 1940. – *Red roses for me* 1942. – *Pictures in the hallway* 1942. – *Drums under the windows* 1945. – *Inishfallen fare thee well* 1949. – *Cock-a-doodle dandy* 1949. – *Rose and crown* 1952. – *Sunset and evening star* 1954. – *The bishop's bonfire* 1955. – *The drums of Father Ned* 1960.

Bibliographie: E. H. Mikhail, *Sean O'Casey and his critics. An annotated bibliography, 1916–1982* 1985.

Ausgaben: *Collected plays*, 5 vols 1949–1951. – *Mirror in my house. The autobiographies*, 2 vols 1956. – *Autobiography*, 6 vols 1971–1973. – *The letters*, ed. D. Krause 1975– .

Übersetzungen: *Autobiographie*, 6 Bde, übers. von W. Beyer und G. Goyert 1965–1969, 1980 (Diogenes). – *Purpurstaub*, übers. von H. Baierl und G. Simmgen 1971 (Diogenes). – *Dubliner Trilogie. Der Schatten eines Rebellen/ Juno und der Pfau/ Der Pflug und die Sterne*, übers. von V. Canaris, D. Hildebrand u. a. 1972 (Diogenes).

Biographien: D. Krause, *Sean O'Casey and his world* 1976. – H. Hunt, *Sean O'Casey* 1980.

Sekundärliteratur: D. Krause, *Sean O'Casey. The man and his work* 1960. – R. Hogan, *The experiments of Sean O'Casey* 1960. – S. Cowasjee, *O'Casey* 1966. – T. Metscher, *Sean O'Caseys dramatischer Stil* 1967. – M. Malone, *The plays of Sean O'Casey* 1969. – B. Benstock,

Sean O'Casey 1970. – H. Kosok, *Sean O'Casey. Das dramatische Werk* 1972. – B. Benstock, *Paycocks and others. Sean O'Casey's world* 1976. – C. D. Greaves, *Sean O'Casey. Politics and art* 1979. – J. Mitchell, *The essential O'Casey. A study of the twelve major plays of Sean O'Casey* 1980. – B. Lahrmann-Hartung, *Sean O'Casey und das epische Theater Bertolt Brechts* 1983. – J. O'Riordan, *A guide to O'Casey's plays. From the plough to the stars* 1984.

George Orwell (1903–1950)

Eric Arthur Blair, der sich später als Schriftsteller George Orwell nannte, wurde in Motihari (Indien) geboren und von 1917 bis 1921 am Eton College erzogen. Während seiner gesamten schriftstellerischen Tätigkeit verstand er sich als ein politischer Autor, der mit seinen Romanen und Essays, seinen autobiographischen Schriften und »documentaries« stets einen didaktischen Zweck verfolgte.

Die Eindrücke, die Orwell zwischen 1922 und 1927 in Burma sammeln konnte, als er in Diensten der Indian Imperial Police stand, sind in dem Roman *Burmese days* (1934) festgehalten. Er gab diesen Dienst als Polizeioffizier auf, nicht nur um sich von der imperialistischen Macht zu lösen, die er zu repräsentieren und zu verteidigen hatte, sondern auch weil er jede Herrschaft eines Menschen über einen anderen Menschen – »Every form of man's dominion over man« – verabscheute. Sein Weg führte ihn zunächst zu den Ärmsten in der europäischen Gesellschaft, deren Not und Elend er aus eigener Erfahrung in den Jahren 1928 bis 1934 kennenlernte. Seine Erlebnisse als Tellerwäscher in Paris und als Tramp in London hat er in dem halb autobiographischen, halb dokumentarischen Band *Down and out in Paris and London* (1933) aufgezeichnet.

Die Romane *A clergyman's daughter* (1935), *Keep the aspidistra flying* (1936) und *Coming up for air* (1939) stellen, teilweise an die Romane von H. G. → Wells anknüpfend, die Lebensverhältnisse in England zwischen den beiden Weltkriegen dar und verarbeiten zugleich persönliche Erlebnisse des Autors. *A clergyman's daughter* schildert die inneren religiösen Konflikte, die Orwell selbst durchstand, und knüpft auch an die Erfahrungen an, die er als Arbeiter bei der Hopfenernte in Kent und bei den Tramps in London sammelte. *Keep the aspidistra flying* beschreibt die moderne Welt der Reklame, der Propaganda und des Bluffs, in der der Protagonist Gordon Comstock sein schäbiges Alltagsdasein verbringen muß. Die Vorkriegsatmosphäre wird in *Coming up for air* eingefangen, einem Roman, der von George Bowlings sehnsüchtigem Verlangen nach der (in seiner Sicht) integren Kleinbürgerwelt auf dem Lande berichtet, wie er sie in seiner Jugend kennenlernte. Die Katastrophe des Zweiten Weltkrieges, die über dieser schäbigen Wirklichkeit schwebt, wird durch ein britisches Flugzeug symbolisiert, das versehentlich eine Bombe auf Lower Binfield fallen läßt. Mit den beiden »documentaries« *The road to Wigan Pier* (1937) und *Homage to Catalonia* (1938) drang Orwell noch tiefer in die gesellschaftlichen und politischen Probleme seiner Zeit ein. Im Auftrag von Victor Gollancz und des Left Book Club unternahm er 1936 eine Reise in die nordenglischen Industriegebiete, deren Verhältnisse er genauestens studierte und schonungslos darstellte. Über seine Erlebnisse in Spanien berichtete Orwell in *Homage to Catalonia*. Ursprünglich war er von den Ideen des Kommunismus begeistert und glaubte zunächst auch, in Spanien Beispiele der klassenlosen Gesellschaft anzutreffen. Aber die Eindrücke, die er als Mitglied der Partido Obrero de Unificación Marxista (P.O.U.M.) im Spanischen Bürgerkrieg sammelte, ließen ihn zu einem scharfen Kritiker der Praktiken der Kommunisten werden.

Da er auch im englischen Sozialismus totalitäre Tendenzen befürchtete, wurde er in seinen beiden letzten erzählerischen Werken zum erbitterten Ankläger des Kommunismus und des Faschismus. Für seine Satire auf den russischen Kommunismus und dessen Entwicklung wählte er die Form der allegorischen Tiererzählung. *Animal farm* (1945) wurde zu seinem größten literarischen Erfolg, zugleich zu einer Waffe für all diejenigen, die nach Orwells Tod den Roman zu einem Propagandastück des Kalten Krieges machten. *Nineteen eighty-four* (1949) ist eine Warnung vor möglichen Fehlentwicklungen, die Orwell im englischen Sozialismus (»Ingsoc« in seinem Buch) angelegt sah. Alle Machtinstrumente der totalitären Regime – vom »newspeak« über »doublethink« bis zum Prinzip des »rewriting history« – werden satirisch attackiert. Die Essays, die Orwell schrieb – u.a. über *James Burnham and the managerial revolution* (1946) – tragen zum Verständnis der politischen Intentionen bei, die er bis zu seinem Tod verfolgte. (E)

Hauptwerke: *Down and out in Paris and London* 1933. – *Burmese days* 1934. – *A clergyman's daughter* 1935. – *Keep the aspidistra flying* 1936. – *The road to Wigan Pier* 1937. – *Homage to Catalonia* 1938. – *Coming up for air* 1939. – *Inside the whale and other essays* 1940. – *The lion and the unicorn. Socialism and the English genius* 1941. – *Animal farm* 1945. – *James Burnham and the managerial revolution* 1946. – *The English people* 1947. – *Nineteen eighty-four* 1949. – *Shooting an elephant and other essays* 1950.

Bibliographie: J. Meyers und V. Meyers, *George Orwell. An annotated bibliography of criticism* 1977.

Ausgabe: *The collected essays, journalism and letters*, ed. S. Orwell und I. Angus, 4 vols 1968.

Übersetzungen: *1984*, übers. von K. Wagenseil 1950 (Diana), 1976 (Ullstein). – *Werkausgabe*, 11 Bde 1983 (Diogenes). – *1984*, hrsg. von H. W. Franke, übers. von M. Walter 1984 (Ullstein).

Biographien: *The world of George Orwell*, ed. M. Gross 1971. – P. Stansky und W. Abrahams, *Orwell. The transformation* 1979. – B. Crick, *George Orwell. A life* 1980. – P. Lewis, *George Orwell. The road to 1984* 1981.

Sekundärliteratur: L. Brander, *George Orwell* 1954. – R. J. Voorhees, *The paradox of George Orwell* 1961. – R. Rees, *George Orwell. Fugitive from the camp of victory* 1961. – G. Woodcock, *The crystal spirit. A study of George Orwell* 1966. – R. A. Lee, *Orwell's fiction* 1969. – K. Alldritt, *The making of George Orwell. An essay in literary history* 1969. – A. Zwerdling, *Orwell and the left* 1974. – W. Steinhoff, *George Orwell and the origins of 1984* 1975. – B.-P. Lange, *Literarische Form und politische Tendenz bei George Orwell* 1975. – H.-J. Lang, *George Orwell. Eine Einführung* 1983. – M. Conelly, *The diminished self. Orwell and the loss of freedom* 1987.

John Osborne (geb. 1929)

Die Uraufführung von John Osbornes *Look back in anger* am 8. Mai 1956 bezeichnet einen markanten Einschnitt in der Geschichte des modernen Dramas. Das poetische Drama, das → Eliot und → Fry am Londoner West End zu großem Ansehen gebracht hatten, schien jetzt überholt zu sein. Eine neue Diktion wurde hörbar: Die Symbolsprache poetischer Weltdeutung wurde von der drastisch-naturalistischen Diktion sozialkritischer Schimpftiraden verdrängt, die nicht nur den Zorn des Protagonisten Jimmy Porter artikulierten, sondern auch der Stimmung einer ganzen Generation junger Menschen Ausdruck verliehen, für die in der damaligen Gesellschaft kein Platz zu sein schien.

Osborne war für ein Drama dieser Art gut vorbereitet. Er entstammt einfachen Verhältnissen (die Familie lebte in dem Londoner Vorort Fulham), verlor früh seinen Vater und sah, wie die Mutter mit wenig Geld auskommen mußte. Nach einer schulischen Ausbildung, die ihm nicht viel bedeutete, schlug er sich als Autor, Hilfsregisseur und schließlich als Schauspieler durch. Von seinen frühen Stücken *The devil inside him*, *Personal enemy* und *Epitaph for George Dillon*, die in Zusammenarbeit mit Stella Linden bzw. Anthony Creighton entstanden, wurde nur das zuletzt genannte publiziert, in dem das Schicksal eines Schauspielers und Stückeschreibers geschildert wird.

The entertainer (aufgeführt 1957) rückt den alternden Komödianten Archie Rice in den Mittelpunkt; mit ihm schuf Osborne eine Rolle, die Schauspieler wie Laurence Olivier, Gustaf Gründgens und Martin Held faszinierte. Archies Songs in der Music Hall und die Gespräche im Familienkreis lassen eine Atmosphäre des Zerfalls (des British Empire) und des Untergangs (der Music Hall) lebendig werden. Hoffnungslosigkeit, Nostalgie und Selbstmitleid kennzeichnen die Stimmung des Protagonisten, der in seiner äußerlich schäbigen Eleganz noch etwas von der Würde eines Menschen an sich hat, der sich den Willen zur Selbstbehauptung bewahrt.

Nach *The world of Paul Slickey* (1959), einer Satire auf die Presse, in der Elemente des Musicals und des regulären Dramas miteinander verbunden sind, und dem Fernsehspiel *A subject of scandal and concern* (1960), in dem das Schicksal des Mannes beschrieben wird, der als letzter wegen Blasphemie ins Gefängnis kam, fand Osborne im Luther-Stoff ein neues dramatisches Sujet. Anregungen dazu gaben ihm Erik H. Eriksons psychoanalytische Studie *Young man Luther* sowie Brechts *Leben des Galilei. Luther* (1961) ist eine Art historisches Panorama, das vor allem von den physischen Leiden des Protagonisten, kaum aber von dessen religiösen Gewissenskonflikten handelt.

Nach dem revueartigen Einakter *The blood of the Bambergs* (1962), einer Satire auf die Thronfolge in der Monarchie, und *Under plain cover* (1962), einem Angriff auf die sensationslüsterne Presse, gelang Osborne 1964 mit *Inadmissible evidence* wiederum ein origineller Wurf: Das Stück stellt Leben und Schicksal eines 39jährigen Anwalts namens Bill Maitland dar, der Schritt für Schritt den Kontakt zur Wirklichkeit verliert.

Osborne verbindet damit jedoch keine sozialkritische Botschaft; nach seinen eigenen Darlegungen bietet er in seinen Dramen lediglich »lessons of feeling« und überläßt es den Zuschauern, kritische Überlegungen daran anzuknüpfen.

In *A patriot for me* (1965) stellte Osborne das Schicksal des österreichischen Obersten Alfred Redl dar, der im Alltag ein tadelloser Offizier war, aber durch seine Homosexualität und seine Schulden in die Abhängigkeit der Russen geriet, für die er als Spion arbeitete. Am Ende blieb ihm der Selbstmord als einziger Ausweg. Osborne vermochte es jedoch nicht, den psychologischen Konflikt und die dekadente gesellschaftliche Atmosphäre überzeugend auszuarbeiten. Die Stücke, die seit 1968 entstanden, verraten zwar die dramaturgische Erfahrung des Autors, sind aber in der dramatischen Substanz schwächer als etwa *The entertainer*. *Time present* (1968) stellt die Vereinsamung einer Schauspielerin dar; *The hotel in Amsterdam* (1968) schildert die Beziehungen zwischen drei Paaren, die für den Filmdirektor K. L. arbeiten und schließlich ohne diese Bezugsperson weiterleben müssen, als K. L. Selbstmord begeht. *West of Suez* (1971) dramatisiert in Tschechows Manier die gruppendynamischen Beziehungen innerhalb einer Familie; in das Leben der in England kulturell bestimmenden Schicht führt das Stück *The end of me old cigar* (1975) ein. Auch die Bearbeitungen von Lope de Vegas *La fianza satisfecha* (als *A bond honoured* 1966), Ibsens *Hedda Gabler* (1972), → Shakespeares *Coriolanus* (als *A place calling itself Rome* 1973 veröffentlicht) und Oscar → Wildes *The picture of Dorian Gray* (1975) blieben bei allen interessanten Einzelheiten in ihrer Wirkung hinter den Stücken zurück, in denen Osborne die Stimmung der Angry Young Men – wie Jimmy Porter – und der »Angry Old Men« – wie Archie Rice und Bill Maitland – zum Ausdruck brachte. (E)

Hauptwerke: *Look back in anger* 1957. – *The entertainer* 1957. – *Epitaph for George Dillon* (mit A. Creighton) 1958. – *The world of Paul Slickey* 1959. – *A subject of scandal and concern* 1961. – *Luther* 1961. – *Plays for England. The blood of the Bambergs and Under plain cover* 1963. – *Tom Jones* (Drehbuch) 1964. – *Inadmissible evidence* 1965. – *A patriot for me* 1966. – *Time present and The hotel in Amsterdam* 1968. – *West of Suez* 1971. – *The gift of friendship* 1972. – *A better class of person. An autobiography 1929–1956* 1981.

Bibliographien: C. Northouse und T. P. Walsh, *John Osborne. A reference guide* 1974. – K. King, *Twenty modern British playwrights. A bibliography, 1956 to 1976* 1977.

Ausgaben: *Three plays* 1959. – *Four plays* 1972.
Übersetzung: *Blick zurück im Zorn*, übers. von H. Sahl 1979 (Fischer).
Sekundärliteratur: R. Hayman, *John Osborne* (1968) 1972. – A. Carter, *John Osborne* (1969) 1973. – S. Trussler, *The plays of John Osborne. An assessment* 1969. – M. Banham, *Osborne* 1969. – H. Ferrar, *John Osborne* 1973. – H. Goldstone, *Coping with vulnerability. The achievement of John Osborne* 1982.

Wilfred Owen (1893–1918)

Wilfred Owen wurde am 18. März 1893 in Oswestry (Shropshire) geboren; am 4. November 1918 fiel er an der Westfront, eine Woche vor dem Waffenstillstand. Trotz dieser kurzen Lebensspanne von 25 Jahren gelangen ihm einige Gedichte über den Ersten Weltkrieg, die von Kritikern der verschiedensten Richtungen sehr hoch eingestuft werden. Cecil → Day Lewis bewunderte – in der 1963 von ihm edierten Gesamtausgabe *The collected poems of Wilfred Owen* – in den Gedichten Owens »their blending of harsh realism with a sensuousness unatrophied by the horrors from which they flowered«. In ähnlicher Weise äußerten sich über ihn auch W. H. → Auden, Stephen → Spender, Christopher Isherwood und Louis → MacNeice, aber auch T. S. → Eliot und Dylan → Thomas.

Wilfred Owen war von 1913 bis 1915 Hauslehrer bei einer französischen Familie in Bordeaux, 1915 meldete er sich als Kriegsfreiwilliger, 1917 war er als Offizier an der Westfront eingesetzt. Nach einem schweren Angriff nördlich von St. Quentin kam er in das Lazarett von Craiglockhart, wo er Siegfried Sassoon kennenlernte, der sich als Kriegsdichter bereits einen Namen gemacht hatte und der Owen in seinen dichterischen Versuchen ermutigte. Sassoon war es auch, der Owens Werk posthum (1920) herausgab, denn zu seinen Lebzeiten waren nur vier Gedichte erschienen. In den dreißiger Jahren besorgte Edmund Blunden eine neue, erweiterte Ausgabe der Gedichte Owens, die auf die Vertreter der politischen Lyrik der damaligen Zeit ihre Wirkung nicht verfehlte. Owens unbeugsame Kritik am Krieg und am falschen heroischen Pathos, das der jungen Generation in den Schulen anerzogen worden war, war dafür ebenso ausschlaggebend wie seine metrischen Experimente und seine technische Meisterschaft. Wie seine Generationsgenossen hatte sich Owen in seiner Jugend an den Lyrikern des 19. Jahrhunderts, insbesondere an → Swinburne und Oscar → Wilde geschult, bis er in → Keats das große Vorbild fand. Die Erlebnisse des Ersten Weltkrieges und die Begegnung mit Sassoon lenkten ihn dann in eine andere Richtung. Er löste sich von der ästhetischen Selbstgefälligkeit der Dichtung des Fin de siècle und strebte im Anschluß an eine kurze Phase des didaktisch-satirischen Dichtens nach einer Darstellung des Kriegserlebnisses, die persönlich und universal zugleich genannt werden kann. Wie Owen in einer kurzen, noch vor seinem Tod skizzierten Vorrede zu seinen Gedichten feststellte, ging es ihm darum, durch die Dichtung die Wahrheit über den Krieg auszusprechen und zu warnen. Er entwickelte dabei eine nüchterne Diktion, in der allerdings noch Anklänge an den Stil der romantischen Lyrik zu vernehmen sind, und er konzentrierte sich im metrischen Bereich auf die Verwendung von Assonanz, Konsonanz und Alliteration. Kritiker unterscheiden bei Owen zwischen dem *half-rhyme* (»dusk« : »task«, Übereinstimmung der Konsonanten nach dem betonten Vokal) und dem *para-rhyme* (»years« : »yours«, völlige Übereinstimmung der Konsonanten in den Reimwörtern, sonst meist Konsonanz genannt). Die bewußte Distanzierung vom Wohlklang der traditionellen Vollreime ist im Zusammenhang zu sehen mit den Themen seiner Lyrik: Krieg, Chaos, Frustration, Tod. (E)

Hauptwerke: *Poems*, ed. S. Sassoon 1920. – *Poems*, ed. E. Blunden 1931. – *War poems and others*, ed. D. Hibberd 1973.

Bibliographie: W. White, *Wilfred Owen 1893–1918. A bibliography* 1967.

Ausgaben: *Collected poems*, ed. C. Day Lewis 1963. – *Collected letters*, ed. H. Owen und J. Bell 1967. – *The complete poems and fragments*, ed. J. Stallworthy, 2 vols 1983.

Biographien: H. Owen, *Journey from obscurity. Wilfred Owen 1893–1918. Memoirs of the Owen family*, 3 vols 1963–1965. – J. Stallworthy, *Wilfred Owen* 1974. – D. Hibberd, *Owen the poet* 1986.

Sekundärliteratur: D. Welland, *Wilfred Owen. A critical study* (1960) 1978. – A. E. Lane, *An adequate response. The war poetry of Wilfred Owen and Siegfried Sassoon* 1972. – J. F. McIlroy, *Wilfred Owen's poetry. A study guide* 1974. – S. Bäckman, *Tradition transformed. Studies in the poetry of Wilfred Owen* 1979.

Walter Pater (1839–1894)

1863 wird Walter Pater von einem Studienfreund vorsorglich beim Bischof von London denunziert: Angesichts von dessen Glaubenszweifeln sei Paters eventuelle Bewerbung um eine Geistlichenstelle nicht zu berücksichtigen. Die Affaire ist das einzige Ereignis von einiger Dramatik in Paters äußerer Biographie. Der Rest läßt sich chronologisch ordnen: Schulzeit in Enfield und Canterbury (bis 1858), Studium in Oxford (1858–1862), seit 1864 bis zu seinem Lebensende Classical Fellowship am Brasenose College. Der Wohnsitz ist – mit Ausnahme der Jahre in London (1885–1893) und ausgedehnter Reisen in Frankreich und Italien – Oxford, wo er unverheiratet mit seinen beiden unverheirateten Schwestern lebt. Das, was Pater äußerlich kultiviert, den Anschein der bürgerlichen Normalität, benötigt er, um sich vor sich und der Welt zu schützen. Es sind seine Werke, die in der insistenten Wiederkehr identischer Motive und Probleme deutlich machen, was ihn bedrängt: Homoerotik, Todesbewußtsein, die radikale Relativierung von Ich und Welt.

Seine homoerotischen Neigungen haben Pater die Gesellschaft gutaussehender Studenten suchen lassen und ihm diejenige homosexueller Künstler wie Oscar Browning und Simeon Solomon eingebracht. Sublimierten Ausdruck finden sie in seinem literarischen und wissenschaftlichen Werk (das somit ein starkes autobiographisches Element enthält): Schöne, dem Tod geweihte junge Männer sind die Hauptgestalten in Paters künstlerischem Prosawerk, in *Marius the Epicurean*, in seinen vier *Imaginary portraits* (1887), in *Gaston de Latour* (1888) oder *Apollo in Picardy* (1893). Gewiß auch auf Grund seiner homoerotischen Neigungen wendet sich Pater in seiner wissenschaftlichen Arbeit Gestalten wie Winckelmann und Leonardo, Zeiten wie der Antike und der Renaissance zu. In großen Besprechungsaufsätzen zu diesen sowie zu Gestalten der englischen Literatur wie → Morris und → Rossetti stellt er seine Welt- und Kunstauffassung dar. Der Verlust der Glaubensgewißheiten hinterläßt als einzige Sicherheit das Wissen, sterben zu müssen: »We have an interval, and then we cease to be.« Auch die Subjekt-Objekt-Beziehung ist aufgelöst: die Wirklichkeit in eine Sequenz flüchtiger Sinnesreize, das Individuum in deren Empfänger. Der »relative spirit« regiert. Was dem Ich bleibt, ist das intensive Auskosten aller Sinnesreize, ist das genießende Beobachten des sich transitorisch entziehenden Selbst, ist das Kultivieren alles Schönen, ist »the desire of beauty quickened by the sense of death«.

Was dem Ich überdies bleibt, ist der vergebliche, weil paradoxe Versuch, diesen Sachverhalt ins sprachliche Kunstwerk zu bannen, flüchtige Augenblicke durch Erinnerung und Vergangenheitsevokation zu fixieren. Dies geschieht in Paters einzigem längeren Prosastück, dem Roman *Marius the Epicurean*, der die Entwicklung des Protagonisten von einer Kultur der »sensations« zu einer der »ideas«, von seiner Beziehung zu Flavian, dem sinnlichen Heiden, zu Cornelius, dem christlichen Soldaten, einzufangen sucht. Und es geschieht in den einflußreichen *Studies in the history of the Renaissance*, deren »Conclusion« das oben skizzierte ästhetizistische Credo am reinsten enthält. In Kadenzen von hypnotischer Kraft beschwört Pater die Wirkung von Kunstwerken, etwa der Mona Lisa, und fordert zu einem sublimen Hedonismus auf. Daß ein solches Credo seine Mitwelt, insbesondere seine Universität, provozierte, hat Pater überrascht. Er unterdrückt die »Conclusion« für die zweite Auflage (1877), fügt sie jedoch für die dritte (1888) leicht verändert wieder ein; denn nun ist Pater Ahnherr einer breiteren Strömung des Ästhetizismus, nun findet er als großer Prosastilist Anerkennung. Seine radikale Skepsis, seine totalen Relativierungen werden im *fin de siècle* vielfach geteilt. Er aber bleibt, was er immer war, wie seine Figur Watteau »a seeker after something in the world that is there in no satisfying measure, or not at all«. 1894 ereilt ihn überraschend »the last curiosity«, der Tod. (T)

Hauptwerke: *Studies in the history of the Renaissance* 1873. – *Marius the Epicurean*, 2 vols 1885. – *Imaginary portraits* 1887. – *Appreciations. With an essay on style* 1889.

Bibliographien: S. Wright, *A bibliography of the writings of Walter Horatio Pater* 1975. – F. E. Court, *Walter Pater. An annotated bibliography of writings about him* 1980.

Ausgaben: *Works*, 10 vols 1910. – *Letters*, ed. L. Evans 1970.

Biographie: M. Levey, *The case of Walter Pater* 1978.

Sekundärliteratur: W. Iser, *Walter Pater. Die Autonomie des Ästhetischen* 1960, engl. 1987. – G. d'Hangest, *Walter Pater. L'homme et l'œuvre*, 2 vols 1961. – G. C. Monsman, *Pater's portraits. Mythic pattern in the fiction of Walter Pater* 1967. – U. C. Knoepflmacher, *Religious humanism and the Victorian novel. George Eliot, Walter Pater, and Samuel Butler* 1970. – G. C. Monsman, *Walter Pater's art of autobiography* 1980.

George Peele (1556–1596)

Peele gehörte zur ersten Generation von Dramatikern des kommerziellen Theaters in London, die die Erwartungen des Publikums maßgeblich bestimmten. Er wurde in London als Sohn eines angesehenen Verwaltungsbeamten geboren, der selbst literarisch tätig war. Nach dem Studium in Oxford, wo er 1571 den Magistergrad erwarb, hielt er sich ab 1581 in London auf und widmete sich der Schriftstellerei. Peele gehörte zu den *University Wits*, die in den achtziger und neunziger Jahren großen Einfluß auf die Entwicklung des elisabethanischen Theaters nahmen. Er starb in größter Armut, und unmittelbar nach seinem Tod kam er in den Ruf, ein allen Lastern ergebener Bohemien gewesen zu sein, was die moderne Forschung jedoch nicht bestätigen konnte.

Sein erstes erhaltenes Stück ist *The arraignment of Paris* (ca. 1581–1584), ein lyrisches Schäferspiel, das in einer Huldigung an Königin Elisabeth endet. Für die Volkstheater schrieb er anschließend unter anderem *The battle of Alcazar*, *David and Bethsabe* und *The old wives' tale* (1588–1594). Unter seinen Kollegen war Peele sehr geschätzt wegen seiner nur noch von → Marlowe übertroffenen dramatischen Sprachkunst und der bunten Vielseitigkeit seiner dramatischen Produktion: Er dramatisierte ovidische Mythen, ahmte Seneca nach, schrieb biblische und historische Stücke und verwendete einheimische Sagenstoffe. Seine Dramen sind aus Episoden gebaut, die oft nur locker miteinander verknüpft sind und wirken vor allem durch ihre Mischung aus lyrischen und grausamen Szenen. Durch die Unbekümmertheit, mit der Peele dem Drama die verschiedensten Quellen öffnete und die Motive und Stimmungen mischte, und durch die Breite seines Sprachregisters, die den eleganten Ton des Hofes ebenso wie die derbe Sprache ländlicher Figuren auf die Bühne brachte, wirkte er prägend auf den Charakter des englischen Volkstheaters. (W)

Hauptwerk: *The old wives' tale* 1595.

Bibliographien: A. Tannenbaum, *George Peele. A concise bibliography*, Elizabethan bibliographies 1940 (repr. 1967). – R. C. Johnson, *George Peele 1939–1965*, Elizabethan bibliographies supplements V (1968).

Ausgabe: *The life and works*, ed. C. T. Prouty, 3 vols 1952–1970.

Sekundärliteratur: W. Senn, *Studies in the dramatic construction of Robert Greene and George Peele* 1973.

Samuel Pepys (1633–1703)

Pepys und London gehören eng zusammen. Als Sohn eines Schneiders in London geboren, verbrachte er, abgesehen vom Studium in Cambridge, sein ganzes Leben in London, wo die Regierungszeit Karls II. eine facettenreiche Lebenswelt für ihn abgab. Er war der Protégé von Sir Edward Montague, first Earl of Sandwich, der den jungen Pepys als Sekretär in seine Dienste nahm und ihm damit den Eintritt in Politik und Staatsdienst ermöglichte. Montague kommandierte die Flotte, die Karl II. aus Frankreich zurückholte, und durch ihn wurde Pepys zum inbrünstigen Loyalisten. Zuverlässig, umsichtig und fleißig, stieg Pepys aus bescheidensten Verhältnissen zum Sekretär der Admiralität auf. In diesem ebenso verantwortungsvollen wie einflußreichen Amt trug er entscheidend zur Stärkung Englands als Seemacht bei. Erst die Glorious Revolution von 1688 beendete seine lange, nur durch ein politisches Mißgeschick für vier Jahre unterbrochene Karriere.

Seinen Platz in der englischen Literaturgeschichte verdankt Pepys nicht literarischen Werken, sondern einem persönlichen, allein als Selbstmitteilung geschriebenen Tagebuch. Es hat nicht seinesgleichen, auch wenn man → Boswells Tagebuch aus dem späteren 18. Jahrhundert als Gegenstück dazu betrachten kann. Pepys begann mit seinen Aufzeichnungen, siebenundzwanzigjährig, um die Jahreswende 1659/60, offenbar durch die politischen und geistigen Umwälzungen der Restauration dazu angeregt, und er beendete sie im Mai 1669, als sein Sehvermögen nachließ.

Pepys war eine extrovertierte Persönlichkeit, pflichtbewußt, aber auch lebenslustig und impulsiv. Fasziniert vom Leben und Treiben des Hofes und der Aristokratie, steckte er voller Neugier und Wißbegierde. Er war Frauen sehr zugetan, dazu Musikliebhaber, Kunstfreund und Büchersammler. Obwohl kein Wissenschaftler, wurde er in die Royal Society aufgenommen, und er unterschrieb als ihr Präsident das Imprimatur für Newtons *Principia*. Seine Ämter gaben ihm Einblick in die Politik und boten ihm Gelegenheit, den Hofklatsch zu erfahren.

All dies schlägt sich in Pepys' Tagebuch nieder, das dadurch zu einem einzigartigen Dokument des Menschen und seiner Zeit wird. Durch das nie erlahmende Interesse, das er an seiner Umgebung hatte, und durch die entwaffnende Naivität, in der er mit sich selbst umging, ist Pepys ebenso ein Chronist der hohen Politik wie des privaten Erlebens. In spontaner Mitteilung verbindet sein Tagebuch Öffentliches und Intimes, und es ist diese ungebrochene Offenheit, die die Faszination des Tagebuchs ausmacht und die es von anderen Tagebüchern der Zeit, wie etwa John Evelyns *Diary*, unterscheidet.

Pepys machte seine Aufzeichnungen (mehr als 3000 Seiten in sechs Kalbslederbänden) in der damals neuen Sheltonschen Stenographie. Das Tagebuch kam nach Cambridge, zusammen mit seiner Bibliothek, die dort noch heute im Magdalen College als bedeutendste englische Privatbibliothek des 17. Jahrhunderts aufgestellt ist. Das Tagebuch wurde erstmals im 19. Jahrhundert transkribiert, und die erste vollständige und zuverlässige Ausgabe ist erst neuerdings zum Abschluß gekommen. (F)

Hauptwerke: *Memoires relating to the state of the Royal Navy* 1690. – *The diary* 1660–1669.

Ausgaben: *The diary*, ed. R. Latham und W. Matthews, 11 vols 1970–1983. – *The shorter Pepys*, ed. R. Latham 1985. – *The letters of Samuel Pepys and his family circle*, ed. H. T. Heath 1955 (repr. 1979).

Übersetzung: *Tagebuch aus dem London des 17. Jahrhunderts*, übers. von H. Winter 1980 (Reclam).

Biographien: A. Bryant, *Samuel Pepys*, 3 vols 1933–1938. – J. H. Wilson, *The private life of Mr Pepys* 1959.

Sekundärliteratur: J. R. Tanner, *Samuel Pepys and the Royal Navy* 1920 (repr. 1974). – P. Hunt, *Samuel Pepys in the Diary* 1958 (repr. 1978). – C. S. Emden, *Pepys himself* 1963. – H. B. Wheatley, *Samuel Pepys and the world he lived in* 1963 (repr. 1973, 1977). – M. H. Nicolson, *Pepys' diary and the new science* 1965.

Harold Pinter (geb. 1930)

Wie so manch anderer der jungen Dramatiker, die sich Mitte der fünfziger Jahre anschicken, das bürgerliche Bildungs- und kommerzielle Unterhaltungstheater durch zeitgemäße, sozial oder existentiell aufrührende Dramatik zu ersetzen, stammt Harold Pinter aus der Unterschicht. Als Sohn eines jüdischen Damenschneiders in Hackney, einem Arbeiterviertel Ostlondons, geboren, lernt er früh Bedrohung und Gewalt kennen, insbesondere durch die Bombardements des Zweiten Weltkriegs (vor denen er nach Cornwall evakuiert wird) sowie später durch die faschistischen Anhänger Sir Oswald Mosleys. Ein Stipendium ermöglicht ihm den Besuch der örtlichen *grammar school* (bis 1947). Er spielt Macbeth und Romeo in Schulaufführungen und beginnt Gedichte zu schreiben. Der Besuch der Royal Academy of Dramatic Art bleibt Episode (1948), Pinter setzt seine Karriere als Schauspieler vielmehr bei Anew McMaster fort, mit dessen Ensemble er 1951/52 u.a. als Horatio und Bassanio in Irland auf Tournee geht, dann bei Donald Wolfit, dem großen Tragöden, bei dem er 1953 kleine Rollen übernimmt, und schließlich ab 1954 unter dem Pseudonym David Baron an verschiedenen englischen Provinztheatern.

Daß er von seiner Schauspielerei für sein dramatisches Werk profitiert habe, hat Pinter entschieden verneint. Gleichwohl lassen die Exaktheit und das *timing* der Dialogführung, die wirkungssichere Verwendung von *curtain lines* oder die effektvoll kalkulierte Choreographie der Bühnenbewegung Pinters Theaterpraxis erkennen (wie er auch nach seinen großen Erfolgen die Schauspielerei nie ganz aufgegeben hat). Eigens betont hat Pinter hingegen die Beziehung, die zwischen der eigenen Erfahrung und der Aura von Bedrohung und Gewalt in seinen Stükken besteht. Sie ist in seinem ersten Drama, *The room*, 1957 binnen vier Tagen für das Drama Department der Universität Bristol verfaßt, ebenso gegenwärtig, wie sie seinem gesamten späteren Werk als Konstante eingeschrieben ist. Es ist dies eine Bedrohung, die in den frühen Dramen aus der Spannung von Innen und Außen, Raum und Fremde, Routine und Veränderung entspringt und in Gestalten wie dem Fremden, dem Eindringling (etwa Goldberg und McCann in *The birthday party*, Davies in *The caretaker*, dem Streichholzverkäufer in *A slight ache* 1961) sich verkörpert, ohne je in Ursache oder Ziel begründet zu sein. Die späteren Dramen, so *Old times* oder *Betrayal*, lokalisieren diese gewaltzeugende Spannung zudem im Inneren der Personen, die zwanghaft versuchen, durch die Erinnerung die Kluft zwischen Vergangenheit und Gegenwart zu überbrücken und dadurch ihre Identität sowie ihre Beziehungen zu den anderen zu fixieren.

Damit kann Pinters gesamtes Œuvre als schrittweise Variation und Erweiterung thematischer und formaler Konstanten betrachtet werden. Was zwischen den durch das Außen, das Fremde bedrohten Figuren ausgetragen wird, ist stets – in Pinters eigenen Worten – »a battle for positions«. Mittel des Kampfes ist insbesondere die Sprache. Sie ermöglicht – im Gegensatz zu dem wahrhaft absurden Drama → Becketts – nur allzugut die Kommunikation. Pinters Figuren stellen sich sprachlich bloß, sei es im Wortschwall oder im Schweigen, im Wortspiel, im Malapropismus oder im *non sequitur*, und versuchen gerade darum, Sprache zu benutzen als »stratagem to cover nakedness«. Eine Verhaltensdramatik ist zu besichtigen, welche die Frage nach der Wahrheit der Aussagen vielleicht aufwirft, sie aber als unbeantwortbar erscheinen läßt. In steter Variation und mit zunehmender Komplexität werden von Pinter neue Verhaltensweisen in diese dramatische Grundkonstellation eingebracht, so insbesondere der Bereich der Erotik und des Sexus (*The lover* 1963, oder in seinem besten Drama, *The homecoming*), aber auch der Prozeß des Sich-Erinnerns (wie in *Old times*). Pinter erprobt auch mit großem Geschick die Medien des Hörfunks (*A slight ache* 1961, *A night out* 1961) und Fernsehens (*Tea party* 1965, *The basement* 1967), arbeitet bei der Verfilmung seiner Dramen mit und verfaßt selbst Filmskripte (etwa nach L. P. Hartleys *The go-between* oder John → Fowles' *The French lieutenant's woman*). Daß auch das soziale Milieu, in dem die Stücke spielen, schrittweise aufgebessert wird, *No man's land* sich wie eine Reprise von *The caretaker* in besseren Kreisen ausnimmt, darf wohl mit Pinters großem Erfolg und gesellschaftlichem Aufstieg in Verbindung gebracht werden.

Diese, Erfolg und Aufstieg, nehmen mit der Aufführung von *The caretaker* ihren Anfang und haben sich seitdem stetig fortgesetzt: Eine Tendenz zum Starvehikel, wie in dem von Sir John Gielgud und Sir Ralph Richardson kreierten *No man's land*, ist im Falle der späteren Stücke nicht zu übersehen. Pinter erhält Kritikerpreise und Ehrungen in Hülle und Fülle, unter anderem den Titel eines CBE (1966) sowie den Shakespeare-Preis der Hamburger Stiftung F.V.S. (1970). 1973 wird er zum Associate Director des National Theatre ernannt. An der Hinwendung zu Regie und Film mag es liegen, daß die letzte Dekade wenig und noch weniger Originäres gesehen hat. Ob, wie einige Kritiker meinen, das Kurzdrama *A kind of Alaska* (1982) eine Wendung Pinters zu einem sozialkritischen Drama anzeigt, bleibt abzuwarten. (T)

Hauptwerke: *The birthday party* 1959. – *The caretaker* 1960. – *The homecoming* 1965. – *Old times* 1971. – *No man's land* 1975. – *Betrayal* 1978.

Ausgaben: *Plays* 1976– . – *Five screenplays* 1971. – *Poems and prose 1949–1977* 1978.

Bibliographien: R. Imhof, *Pinter. A bibliography. His works and occasional writings with a comprehensive checklist of criticism and reviews of the London productions* 1975. – S. H. Gale, *Harold Pinter. An annotated bibliography* 1978.

Sekundärliteratur: M. Esslin, *The peopled wound. The work of Harold Pinter* 1970, rev. als *Pinter, the playwright* 1984. – S. Trussler, *The plays of Harold Pinter. An assessment* 1973. – A. E. Quigley, *The Pinter problem* 1975. – S. H. Gale, *Butter's going up. A critical analysis of Harold Pinter's work* 1977. – D. T. Thompson, *Pinter, the player's playwright* 1985.

Alexander Pope (1688–1744)

Im Jahre der Glorious Revolution als Sohn eines katholischen Weißwarenhändlers geboren, wuchs Pope unter den Schwierigkeiten auf, denen sich die Katholiken in England damals allgemein gegenübersahen. Er wurde teilweise privat erzogen und eignete sich autodidaktisch eine umfassende Bildung an. Pope war frühreif, und seine intensiven Studien führten zu einem gesundheitlichen Zusammenbruch, dessen Folgen ihn lebenslang begleiteten – »this long disease, my life«. Schwächlich und verkrüppelt (er hatte einen Pottschen Buckel) und nicht selten deswegen verhöhnt, mußte er sein Werk einem hinfälligen Körper abtrotzen.

Außerordentliche dichterische Fähigkeiten, die er in imitativer Kunstübung mit Versübersetzungen antiker und Nachahmungen englischer Dichter vervollkommnete, ließen Pope früh Meisterwerke schaffen. Mit sechzehn schrieb er seine *Pastorals*, die 1709 in Tonsons *Miscellany*, der bedeutendsten Anthologie der Epoche, erschienen und von einer theoretischen Abhandlung begleitet waren. Sie begründeten Popes Ruhm und deuteten gleichzeitig an, daß er sich in der Nachfolge Vergils und → Spensers sah. Der in der Manier von Horazens *Ars poetica* konzipierte *Essay on criticism* öffnete ihm den Zugang zu dem Kreis um → Addison. Als didaktisches Gedicht faßte der Essay die literarischen und literaturkritischen Glaubensüberzeugungen des Zeitalters mit großem Geschick ebenso brillant wie eingängig zusammen.

Spätestens mit *The rape of the lock*, einem als Gelegenheitsgedicht entstandenen komischen Epos, das an Boileaus *Le lutrin* orientiert ist, fand Pope seinen eigenen Stil. Es ist ein Werk von grazilem Charme, rokokohafter Eleganz und formaler Vollkommenheit – für Samuel →Johnson »the most airy, the most ingenious, and the most delightful of all his compositions«. Wenig später folgte *Windsor-Forest*, ein mit historischen und politischen Passagen durchsetztes Landschaftsgedicht, das Pope mit Anspielungen auf den Frieden von Utrecht den Tories nahebrachte und ihm → Swift als Freund gewann. Es steht in der Tradition des topographischen Gedichts, stellt sich aber auch als Versuch Popes dar, ein Gegenstück zu Vergils *Georgica* zu schreiben und damit in seinem Schaffen dem klassischen Zyklus der *rota Virgilii* zu entsprechen, nach dem bukolische, georgische und epische Dichtung aufeinanderzufolgen hatten.

Mit der Annäherung an Swift, aus der eine lebenslange Freundschaft und literarische Kameraderie werden sollte, entfernte sich Pope aus dem »little senate« Addisons und wurde Mitglied des Scriblerus Club, dem neben Swift John → Gay, John Arbuthnot (führender Arzt und Literat seiner Zeit), Bischof Francis Atterbury und andere angehörten. Aus dieser Vereinigung gingen nicht nur die gemeinsam von Pope und Arbuthnot bestrittenen *Memoirs of Martinus Scriblerus* hervor, die als intellektuelle Satire zu den unmittelbaren Vorläufern von *Tristram Shandy* gehörten. Hier entstanden auch die ersten Ideen zu Popes *Dunciad* und zu Swifts *Gulliver's travels*.

1715 veröffentlichte Pope den ersten Teil seiner Übersetzung der *Ilias*, die zwar nicht philologiscch getreu war, dafür aber Homer eine unmittelbare Präsenz im Kanon der neoklassischen Literatur Englands gab. Die *Odyssee* folgte zehn Jahre später. Pope stellte damit →Drydens Übersetzung von Vergil eine englische Version des zweiten großen antiken Epikers zur Seite. Sie war zugleich ein erster und vorläufiger Ersatz für das eigene Epos, das auf *Windsor-Forest* hätte folgen müssen. Homer nahm Pope fast ein ganzes Jahrzehnt in Anspruch, so daß die Übersetzung – für →Coleridge »that astonishing product of matchless talent and ingenuity« – durchaus als epische Leistung gelten konnte. Der finanzielle Erfolg der Übersetzung machte Pope unabhängig. Er residierte hinfort in seinem wegen der ästhetisch komponierten Gartenanlage gerühmten Haus in Twickenham. Seine auf die Homer-Übersetzung folgende Shakespeare-Ausgabe hatte neben Vorzügen auch Mängel, so daß ihn Lewis Theobald, der erste bedeutende Shakespeare-Herausgeber des 18. Jahrhunderts, zurechtweisen konnte. Pope rächte sich: Er machte Theobald zum Helden seiner Dummkopfiade, der *Dunciad*, mit der er 1728 nach langer Pause wieder ein größeres Werk vorlegte. Im Stil des komischen Epos verfaßt, ist die *Dunciad*, die Pope 1729 überarbeitete und 1742 ergänzte, ein Gegenstück zu Drydens *MacFlecknoe*. Sie ist die großangelegte und mit einer Endzeitvision schließende Abrechnung Popes mit der Literatur seiner Zeit, ungerecht in manchem, aber zugleich von scharfem und prägnantem Zugriff.

Nach Abschluß der *Dunciad* projektierte Pope ein Opus magnum, das unvollendet blieb, ihn aber bis zu seinem Tode beschäftigte. Es sollte sein Äquivalent zum klassischen Epos werden: keine dichterische Gestaltung einer Episode aus der nationalen Frühzeit, sondern ein breit angelegtes System der Morallehre für die Gegenwart, das aus einer Fülle von Einzelwerken bestand und unter Einschluß des traditionellen Epos einen Kosmos von Gattungen in sich vereinigte. Philosophische Anregungen erhielt Pope vor allem von Henry St. John, Viscount Bolingbroke, Staatsmann, Schriftsteller und Aufklärer, der ihm lange Zeit der vertrauteste seiner zahlreichen adligen Freunde war. Pope sah in der Epistel von Horaz (zu dem er eine besondere poetische Affinität hatte) zunächst die dafür geeignete literarische Form, knüpfte bei der Ausführung aber auch an andere antike Vorbilder an. Die vier *Epistles to several persons (Moral essays)*, deren erste, *Of false taste*, 1731 erschien und die durch *Of the knowledge and characters of men*, *Of the characters of women* und *Of the use of riches* sukzessive ergänzt wurden, stellen die eigentlich »horazische« Komponente dar. Sie sollten das Kernstück des »Systems« umgeben, den *Essay on man*, der als philosophisches Lehrgedicht stärker an Lukrez orientiert war und in dichterischer Absicht und philosophischem Gehalt Gegenstück zu *De rerum natura*, dem großen philosophischen Epos der Antike, sein sollte. Vielfach als poetische Summe der philosophischen Bemühungen der Epoche angesehen, wurde der *Essay on man* zu einem europäischen Literaturereignis und zu einem der meistgelesenen und einflußreichsten Gedichte des 18. Jahrhunderts.

Die Dichtungen des Opus magnum haben fast durchgängig einen satirischen Einschlag und stehen damit in ihrer literarischen Technik den Horaz-Imitationen nahe, in denen Pope mehrere Episteln, Oden und Satiren von Horaz nachschaffend neu gestaltete. Zusammen mit den Bearbeitungen der Satiren John → Donnes, der *Epistle to Dr Arbuthnot* und dem Epilog zu den Satiren bilden sie das satirische Spätwerk Popes, das er durch die Neufassung der *Dunciad* (1742/43) krönte. Durch seine ebenso variable wie subtile literarische Technik und die Meisterschaft des satirischen Porträts (die Pope bereits 1715 mit der unter dem Namen des Cicero-Freundes Atticus verborgenen Satire auf Addison bewiesen hatte) weist diese Gruppe von Werken Pope als den bedeutendsten Verssatiriker des Goldenen Zeitalters der englischen Satire aus.

In den letzten Monaten seines Lebens versuchte Pope, der stets ein ungewöhnliches Interesse an der Präsentation seines Werkes hatte, eine »perfekte« Ausgabe seiner Dichtungen zusammenzustellen. Sie kam nicht mehr zum Abschluß, so daß die neunbändige Sammlung erst 1751 erschien, herausgegeben von seinem Freund und literarischen Nachlaßverwalter William Warburton, dessen theologisch-philosophischer Einfluß auf Pope ebenso wie sein Kommentar zu den *Works* nicht unumstritten ist. Popes kranker Körper versagte seinen Dienst früh; er starb fünfundfünfzigjährig und wurde in der Kirche seines Wohnortes Twickenham beigesetzt. Sein Nachruhm strahlte durch das 18. Jahrhundert, verblaßte aber unter dem Einfluß der Romantik, so daß Matthew → Arnold um die Mitte des 19. Jahrhunderts versichern konnte: »Dryden and Pope are not classics of our poetry, they are classics of our prose.« Die Wiedereinsetzung Popes als eines Klassikers der englischen Versdichtung ist, vergleichbar der Wiederentdeckung Donnes, das Werk des 20. Jahrhunderts. (F)

Hauptwerke: *Pastorals* 1709. – *An essay on criticism* 1711. – *The rape of the lock* 1712, rev. 1714. – *Windsor-Forest* 1713. – *The Iliad of Homer* (Übersetzung) 1715–1720. – *The Odyssey of Homer* (Übersetzung) 1725/26. – *The works of Shakespear* (Ausgabe) 1725. – *The Dunciad* 1728, 1729, 1742, 1743. – *Of false taste* 1731. – *Of the use of riches* 1732. – *An essay on man* 1733/34. – *Of the knowledge and characters of men* 1733. – *Imitations of Horace* 1733–1738. – *An epistle to Dr Arbuthnot* 1734. – *Of the characters of women* 1735. – *Donne's satires versified* 1735. – *Letters* 1737.

Bibliographien: R. H. Griffith, *Alexander Pope. A bibliography*, 2 vols 1922–1927 (repr. 1962). – C. L. Lopez, *Alexander Pope. An annotated bibliography, 1945–1967* 1970.

Ausgaben: *The works*, ed. W. Warburton, 9 vols 1751. – *The Twickenham edition of the poems*, ed. J. Butt et al., 6 vols 1939–1961, ergänzt durch die Homer-Übersetzungen, ed. M. Mack et al., vols 7–10 1967 und Register von M. Mack 1969. – *The prose works. The earlier works, 1711–1720*, ed. N. Ault 1936. – *The prose works. The major works,*

1725–1744, ed. R. Cowler 1986. – *The correspondence*, ed. G. Sherburn, 5 vols 1956.

Biographie: M. Mack, *Alexander Pope. A life* 1985.

Sekundärliteratur: G. Tillotson, *On the poetry of Pope* 1938, rev. 1950 (repr. 1967). – A. L. Williams, *Pope's Dunciad. A study of its meaning* 1955. – G. Tillotson, *Pope and human nature* 1958. – R. A. Brower, *Alexander Pope. The poetry of allusion* 1959. – *Essential articles for the study of Alexander Pope*, ed. M. Mack 1964, rev. 1968. – H.-J. Zimmermann, *Alexander Popes Noten zu Homer. Eine Manuskript- und Quellenstudie* 1966. – P. Dixon, *The world of Pope's satires. An introduction to the Epistles and Imitations of Horace* 1968. – M. Nicolson und G. S. Rousseau, *»This long disease, my life«. Alexander Pope and the sciences* 1968. – M. Mack, *The garden and the city. Retirement and politics in the later poetry of Pope 1731–1743* 1969. – P. M. Spacks, *An argument of images. The poetry of Alexander Pope* 1971. – J. P. Russo, *Alexander Pope. Tradition and identity* 1972. – H. Erskine-Hill, *The social milieu of Alexander Pope. Lives, example and the poetic response* 1975. – P. Rogers, *An introduction to Pope* 1975. – M. Leranbaum, *Alexander Pope's ›Opus magnum‹ 1729–1744* 1977. – J. A. Winn, *A window in the bosom. The letters of Alexander Pope* 1977. – M. R. Brownell, *Alexander Pope & the arts of Georgian England* 1978. – D. H. Griffin, *Alexander Pope. The poet in the poems* 1978. – R. Halsband, *The rape of the lock and its illustrations 1714–1896* 1980. – *Pope. Recent essays by several hands*, ed. M. Mack und J. A. Winn 1980. – B. S. Hammond, *Pope and Bolingbroke. A study of friendship and influence* 1984. – D. B. Morris, *Alexander Pope. The genius of sense* 1984. – A. D. Nuttall, *Pope's ›Essay on man‹* 1984. – F. Stack, *Pope and Horace. Studies in imitation* 1985. – R. Ferguson, *The unbalanced mind. Alexander Pope and the rule of passion* 1986.

Francis Quarles (1592–1644)

Über alle konfessionellen Fronten hinweg verband die Engländer des 17. Jahrhunderts ein Bedürfnis nach meditativer Lektüre, das vor allem der religiösen Emblemkunst große Popularität verschaffte. Der erfolgreichste Autor auf diesem Gebiet war Quarles. Er studierte in Cambridge und erhielt eine juristische Ausbildung an den Inns of Court. Er nahm anschließend an diplomatischen Missionen teil und diente später dem Bischof von Armagh in Irland etwa zehn Jahre als Sekretär. Quarles, der vielgelesene Nacherzählungen biblischer Geschichten, religiöse Verse, Meditationstexte und Pamphlete schrieb, hatte seinen größten Erfolg mit seinen Emblembüchern *Emblems* (1635) und *Hieroglyphics of the life of man* (1638), die unter dem Titel *Emblems* 1639 zusammen erschienen. Sie gehören zu den meistgelesenen Büchern des 17. Jahrhunderts. Quarles war Royalist und Anglikaner, hatte aber mit seinen einfachen Versen eine große Leserschaft auch unter der puritanischen Bevölkerung, obwohl er den Puritanismus in mehreren Schriften heftig attakkierte. Mit seinen Emblembüchern wurde er zum populärsten religiösen Dichter des 17. Jahrhunderts. (W)

Hauptwerk: *Emblems* 1639.
Ausgabe: *The complete works in prose and verse*, ed. A. B. Grosart, 3 vols 1880–1881 (repr. 1971).
Sekundärliteratur: K. J. Höltgen, *Francis Quarles 1592–1644. Meditativer Dichter, Emblematiker, Royalist. Eine biographische und kritische Studie* 1978.

Walter Ralegh (ca. 1552–1618)

Das populäre Bild von Ralegh, dem kühnen Abenteurer und Seefahrer, paßt schlecht zu seinen Gedichten und Schriften, die von Skepsis und Desillusion geprägt sind. Er entstammte verarmtem Adel aus Devonshire, studierte kurze Zeit am Oriel College in Oxford, das er ohne akademischen Grad verließ, um an militärischen Expeditionen in Frankreich, Irland und Amerika teilzunehmen. Danach tauchte er am Hofe Elisabeths auf, wo er bald ihr Günstling wurde. Er soll dort einen Zirkel von Intellektuellen um sich versammelt haben, in dem atheistische Gedanken diskutiert wurden und dem Okkultismus gehuldigt wurde, angeblich unter dem Namen *school of night*. Seinen Zeitgenossen galt Ralegh als religiöser Skeptiker; er war aber auch ein Freund und Förderer des frommen → Spenser.

Die etwa drei Dutzend Gedichte, die ihm mit Sicherheit zugeschrieben werden können, verfaßte er vermutlich während der zehn Jahre, in denen er die Gunst Elisabeths besaß. Nur ein Fragment ist von dem langen Preisgedicht auf Elisabeth *A book of the ocean to Cynthia* erhalten, das er vermutlich 1592 im Tower schrieb, in den er von der Königin wegen seiner heimlichen Heirat mit einer ihrer Hofdamen geworfen wurde. Ralegh organisierte und leitete mehrere Expeditionen nach Amerika, wo er versuchte, die Kolonie Virginia zu gründen. Mit der Thronübernahme durch Jakob I. war seine öffentliche Karriere zu Ende, während der er durch Monopole, Ämter und Schenkungen ein riesiges Vermögen angehäuft hatte. Der dogmatisch fromme König haßte Raleghs Skeptizismus und dessen spanienfeindliche Einstellung. Unter Anklage des Hochverrats gestellt und zum Tode verurteilt, lebte er dreizehn Jahre lang mit seiner Familie im Tower. 1616 wurde er aus der Haft entlassen, um eine Expedition an den Orinoko zu unternehmen, mit dem Ziel, Gold für den König zu beschaffen. Da er jedoch die strikte Anweisung, jede Feindseligkeit mit den Spaniern zu vermeiden, nicht einhalten konnte und mit leeren Händen zurückkehrte, wurde er aufgrund des alten Urteils und mit Rücksicht auf die Spanier hingerichtet.

Während des langen Aufenthalts im Tower verfaßte der energiegeladene, rastlose Ralegh eine Fülle von Schriften, unter anderem über die Regierungsform Englands und über die Staatskunst, ein Erziehungsbuch für seinen Sohn, ein Buch über Schiffsbau und philosophische Betrachtungen. Das bekannteste Werk ist die *History of the world,* in der sich sein Glaube an die göttliche Vorsehung mit Zweifel und Kritik an den großen historischen Figuren mischt. Raleghs Werk ist typisch für den humanistisch gebildeten Gentleman der Renaissance, dem als Höfling die lyrischen Formen ebenso zur Verfügung stehen, wie er fähig ist, seine breiten politischen, wirtschaftlichen und historischen Interessen in Prosa zu artikulieren. (W)

Hauptwerk: *The History of the world* 1614.
Ausgaben: *The works*, 8 vols 1829 (repr. 1965). – *The history of the world*, ed. C. A. Patrides 1971. – *The poems*, ed. A. M. C. Latham (1929) 1951.
Biographie: R. Lacey, *Sir Walter Ralegh* 1973.
Sekundärliteratur: M. C. Bradbrook, *The school of night. A study in the literary relationships of Sir Walter Ralegh* 1936. – E. A. Strathmann, *Sir Walter Ralegh. A study in Elizabethan skepticism* 1951. – P. Edwards, *Sir Walter Ralegh* 1953. – S. J. Greenblatt, *Sir Walter Ralegh. The Renaissance man and his roles* 1973.

Samuel Richardson (1689–1761)

Wie die anderen großen Romanciers der Epoche war Richardson ein Zufalls-Romancier, der anfänglich der Romanschriftstellerei noch ferner stand als → Defoe oder → Fielding. Richardson wuchs als Sohn eines Zimmermanns in Derbyshire auf und sollte ursprünglich Geistlicher werden. Aus Geldmangel wurde er mit siebzehn nach London in die Buchhändlerlehre gegeben. Bereits mit dreißig besaß er seine eigene Druckerei, die er später vergrößerte und von Fleet Street nach Salisbury Court verlegte. Als einer der führenden Drucker für den Londoner Buchmarkt (auch Tageszeitungen und Parlamentsdrucksachen wurden bei ihm gedruckt) war er ebenso geschätzt wie erfolgreich; 1754 wurde er Vorsteher der Gilde.

Richardsons erster Roman entstand spät, und seine Entstehung als Nebenprodukt einer Auftragsarbeit gehört zu den berühmten (und durch einen Brief Richardsons an seinen holländischen Übersetzer Johannes Stinstra autobiographisch verbürgten) Anekdoten der englischen Literaturgeschichte. Zwei befreundete Buchhändler gingen Richardson 1739 wegen eines Briefstellers an, der Musterbriefe für wenig geübte Schreiber enthalten sollte. Dieser Briefsteller erschien 1741 als *Letters written to and for particular friends, on the most important occasions, directing not only the requisite style and forms to be observed in writing familiar letters, but how to think and act justly and prudently, in the common concerns of human life*. Aus geplanten Musterbriefen für junge, in ihrer Tugend gefährdete Dienstmädchen ergab sich für Richardson die Idee zu *Pamela, or virtue rewarded. In a series of letters from a beautiful young damsel to her parents*. Es wurde der erste große Briefroman der englischen Literatur.

Der Erfolg des ungeplanten Romans war beträchtlich. Er wurde nicht nur in England, sondern – in eine Vielzahl von Sprachen übersetzt – auch auf dem Kontinent von einem breiten Publikum gelesen und bewundert. Daß Richardson mit seiner ebenso »empfindsam« wie selbstbewußt reagierenden Heldin etwas Neues in der Erzählkunst etabliert hatte, war allen deutlich, die – wie etwa Samuel →Johnson, der Richardson Fielding vorzog – vom Roman nicht nur eine spannend erzählte Geschichte, sondern eine Darstellung von Charakteren erwarteten. Anderen war der »Lohn der Tugend« allzu durchsichtig, so daß *Pamela* eine Reihe von Parodien nach sich zog. Henry →Fieldings Travestie, *An apology for the life of Mrs Shamela Andrews* (1741) war die gelungenste und zugleich der Anstoß zu seinem eigenen ersten Roman.

Richardson sah sich als Autor ermutigt und begann, ohne sein Metier als Drucker aufzugeben, als Romancier das Potential der neu etablierten literarischen Form weiter auszuschöpfen. Er schrieb, in längeren Abständen voneinander, noch zwei weitere Romane: *Clarissa, or the history of a young lady. Comprehending the most important concerns of private life* und *The history of Sir Charles Grandison*. Beides sind, wie *Pamela*, mehrbändige Briefromane. Mit *Clarissa* schuf Richardson sein Meisterwerk – wiederum mit einer jungen Frau als zentraler Figur, deren Leben jedoch diesmal in einer Tragödie endet. Stärker noch und überzeugender als *Pamela* ist *Clarissa* durch eine psychologische Konsequenz und innere Glaubhaftigkeit des Charakters ausgezeichnet, aus der sich die Unausweichlichkeit der Handlung ergibt. Obwohl *Clarissa* als der längste Roman der englischen Literatur erhebliche Anforderungen an den Leser stellt, erzielte Richardson auch damit wieder einen europäischen Literaturerfolg, der in ungewöhnlich zahlreichen Leserreaktionen gegenüber dem Autor seinen Ausdruck fand.

Von Freunden dazu gedrängt, versuchte sich Richardson in *Sir Charles Grandison* an der Darstellung einer männlichen Idealfigur als Gegenstück und Kontrastfigur zu seinen Heldinnen. Wiederum ist das Thema eine Liebesbeziehung, aber der Roman – kürzer, gedrängter und mehr auf Handlung abgestellt als *Clarissa* – entbehrt der psychologischen Subtilität und Überzeugungskraft der beiden anderen. Dessenungeachtet fand der Roman bei dem europäischen Publikum, das sich Richardson für seine Romane geschaffen hatte, zustimmende Aufnahme, wenngleich es zahlreiche kritische Stimmen gab.

Sir Charles Grandison nahm Richardson lange Zeit in Anspruch, und wie bei *Clarissa* bat er Familie und Freunde immer wieder um Rat und Kritik, während er daran schrieb. Auch nach dem Erscheinen überarbeitete er seine Romane. Wie sehr es ihm um ihre moralische Wirkung ging, verdeutlicht die *Collection of the moral and instructive sentiments contained in the histories of Pamela, Clarissa and Sir Charles Grandison*, die er 1755 zusammenstellte und von der Samuel Johnson für sein Wörterbuch ausgiebig Gebrauch machte. Sein Gesundheitszustand scheint Richardson in den letzten Jahren größere literarische Arbeiten unmöglich gemacht zu haben, wiewohl er bis zuletzt erfolgreich in seiner Druckerei tätig war.

In seiner Zeit wurde Richardson eine Allgemeingültigkeit und eine Weite und Tiefe der Empfindung zuerkannt wie sonst nur noch Shakespeare, und Edward → Young richtete an ihn als das Originalgenie der Epoche seine *Conjectures on original composition*. In der Tat war Richardsons Leistung als Romancier außerordentlich. Er machte den Roman zu jenem Instrument der literarischen Analyse des individuellen Verhaltens, wie es dem 19. und 20. Jahrhundert selbstverständlich geworden ist. Für den modernen Leser scheinen jedoch – meist zu Unrecht – seine Romane durch antiquierte oder anfechtbare Wertvorstellungen bestimmt, so daß er die klassische Statur Richardsons als Romancier nur noch unzureichend oder überhaupt nicht mehr wahrnimmt. (F)

Hauptwerke: *Pamela, or virtue rewarded* 1740. – *Clarissa, or the history of a young lady* 1748. – *The history of Sir Charles Grandison* 1754.

Bibliographien: W. M. Sale, *Samuel Richardson. A bibliographical record of his literary career with historical notes* 1936 (repr. 1969). – R. G. Hannaford, *Samuel Richardson. An annotated bibliography of critical studies* 1980. – S. W. R. Smith, *Samuel Richardson. A reference guide* 1984.

Ausgaben: *Novels*, ed. W. M. Phelps, 19 vols 1902 (repr. 1970). – *Novels*, ed. W. King und A. Bott, 18 vols 1929–1931. – *The history of Sir Charles Grandison*, ed. J. Harris, 3 vols 1972. – *Correspondence*, ed. A. L. Barbauld, 6 vols 1804 (repr. 1966). – *Selected letters*, ed. J. Carroll 1964.

Übersetzung: *Clarissa Harlowe* 1966 (Manesse).

Biographien: W. M. Sale Jr., *Samuel Richardson. Master printer* 1950 (repr. 1978). – T. C. Duncan Eaves und B. D. Kimpel, *Samuel Richardson. A biography* 1971. – C. H. Flynn, *Samuel Richardson. A man of letters* 1982.

Sekundärliteratur: A. D. McKillop, *Samuel Richardson. Printer and novelist* 1936 (repr. 1960). – B. Kreissman, *Pamela-Shamela. A study of the criticisms, burlesques, parodies, and adaptations of Richardson's Pamela* 1960. – J. S. Bullen, *Time and space in the novels of Samuel Richardson* 1965. – I. Konigsberg, *Samuel Richardson & the dramatic novel* 1968. – D. L. Ball, *Samuel Richardson's theory of fiction* 1971. – M. Kinkead-Weekes, *Samuel Richardson. Dramatic novelist* 1973. – E. B. Brophy, *Samuel Richardson. The triumph of craft* 1974. – M. A. Doody, *A natural passion. A study of the novels of Samuel Richardson* 1974. – W. B. Warner, *Reading Clarissa. The struggles of interpretation* 1979. – T. Castle, *Clarissa's ciphers. Meaning & disruption in Richardson's Clarissa* 1982. – S. K. Marks, *Sir Charles Grandison. The complete conduct book* 1986.

John Wilmot, Earl of Rochester (1648–1680)

Lange Zeit fand Rochesters Leben mehr Interesse als seine Werke. Er gehört in jene Übergangszeit zwischen der Ära der *metaphysical poets* und der Ära → Drydens, die nach neuen Orientierungen suchte, und seine Welt war die der Restauration und des Hofes Karls II. In der Nähe von Woodstock geboren, genoß er (nach einer zeitgenössischen Biographie »a person of most rare parts«) eine ausgezeichnete Erziehung, unter anderem am Wadham College in Oxford. Er galt als hervorragender Kenner der antiken Literaturen und unternahm eine standesgemäße Grand Tour auf dem Kontinent. Im zweiten Seekrieg zwischen England und Holland (1664–1667) zeichnete er sich aus.

Rochester gehörte zum engsten Kreis um Karl II., der in seiner Umgebung gern Männer von Esprit sah. In seiner äußeren Erscheinung wie in seinen Fähigkeiten und Talenten entsprach er dem Idealbild eines Mannes bei Hofe, doch er brachte auch, als er sich achtzehnjährig in London etablierte, den Hang zu Trunk und Ausschweifung mit. Inmitten einer liederlichen Clique von Hofleuten und adligen Literaten stach Rochester bald so übel hervor, daß der König ihn trotz seiner Zuneigung wiederholt vom Hofe verbannen mußte – um ihn immer wieder zurückzuholen. Es heißt, daß Rochester fünf Jahre nicht nüchtern war. Seine Gesundheit war früh untergraben, und er starb, ohne in Leben oder Werk wirkliche Reife erlangt zu haben. Über seine Bekehrung im Angesicht des Todes vom hobbesianischen Atheisten, als den ihn viele seiner Zeitgenossen sahen, zum gläubigen Christen, berichtete Gilbert Burnet, Bischof von Salisbury, in *Some passages on the life and death of John Earl of Rochester* (1680), einem schmalen Band, der in mehrere Sprachen übersetzt und bis ins 19. Jahrhundert nachgedruckt wurde.

Wie andere Hofliteraten Karls II. hatte Rochester seinen literarischen Bezugspunkt in Horaz als dem Hofdichter des augusteischen Rom, und in seiner *Allusion to Horace*, einer imitativen Literatursatire, erweist sich dieses Selbstverständnis bereits im Titel. Das lyrische Gedicht, die Epistel und die Satire waren die horazischen Formen, in denen Rochester den dichterischen Ausdruck suchte. Die Lyrik spiegelt dabei wohl am deutlichsten seine innere Zerrissenheit wider. Neben eleganten Gedichten obszönen Inhalts stehen vollendet einfache, von tiefem

Empfinden getragene Songs (von denen angenommen wird, daß sie an seine Frau gerichtet sind, die er zunächst entführte, später heiratete und zu der er nach seinen Abenteuern immer wieder zurückkehrte).

Rochesters große Werke sind die Satiren. Obwohl sie ein Genre mit strengen, das Persönliche zurückdrängenden Konventionen sind, wird in ihnen doch häufig der Versuch Rochesters gesehen, sich von sich selbst und seinem Leben zu distanzieren und sich damit literarisch aus seiner Umwelt zu befreien. Manche dieser Satiren, wie *A ramble in St. James's Park*, sind pornographisch und bringen wenig mehr zum Ausdruck als den Ekel des *débauché*. Andere gehören formal wie thematisch zu den wichtigen Werken der Epoche und stehen am Anfang des Goldenen Zeitalters der englischen Satire.

Mit *A satir against mankind* nahm Rochester eine Form auf, die sich vor allem in Frankreich ausgebildet hatte: die paradoxe Satire mit einer den akzeptierten Auffassungen widersprechenden idealen Norm. Rochesters Angriff richtet sich gegen den Menschen überhaupt, dessen irrende Vernunft er mit der Instinktsicherheit des Tieres konfrontiert und dessen moralische Verkommenheit er gegen die »Aufrichtigkeit« des Tieres ausspielt. Aus jeder Zeile spricht die Verachtung für den Menschen; gleichwohl sind bei der Durchführung der Satire die klassischen Regeln und das Dekorum bis in die Einzelheiten gewahrt.

Von ähnlicher Intensität ist *Upon nothing*, ebenfalls ein Gedicht in der Manier des Paradoxons. Es weist Rochester nicht nur als einen Dichter von hohen formalen Fähigkeiten aus, sondern auch als einen Menschen, der von anthropologischer Neugier gepackt ist und gedanklich wie existentiell über die dem Menschen gezogenen Grenzen hinausgehen möchte. Für die wenigen Zeilen einer Lukrez-Übersetzung wählte er eine Passage über die Ferne der Götter aus.

Rochesters Profil als einer der markanten Dichter der Restauration hat sich erst in den letzten Jahrzehnten herausgebildet. Die Festlegung des Kanons ist schwierig, und manches pornographische Werk, das (wie zum Beispiel das »Schauspiel« *Sodom, or the quintessence of debauchery*) unter seinem Namen läuft, wird ihm nur noch mit Vorbehalt zugeschrieben. Doch die Bereitschaft wächst, ihn mit dem Voltaire der *Lettres philosophiques* als »l'homme de génie & le grand poète« zu betrachten. (F)

Hauptwerke: *Poems on several occasions* 1680. – *A satir against mankind* 1679. – *Upon nothing. A poem* 1679. – *Sodom, or the quintessence of debauchery* 1684 (möglicherweise nicht von Rochester).

Bibliographie: D. M. Vieth, *Rochester studies, 1925–1982. An annotated bibliography* 1984.

Ausgaben: *Poems*, ed. V. de Sola Pinto 1953. – *The complete poems*, ed. D. M. Vieth 1968. – *The poems*, ed. K. Walker 1984. – *The Rochester-Savile letters*, ed. J. H. Wilson 1941. – *The letters*, ed. J. Treglown 1980.

Biographien: V. de Sola Pinto, *Enthusiast in wit. A portrait of John Wilmot Earl of Rochester, 1647–1680* 1962. – G. Greene, *Lord Rochester's monkey. Being the life of John Wilmot, second Earl of Rochester* 1974.

Sekundärliteratur: J. Prinz, *John Wilmot, Earl of Rochester. His life and writings* 1927 (repr. 1971). – D. H. Griffin, *Satires against man. The poems of Rochester* 1973. – F. Whitfield, *Beast in view. A study of the Earl of Rochester's poetry* 1973. – D. Farley-Hills, *Rochester's poetry* 1978. – *Spirit of wit. Reconsiderations of Rochester*, ed. J. Treglown 1982.

Dante Gabriel (1828–1882) und Christina (1830–1894) Rossetti

Eine gewisse Distanz zur bürgerlichen englischen Gesellschaft wie ein intensiver Familiensinn sind den Kindern des Exil-Neapolitaners, Dichters und Dante-Exegeten Gabriele Rossetti und seiner väterlicherseits ebenfalls italienischen Frau Frances Polidori quasi als Erbteil mitgegeben. Ihre Ausbildung erfolgt vorzüglich durch die Mutter. Dante Gabriel und sein Bruder William genießen nur eine kurze, wenig ergiebige Schulzeit (1836–1841). Schon 1841 bestimmt sich Dante Gabriel zum Künstler. Wegen seiner Indolenz wie auch seiner Abneigung gegen die Formen und Inhalte des Akademiebetriebs wechselt er mehrfach die Kunstschulen. Diese Aversion artikuliert sich als ästhetische Rebellion durch die Gründung der Pre-Raphaelite Brotherhood (P. R. B.), einem Zusammenschluß von sieben Freunden, unter ihnen John Everett Millais und Holman Hunt. Sie lehnen die klassizistische Formkunst in der Nachfolge Raffaels (und Sir Joshua Reynolds') ab und fordern die Hinwendung zur Wirklichkeit, zu den Realien (wobei diese für Hunt und den jungen Rossetti emblematischen Charakter besitzen). Mit Hilfe einer Zeitschrift, *The germ*, die 1850 in wenigen Nummern erscheint, und tatkräftiger Unterstützung → Ruskins werden Werke und Ideen publik gemacht.

Italienischen Ursprungs, inspiriert von der Dichtung Petrarcas und Dantes – Rossetti bringt 1861 seine, von Ezra Pound zu Recht hochgelobten Übersetzungen, *The early Italian poets*, heraus – mag auch die Spannung sein, die Rossettis Leben und Werk nachhaltig bestimmt: die zwischen sinnlicher und geistiger Liebe bzw. zwischen Eros und Thanatos. Unter seinen frühesten Bildern befinden sich sowohl »The girlhood of Mary Virgin« (1848/49) wie Entwürfe zu »Found«, die nie vollendete Darstellung des Schicksals einer gefallenen Frau. Der Neunzehnjährige, zwischen Malerei und Dichtung schwankend, verfaßt aber auch erste Versionen komplementärer Gedichte wie »The blessed damozel« (veröffentlicht 1850 in *The germ*) und »Jenny« (1870) – beides dramatische Monologe, ersterer die tote Geliebte sinnenhaft beklagend, letzterer eine schlafende Prostituierte mitleidig-realistisch betrachtend. Und stets ist von Anfang an, von »My sister's sleep« (1850 in *The germ*) bis zur großen, Jahrzehnte wachsenden Sonettsequenz *The house of life*, der Tod ein ersehnter und gefürchteter »übersinnlich-sinnlicher Freier«. Zum Ausgleich hat Rossetti diese Spannungen nie gebracht. So schwankt seine Dichtung zwischen Realistik und ausgreifender Metaphorik, zwischen der genauen Beobachtung des Partikularen (»The woodspurge«) und ins Vage tendierenden Verallgemeinerungen.

Und sie schwankt zwischen Expression und Artefakt. Rossettis Gedichte sind zu einem gut Teil Notate der Leidenschaft. So fallen denn auch seine beiden großen dichterischen Schaffensperioden mit Zeiten persönlichen Liebesglücks zusammen, mit der ersten Liebe zu Elizabeth Siddal Anfang der fünfziger Jahre, mit der »regenerate rapture«, die in ihm durch die von William → Morris geduldete Beziehung zu dessen Frau Jane Ende der sechziger Jahre geweckt wird. (Beide standen Rossetti zudem Modell für seine erfolgreichsten Bilder und Zeichnungen.) Dazwischen und danach entsteht wenig: Es sind Zeiten der Revision – und dies gilt malerisch und dichterisch insbesondere für das letzte Lebensjahrzehnt –, der wiederholenden Aufarbeitung. Solches Rekapitulieren und Machen gehört von den Spielen der *bouts rimés* im Familienkreis an zu Rossettis Werk. Zu Recht haben die Ästhetizisten in ihm einen Vorläufer gesehen. Nicht von ungefähr ist das Sonett mit seinen rigiden Formvorgaben das von ihm bevorzugte Genre der Lyrik. In der schönen

Definition des Sonetts als »a moment's monument« hat Rossetti beide Elemente seines dichterischen Werks erfaßt; er hat sie aber nur selten – so in der »Willow-wood«-Sequenz aus *The house of life* – zur Deckung gebracht. Das, was auf Kunstfertigkeit, Wohlklang und Schönheit zielt, verhüllt zumeist das, was zum unmittelbaren Ausdruck drängt.

Das Unvermögen, die polaren Strebungen zu harmonisieren, hat Rossettis Leben zunehmend verdüstert, ihn nur zeitweise arbeiten lassen. Nach einem konfliktreichen Jahrzehnt heiratet er seine erste Muse, Elizabeth Siddal (1860); zwei Jahre später stirbt sie an einer Überdosis Laudanum. Rossetti begräbt mit ihr, von Schuldgefühlen geplagt, das einzige Manuskript eines ersten, nahezu fertigen Gedichtbandes. 1869, in der Zeit seiner Beziehung zu Jane Morris, läßt er das Manuskript exhumieren, die Veröffentlichung (1870) ist ein finanzieller und kritischer Erfolg, zumal Rossetti mit Geschick arrangiert, daß der Band vorwiegend von Freunden besprochen wird. Die neidmotivierte Attacke Robert Buchanans in *The fleshly school of poetry* (1872) auf die angebliche Unmoral der Dichtung Rossettis beschleunigt den Verfall des Labilen. Er zieht sich aus der Welt zurück, verfällt dem Alkohol und der Droge Chloral, die er gegen seine Schlaflosigkeit nimmt. Ein Jahrzehnt der morbiden Introspektion, des Leidens, in dem, von Balladen-Pastiches abgesehen, wenig entsteht, endet 1882 mit dem Tod. Christina, die Schwester, hat ihn in seinen letzten Lebenswochen gepflegt.

Pflegen (der Mutter; gefallener Frauen in einem House of Charity 1860–1870; zweier Tanten) und Gepflegtwerden während der langen Jahre physischer Labilität und Krankheit scheinen denn auch das ereignisarme Leben Christinas zu definieren. Es ist – wie ihr Werk – freilich in kaum minderem Maße von der identischen Spannung beherrscht, die Leben und Werk des Bruders beherrschte. Dank einer festen, von der Mutter ererbten, anglo-katholischen Religiosität gelingt es Christina jedoch, das, was dem Bruder unaufhebbare Dichotomien waren, zu bewältigen: die sinnliche Liebe ist ihr in der geistigen aufgehoben, der Tod der notwendige Durchgang in ein besseres Leben. Dies ist gewiß konventionelles Gedankengut, und Christinas gelegentlich buchstabenverhafteter Glaube ließ sie Anstoß an nackten Elfen auf Weihnachtskarten nehmen, vermeintlich blasphemische Stellen in → Swinburnes *Atalanta in Calydon* überkleben und zwei geliebten Bewerbern um ihre Hand aus religiösen Gründen entsagen.

Daß die Mehrzahl von Christinas Gedichten religiöser Natur, daß sie von meditativer, George → Herbert-naher Schlichtheit sind, ist zu erwarten, wie auch, daß sie das Kirchenjahr feiern und in Christus ihre Bezugsfigur sehen. Zu Christinas Statur gehört es, daß der Preis für die religiöse Zuversicht, wie auch die Unterdrückung der Instinkte und das Schwelen des Begehrens nicht verschwiegen werden:

I long for one to stir my deep –
I have had enough of help and gift –
I long for one to search and sift
Myself, to take myself and keep.

Zu dieser Statur trägt zudem bei, daß ihr andere Welten zugänglich sind: »Goblin market« vereinigt Groteske, *fantasy* und Sentimentalität und ist der sexuellen wie religiösen Deutung offen. Mit *Sing-song*, einem überaus populären Band von Kindergedichten, gelingt ihr und dem Illustrator Arthur Hughes die Fusion von Wort und Bild, wie sie das Zeitalter anstrebte. Und die Sonettsequenz *Monna Innominata* (1881) gestaltet aus dem Blickwinkel der Dame und mit autobiographischem Bezug die für ihr Werk grundlegende Thematik von sinnlicher und geistiger Liebe, von Liebe und Tod. Nur die religiöse Dichtung freilich beschränkt sich formal auf geradliniges, zwingendes Argumentieren. Dem übrigen Werk ist ein beträchtliches Quantum virtuoser Artistik zu eigen: Geschickt variierte Kurzzeilen, komplizierte Reimschemata wie in dem Einreimgedicht »Passing away, saith the world«, die schwierigen Formen von Sonett und *roundel* werden von ihr beherrscht und verdeutlichen, warum ihr Swinburnes Bewunderung galt. (T)

Hauptwerke: Dante Gabriel: *Poems* 1870. – *Ballads and sonnets* 1881.

Christina: *Goblin market and other poems* 1862. – *Sing-song* 1872. – *Annus Domini* 1874. – *A pageant and other poems* 1881.

Bibliographien: W. E. Fredeman, *Pre-Raphaelitism. A bibliocritical study* 1965. – F. L. Fennell, *Dante Gabriel Rossetti. An annotated bibliography* 1982.

Ausgaben: *The works of Dante Gabriel Rossetti*, ed. W. M. Rossetti 1911. – *The letters of Dante Gabriel Rossetti*, ed. O. Doughty und J. R. Wahl, 4 vols 1965–1967. – *The complete poems of Christina Rossetti*, ed. R. W. Crump 1979– .

Biographien: S. Weintraub, *Four Rossettis. A Victorian biography* 1977. – O. Doughty, *A Victorian Romantic. Dante Gabriel Rossetti* 1960. – G. Battiscombe, *Christina Rossetti. A divided life* 1981.

Sekundärliteratur: G. H. Fleming, *Rossetti and the Pre-Raphaelite Brotherhood* 1967. – R. M. Cooper, *Lost on both sides. Dante Gabriel Rossetti, critic and poet* 1970. – R. R. Howard, *The dark glass. Vision and technique in the poetry of Dante Gabriel Rossetti* 1972. – B.-J. Dodds, *Dante Gabriel Rossetti. An alien Victorian* 1977. – J. Rees, *The poetry of Dante Gabriel Rossetti. Modes of self-expression* 1981. – D. G. Riede, *Dante Gabriel Rossetti and the limits of Victorian vision* 1983. – T. B. Swann, *Wonder and whimsy. The fantastic world of Christina Rossetti* 1960. – L. M. Packer, *Christina Rossetti* 1963. – G. Hönnighausen, *Christina Rossetti als viktorianische Dichterin* 1969. – D. Rosenblum, *Christina Rossetti. The poetry of endurance* 1986.

John Ruskin (1819–1900)

Das Elternhaus gibt Entscheidendes vor: den Reichtum, der es Ruskin ein Leben lang erlaubt, seine Tätigkeiten frei zu wählen, intensiv zu reisen, mäzenatisch zu wirken und umfassend zu sammeln; die evangelikale Religiosität, die ihm Selbstanalyse, Pflichtethos und Wahrheitssuche zur Selbstverständlichkeit macht; die – in einem evangelikalen Hause ungewöhnlich – musischen, ästhetischen Interessen, die Malerei, Literatur, aber auch Theater umfassen. Die überfürsorglichen Eltern haben ihr einziges Kind für Hohes ausersehen, für Geistlichenberuf und Ruhm. Dafür wird es mit Nachdruck und in Isolation erzogen: Zeichnen lernt das Kind von vorzüglichen Vertretern der Kunst; der Vater fördert das – weithin Imitation bleibende – umfängliche Dichten bis zur Veröffentlichung (und ist sehr enttäuscht, als Ruskin 1845 einsichtig aufgibt); beide Eltern unterstützen die frühe Lektüre von Werken aus einer erstaunlichen Vielzahl von Gebieten, aus Theologie, Botanik, Mineralogie und Geologie; bei ausgedehnten Reisen (ab 1833) auf dem Kontinent wird Ruskin von dem fasziniert, was ihn sein Leben lang beschäftigen wird – Alpen, französische Kathedralen, oberitalienische Städte, vor allem Venedig. Der Fünfzehnjährige veröffentlicht erste wissenschaftliche Essays (»Facts and considerations on the strata of Mont Blanc«). Kein Wunder, daß das Studium in Oxford (1836–1842) kaum formenden Einfluß mehr auf ihn hat, sieht man vom Zweifel an dem für ihn gewählten Beruf ab: Ruskins Wesen ist durch Erbe und Erziehung als sich selbst genügend definiert.

Das eigene Zeichnen, das Studium der zeitgenössischen Malerei, vor allem Turners, sowie seine naturwissenschaftlichen und architektonischen Interessen schärfen Ruskins Blick für das Partikulare. Die Dinge der Wirklichkeit fordern uneingeschränkte Aufmerksamkeit, weil in ihnen als Abbilder (»types«) das göttliche Urbild verschlüsselt liegt: »To see clearly is poetry, prophecy, and religion – all in one.« Darum müssen sie unverfälscht wiedergegeben werden – ohne romantische Introjektion von Subjektivität (»pathetic fallacy«). Dies ist der Kerngedanke des Ruskinschen Realismus und Grundlage der fünfbändigen Studie, die, als Verteidigung Turners begonnen, sich in mehr als fünfzehn Jahren über eine Theorie der Landschaftsmalerei zu einer Auseinandersetzung mit grundlegenden ästhetischen Fragen weitet: *Modern painters*. Ruskin findet seine Gedanken in der Malerei der Präraffaeliten wieder und wird zu deren frühestem Theoretiker (*Pre-Raphaelitism* 1851) sowie zum (finanziellen) Förderer von Millais, → Rossetti und Elizabeth Siddal. Zur Überzeugungskraft Ruskins trägt sein Stil ein gut Teil bei: Anschaulich und konkret, assoziationsreich und voller Wohlklang sind die weitschwingenden Satzperioden bestens geeignet, Landschaften und Ideen gleichermaßen zu evozieren. Ruskins Werke sind Prosa von hohem literarischen Rang.

Die exakten Architekturstudien, die Ruskin in Venedig 1845 beginnt, greifen unter evangelikalem Impetus weiter aus. Die Betrachtung des Kunstobjekts läßt Ruskin nach dessen Schöpfer sowie nach den historischen Bedingungen fragen, die solche Kunst ermöglichen: *The stones of Venice* ist daher eine Kunst-Geschichte Venedigs, die Politik-, Wirtschafts- und Sozialgeschichte einschließt. Das Zentralkapitel, »The nature of Gothic«, sieht die gotische Kunst des Mittelalters als Ausdruck einer nichtentfremdeten menschlichen Natur und ihres Tuns. Hier scheint Ruskin das erreicht, was er selbst durch seine rastlosen Tätigkeiten auf vielen Gebieten, Band für Band füllend, anstrebt. Von der Beschreibung des idealen Maßstabs aber zur Kritik an den Verfallsformen in Vergangenheit und Gegenwart ist es nur ein Schritt. Aus Ruskin, dem Kunsttheoretiker, der stets den Primat der Ethik, der Wirklichkeitsdarstellung und Wahrheitsentschlüsselung verficht, wird Ruskin, der Kultur- und Gesellschaftskritiker. → Carlyle ist sein Vorbild (und nach dem Tod des Vaters das mit »Papa« apostrophierte Ersatz-Über-Ich). In *Unto this last* attackiert er mit rhetorischem Ingrimm die herrschende Wirtschaftsideologie, die politische Ökonomie John Stuart → Mills, indem er »wealth« als eine spirituelle lebensspendende Kraft, den materiellen Wohlstand aber – mit schöner Neuprägung – als »illth« definiert. (Noch zu Anfang des 20. Jahrhunderts hat die Studie das Programm der Labour Party beeinflußt.) Mit pädagogischem Eros versucht Ruskin, seine Ideen zu verbreiten: durch Vorlesungen als erster Slade Professor of Art in Oxford (1870–1878); durch Vorträge, insbesondere vor Arbeitern (seit 1854); durch monatliche Briefe »To the workmen and labourers of Great Britain« (später gesammelt als *Fors clavigera* veröffentlicht); durch Unterricht in Schulen. Und zur pädagogischen Verbreitung seiner Ideen tritt der Versuch, diese durch die Gründung einer Zunftvereinigung, der Guild of St. George, in die Tat umzusetzen (1871).

Die Radikalisierung von Ruskins Denken und Handeln hat vielerlei Gründe. Die gesellschaftliche Entwicklung, die Auflösung des mittviktorianischen Ausgleichs in den sechziger Jahren, spielt gewiß eine Rolle. Die Radikalisierung ist aber auch biographisch motiviert: Seine Erziehung hat den seit der Veröffentlichung des ersten Bandes von *Modern painters* (1843) hochberühmten Kunst- und Gesellschaftskritiker auf dem Gebiet elementarer menschlicher Beziehungen unerfahren gelassen, vielleicht ganz verdorben. Die Ehe mit der jungen Effie Gray, 1848 geschlossen, wird 1854 wegen Nichtvollzugs annulliert; Effie heiratet Ruskins Protegé, den Präraffaeliten John Everett Millais. Ruskin fühlt sich zu jungen Mädchen hingezogen – von den zu jungen Frauen Gereiften wendet er sich ab. Seine Zuneigung zu der zehnjährigen Rose La Touche übersteht diese Wandlung, und Ruskin macht der Achtzehnjährigen 1866 einen Heiratsantrag. Die unterschiedlichen religiösen Einstellungen sowie der Widerstand der Eltern Roses führen jedoch zur Ablehnung.

Auch anderweitig sind die fünfziger Jahre eine Zeit der Krise: Schrittweise verliert Ruskin seine evangelikalen Überzeugungen. Und stets lasten auf ihm Pflicht und Wunsch, die ungeheure Vielfalt seiner Tätigkeiten und Interessen zur Totalität zu formen. 1878 kommt es zum ersten geistigen und physischen Zusammenbruch, dem Jahr für Jahr weitere folgen. In den Zwischenzeiten der Gesundheit arbeitet Ruskin rastlos weiter, ins Mythische, Utopische ausgreifend. 1885 beginnt er seine Lebenserinnerungen, *Praeterita*, die mit stilistischer Grazie und genauer Beobachtung seine Kindheit als Idylle entwerfen. Die

Autobiographie bleibt unvollendet. 1889 verstummt Ruskin für den Rest seines Lebens. (T)

Hauptwerke: *Modern painters*, 5 vols 1843–1860. – *The king of the golden river* 1851. – *The stones of Venice*, 3 vols 1851–1853. – *The political economy of art* 1857. – *Unto this last* 1862. – *Sesame and lilies* 1865. – *Fors clavigera*, 8 vols 1871–1884. – *Munera pulveris* 1872. – *Praeterita* 1885–1889.

Bibliographie: K. H. Beetz, *John Ruskin. A bibliography 1900–1974* 1976.

Ausgaben: *The works*, Library Edition, ed. E. T. Cook und A. Wedderburn, 39 vols 1903–1912. – Eine Fülle angemessener und guter Ausgaben von Briefwechseln liegt vor, jedoch keine Gesamtausgabe.

Biographien: J. D. Hunt, *The wider sea. A life of John Ruskin* 1982. – R. Hilton, *John Ruskin. The early years 1819–1859* 1985.

Sekundärliteratur: J. D. Rosenberg, *The darkening glass. A portrait of Ruskin's genius* 1963. – G. P. Landow, *The aesthetic and critical theories of John Ruskin* 1971. – J. Fellows, *The failing distance. The autobiographical impulse in John Ruskin* 1975. – E. K. Helsinger, *Ruskin and the art of the beholder* 1982. – P. D. Anthony, *John Ruskin's labour. A study of Ruskin's social theory* 1983. – G. Wihl, *Ruskin and the rhetoric of infallibility* 1985.

Walter Scott (1771–1832)

Walter Scott wird traditionell als Begründer des Geschichtsromans angesehen, und darüber tritt meist die Tatsache in den Hintergrund, daß er einer der vielseitigsten Autoren seiner Epoche war, wenngleich er diese Epoche in ihren Tendenzen nur beschränkt repräsentierte. Er wurde in Edinburgh als Sohn eines calvinistischen Rechtsanwalts geboren und besuchte dort auch Schule und Universität. Nach einer Ausbildung bei seinem Vater wurde er 1792 als Anwalt zugelassen, doch brachte seine Praxis wenig ein. Die Ernennung zum Sheriff für die Grafschaft Selkirk und eine Erbschaft (1804) verbesserten seine Situation.

Scott war schon als Kind gehbehindert, las daher viel und fühlte sich früh zur Literatur hingezogen. Er geriet unter den Einfluß der deutschen Romantik, die durch Henry Mackenzie, den Autor des *Man of feeling* (1771), in Edinburgh Eingang gefunden hatte. Eine Übersetzung zweier Balladen von Bürger war seine erste Publikation (1796), der drei Jahre später eine Übersetzung von Goethes *Götz von Berlichingen* folgte. Scotts frühes Interesse an schottischen Balladen manifestierte sich in *Minstrelsy of the Scottish border*, einer umfänglichen Sammlung, bei der er viele der mündlich überlieferten Texte bearbeitete, um sie wirkungsvoller oder »authentischer« zu machen. Er betrachtete dies als Beitrag zur Bewahrung der schottischen Tradition.

Unmittelbar daraus ergab sich seine erste eigene, auf eine alte Legende zurückgehende Verserzählung, *The lay of the last minstrel*, die – von → Coleridges *Christabel* beeinflußt – ein literarischer und finanzieller Erfolg wurde. In rascher Folge verfaßte Scott weitere metrische Romanzen, so *Marmion* (1808) und *The lady of the lake* (1810), sein durch wohlgelungene beschreibende und dramatische Passagen wohl populärstes Gedicht. Die zwischen 1813 und 1817 erschienenen sechs Werke dieser Art waren weniger erfolgreich.

Über *Marmion* wurde Scott Partner und stiller Teilhaber des Druckers und Verlegers John Ballantyne und kam dadurch in Geschäftsbeziehungen zu Constable, seinem späteren Hauptverleger. Scott spielte zunehmend eine zentrale Rolle im literarischen Leben Edinburghs und übernahm vielfältige literarische Arbeiten. Er half die *Quarterly review* als konservatives Gegenorgan zu der whiggistischen *Edinburgh review* gründen, übernahm aber nicht die öffentliche Funktion des Herausgebers, wie er es auch später ablehnte, das Amt des Hofdichters (*poet laureate*) zu bekleiden. Er gab → Dryden (1808) und → Swift (1814) in für die Zeit maßgebenden Editionen heraus, ebenso in einer umfassenden Neuausgabe die *Somers tracts* (»a collection of scarce and valuable tracts«, 1809–1815). In Abbotsford bei Melrose errichtete er sich einen Landsitz, den er später im gotischen Stil weiter ausbaute und der heute, unverändert erhalten, als Gedenkstätte den Scott-Mythos für die Nachwelt bewahrt.

Da der Roman als literarische Gattung bis in die viktorianische Zeit gering geschätzt wurde, ließ Scott seinen ersten Roman, *Waverley, or 'tis sixty years since*, anonym erscheinen. Er hatte schon 1805 daran gearbeitet. Zur Fertigstellung und Veröffentlichung scheinen ihn finanzielle Schwierigkeiten und wohl auch der Erfolg von → Byrons Versromanzen bewegt zu haben. Scott betrat, biographisch wie literaturhistorisch gesehen, mit seinem Roman Neuland, und er begründete mit der in die Zeit der Rebellion von 1745 gelegten Erzählung den Geschichtsroman als eigenes Genre. *Waverley* war mit vier Auflagen in einem Jahr über alle Maßen erfolgreich, und Scott schrieb, weiterhin anonym und häufig mit dem Zusatz »by the author of Waverley«, während der nächsten zehn Jahre eine in den Annalen der Literaturgeschichte kaum überbotene Fülle von Romanen. Fast alle wurden in zahlreiche Sprachen übersetzt, und viele gehören, nicht nur für den englischen Leser, zum festen Bestand der Romanliteratur, darunter *The heart of Mid-Lothian* (1818), *Ivanhoe* (1820) und *Kenilworth* (1821).

Die meisten Romane spielen in Schottland, doch wählte Scott auch England und gelegentlich Frankreich als Schauplatz. Scotts große Leistung war indessen nicht die Rekonstruktion des historischen Kolorits, sondern die Darstellung von Charakteren im historischen Milieu. Besonders Figuren aus den niederen Gesellschaftsschichten gewinnen in seinen Romanen eine Menschlichkeit und Lebensunmittelbarkeit wie kaum zuvor in der Literatur. Über die Fiktion schuf Scott damit einen neuen Zugang zur Geschichte.

Scott selbst hielt zu seinen Romanen Distanz. Er betrachtete sie weitgehend als kommerzielle Angelegenheit, und er wahrte zumindest im Prinzip die Anonymität, da er, besonders nach seiner Erhebung in den Adelsstand (1818), das Romanschreiben als einen unangemessenen Broterwerb für einen Gentleman ansah. Erst 1827 wurde das »Geheimnis« seiner Autorschaft offiziell anläßlich eines öffentlichen Dinners in den Assembly Rooms in Edinburgh gelüftet. Scott war der erste Autor der englischen Literatur, der schon zu Lebzeiten zu einer Persönlichkeit von nationalem Rang und nationalem Ansehen wurde. In Abbotsford präsentierte er sich indessen einem zunehmend größeren und erlauchteren Kreis von Gästen und Bewunderern nicht als der hart arbeitende Autor, der er war, sondern als ein ebenso charmanter wie würdevoller *man of leisure*.

Zu Scotts Œuvre gehören auch eine Reihe von – nicht erfolgreichen – dramatischen Werken, die er neben seinen Romanen schrieb, so *Halidon Hall, a dramatic sketch* (1822) und *The doom of Devorgoil, a melodrama*, das 1830 zusammen mit *Auchindrane, or the Ayrshire tragedy* erschien. Die beiden letzten fallen in seine wohl schwierigste Periode – die Zeit nach 1826, als Ballantyne, der ihn schon 1813 in finanzielle Schwierigkeiten gebracht hatte, in Konkurs ging und Scott sich rechtlich und moralisch verpflichtet sah, eine Schuld von 126000 Pfund durch literarische Arbeit abzutragen. Es gelang ihm in jahrelanger Fronarbeit, die ihn völlig erschöpfte. Diese Jahre sind in einem 1825, auf der Höhe seines Ruhmes, begonnenen

Tagebuch dokumentiert, das ein eindrucksvolles Selbstporträt bietet. Scott starb nach einer Reihe von Schlaganfällen im September 1832. Die von seinem Schwiegersohn John Gibson Lockhart verfaßte Biographie (1837/38) gilt als eine der großen Biographien der englischen Literatur. (F)

Hauptwerke: *Minstrelsy of the Scottish border*, 2 vols 1802. – *The lay of the last minstrel* 1805. – *Marmion, a tale of Flodden Field* 1808. – *The lady of the lake, a poem* 1810. – *Waverley, or 'tis sixty years since*, 3 vols 1814. – *The heart of Mid-Lothian*, 4 vols 1818. – *Ivanhoe, a romance*, 3 vols 1820. – *Kenilworth, a romance*, 3 vols 1821. – Herausgeber: *The works of John Dryden*, 18 vols 1808; *The works of Jonathan Swift*, 19 vols 1814; *Somers tracts*, 13 vols 1809–1815.

Bibliographien: G. Worthington, *A bibliography of the Waverley novels* 1931 (repr. 1971). – W. Ruff, A bibliography of the poetical works of Sir Walter Scott, 1796–1832 in *Edinburgh Bibliographical Society transactions* 1.2 (1937). – J. C. Corson, *A bibliography of Sir Walter Scott. A classified and annotated list of books and articles relating to his life and works 1797–1940* 1943 (repr. 1968). – J. Rubenstein, *Sir Walter Scott. A reference guide* 1978.

Ausgaben: *Poetical works*, ed. J. L. Robertson 1894 u. ö. – *The Waverley novels*: Border edition, ed. A. Lang, 48 vols 1892–1894; Dryburgh edition, 25 vols 1892–1894; *The Oxford Scott*, 24 vols 1912. – *The journal*, ed. W. E. K. Anderson 1972. – *The letters* (Centenary edition), ed. H. J. C. Grierson, 12 vols 1932–1937 (repr. 1971); J. C. Corson, *Notes and index to Sir Herbert Grierson's edition* 1979.

Übersetzungen: *Ivanhoe*, übers. von L. Tafel, hrsg. von P. Ernst 1984 (Insel). – *Waverley*, übers. von G. Reichel, Nachwort von K. Gamerschlag 1982 (dtv).

Biographien: J. G. Lockhart, *Memoirs of the life of Sir Walter Scott*, 7 vols 1837/38 (gekürzt als *The life of Sir Walter Scott* 1848, ed. W. M. Parker 1956). – H. Grierson, *Sir Walter Scott, Bart.* 1938 (repr. 1973). – E. Johnson, *Sir Walter Scott. The great unknown*, 2 vols 1970.

Sekundärliteratur: M. Ball, *Sir Walter Scott as a critic of literature* 1907 (repr. 1973). – F. R. Hart, *Scott's novels. The plotting of historic survival* 1966. – D. D. Devlin, *The author of Waverley. A critical study of Walter Scott* 1971. – K. Gamerschlag, *Sir Walter Scott und die Waverley novels. Eine Übersicht über den Gang der Scottforschung von den Anfängen bis heute* 1978. – D. Brown, *Walter Scott and the historical imagination* 1979. – J. Reed, *Sir Walter Scott. Landscape and locality* 1980. – J. H. Alexander und D. Hewitt (ed.), *Scott and his influence* 1982. – A. Bold (ed.), *Sir Walter Scott. The long forgotten melody* 1983. – H. E. Shaw, *The forms of historical fiction. Sir Walter Scott and his successors* 1983. – J. Millgate, *Walter Scott. The making of the novelist* 1984. – J. Wilt, *Secret leaves. The novels of Walter Scott* 1985.

William Shakespeare (1564–1616)

Shakespeare, das geniale Naturkind, der weltentrückte Weise, der geschäftstüchtige Theatermann oder der devote Fürstenknecht – die Bilder, die man sich zu verschiedenen Zeiten von ihm gemacht hat, sind nicht etwa auf der Grundlage einer gesicherten Biographie entstanden, sondern eher als hilflose Versuche zu betrachten, mit der Größe und Wirkung seines Werks zurechtzukommen. Die überlieferten Fakten seines Lebens sind äußerst spärlich. Er wurde vermutlich am 23. April als Sohn eines wohlhabenden Handschuhmachers, der mehrere städtische Ämter, darunter das des Bürgermeisters *(bailiff)*, bekleidete, in Stratford-upon-Avon (Warwickshire) geboren. Er dürfte die Lateinschule Stratfords absolviert haben, besuchte aber wahrscheinlich nie eine Universität. Mit achtzehn Jahren heiratete er die sechsundzwanzigjährige Ann Hathaway. Aus der Ehe gingen drei Kinder hervor. Über die Zeit von seiner Heirat bis zur ersten abfälligen Erwähnung Shakespeares in → Greenes *A groatsworth of wit* (1592) gibt es nur Legenden, aber keine gesicherten Informationen.

Seit Beginn der neunziger Jahre erschien Shakespeare als volles Mitglied der Lord Chamberlain's Men, die sich nach der Thronbesteigung Jakobs I. (1603) King's Men nennen durften und damit zum königlichen Hof gehörten. Seine Einkünfte bezog Shakespeare als Schauspieler, später als Teilhaber des Globe Theatre, das seine Truppe 1599 errichtete. Bereits 1597 konnte er New Place, eines der größten Häuser Stratfords, erwerben. Vermutlich lebte er bis zum Ende seiner Theatertätigkeit (etwa 1611/12) von seiner Familie getrennt in London und zog sich dann nach Stratford zurück.

Die meisten Forscher verlegen die Anfänge seines dramatischen Schaffens in die Jahre 1590 bis 1593, andere halten einen früheren Beginn für möglich. Als die ersten dramatischen Werke gelten die Trilogie *Henry VI* (1590–1592), die plautinische Komödie *Comedy of errors* (1592–1594) und die Rachetragödie *Titus Andronicus* (1590–1593). Die Stücke weisen entweder in ihrer episodischen Form, ihrer Figurenfülle, ihrer steifen Sprache und in ihrer schwarz-weiß Charakterisierung oder in der Art, wie komische und tragische Konventionen artistisch überboten werden sollen, auf einen lernenden Dramatiker hin. Mit *Richard III*, einem Stück, das in der Konzeption des machiavellistischen Schurken und in der Konzentration der Handlung auf eine zentrale Figur auf den Einfluß →Marlowes hindeutet, wurde diese frühe Phase abgeschlossen.

Die nächsten Werke, *The taming of the shrew, Two gentlemen of Verona, Love's labour's lost,* von Sprachwitz geprägte, aus sentimentalen und farcenhaften Elementen aufgebaute Lieheskomödien, wurden zwischen 1593 und 1595/96 unter dem Einfluß →Lylys und der Commedia dell'Arte geschrieben. Dieses Stadium des Experimentierens fand in dem Meisterwerk *A midsummer night's dream* seinen Abschluß. Die etwa 18 Monate der Jahre 1593/94, in denen die Theater wegen der Pest geschlossen waren, nutzte Shakespeare, um sich als nicht-dramatischer Dichter einen Namen zu schaffen. 1593 veröffentlichte er die erotische Verserzählung *Venus and Adonis,* die vor allem jugendliche Leser begeisterte. 1594 ließ er mit *The rape of Lucrece* ein Kurzepos in tragischem Ton folgen. Vermutlich hat er um die gleiche Zeit mit der Abfassung seiner Sonette begonnen, die allerdings nur in Manuskripten unter seinen Freunden zirkulierten und erst 1609, vielleicht ohne seine Zustimmung, gedruckt wurden.

Die Dramen, die zwischen 1595 und 1598 entstanden, zeigen im Nebeneinander der Gattungen, in der Kunst der Handlungsführung und der Figurenzeichnung bereits den versierten Dramatiker. *Richard II,* eine Historie, die sich der Tragödie nähert, ist in der Gestaltung eines passiven, duldenden und zugleich schuldigen Helden zwar noch →Marlowes *Edward II* verpflichtet, übertrifft ihn jedoch hinsichtlich des Aufbaus, der Figurencharakterisierung und der Sprachkunst. In *Romeo and Juliet* (1594/95) entwickelt Shakespeare eine Liebesgeschichte zur Schicksalstragödie, in der neben den Protagonisten scharf gezeichnete Charaktere aus den verschiedensten Schichten auftreten. Die gegenüber Marlowes *Jew of Malta* menschlichere Konzeption Shylocks in *The merchant of Venice* (1596/97) eröffnet in der Komödienhandlung tragische Perspektiven und verleiht den Figuren moralische Ambivalenz. Die Serie von Shakespeares Historien fand in den beiden Teilen von *Henry IV* ihren künstlerischen Höhepunkt. Diese Stücke lassen gegenüber dem metaphysischen Geschichtsverständnis und dem aggressiven Patriotismus der frühen Historien einen nachdenklich und skeptisch gewordenen Autor erkennen. Perspektivischer Reichtum, sprachliche Vielfalt, Kontraste und ironische Relativierungen, vor allem in der Figur des Falstaff, kennzeichnen nun seine Kunst.

1599 bis 1602 schrieb Shakespeare die Komödien *As you like it, Twelfth night* und *Much ado about nothing,* in denen sich seine Entwicklung als Komödiendichter vollendet. Mit *Julius Caesar* (1599) wandte er sich der Charaktertragödie zu. In rascher Folge entstehen *Hamlet* (1600/01), *Othello* (1604–1606) und *Antony and Cleopatra* (1606/07), Tragödien der Macht, der Rache und der Liebe. Jede von ihnen ist in der Konzeption der Protagonisten, in der Beziehung der Figuren zueinander, in Handlungsführung und Sprachkunst von eigener Gestalt und, wie die Jahrhunderte ununterbrochener Wirkungsgeschichte zeigen, für ständig neue Deutungen offen. Gleichzeitig entstehen Stücke, die abwechselnd als *dark comedies, problem plays* oder dramatische Satiren verstanden werden, wie *All's well that ends well, Troilus and Cressida, Measure for measure.* Über die Ursache dieser sogenannten »düsteren Periode« ist viel spekuliert worden; sie wurde wechselweise in der Biographie Shakespeares, im verbreiteten Pessimismus der jakobäischen Zeit oder im Einfluß der satirischen und realistischen Dramen →Jonsons gesucht. Im Gegensatz zu den *happy* oder *golden comedies* vor 1600 prägen nun zynische Kommentatorfiguren, triebhafte Beziehungen und schuldig gewordene Charaktere die oft nur mühsam zum guten Schluß gebrachten Komödienhandlungen. Mit *Timon of Athens* und *Coriolanus* (1607/08), zwei Tragödien, die mit den großen Charaktertragödien nicht zu vergleichen sind, schloß Shakespeare diese reifste und zugleich umstrittenste Phase seines Schaffens ab. In beiden Stücken werden psychisch extreme, uneinsichtige Figuren einer als egoistisch und bösartig gezeichneten Gesellschaft gegenübergestellt. Das Scheitern der Figuren ist nicht mehr von tragischer Einsicht begleitet, sondern wird als Zerstörung gezeigt.

Wiederum völlig anders sind die vier letzten Stücke Shakespeares, *Pericles, Cymbeline, The winter's tale* und *The tempest* (1608–1611), die als Romanzen bezeichnet werden, sowie das vermutlich zusammen mit →Fletcher verfaßte Festspiel *Henry VIII.* Ob diese märchenhaften Stücke, in denen in unwahrscheinlichen, peripetienreichen Handlungen die Motive der Schuld und Versöhnung, des Verlierens und Sichfindens, des Todes und der Wiedergeburt gestaltet werden, vom Wandel des Publikumsgeschmacks oder von Shakespeares Altersweisheit oder seinen nachlassenden gestalterischen Kräften geprägt sind, wird intensiv diskutiert.

Shakespeares einzigartiger weltliterarischer Rang beruht auf seiner schöpferischen Sprachkunst, die alle Register, vom Pathos bis zum Wahnsinnsgestammel, vom spielerischen Sprachwitz bis zur derben Zote, einsetzt. Er beruht aber ebenso auf der Kühnheit, mit der er die verschiedensten dramatischen Formen, theatralischen Präsentationsstile und Figurenkonzepte ohne Rücksicht auf eine ästhetische Theorie oder ein dramatisches Regelsystem, aber mit einzigartigem Instinkt für dramatische Wirkung mischt. Dadurch gelingen ihm reichhaltige und multiperspektivische Weltentwürfe, wie sie kein anderer Dramatiker aufzuweisen hat. Diese dramatischen Darstellungen gesellschaftlicher Welten sind jedoch nie formlos, sondern werden durch ein Geflecht von Figurenkonstellationen, Parallelen und Kontrasten, von Analogien, Bildketten und Leitmotiven zu polyphonen, vielschichtigen Einheiten zusammengeschlossen.

Das Werk entfaltete im Lauf der Jahrhunderte bis heute eine ebenso breite wie tiefe Wirkung. Ausdrücke und Wendungen aus den Dramen eroberten auch den nicht-englischen Sprachbereich und wurden dort zu Klischees. Manche Figuren wurden zu Archetypen menschlichen Verhaltens umgedeutet. Das Werk wurde im englischen Kulturkreis zum Text erhoben, der kulturelle Identität stiftete und Lebensweisheit vermittelte; in anderen Kulturkreisen wurde es wie kein anderes fremdsprachiges Werk eingemeindet. Trotz der »barbarischen« Regelverletzungen mußte der Klassizismus die Größe und Wucht des »Naturgenies« Shakespeare anerkennen: sein Werk wurde schließlich zum Gegenmodell, unter dessen Eindruck die klassizistische Regelpoetik abgelöst wurde. Im 19. Jahrhundert wegen ihrer Gültigkeit und Lebendigkeit der Charakterzeichnung gerühmt, wurden die Dramen im 20. Jahrhundert abwechselnd als Gestaltungen christlicher Mythen und Dokumente einer zynischen, nihilistischen Weltsicht, als Darstellungen tiefenpsychologischer Wirklichkeiten und als politische Visionen, als Ausdruck bürgerlichen Bewußtseins und als Vorwegnahmen des absurden Theaters gedeutet. Bis heute ist das Werk Maßstab und Herausforderung für das Theater und für die Wissenschaft geblieben, und es fordert jede Epoche von neuem zur Aneignung und Auseinandersetzung auf. (W)

Hauptwerke: (Datierung aller Werke unsicher; hier nach S. Wells und G. Taylor im *New Oxford Shakespeare*): *Richard III* 1592/93. – *The comedy of errors* 1594. – *A midsummer night's dream* 1594/95. –

Romeo and Juliet 1594/95. – *1, 2 Henry IV* 1595–1597. – *The merchant of Venice* 1596/97. – *Julius Caesar* 1599. – *As you like it* 1600. – *Hamlet* 1600/01. – *Twelfth night* 1601. – *Troilus and Cressida* 1601/02. – *Measure for measure* 1604. – *Othello* 1604. – *King Lear* 1605. – *Macbeth* 1606. – *Antony and Cleopatra* 1606. – *Coriolanus* 1608. – *The sonnets* 1609 (veröffentlicht). – *The winter's tale* 1609/10. – *The tempest* 1610/11.

Bibliographien: T. H. Howard-Hill, *Shakespearian bibliography and textual criticism. A bibliography* 1971. – S. Wells (ed.), *Shakespeare. Select bibliographical guides* 1973. – J. G. McManaway und J. A. Roberts, *A selective bibliography of Shakespeare. Editions, textual studies, commentary* 1975.

Ausgaben: Mehrbändig: *The (New) Arden Shakespeare*, ed. U. Ellis-Fermor et. al., 1951–1982 (komplett bis auf Sonette). – *The Oxford Shakespeare*, ed. S. Wells und G. Taylor 1982. – *New Cambridge Shakespeare*, ed. P. Brockbank et al. 1984. – Einbändig: *The first folio of Shakespeare. The Norton facsimile*, ed. C. Hinman 1968. – *The Riverside Shakespeare*, ed. G. B. Evans 1974. – *The complete works. Original spelling edition*, ed. S. Wells and G. Taylor 1987. – *The sonnets*, ed. W. G. Ingram und T. Redpath 1964; ed. S. Booth 1977; ed. J. Kerrigan 1986.

Übersetzungen: *Die Sonette* (englisch-deutsch), übers. von H. Helbling 1983 (Manesse). – *The sonnets* (englisch-deutsch), hrsg. von R. Borgmeier 1974 (Reclam). – Dramen: *Sämtliche Dramen*, Übersetzung von Schlegel und Tieck, rev. von S. Schmitz, hrsg. von W. Habicht, D. Mehl, B. Moritz-Siebeck, W. Riehle und W. Weiß, Vorwort von W. Clemen, 3 Bde 1988 (Winkler). – Einsprachige Ausgaben nach der Übersetzung von Schlegel und Tieck (Reclam; fast vollständig). – Zweisprachige Ausgaben verschiedener Übersetzer und Herausgeber (Reclam). – Englisch-deutsche Studienausgabe. Unter dem Patronat der deutschen Shakespeare Gesellschaft West, hrsg. von W. Habicht et al. 1976- (Francke).

Biographien: S. Schoenbaum, *William Shakespeare. A documentary life* 1975. – ders., *William Shakespeare. Records and images* 1981.

Sekundärliteratur: A. C. Bradley, *Shakespearean tragedy. Lectures on Hamlet, Othello, King Lear, Macbeth* 1904 (repr. 1978). – L. L. Schücking, *Character problems in Shakespeare's plays* 1922. – H. Granville-Barker, *Prefaces to Shakespeare*, 2 vols 1930 (repr. 1961). – E. K. Chambers, *William Shakespeare. A study of facts and problems*, 2 vols 1930 (repr. 1966). – A. Harbage, *Shakespeare's audience* 1941. – A. C. Sprague, *Shakespeare and the actors. The stage business in his plays (1660–1905)* 1944 (repr. 1963). – E. M. W. Tillyard, *Shakespeare's history plays* 1944 (repr. 1969). – T. W. Baldwin, *Shakespere's small Latine & lesse Greeke*, 2 vols 1944. – G. W. Knight, *The wheel of fire. Interpretations of Shakespearian tragedy with three new essays* (1930) 1949 (repr. 1974). – W. H. Clemen, *The development of Shakespeare's imagery* 1951 (repr. 1977). – I. Ribner, *The English history play in the age of Shakespeare* 1957 (repr. 1967). – C. L. Barber, *Shakespeare's festive comedy. A study of dramatic form and its relation to social custom* 1959. – E. Schanzer, *The problem plays of Shakespeare. A study of Julius Caesar, Measure for measure, Anthony and Cleopatra* 1963. – N. Frye, *A natural perspective. The development of Shakespearean comedy and romance* 1965. – R. Weimann, *Shakespeare und die Tradition des Volkstheaters* 1967 (englisch 1978). – A. Gurr, *The Shakespearean stage, 1574-1642* (1970) 1981. – S. Schoenbaum, *Shakespeare's lives* 1970. – *Shakespeare-Handbuch. Die Zeit. Der Mensch. Das Werk. Die Nachwelt*, ed. I. Schabert (1972) 1978. – *William Shakespeare. His world, his work, his influence*, ed. J. F. Andrews, 3 vols 1985. – *Shakespeare and the question of theory*, ed. P. Parker und G. Hartman, 1985. – S. Greenblatt, *Shakespearean negotiations. The circulation of social energy in Renaissance England* 1988.

George Bernard Shaw (1856–1950)

Nicht nur die Dauer seines nahezu ein Jahrhundert währenden Lebens und der Umfang seines imposanten Werks von fünf Romanen, mehr als fünfzig Dramen, zahllosen Buch-, Malerei-, Musik- und Theaterkritiken, von ausladenden Vorworten, Reden und Essays zu Politik und Wirtschaft, Kunst, Geschichte und Religion sowie von einer Viertelmillion Briefen haben bis heute das Erscheinen einer angemessenen Biographie verhindert, welche Shaws psychische und ästhetische Entwicklung nachzeichnet und diese zur Zeitgeschichte in Beziehung setzt. Auch Shaws Reaktionen auf solche Absichten haben dazu beigetragen: Er verweigert zumeist jede Kooperation, überhäuft aber diejenigen, die daraufhin nicht Abstand nehmen, mit einer Fülle von Detailinformationen. Wiewohl er seiner Abneigung gegenüber Autobiographen drastisch Ausdruck gibt – »the dog returning to his vomit« –, äußert er sich von seinem ersten Roman, *Immaturity* (verfaßt 1879), bis zu den *Sixteen self-sketches* (1949) vielfach autobiographisch, nie freilich systematisch, abschließend, sondern stets skizzierend, andeutend. All dies verfolgt offensichtlich den einen Zweck, jede Fixierung von Person, Leben und Werk zu vermeiden, um so die Vielfalt der Shawschen Erscheinungen, Rollen und Posen als solche zu bewahren.

Für dieses Bemühen Shaws lassen sich psychologische, ideologische und historische Gründe ahnen. Weder an genetischer noch an milieubedingter Fixierung kann ihm gelegen sein: Er ist das Produkt einer liebelosen Ehe, eines trinkenden Vaters und einer indifferenten Mutter. Dem »downstart« Shaw wird somit nur eine recht kurze, nicht zur Universität weiterführende Ausbildung zuteil (1867–1871); der Junior Clerk in einem Maklerbüro (1871) scheint zu einem monotonen Kanzleileben bestimmt. Was ihn davor bewahrt, ist nach eigener Aussage »the power of art«, sind die Bilder des Dubliner Museums, ist die Musik. 1876 folgt er der Mutter, die, Mann und Sohn verlassend, zuvor mit ihrem musikalischen Mentor nach London gezogen war. Was er mitbringt, ist eine Haltung der Distanz als »downstart«, als Ire, als gelegenheitsarbeitender Bohemien. Was ihm fehlt, sind Ziele, ist eine Perspektive, aus der sich kritische Distanz in Erkenntnis verwandeln läßt. Er wendet sich der Erfolgsgattung der Zeit zu und verfaßt mit Trollopescher Regelmäßigkeit fünf erfolglose Romane (1878–1883). Nur der letzte, *An unsocial socialist*, kommt in einer sozialistischen Zeitschrift alsbald zum Abdruck (1884).

Shaws Ziellosigkeit ist auch die des Zeitalters: Die siebziger Jahre sehen die Auflösung des mittviktorianischen Ausgleichs. Ein Vortrag von Henry George, dem Verfasser von *Poverty and progress*, sowie die Lektüre des ersten Bandes von Marxens *Das Kapital* in französischer Übersetzung (1882) machen Shaw zum Sozialisten und Agitator: »From that hour I was a speaker with a gospel.« Doch auch ein Credo darf für Shaw keine eindeutige Fixierung bringen. Als führendes Mitglied der 1884 gegründeten Fabian Society entwirft er mit Sidney und Beatrice Webb, Sidney Oliver und anderen Programme für einen evolutionären, die Institutionen schrittweise reformierenden Sozialismus (*Essays in Fabian socialism* 1889). Der Fixierung entzieht sich Shaw auch als Buch-, Musik- oder Theaterkritiker, eine Tätigkeit, die er für ein gutes Dutzend Jahre (1885–1898) für verschiedene Zeitschriften ausübt. Er schafft sich *personae*, etwa als Corno di Bassetto oder G. B. S., um die konventionellen bürgerlichen Ideale und Institutionen witzig-polemisch attakkieren zu können. Er tritt konsequent und ikonoklastisch für das Neue ein, für die Impressionisten, für Wagner und Ibsen, nicht, weil diese das endgültig letzte Wort gesprochen haben, sondern weil sie das jeweils letzte Wort sprechen. Shaws lebenslange Auseinandersetzung mit Shakespeare ist unter diesem

Blickwinkel zu sehen: Auch die Kunst ist der Evolution unterworfen. Ihre Aufgabe ist eine aufklärerische, sozialkritische, reformerische. Das Theater ist für Shaw daher »a factory of thought, a prompter of conscience, an elucidator of social conduct, an armory against despair and dullness, and a temple of the Ascent of Man.« In drei großen Essays, *The quintessence of Ibsenism* (1891), *The perfect Wagnerite* (1898) und *The sanity of art* (1908), hat Shaw sein Programm formuliert.

Die objektivierende, dialogische Kunst des Dramas entspricht offensichtlich Shaws psychologischen und ideologischen Bedürfnissen. Er widmet sich ihr, als um 1890 mit Ibsenaufführungen und der Gründung des Independent Theatre durch J. T. Grein auch die praktischen Realisierungsmöglichkeiten für seine Art des Dramas vorliegen. Dieses verfolgt fabische Methoden: Shaw geht von traditionellen Gattungen, ihrem Personal, ihrer Thematik, ihren Konflikten aus, um dann die so dargestellte Welt vom Kopf auf die Füße zu stellen. Schock, Inversion, Paradoxie, Ironie und Diskussion sind hierbei seine Waffen. Die Illusionen der Figuren werden enthüllt; Desillusion (»heartbreak«), aus der wahre Erkenntnis resultieren kann, ist die Folge. Und die Zuschauer vollziehen den Erkenntnisprozeß der Figuren nach. So benützt sein erstes Drama, *Widowers' houses* (aufgeführt 1892), das Muster der *pièce bien faite*, *The devil's disciple* (verfaßt 1893/94) das des Melodramas; die Farce ist die Grundlage von *You never can tell* (verfaßt 1895/96), während das historische Drama in all seinen Variationen, von der episodischen *extravaganza* bis zur epischen Chronik, von *The man of destiny* (verfaßt 1895) bis *»In good King Charles's golden days«* von ihm vielfach revidiert worden ist.

Doch die witzige Aufklärung und realistisch-materialistische Reduktion bürgerlicher Ideale als Illusionen konnten Shaw nicht genügen: Wie → Ruskin und → Morris vor ihm sucht er die Vereinigung von Ästhetik und Ethik, ist seine Weltsicht auf Totalität gerichtet. Zudem bedürfen die Reform der Gesellschaft und die Evolution des Menschen eines Motivs, sollen sie nicht darwinistisch als soziale oder naturgeschichtliche Gesetzesmechanismen verstanden werden müssen. Im Anschluß an Lamarck und Samuel → Butler erdenkt sich Shaw in den neunziger Jahren seine Hypothese der kreativen Evolution. Nach ihr wirkt eine Macht, die »life force«, in der Natur. Sie strebt mit Hilfe der Methode von Versuch und Irrtum nach steter Höherentwicklung. Im Menschen wirkt sie als Wille, der ihn seiner

Natur gemäß und nicht nach vorgegebenen Konventionen handeln und ihn Höheres, den Übermenschen, erträumen läßt. Sie ist ein stets wirkender Impuls, folglich endlos – und entspricht damit Shaws Anforderungen an eine Welt-Anschauung, da sie den Charakter einer allumschließenden Religion hat und gleichzeitig nur als eine offene definiert werden kann. Wird eine solche Religion dramatisiert, so entstehen zwangsläufig offene Formen, die Tragik nur als Vergeudung menschlichen Potentials und als stets zu überwindende kennen, das Böse nur in der Form des Irrtums. Es sind Komödien im Sinne Dantes, von der Heiterkeit der Aufklärung getragen wie *Man and superman*, von der Trauer über die Langsamkeit der Evolution erfüllt wie *Heartbreak House* oder *Saint Joan*. Shaws Bibel, sein »metabiological pentateuch«, ist das fünfteilige Drama *Back to Methuselah*.

Es ist offensichtlich, daß sowohl Shaws gesellschafts- und ideologiekritische, reformerische Dramatik der neunziger Jahre wie die religiöse nach 1900 nur schwer ein verstehendes Publikum finden. Die ersten Dramen, *Widowers' houses* und, vom Zensor verboten, *Mrs. Warren's profession*, provozieren Skandale, die folgenden werden in England nicht aufgeführt. Mit fabischer Unbeirrbarkeit schreibt Shaw Jahr für Jahr weitere Stücke. Zum Durchbruch verhelfen ihm schließlich J.E. Vedrenne und Harley Granville-Barker während ihrer Zeit am Court Theatre (1904–1907). Sie beweisen die Aufführbarkeit der scheinbar nur rhetorisch konzipierten und ideologisch predigenden Stücke Shaws. Der Aufführung von *John Bull's other island* wohnt 1905 sogar der König, Eduard VII., bei. Shaws Ruhm und Reichtum mehren sich. Weder Ruhm noch Reichtum aber – 1925 erhält er den Nobelpreis für Literatur, alle anderen Ehrungen lehnt er ab – haben Shaws ikonoklastische und aufklärerische Bemühungen je gemindert. Inmitten des martialischen Chauvinismus des Ersten Weltkriegs veröffentlicht er – passend betitelt – *Common sense about the war* (1917) – und wird weithin sozial geächtet. Eine luzide Einführung in die Grundbegriffe der Gesellschafts- und Wirtschaftslehre erscheint als *The intelligent woman's guide to socialism and capitalism* (1928). Und im Alter von nahezu neunzig Jahren wiederholt er diese Vorstellungen in *Everybody's political what's what* (1944).

Längst schon hat jedoch Shaws Methode, seine Gesellschaftskritik witzig-ironisch vorzutragen und seine Welt-Anschauung höchst amüsant zu vermitteln, ihren Tribut gefordert: Sein Ruhm und Reichtum sind von der Einsicht überschattet, daß sich sein Publikum an der Form der Vermittlung zwar ergötzt, das zu Vermittelnde aber unberührt läßt. Der resignative Ton der späten Dramen wie *On the rocks* (1933) oder *Geneva* hat darin eine seiner Ursachen. Die Einsicht in diesen Prozeß sowie in die Langsamkeit des gesellschaftlichen und menschlichen Wandels läßt Shaw in den zwanziger Jahren zunehmend zum Bewunderer der effizienten Tat werden: Mussolini, Stalin, Hitler scheinen ihm zeitgemäße Vorformen des Übermenschen zu sein. Den Preis solcher Effizienz hat er nicht errechnet, das Scheitern der Täter freilich in *Geneva* unnachsichtig kritisiert. Bis an sein Lebensende sucht er Mittel und Wege, den Prozeß der Reform und Evolution in Gang zu halten. Das Publikum und auch die Literaturkritik aber bereiten ihm das Schicksal, das er immer scheute: Sie fixieren ihn als literarische Institution. (T)

Hauptwerke (Angabe der Dramen mit Entstehungsdatum): *The quintessence of Ibsenism* 1891. – *Mrs. Warren's profession* 1893. – *Arms and the man* 1893/94. – *Candida* 1894. – *Caesar and Cleopatra* 1898. – *Man and superman* 1901/02. – *Major Barbara* 1905. – *Getting married* 1907/08. – *Pygmalion* 1912. – *Heartbreak House* 1916/17. – *Back to Methuselah* 1918–1920. – *Saint Joan* 1923. – *The apple cart* 1928. – *The intelligent woman's guide to socialism and capitalism* 1928. – *Geneva* 1936. – *»In good King Charles's golden days«* 1938/39.

Bibliographien: D. H. Laurence, *Bernard Shaw. A bibliography*, 2 vols 1983. – J. P. Wearing und D. C. Habermann, *G. B. Shaw. An annotated bibliography of writings about him* 1986– .

Ausgaben: *The standard edition of the works*, 34 vols 1931–1951. – *The Bodley Head Bernard Shaw*, ed. D. H. Laurence: *Collected plays with their prefaces*, 7 vols 1970–1974; *Shaw's music*, 3 vols 1981. – *Collected letters*, ed. D. H. Laurence, 4 vols 1965–1988. – *The diaries*, ed. S. Weintraub, 2 vols 1986.

Übersetzungen: Einzelne Dramen übers. von A. und H. Böll, M. Walser, H. G. Michelsen et al. 1969– (Suhrkamp).

Biographie: A. Henderson, *George Bernard Shaw. Man of the century* 1956.

Sekundärliteratur: E. Bentley, *Bernard Shaw* 1967. – R. M. Ohmann, *Shaw. The style and the man* 1962. – M. Meisel, *Shaw and the nineteenth-century theater* 1963. – C. A. Carpenter, *Bernard Shaw and the art of destroying ideals* 1969. – D. Schwanitz, *George Bernard Shaw – künstlerische Konstruktion und unordentliche Welt* 1971. – M. M. Morgan, *The Shavian playground. An exploration of the art of George Bernard Shaw* 1972. – J. L. Wisenthal, *The marriage of contraries. Ber-*

nard Shaw's middle plays 1974. – R. F. Whitman, *Shaw and the play of ideas* 1977. – *The genius of Shaw. A symposium*, ed. M. Holroyd 1979. – A. Silver, *Bernard Shaw. The darker side* 1982. – W. S. Smith, *Bishop of everywhere. Bernard Shaw and the life force* 1982. – N. Grene, *Bernard Shaw. A critical view* 1984.

Percy Bysshe Shelley (1792–1822)

Shelley gehört zur Generation der jüngeren Romantiker und war einer ihrer begabtesten Dichter und vielseitigsten Autoren. Er verkörperte zudem wie wenige andere die rebellische Auflehnung dieser Generation, ihre Unruhe und ihren reformatorischen Eifer. Anders als der den *Cockney poets* zugerechnete → Keats kam er aus einem wohlhabenden Hause. Sein Vater war Parlamentsmitglied und reicher Landadliger in Sussex. Schon früh galt Shelley als eigensinnig und exzentrisch. Eton College (wo er »mad Shelley« hieß) und University College in Oxford erfüllten ihn mit Abneigung. Noch in Eton schrieb er einen Schauerroman (*Zastrozzi, a romance* 1810) und, zusammen mit seiner Schwester Elizabeth, *Original poetry by Victor and Cazire* (1810).

In Oxford schloß er Freundschaft mit Thomas Jefferson Hogg (1792–1862), der ihm bis zu seinem Tode verbunden blieb, seine Interessen teilte und wohl auch Shelleys Frauen nahestand. Mit Hogg verfaßte Shelley eine Streitschrift, *The necessity of atheism*, derentwegen beide von der Universität relegiert wurden, obwohl ihr Inhalt wesentlich eine Zusammenfassung von Argumenten → Lockes und → Humes war. Shelley überwarf sich dieserhalb mit seinem Vater und brannte, neunzehnjährig, mit der hübschen sechzehnjährigen Harriet Westbrook durch, die er trotz seiner Abneigung gegen die Ehe in Edinburgh heiratete. Das Paar führte zunächst ein unstetes Leben, teils im Lake District (wo eine Verbindung zu den älteren Romantikern nicht zustande kam), teils in Wales und Irland. Der dominante intellektuelle Einfluß auf Shelley kam von der radikalen und anarchistischen Philosophie William Godwins, der seinen Zenit bereits überschritten hatte und der Shelley finanziell ausnutzte.

Shelleys erstes großes Gedicht, *Queen Mab. A philosophical poem*, erschien 1813 als Privatdruck und war, in neun Gesängen, eine poetische Summe seiner Godwinschen Ideologie, dargeboten in einem an → Milton geschulten Blankvers. Vieles daran ist jugendlich unreif, anderes überraschend durchdacht, und die Anmerkungen, meist in sich geschlossene Essays über Themen wie Atheismus oder freie Liebe, verraten erhebliche Belesenheit. Das Gedicht wurde in radikalen Kreisen populär und erlebte zahlreiche Auflagen.

Harriet Westbrook, der es gewidmet war, entfremdete sich von Shelley und seinem Freundeskreis, zu dem der Naturapostel und Vegetarier John Frank Newton gehörte, der für Shelleys Entwicklung bedeutsame Dichter und Essayist Thomas Love Peacock sowie Harriet de Boinville und ihre feinsinnige Tochter Cornelia Turner. Shelleys neues weibliches Symbol wurde bald darauf die sechzehnjährige Tochter Mary (1797–1851) von William Godwin und der Frauenrechtlerin Mary Wollstonecraft. Mit ihr – »one who can feel poetry and understand philosophy« – und ihrer fünfzehnjährigen Stiefschwester (Claire Clairmont) unternahm Shelley eine Reise nach Frankreich und der Schweiz, deren literarischer Ertrag eine unvollendete Erzählung (*The assassins*) und eine gemeinsame *History of a six weeks' tour through a part of France, Switzerland, Germany and Holland* (1817) war. Nach erheblichen Wirren ließen sie sich in London nieder; Shelleys katastrophale finanzielle Situation verbesserte sich durch eine Erbschaft.

Das visionäre, von autobiographischen Elementen durchsetzte Gedicht *Alastor, or the spirit of solitude* (1816) ist, ungeachtet seiner exotischen Einkleidung, ein Rückblick auf diese Zeit der Zerrissenheit und wurde von Shelley als allegorisch präsentiert: »It represents a youth of uncorrupted feelings and adventurous genius led forth ... to the contemplation of the universe.« Es gilt als eines von Shelleys besten und vor allem als sein schönstes und ausdrucksvollstes Gedicht; zugleich als das Gedicht, in dem, richtungweisend, die Leitmotive seines dichterischen Schaffens erstmals zum Ausdruck kamen: »vision« und »pursuit«.

Die Unruhe in Shelleys Leben setzte sich fort. Im Mai 1816 begab er sich mit Mary und ihrer Stiefschwester nach Genf, wo sie mit → Byron in einem Ambiente literarischer Reminiszenzen an → Milton und Rousseau zusammen waren. Shelleys »Hymn to intellectual beauty« sollte dadurch ebenso inspiriert werden wie Marys *Frankenstein*. Nach der Rückkehr nach England, wo sich Shelley in Bath niederließ, erfuhr er vom Selbstmord seiner Frau Harriet. Bald darauf heiratete er Mary Wollstonecraft, und wenig später wurde eine Tochter (ihr zweites Kind) geboren, während Claire eine Tochter Byrons gebar. Daß ihm das Sorgerecht für seine beiden Kinder aus der Ehe mit Harriet abgesprochen wurde, traf Shelley hart und unerwartet.

Shelleys letztes Jahr in England (1817) war ein produktives Jahr. Leigh → Hunt, der ihn und Keats als »Young poets« im *Examiner* herausgestellt hatte, wurde sein Freund. Durch Peacock wurde er mit der antiken Literatur vertraut und dadurch zum »Klassizisten«. Sein längstes Gedicht entstand etwa um die gleiche Zeit wie Keats' *Endymion*: *Laon and Cythna, or the revolution in the Golden City. A vision of the nineteenth century*. Es ist ein episch-politisches Gedicht von zwölf Gesängen in traditionellen Stanzen und bietet eine stilisierte und idealisierte Version der französischen Revolution, transponiert in ein exotisches Milieu. Shelley bezeichnete es – in einer geschickten Vorrede – als »experiment on the temper of the public mind«. Veröffentlicht wurde es, nach einigen Revisionen, als *The revolt of Islam*. Gleichzeitig schrieb Mary Shelley ihren *Frankenstein, or the modern Prometheus*, ein Musterexemplar des »gotischen« Schauerromans, mehrfach verfilmt und häufig als der Beginn von *science fiction* angesehen.

Von Schulden und Krankheit bedrückt, ging Shelley mit seiner Familie im Frühjahr 1818 nach Italien. Eine Übersetzung von Platos *Symposion* war seine erste Arbeit. »Julian and Maddalo, a conversation«, ein fiktiver Versdialog zwischen ihm und Byron über den freien Willen und religiöse Probleme, schloß sich an wie auch eine Reihe von kleineren Gedichten. Überdies begann er *Prometheus unbound*, das er unter familiären Spannungen und Belastungen (so dem Tod beider Kinder) zu Ende brachte. Das vieraktige lyrische Drama, dessen zentrale Idee die prometheische »Befreiung« ist, verbindet viele Formen und Versmaße. Es ist von komplexer Symbolik und will »beautiful idealisms of moral excellence« bieten. Shelleys Vorrede über die Funktion und Bedeutung der Dichtung weist auf seine *Defence of poetry* voraus.

Das Drama (1820 mit anderen Gedichten veröffentlicht) steht am Anfang des produktivsten Abschnitts von Shelleys Schaffen. Einige seiner bekanntesten Gedichte entstanden etwa gleichzeitig, so »The mask of anarchy«, eine Ballade des Protests gegen politische Vorgänge in England; die berühmte »Ode to the West Wind«; die Satire »Peter Bell the Third«, eine Parodie auf

Wordsworth, und kleinere wohlbekannte Gedichte wie »To a skylark«. Innerhalb kurzer Zeit schrieb Shelley *The Cenci*, ein »realistisches« Drama, das trotz seiner melodramatischen Elemente vielleicht als größte Tragödie der Epoche gelten kann. Shelley nahm sich Calderón und wohl auch → Shakespeare zum Vorbild, doch seine Hoffnung auf eine Aufführung in England zerschlug sich, obwohl das Drama als einziges seiner Werke zu seinen Lebzeiten eine zweite Auflage erlebte.

Für längere Zeit wohnte Shelley in Pisa, und hier entstanden zwei seiner wichtigsten Prosawerke: *A philosophical view of reform* (erst 1920 veröffentlicht), das radikale Reformen propagiert, aber eine eher evolutionäre als revolutionäre Entwicklung empfiehlt; und *The defence of poetry* (posthum 1840 veröffentlicht), ein locker gefügter Essay über die Aufgabe der Dichtung und, in einem fast Coleridgeschen Sinne, über die schöpferische Kraft und die moralische Funktion der Imagination, besonders in einer zunehmend rationalen Welt.

Keats' Tod erschütterte Shelley, und er brachte seine Trauer in *Adonais* (1821), einer pastoralen Elegie, zum Ausdruck. Sie ist weniger ein persönliches Gedicht als eine stilisierte Klage nach klassischen griechischen Vorbildern in Anlehnung an Miltons *Lycidas*. Shelley betrachtete das Gedicht als sein bestes. Ob hingegen, wie häufig behauptet wird, *Epipsychidion*, ein um die gleiche Zeit entstandenes autobiographisches Gedicht über Shelleys Suche nach dem im Weiblichen symbolisierten ewig Schönen, das bedeutendste Liebesgedicht der englischen Literatur ist, muß offenbleiben. Shelley richtete es an Teresa Emilia Viviani, die sein drittes weibliches Idol war. Shelley arbeitete an einem weiteren großen Gedicht, *The triumph of life*, als ihn der Tod ereilte. Er hatte Byron aufgesucht, um mit ihm und Leigh Hunt über die Mitarbeit an einem neuen Periodikum zu sprechen. Auf der Rückfahrt kenterte seine Segelyacht.

Shelleys Statur hat sich, wie auch die anderer Romantiker, erst der Nachwelt voll erschlossen. Er gilt heute nicht mehr nur als lyrischer Dichter, sondern auch als Dramatiker und Satiriker, und darüber hinaus als bedeutender Dichtungstheoretiker. Doch wie bei so vielen Autoren der Epoche blieb auch bei ihm manches Ansatz ohne Vollendung und Hoffnung ohne Erfüllung. (F)

Hauptwerke: *Queen Mab. A philosophical poem, with notes* 1813. – *Alastor. Or the spirit of solitude, and other poems* 1816. – *The revolt of*

Islam. A poem 1818. – *The Cenci. A tragedy* 1819. – *Prometheus unbound. A lyrical drama* 1820. – *Adonais. An elegy on the death of John Keats* 1821. – *Epipsychidion. Verses addressed to the noble and unfortunate lady V–* 1821. – *A philosophical view of reform* 1820 (posthum 1920). – *A defence of poetry* 1821 (posthum 1840). – *Posthumous poems*, ed. Mary Shelley 1824.

Bibliographien: H.B. Forman, *The Shelley library. An essay in bibliography* 1886 (repr. 1970, 1975). – K.K. Engelberg, *The making of the Shelley myth. An annotated bibliography of criticism 1822–1860* 1988. – C. Dunbar, *A bibliography of Shelley studies, 1823–1950* 1976.

Ausgaben: *The complete works* (Julian edition), ed. R. Ingpen und W.E. Peck, 10 vols 1926–1930 (repr. 1965). – *The complete poetical works*, ed. N. Rogers 1972– . – *Shelley's prose or the trumpet of a prophecy*, ed. D.L. Clark 1954 (repr. 1969). – *The letters*, ed. F.L. Jones, 2 vols 1964.

Übersetzung: *Die Maske der Anarchie. Sieben Gedichte*, übers. von R. Harbaum 1985 (Altaquito).

Biographien: N.I. White, *Shelley*, 2 vols (1940) 1947. – N.I. White, *Portrait of Shelley* 1959.

Sekundärliteratur: C. Grabo, *A Newton among poets. Shelley's use of science in Prometheus unbound* 1930 (repr. 1968). – C. Baker, *Shelley's major poetry. The fabric of a vision* (1948) 1961. – K. N. Cameron, *The young Shelley. Genesis of a radical* 1950 (repr. 1980). – E.R. Wasserman, *Shelley's Prometheus unbound. A critical reading* 1965. – E.J. Schulze, *Shelley's theory of poetry. A reappraisal* 1966. – S. Reiter, *A study of Shelley's poetry* 1967. – N. Rogers, *Shelley at work. A critical inquiry* (1956) 1967. – G. McNiece, *Shelley and the revolutionary idea* 1969. – E.R. Wasserman, *Shelley. A critical reading* 1971. – J. Chernaik, *The lyrics of Shelley* 1972. – T. Webb, *The violet in the crucible. Shelley and translation* 1976. – P.M.S. Dawson, *The unacknowledged legislator. Shelley and politics* 1980. – M.H. Scrivener, *Radical Shelley. The philosophical anarchism and utopian thought of Percy Bysshe Shelley* 1982. – A. Leighton, *Shelley and the sublime. An interpretation of the major poems* 1984. – R. Tetreault, *The poetry of life. Shelley and literary form* 1987.

Richard Brinsley Sheridan (1751–1816)

Wenige Dramatiker dürften einer kürzeren literarischen Karriere größeren Ruhm verdanken als Sheridan, dessen *School for scandal* einen sicheren Platz im Kanon der englischen Literatur hat. Sheridan selbst wollte indessen nicht in erster Linie als Literat im Gedächtnis der Nachwelt weiterleben, wie sich denn auch der größere Teil seines Lebens außerhalb der literarischen

Sphäre abspielte. Er war irischer Herkunft und besuchte in Harrow die Schule. Von seinen Eltern her (der Vater, Thomas Sheridan, war Schauspieler und Autor, die Mutter, Frances, schrieb Romane und Bühnenstücke) lag ihm das Theater im Blut, obwohl er sich, wie viele Literaten, zunächst einem Rechtsstudium zuwandte. In Bath, wo sein Vater Beredsamkeit unterrichtete, lernte er Elizabeth Linley, eine Sängerin, kennen, mit der er nach Frankreich floh, um sie vor den Nachstellungen eines Verehrers zu bewahren. Nach Irrungen und Wirrungen, die unter anderem zu einer schweren Verwundung Sheridans in einem Duell führten, heiratete er Miss Linley, und das Paar lebte danach in London.

Sheridans erste Komödie, *The rivals*, kam 1775 auf die Bühne, fiel durch, wurde in revidierter Fassung wieder aufgeführt und ist seither ein populäres Stück. Sheridan schuf damit keinen neuen Typ von Komödie, doch er vereinte die traditionellen Elemente mit solcher Perfektion, daß seine Leistung ebenbürtig neben die → Congreves tritt. Durch Charaktere wie den von Mrs. Malaprop (von französisch *mal à propos*), deren sprachliche Fehlleistung als Malapropismus sprichwörtlich geworden ist, gewinnt die Komödie einen den Zuschauer mitreißenden Schwung, und die pointierte Leichtigkeit des Dialogs hat vor und nach Sheridan kaum ihresgleichen.

Sheridan war damit als Bühnenautor etabliert, und es gelang ihm im gleichen Jahr noch zweimal, seinen Erfolg zu wiederholen. Mit *St. Patrick's day; or the scheming lieutenant* brachte er eine zweiaktige, leichtgewichtige, aber gefällige Farce auf die Bühne, die anspruchslose Unterhaltung bot; mit *The duenna, or the double elopement*, einer Art komischen Singspiels (von Sheridan als komische Oper bezeichnet), zu dem sein Schwiegervater und vor allem sein Schwager (Thomas Linley senior und junior) die Musik schrieben, entstand ein Stück von eingängiger Komik und ebenso eingängiger Musik. Sheridan griff auch hier bei Charakteren und Handlung auf bewährte Elemente der Komödie zurück. Die Komponisten verwendeten großenteils populäre Melodien, auf die sie ihre eigenen Songs abstimmten, wie die Oper überhaupt von Sheridan überaus sorgfältig geplant war. Obwohl in vieler Hinsicht ein *pasticcio*, empfanden Zeitgenossen und Nachwelt, wie William → Hazlitt es formulierte, *The duenna* als »a perfect work of art«.

Nach der Übernahme von David → Garricks Anteil am Drury Lane Theatre wurde Sheridan Manager des Theaters und führte dort mit Garricks Unterstützung und einer vorzüglichen Besetzung seine *School for scandal* auf, eine der großen Komödien der englischen Literatur. Sheridan vereinigte darin zwei unvollendete Entwürfe zu einem Stück, das ebenso aus effektvoll entworfenen Kontrastcharakteren lebt wie aus einer komplexen, doch meisterhaft geführten Handlung. Die Komödie wird häufig als moralisch leichtgewichtig kritisiert. Dabei wird meist die schwerelose, gleichwohl entlarvende Satire übersehen, mit der Sheridan, darin → Fielding vergleichbar, Schein und Wirklichkeit enthüllt und die Schwächen und Torheiten der zeitgenössischen Gesellschaft auf zeitlose Weise bloßstellt.

The critic, or a tragedy rehearsed ist gleicherweise Komödie und literarische Burleske, eine Parodie auf die Theaterpraxis der Zeit wie auf das sentimentale Drama als populäre literarische Form der Epoche. Es ist kein voll ausgeführtes Stück und setzt wegen seiner literarischen Zeitbezogenheit entsprechende Kenntnisse beim Zuschauer voraus, so daß es trotz seiner Qualitäten heute selten aufgeführt wird.

Die Theatererfolge brachten Sheridan gesellschaftliches Ansehen in höchsten Kreisen. Auf Vorschlag von Samuel → Johnson wurde er in den Literary Club gewählt. Sein Interesse an politischen Reformen führte zu seiner Wahl ins Parlament (1780), die den Beginn einer über dreißigjährigen politischen Karriere bedeutete. Er war neben Edmund Burke der gefeiertste politische Redner seiner Zeit und lange ein vertrauter politischer Berater des Prince of Wales. Verschiedene höhere politische Ämter übte er allerdings mit wenig Erfolg aus, wie er auch Schwierigkeiten mit der Leitung des Drury Lane Theatre hatte. Der notwendige Neubau des Theaters in den neunziger Jahren stürzte ihn über seine häufigen Geldnöte hinaus in Schulden, die durch eine Bearbeitung eines Dramas von Kotzebue (aufgeführt 1799) nur kurz gemildert wurden. Der Brand des Theaters (1809) bedeutete seinen Ruin. Sheridans letzte Jahre waren trotz der Hilfe von Freunden trostlos. Er wurde in Westminster Abbey würdevoll bestattet, allerdings nicht neben Charles James Fox, wo er als Politiker bestattet werden wollte, sondern neben David → Garrick, als dessen Erben ihn Mitwelt und Nachwelt betrachteten. (F)

Hauptwerke: *The rivals* 1775. – *The duenna* 1775. – *The school for scandal* 1777. – *The critic, or a tragedy rehearsed* 1779.

Bibliographien: I. A. Williams in *Seven XVIIIth-century bibliogra-*

phies 1924. – J.D. Durant, *Richard Brinsley Sheridan. A reference guide* 1981.

Ausgaben: *The plays and poems*, ed. R. Crompton Rhodes, 3 vols 1928 (repr. 1962). – *The dramatic works*, ed. C. Price, 2 vols 1973. – *The letters*, ed. C. Price, 3 vols 1966.

Übersetzung: *Die Lästerschule* (englisch-deutsch) 1973 (Reclam).

Biographie: J. Morwood, *The life and works of Richard Brinsley Sheridan* 1985.

Sekundärliteratur: J. Loftis, *Sheridan and the drama of Georgian England* 1976. – M.S. Auburn, *Sheridan's comedies. Their contexts and achievements* 1977. – S. Ayling, *A portrait of Sheridan* 1985.

Philip Sidney (1554–1586)

Sidney war es in seinem kurzen Leben nicht vergönnt, seine hochfliegenden politischen Pläne zu verwirklichen. Der ehrgeizige Höfling und Diplomat, der die europäische Politik mitgestalten wollte, mußte sich stets mit bedeutungslosen Ehrenämtern am Hofe Elisabeths begnügen. Trotz dieses Scheiterns wurde er zum bewunderten Leitbild seiner Epoche und als Dichter und Theoretiker zu einer der bedeutendsten Gestalten der Renaissanceliteratur.

Sidney wurde als Sohn des Lord President von Wales und späteren Lord Deputy von Irland geboren. Seine Familie hatte verwandtschaftliche Verbindungen zum Hochadel. Nach dem Besuch der Lateinschule in Shrewsbury und der Universität Oxford (1568–1572), die er ohne akademischen Grad verließ, reiste er zunächst nach Paris. Dort lernte er den Hugenotten Hubert Languet kennen, mit dem ihn eine lebenslange Freundschaft verband und der auf seine politischen und religiösen Anschauungen großen Einfluß nahm. Später besuchte er Italien, Deutschland und Österreich, wo er am Kaiserhof in Wien weilte. Durch seine umfassende Bildung, seine Frömmigkeit und sein liebenswürdiges und gewandtes Wesen beeindruckte er viele Diplomaten und Politiker, die erwarteten, daß er eine führende Rolle im politischen Protestantismus Europas übernehmen würde. 1575 nach England zurückgekehrt, erhielt er am Hof jedoch nicht die gewünschte Anerkennung. Sein entschiedenes Eintreten für eine Teilnahme Englands an den kontinentalen Auseinandersetzungen kamen der Königin, die England aus den Kämpfen auf dem Kontinent heraushalten wollte, ungelegen.

Auch die Verteidigung seines Vaters und dessen irischer Reformpolitik förderte nicht die Neigung der Monarchin, dem ehrgeizigen Höfling verantwortungsvolle Ämter zu übertragen. 1576 wurde Sidney als Gesandter nach Deutschland geschickt, wo er sich erneut für die Bildung einer protestantischen Liga einsetzte, worauf er von Elisabeth zurückbeordert wurde. Da er auch weiterhin kein Staatsamt erhielt, konnte er sich ganz seinen literarischen Neigungen widmen.

Um 1578/79 versammelte Sidney Dichter und Gelehrte um sich, um mit ihnen literaturtheoretische Fragen zu diskutieren. Dem Areopagus, wie sich die Gruppe nannte, gehörten unter anderem Edmund → Spenser, Gabriel Harvey und Fulke Greville an. 1580, als Sidney für kurze Zeit vom Hof verbannt war, weil er sich gegen den Plan einer Heirat der Königin mit dem Herzog von Alençon ausgesprochen hatte, begann er auf dem Landsitz seiner Schwester Mary, der Gräfin Pembroke, mit der ersten Fassung der Prosaromanze *Arcadia,* einer abenteuerlichen Liebesgeschichte nach dem Vorbild Sannazarros. Etwa vier Jahre später unterzog er das Werk einer gründlichen Revision, einmal, um ihm die Form episch-heroischer Dichtung zu verleihen, zum anderen, um in der episodenreichen Geschichte seine politischen und erzieherischen Ansichten zu formulieren. Die Neufassung, die zwölf Bücher umfassen sollte, gedieh jedoch nur bis zum dritten Buch. Zwischen 1581 und 1583 verfaßte er, angeregt durch *The school of abuse* (1579), eine ihm gewidmete Schmähschrift gegen Dichtung und Theater des Puritaners Stephen Gosson, den berühmten, elegant geschriebenen Essay *An apology for poetrie* oder, wie sein anderer Titel lautet, *The defence of poesie,* der erst 1595 im Druck erschien. Mit dieser Schrift, in der Sidney auf der Grundlage der aristotelischen Poetik die Würde, den moralisch-erzieherischen Wert und den Vorrang der Dichtung vor Philosophie und Geschichtsschreibung verteidigt, beginnt die systematische Diskussion über das Dichtungsverständnis in England.

Der erste große englische Sonettzyklus, *Astrophel and Stella* (1581–1583), stammt ebenfalls von Sidney. Die Figur Astrophel ist dabei mit zahlreichen biographischen Anspielungen auf sein eigenes Leben ausgestattet; Vorbild Stellas ist Penelope Devereux, die 1581 Lord Rich heiratete. In 108 Sonetten beschreibt Sidney die heftige Leidenschaft eines Höflings und Dichters für die tugendhafte Stella, die diesen in heftige Gewissenskonflikte und Verunsicherung stürzt. Der Zyklus endet in

Verzweiflung und Verzicht. 1591 zum ersten Mal gedruckt, löste dieser Sonettzyklus, in dem die petrarkistischen Traditionen völlig selbständig und originell adaptiert und die englische Sprache mit einer bis dahin nicht gekannten Eleganz verwendet und zum Ausdruck einer reichen Gefühlswelt verfeinert werden, eine Sonettmode aus, die eine Fülle von Zyklen erscheinen ließ. Neben seinen zahlreichen lyrischen Gedichten, in denen er die mühelose Beherrschung einer Vielzahl von Formen und Metren demonstrierte, schuf Sidney auch eine metrische Psalmenübersetzung.

Als sich Pläne des verschuldeten Sidney zerschlugen, mit Sir Francis Drake an dessen lukrativen Expeditionen teilzunehmen, wurde er von der Königin zum Gouverneur von Flushing ernannt, einer englischen Festung in den Niederlanden. Bei einem Kampf mit spanischen Truppen wurde er tödlich verwundet. Sidney, der schon zu Lebzeiten von vielen als vollkommener Gentleman bewundert wurde, weil er als Höfling, Diplomat, Dichter, Sportsmann und Soldat gesellschaftliche Gewandtheit und umfassende Bildung mit tiefer Religiosität verband und damit dem humanistischen Leitbild der Epoche entsprach, erfuhr nach seinem heroischen Tod eine Apotheose. In zahlreichen Elegien wurde sein früher Tod beklagt und seine Person als Vorbild gewürdigt.

Auf die Literatur hatte er einen bedeutenden Einfluß. Seine *Arcadia* rief nicht nur zahlreiche Nachahmungen hervor, sondern diente auch als Quelle für das Drama. Seine dichtungstheoretische Schrift behandelt zum ersten Mal in England Dichtung nicht mehr nur als kunstgerechte Verfertigung von Texten nach rhetorischen Regeln, sondern versucht in systematischer Darlegung Wesen, Wirkung und Wert der Dichtung zu bestimmen. In seiner Lyrik demonstrierte er exemplarisch, wie man in schöpferischer Auseinandersetzung mit den kontinentalen Vorbildern die englische Sprache als geschmeidiges und elegantes Ausdrucksinstrument handhaben kann. (W)

Hauptwerke: *Arcadia* 1580–1584. – *The defence of poesie* 1595. – *Astrophel and Stella* 1581–1583.

Bibliographie: M. A. Washington, *An annotated bibliography of modern criticism 1941–1970* 1972.

Ausgaben: *The poems*, ed. W.A. Ringler, Jr. 1962. – *The prose works*, ed. A. Feuillerat, 4 vols 1912 (repr. 1962).

Übersetzungen: *Arcadia*, übers. von Valentin Theocrit von Hirschberg 1630 (repr. Minerva). – *Arcadia* 1643 (repr. Olms 1971).

Biographien: M. W. Wallace, *The life of Sir Philip Sidney* (1951) 1967. – J. M. Osborn, *Young Philip Sidney (1572–1577)* 1972.
Sekundärliteratur: K. Myrick, *Sir Philip Sidney as a literary craftsman* 1935. – J. Buxton, *Sir Philip Sidney and the English Renaissance* 1954. – R. L. Montgomery, Jr., *Symmetry and sense. The poetry of Sir Philip Sidney* 1961. – N. L. Rudenstine, *Sidney's poetic development* 1967. – J. S. Lawry, *Sidney's two Arcadias. Pattern and proceeding* 1972. – J. G. Nichols, *The poetry of Sir Philip Sidney. An interpretation in the context of his life and times* 1974. – R. C. McCoy, *Sir Philip Sidney. Rebellion in Arcadia* 1979. – L. Cerny, *Beautie and the use thereof. Eine Interpretation von Sir Philip Sidneys Arcadia* 1984. – *Sir Philip Sidney and the interpretation of Renaissance culture. The poet in his time and in ours. A collection of critical and scholarly essays*, ed. G. F. Waller und M. D. Moore 1984. – A. F. Kinney (ed.), *Essential articles for the study of Sir Philip Sidney* 1986.

Alan Sillitoe (geb. 1928)

Alan Sillitoe ist einer der vielseitigsten Autoren, die aus der Arbeiterklasse hervorgegangen sind und in der zweiten Hälfte des 20. Jahrhunderts die literarische Szene Englands bestimmt haben. Sein Werk umfaßt Romane, Kurzgeschichten, Dramen, Lyrik, eine Reisebeschreibung und schließlich auch Kindergeschichten. Berühmt wurde er Ende der fünfziger Jahre mit seinem ersten Roman *Saturday night and Sunday morning* (1958) und mit der Titelgeschichte der *short story*-Sammlung *The loneliness of the long-distance runner* (1959). Insbesondere in seinen Erstlingsroman konnte Sillitoe autobiographisches Material einbringen: Er wurde in Nottingham geboren und arbeitete nach dem Schulbesuch von 1942 bis 1946 in mehreren Fabriken. Danach leistete er bei der Royal Air Force in Malaya seinen Wehrdienst ab; als er in die Heimat zurückkehrte, stellte man bei ihm eine Tuberkulose fest. Die Jahre 1952 bis 1958 verbrachte er zusammen mit seiner späteren Frau, der amerikanischen Lyrikerin Ruth Fainlight, vorwiegend in Frankreich und Spanien. 1954 lernte er auf Mallorca Robert Ranke Graves kennen, der ihn dazu ermutigte, über das Leben in seiner Heimat Nottingham zu schreiben.

Saturday night and Sunday morning ist zu den neopikaresken Romanen gerechnet worden, wie sie von den Angry Young Men verfaßt wurden. Aber im Gegensatz zu den Protagonisten dieser Romane gehört Arthur Seaton der Arbeiterklasse an, und Sillitoe versteht es auch, das Milieu einer Fahrradfabrik mit den monotonen Arbeitsvorgängen und den permanenten Konflikten zwischen Arbeitern (»us«) und Vorgesetzten (»them«) zu beschreiben. Der Geist des anarchistischen Widerspruchs, der bei Arthur in seinem Verhältnis zum Establishment und insbesondere in seinen vielfältigen amourösen Abenteuern am Wochenende zu beobachten ist, kommt bei Colin Smith, dem Helden der Kurzgeschichte »The loneliness of the long-distance runner«, weit stärker zum Ausdruck. Smith kommt nach einem Einbruch in eine Erziehungsanstalt und erweist sich dort als ein vorzüglicher Langstreckenläufer, auf den der Direktor stolz ist. Aber Smith enttäuscht die Erwartungen des Anstaltsleiters und läßt beim jährlichen Sportfest einen anderen Läufer gewinnen. Obwohl Smith damit seine frühe Entlassung verscherzt, bedeutet die sportliche Niederlage für ihn einen moralischen Erfolg.

Der Roman *The general* (1960) berichtet von dem Wagemut eines Generals, der gegen höhere Anweisung Orchestermitglieder, die dem Tod ausgeliefert werden sollen, rettet, auch wenn dies für ihn Nachteile mit sich bringt. Mit dem militärischen Lebensstil setzte sich Sillitoe noch einmal in den siebziger Jahren in dem Roman *The widower's son* (1976) auseinander, in dem der Ausbruch des William Scorton aus der Armee geschildert wird.

In dem 1961 erschienenen Roman *Key to the door* erzählt Sillitoe von Brian Seaton, der seinem Bruder Arthur aus *Saturday night and Sunday morning* intellektuell überlegen ist. Hier verarbeitete Sillitoe Eindrücke aus seiner Militärzeit in Malaya. Während er in diesem Roman eine eindeutig pro-kommunistische Einstellung zeigte, wandelte sich sein Standpunkt zumindest gegenüber der Sowjetunion in den folgenden Jahren erheblich. Positiv ist seine Einstellung zunächst noch in *Road to Volgograd* (1964), einem Reisebericht, den er im Anschluß an einen Besuch in Rußland und in der Tschechoslowakei verfaßte. 1967 jedoch zeigte er sich enttäuscht über den geringen Freiheitsspielraum, der sowjetischen Künstlern zugebilligt wurde, und 1968 sowie in den siebziger Jahren übte er an der russischen Einstellung zu Minoritäten, insbesondere zu den Juden, scharfe Kritik.

Von Sillitoes Sympathie für Unterdrückte zeugt auch der Kurzgeschichtenband *The ragman's daughter* (1963), der wegen seiner großen erzählerischen Meisterschaft von der Kritik besonders positiv aufgenommen wurde. 1965 brachte Sillitoe mit *The death of William Posters* den ersten Teil einer Trilogie heraus, die sich erneut mit den gesellschaftlichen Verhältnissen in Nottingham befaßt. Der Protagonist Frank Dawley ist ein »Aussteiger«, der Beruf und Familie aufgibt und sich zum Revolutionär entwickelt. In *A tree on fire* (1967) wird von den Kämpfen berichtet, an denen Dawley auf seiten der algerischen Rebellen in der Wüste teilnimmt. Später plant er den Aufbau eines utopischen Gemeinwesens; weshalb dieser Plan scheitert, zeigt der Roman *The flame of life* (1974). Mit dem Roman *A start in life* (1970) kehrte Sillitoe zum pikaresken Roman zurück und schilderte die Erlebnisse von Michael Cullen, die ihm in Nottingham und London zuteil werden. Mit *Travels in Nihilon* (1971) lieferte Sillitoe seine Variante einer Anti-Utopie. Der Name Nihilon verrät bereits, daß er eine Welt darstellt, in der der Nihilismus, die Verachtung aller traditionellen Werte, herrscht.

Die Existenzprobleme eines Schriftstellers, bei dem die reale Lebenswelt und die von ihm erschaffene Phantasiewirklichkeit ineinander übergehen, beschreibt der Roman *The storyteller* (1979). Während Sillitoe in seinen Anfängen mit der Beziehung des Individuums zur äußeren, gesellschaftlichen Wirklichkeit befaßt war, konzentriert er sich in den späten Werken auf die Problematik der inneren Wirklichkeit, auf die Spannungen im Bewußtsein des einzelnen, auf Schizophrenie und Identitätsverlust. Die stark autobiographische Schrift *Raw material* (1972) gibt Aufschlüsse über die persönlichen, insbesondere familiengeschichtlichen Voraussetzungen von Sillitoes schriftstellerischer Existenz. (E)

Hauptwerke: *Without beer or bread* 1957. – *Saturday night and Sunday morning* 1958. – *The loneliness of the long-distance runner* 1959. – *The general* 1960. – *The rats and other poems* 1960. – *Key to the door* 1961. – *The ragman's daughter* 1963. – *Road to Volgograd* 1964. – *The death of William Posters* 1965. – *A tree on fire* 1967. – *The city adventures of Marmalade Jim* (1967) 1977. – *A start in life* 1970. – *Travels in Nihilon* 1971. – *Poems* (mit → Hughes und R. Fainlight) 1971. – *Raw material* (1972) 1979. – *The flame of life* 1974. – *Storm. New poems* 1974. – *Mountains and caverns* 1975. – *The widower's son* 1976. – *Three plays* 1978. – *The storyteller* 1979. – *Snow on the north side of Lucifer* 1979. – *Marmalade Jim at the farm* 1980. – *The Saxon shore way. From Gravesend to Rye* (mit F. Godwin) 1983. – *Sun before departure. Poems 1974 to 1982* 1984. – *Marmalade Jim and the fox* 1984. – *Out of the whirlpool* 1987.

Bibliographie: R. J. Stanton, *A bibliography of modern British novelists* 1978.

Übersetzungen: *Die Einsamkeit des Langstreckenläufers*, übers. von G. Klotz 1967, 1981 (Diogenes). – *Samstag Nacht und Sonntag Morgen*, übers. von G. v. Uslar 1967 (Rowohlt), 1970, 1976 (Diogenes). – *Der Tod des William Posters*, übers. von P. Naujack 1969, 1982 (Diogenes). – *Ein Start ins Leben*, übers. von G. Eichel und A. von Cramer-Klett 1971, 1978 (Diogenes). – *Nihilon*, übers. von F. Güttinger 1973 (Diogenes). – *Gesammelte Erzählungen*, 5 Bde 1981 (Diogenes). – *Der Sohn des Witwers*, übers. von P. Naujack 1981 (Diogenes). – *Der brennende Baum*, übers. von P. Naujack 1982 (Diogenes). – *Die Flamme des Lebens*, übers. von H. Neves 1982 (Diogenes). – *Der Mann, der Geschichten erzählte*, übers. von H. Neves 1983, 1987 (Diogenes).

Sekundärliteratur: R. D. Vaverka, *Commitment as art. A Marxist critique of a selection of Alan Sillitoe's political fiction* 1978. – S. S. Atherton, *Alan Sillitoe. A critical assessment* 1979. – I. v. Rosenberg, *Alan Sillitoe. Saturday night and Sunday morning* 1984.

John Skelton (ca. 1460–1529)

Skelton war der letzte Dichter des 16. Jahrhunderts, der seine Werke kraftvoll und eigenwillig aus spätmittelalterlichen Traditionen gestaltete, die im Zuge der humanistischen Neuorientierung sehr bald der Ablehnung verfielen. Skeltons Ruhm gründete deshalb lange Zeit vor allem auf witzigen Anekdotensammlungen, in denen seine farbige Persönlichkeit fortlebte. In Diss (Norfolk) geboren, besuchte er Oxford und Cambridge und war dann für einige Jahre Tutor von Prinz Heinrich, dem späteren Heinrich VIII. Nach seiner Priesterweihe erhielt er die Pfarrei in seinem Geburtsort. Wegen seiner Satiren auf den mächtigen Kardinal Wolsey war er gezwungen, vor dessen Häschern Zuflucht im Kirchengebiet von Westminster zu suchen. Skelton war als Dichter, Übersetzer und Gelehrter tätig, der in Englisch und Latein eine Vielzahl von Werken schrieb, von denen viele verlorengegangen sind.

Seine Dichtungen stehen unter dem Einfluß der antiken und der mittelalterlichen Literatur; zu seinen Vorbildern gehören Juvenal und Catull ebenso wie → Chaucer, Gower und Lydgate. Als orthodoxer, konservativer Katholik stand er allerdings den radikalen humanistischen und reformatorischen Strömungen ablehnend gegenüber. Neben den spätmittelalterlichen Strophenformen verwandte Skelton vor allem die von ihm erfundenen *Skeltonics*, zu unregelmäßigen Reimserien verbundene zwei- bis dreihebige Kurzzeilen, die einen holprigen, atemlosen Sprechrhythmus erzeugen. Sie trugen ihm den Spottnamen »helter-skelter John« ein.

Zu seinen bekanntesten Gedichten zählen *Philip Sparrow* (um 1508), eine *mock elegy* auf den Tod eines Spatzen. In ihr werden Teile der kirchlichen Totenliturgie, homerischer Stil, mittelalterliche Erzählformen, lateinische Verse und englische *Skeltonics* bunt vermischt. *The tunning of Elinor Rumming* (1509) beschreibt in der Manier Breughels eine unappetitliche Bierbrauerin und ihre häßlichen Freundinnen beim Saufgelage. Gegen Mißstände am Hof schrieb er *The bowge of Court*, eine Satire in Form einer Traumallegorie. Mit *Colin Clout* (um 1519) setzen Skeltons Satiren auf Kardinal Wolsey ein, in dessen Machtgier und Egoismus er die Ursachen für die kirchlichen und sozialen Mißstände in England sah. *Speak, Parrot!* (um 1520) und *Why come ye not to Court* (1522/23) sind weitere Attacken auf den Kardinal, die zu den schärfsten Satiren des 16. Jahrhunderts zählen. Von Skelton ist auch das allegorische Drama *Magnificence* erhalten, ein politisches *morality play*, in dem es nicht mehr um Verdammung und Erlösung eines Jedermann geht, sondern um gute und gerechte Staatsführung. Im Säkularisierungsprozeß des Dramas markiert es deshalb eine wichtige Station.

In *Garland of Laurel* (um 1520) hat Skelton seinem eigenen Werk ein Denkmal gesetzt, und sowohl Oxford als auch Cambridge verliehen ihm den Titel eines *poeta laureatus*. Während Erasmus noch seine Gelehrsamkeit pries, wurden seine Dichtungen im Humanismus und Klassizismus mit Spott bedacht. Für Alexander → Pope war er »beastly Skelton«. Erst im 20. Jahrhundert wurde die Originalität dieses Dichters wieder erkannt, der in einer Zeit literarischer Neuorientierung sich aus den verschiedensten Traditionen eigene Ausdrucksformen zu schaffen vermochte. (W)

Ausgabe: *Complete poems*, ed. P. Henderson 1931, rev. ed. 1948.

Biographien: W. Nelson, *John Skelton laureate* 1939. – H. L. R. Edwards, *Skelton, the life and times of an early Tudor poet* 1949.

Sekundärliteratur: A. R. Heiserman, *Skelton and satire* 1961. – M. Pollet, *John Skelton* 1962. – S. E. Fish, *John Skelton's poetry* 1965. – A. F. Kinney, *John Skelton priest as poet. Seasons of discovery* 1987.

Tobias George Smollett (1721–1771)

Ärzte als Literaten sind im 18. Jahrhundert nicht selten, und Smollett ist der bedeutendste unter ihnen. Er kam früher zum Roman als die anderen großen Romanciers der Epoche, aber auch für ihn war es nicht das erste literarische Genre, in dem er sich versuchte. Smollett war Schotte, in Dumbartonshire als Sproß einer lokal angesehenen und einflußreichen Familie geboren, und erhielt an der Universität Glasgow eine medizinische Ausbildung. Nach einer abgebrochenen Famulatur machte er sich, achtzehnjährig, nach London auf mit einer Tragödie in der Tasche, die allerdings für eine Aufführung zu schlecht war. Smollett verdingte sich als Schiffsarzt und hielt sich einige Zeit in Westindien auf, ehe er in London eine Praxis eröffnete, die ihm aber wohl nur mäßige Einkünfte brachte.

Mit einem politisch motivierten Gedicht, *The tears of Scotland* (1745), das er nach dem vernichtenden Sieg der Engländer über die Schotten in der Schlacht von Culloden schrieb, machte Smollett literarisch auf sich aufmerksam. Aber als Autor konnte er sich erst mit *The adventures of Roderick Random* etablieren, seinem ersten, stark von autobiographischen Elementen durchsetzten Roman. Sein Vorbild als Romancier war Alan René Lesage (1668–1747), der in Fortführung der spanischen Tradition den pikaresken Roman in der französischen Literatur begründet hatte und dessen *Gil Blas* (1715–1735) Smollett ebenso ins Englische übertrug (1748) wie Cervantes' *Don Quixote* (1755). Smollett füllte indessen den Rahmen des pikaresken Romans anders aus als Lesage. Seine Intention – »to represent modest merit struggling with every difficulty« – lief weniger auf einen versöhnlich-komischen als auf einen pointiert satirischen Roman hinaus, der mit seiner minuziösen Schilderung des Gemeinen und Niederträchtigen – »animating the reader against the vicious disposition of the world« – als Pendant zu Hogarths graphischem Werk gesehen werden kann.

Der Roman, von den Zeitgenossen geschätzt und bis heute populär, stärkte nicht nur Smolletts gesellschaftliche Stellung als Mittelpunkt eines Kreises von Schotten in London und sein literarisches Selbstbewußtsein (umgehend stellte er seine verunglückte Tragödie *The regicide* zur Subskription), sondern gab auch die Richtung für seine weitere literarische Karriere vor. Schon nach drei Jahren folgten die kaum weniger erfolgreichen *Adventures of Peregrine Pickle*. Es war wiederum ein pikaresker Roman, diesmal jedoch mit einem dem Genre gemäßen Helden in die feine Gesellschaft verlegt und streckenweise als *roman à clef* geschrieben. Smollett, nie zimperlich in diesen Dingen, zeichnete gemeine Karikaturen von → Fielding, → Garrick und anderen literarischen Zeitgenossen und fügte, ohne rechten Bezug zur Erzählung, die umfangreichen amourösen »Memoiren« von Frances Vicountess Vane ein. Smolletts Satire, breit auf die zeitgenössische Gesellschaft gerichtet, ist schärfer als in *Roderick Random*, bisweilen vulgär und brutal. Zugleich manifestiert sich allenthalben ein großer Einfallsreichtum, und in mancher Charakterzeichnung nimmt Smollett → Sterne vorweg. Gleichwohl empfand er den teilweise scharf kritisierten Roman als revisionsbedürftig und legte 1758 eine gemilderte Fassung vor.

Smolletts dritter Roman innerhalb von fünf Jahren war, mit nunmehr stereotypem Titel, *The adventures of Ferdinand Count Fathom*. Er wird vielfach als unbefriedigend angesehen, und er war auch bei seinem Erscheinen, während sich Smollett in finanziellen Schwierigkeiten befand, weder ein kommerzieller noch ein literarischer Erfolg. Bei dem Versuch, dem Pikaresken eine neue Richtung zu geben, stieß Smollett in Bereiche des Schauerromans vor, die erst später wirklich erschlossen wurden. *Ferdinand Count Fathom* fehlt das Panoramahafte der beiden ersten Romane, und im Formalen läßt der Roman nach übereinstimmendem Urteil zu wünschen übrig. Gleichwohl ist Smollett mit dem Helden ein Wurf gelungen: die Gestaltung eines bis ins Mark schlechten Charakters, der in seiner Art Fieldings *Jonathan Wild* zur Seite gestellt werden kann, obwohl die beiden Werke ungeachtet häufiger Vergleiche nicht von derselben Art sind.

Neben seiner Arbeit an den Romanen praktizierte Smollett noch als Arzt (1750 erhielt er seinen Doktor in Aberdeen) und unternahm wiederholt Reisen nach Schottland und auf dem Kontinent. Aus finanzieller Not suchte er nach dem Mißerfolg seiner Übersetzung von Cervantes (1755) Zuflucht in der journalistischen Arbeit. 1756 wurde er Mitbegründer der als Gegenstück zu der liberalen *Monthly review* neu geschaffenen konservativen *Critical review*, der zweiten führenden Rezensionszeitschrift der Jahrhundertmitte, die er – brillant, aber umstritten – bis 1763 herausgab und zu der er einen großen Teil der Beiträge lieferte. Gleichzeitig schrieb er, als Auftragsarbeit, eine Geschichte Englands von den Anfängen bis zur Gegenwart, die von verlegerischer Seite als Konkurrenzunternehmen zu → Humes englischer Geschichte gedacht war. Sie erschien, vierbändig, 1757/58 und war, obwohl überaus kontrovers, ein finanzieller Erfolg. Ihre Fortsetzung erschien ab 1760. Mit einem *Compendium of voyages* übernahm Smollett eine weitere Auftragsarbeit, und gleichzeitig schrieb er eine mäßig erfolgreiche, von → Garrick auf die Bühne gebrachte Farce, *The reprisal, or the tars of old England* (1757).

Ein journalistisches Unternehmen, *The British magazine*, nahm Smollett als Hauptbeiträger in den sechziger Jahren in Anspruch. Hier veröffentlichte er als einen der ersten Fortsetzungsromane *The life and adventures of Sir Launcelot Greaves*, seinen vierten Roman, eine nach England und ins 18. Jahrhundert transponierte Nachahmung von Cervantes. »Better than the common novels, but unworthy the pen of Dr. Smollett«, war das Verdikt der *Monthly review*, und auch die moderne Kritik tut sich schwer, diesem Werk mit seiner Verbindung von Imitation und Parodie eine Eigenständigkeit als Satire zuzuerkennen. Der Roman ist, wie sein Vorgänger, *Ferdinand Count Fathom*, ein nicht ganz geglücktes Experiment.

Nach einem weiteren journalistischen Fehlschlag (*The Briton*, 1762/63) begab sich Smollett nach Frankreich. Das Ergebnis dieses längeren Aufenthaltes waren die *Travels through France and Italy*, ein autobiographischer Reisebericht in Briefform. Er ist durch sardonischen Ton und beißende Satire gekennzeichnet, die in scharfem Gegensatz zu Sternes *Sentimental journey* stehen. Persönliche Befindlichkeit (Smollett suchte in Frankreich Besserung für seine ruinierte Gesundheit) kommt darin wohl ebenso zum Ausdruck wie literarische Gestaltungsabsicht. Von ähnlicher Schärfe ist die von Rabelais wie von → Swift und Voltaire beeinflußte politische Satire, *The history and adventures of an atom* (1769), in der Smollett mit Gegnern wie mit ehemaligen Freunden abrechnete.

The present state of all nations (1768/69) war Smolletts letzte, für ihn überaus mühevolle Kompilation. Während eines erneuten Italienaufenthaltes vollendete er seinen fünften und letzten Roman, *The expedition of Humphry Clinker*, der vielfach als der beste Briefroman der englischen Literatur angesehen wird. Es ist ebenfalls ein pikaresker Roman, aber von fest gefügter Struktur. In seinem prägnanten Stil schlägt sich Smolletts Erfahrung als Journalist nieder. Die Handlung ähnelt der von *Roderick Random*, doch die Charaktere sind subtiler und kontrastreicher gezeichnet, und die für Smollett stets charakteristische Satire ist auffällig gemildert. Ohne die Gestaltungsweise des pikaresken Romans aufzugeben, bezog Smollett, sehr zum Wohlgefallen seiner zeitgenössischen Leser, die Möglichkeiten des sich am literarischen Horizont abzeichnenden »empfindsamen« Romans (*sentimental novel*) in *Humphry Clinker* ein.

Smollett erlebte gerade noch die Veröffentlichung des Romans. Einundfünfzigjährig starb er – »dry and emaciated« in seinen eigenen Worten – in Italien und wurde dort bestattet. Seine Zeitgenossen schätzten ihn hoch, ungeachtet seiner aggressiven Satiren, und sein Platz als einer der großen Romanciers der englischen Literatur ist unumstritten. (F)

Hauptwerke: *The adventures of Roderick Random*, 2 vols 1748. – *The adventures of Peregrine Pickle*, 4 vols 1751. – *The adventures of Ferdinand Count Fathom*, 2 vols 1753. – *The life and adventures of Sir Launcelot Greaves* 1760/61. – *Travels through France and Italy*, 2 vols 1766. – *The history and adventures of an atom*, 2 vols 1769. – *The expedition of Humphry Clinker*, 3 vols 1771. – Herausgeber: *Critical review, or annals of literature* 1756–1763.

Bibliographien: F. Cordasco, *Tobias George Smollett. A bibliographical guide* 1978. – R. D. Spector, *Tobias Smollett. A reference guide* 1980. – M. Wagoner, *Tobias Smollett. A checklist of editions of his works and an annotated secondary bibliography* 1984.

Ausgaben: *Works*, ed. W. E. Henley und T. Seccombe, 12 vols 1899–1901. – *Works*, ed. O. M. Brack, Jr. 1979– . – *Travels through France and Italy*, ed. F. Felsenstein 1979. – *Letters*, ed. L. M. Knapp 1970.

Übersetzungen: *Die Abenteuer des Peregrine Pickle*, übers. und Nachwort von H. Matter 1966 (Winkler). – *Die Abenteuer des Roderick Random*, übers. von W. C. Mylius, Nachwort von J. Krehayn 1982 (Beck).

Biographie: L. M. Knapp, *Tobias Smollett. Doctor of men and manners* 1949 (repr. 1963).

Sekundärliteratur: M. A. Goldberg, *Smollett and the Scottish school. Studies in eighteenth-century thought* 1959 (repr. 1985). – R. Giddings, *The tradition of Smollett* 1967 (repr. 1985). – *Tobias Smollett. Bicentennial essays presented to L. M. Knapp*, ed. G. S. Rousseau und P.-G. Boucé 1971. – P.-G. Boucé, *Les romans de Smollett. Etude critique* 1971 (englisch: *The novels of Tobias Smollett* 1976). – D. Grant, *Tobias Smollett. A study in style* 1977. – *Smollett. Author of the first distinction*, ed. A. Bold 1982. – G. S. Rousseau, *Tobias Smollett. Essays of two decades* 1982.

Robert Southey (1774–1843)

Southey war für vierzig Jahre Hofdichter (ein Amt, das er nicht schätzte), aber wie andere Hofdichter vor und nach ihm war er nicht der beste Dichter seiner Zeit. Er kam in Bristol zur Welt und wurde, nach dem frühen Tod seines Vaters, eines Weißwarenhändlers, von seinem Onkel auf die Westminster School geschickt, von der er relegiert wurde. Balliol College in Oxford verließ er ohne Abschluß, schmiedete aber, von radikalen Ideen beeinflußt, mit → Coleridge, den er zufällig kennenlernte, utopische Pläne zu einer egalitären Kommune (»Pantisokratie«) in Amerika. Sie zerschlugen sich, aber beide sollten als Schwäger miteinander verbunden bleiben.

Schon in Oxford schrieb Southey sein erstes »republikanisches«, aber erst 1817 veröffentlichtes Drama, *Wat Tyler*, dem bald – in gemeinsamer Autorschaft mit Coleridge – *The fall of Robespierre* folgte. Dies war der Beginn einer fast überbordenden literarischen Produktion in Vers und Prosa. Auf *Poems* (1795) folgten die *Letters written during a short residence in Spain and Portugal* (1797), das erste Prosawerk, dem nach einer Übersetzung und einer *Annual anthology* vier Versepen folgten: *Thalaba the destroyer* (1801), *Madoc* (1805), *The curse of Kehama* (1810) und *Roderick, the last of the Goths* (1814). Historische Werke schlossen sich an oder erschienen gleichzeitig: *History of Brazil* (1810–1819), *History of Europe* (1810–1813), *History of the Peninsular war* (1823–1832), sämtlich mehrbändig. Dazu kamen Biographien von Admiral Nelson (1813), von John Wesley, dem Begründer des Methodismus (1820), von John Duke of Marlborough (1822), von den bedeutenden britischen Admiralen (1833–1840) und anderen; Reisebeschreibungen und Werkausgaben von Thomas Chatterton (1803) und William Cowper (1835); Übersetzungen aus dem Französischen, Spanischen und Portugiesischen; und eine siebenbändige Sammlung von Essays, Beobachtungen und Reflexionen, Geschichten und Anekdoten, die in der von → Burton und → Sterne bis → Carlyle reichenden Tradition der literarischen Quisquilie und Bagatelle stehen.

Zu seiner Zeit wurden Southeys Epen durchaus geschätzt, und → Macaulay und → Scott gehörten zu ihren Bewunderern. Inzwischen sind sie, von einzelnen Passagen abgesehen, unlesbar geworden. Aber sie haben als Versuche, poetisches Neuland zu erobern, historische Bedeutung behalten. In vielem kann

Southey als Vorläufer für die jüngere Romantik gelten, die über ihn hinausgehen konnte, weil er die Wege gebahnt hatte. Er gehört zu den Lake Poets, nicht nur weil er sich im Lake District auf Dauer niederließ, sondern auch weil seine Entwicklung Parallelen zu der seiner bedeutenderen Zeitgenossen aufweist. Eine Reihe von seinen kürzeren Gedichten ist in den Kanon eingegangen, und einige seiner Balladen finden noch immer Anerkennung. Seine Prosa, nicht zuletzt in seinen Briefen, hat im Lauf der Zeit wenig eingebüßt, und seine Biographien von Nelson und Wesley (Coleridges »favourite among favourite books«) sind wohl sachlich, aber kaum literarisch überholt. Sein pflichtgemäßes Gedicht als Hofdichter zum Tode von Georg III., *The vision of judgement* (1821), löste → Byrons vernichtende Satire mit dem gleichen Titel aus, aber Southey sollte nicht nur, wie es oft geschieht, aus Byrons Perspektive beurteilt werden. Persönlich wurde er von vielen geschätzt, die literarisch Einwände gegen ihn hatten. Seine Kräfte verzehrten sich in unermüdlicher Arbeit, und seine letzten Jahre waren eine Zeit rapiden geistigen Verfalls. (F)

Hauptwerke: *Poems* 1795. – *Thalaba the destroyer*, 2 vols 1801. – *Macdoc, a poem* 1805. – *The curse of Kehama* 1810. – *The life of Nelson*, 2 vols 1813. – *Roderick, the last of the Goths* 1814. – *The life of Wesley, and the rise and progress of Methodism*, 2 vols 1820. – *A vision of judgement* 1821. – *The doctor*, 7 vols 1834–1847.

Bibliographie: In Haller, *The early life of Robert Southey* 1917.

Ausgaben: *Poetical works, collected by himself*, 10 vols 1837/38. (zahlreiche Nachdrucke). – *The contributions to the Morning Post*, ed. K. Curry 1984. – *Journals of a residence in Portugal, 1800–01, and a visit to France 1838*, ed. A. Cabral 1960 (repr. 1978). – *Life and correspondence*, ed. C. C. Southey, 6 vols 1849/50 (repr. 1970). – *New letters*, ed. K. Curry, 2 vols 1965.

Biographien: W. Haller, *The early life of Robert Southey* 1917 (repr. 1967). – J. Simmons, *Southey* 1945 (repr. 1968).

Sekundärliteratur: G. Carnall, *Robert Southey and his age. The development of a conservative mind* 1960. – J. Raimond, *Robert Southey, l' homme et son temps, l'œuvre, le rôle* 1968. – K. Curry, *Southey* 1975.

Stephen Spender (geb. 1909)

Die Autobiographie *World within world*, die Spender 1951 veröffentlichte und in der er sein Leben bis zum Beginn der vierziger Jahre beschrieb, gilt auch heute noch als eine seiner besten literarischen Leistungen. Die romantische Natur Spenders registriert Neigungen und Schwächen seines Ich mit der gleichen Feinfühligkeit wie die Leiden seiner Mitmenschen, für die er sich in der Dichtung wie im politischen Leben einsetzt. So wurde er wegen der besonderen Verbindung von lyrischer Begabung und sozialkritischem Engagement mit → Shelley verglichen.

Spender stammt aus einer englisch-deutsch-jüdischen Familie, die sich der liberalen Tradition in England verpflichtet fühlte. Als Spender in Oxford studierte (1928–1930), lernte er W.H. → Auden kennen, danach folgte er Isherwood nach Hamburg und Berlin, in Städte, die der Mentalität dieser jungen britischen Intellektuellen wegen ihres modernen Lebensstiles mehr entsprachen als etwa Paris, das der vorhergehenden Generation, insbesondere T.S. → Eliot, → Joyce und Pound, die stärksten Impulse gegeben hatte. In Berlin und später in Wien wurden Spender und seine Freunde Zeugen der politischen Konflikte des Zeitalters, der Auseinandersetzung zwischen Nationalsozialisten einerseits und Sozialisten und Kommunisten andererseits.

In dem 1933 veröffentlichten Band *Poems* nahm Spender zu den politischen Entwicklungen seiner Zeit Stellung, ließ jedoch stets auch erkennen, daß er seiner eigenen engagierten Lyrik mit Vorbehalt gegenüberstand. Die künstlerischen Aktivitäten seiner Generation blieben gespalten zwischen dem politischen Interesse und der Beschäftigung mit persönlichen Erlebnissen. Wirkungsvolle Gedichte, wie etwa »The pylons«, »The express« oder »The landscape near an aerodrome«, gelangen ihm dann, wenn er die heterogenen Bestandteile der beobachteten Wirklichkeit in einem Akt der imaginativen Synthese verschmolz und traditionelle Naturbilder mit Details der modernen Landschaft verknüpfte. Gelegentlich vergreift sich Spender freilich in den Bildern oder übersetzt einfache Sachverhalte in eine allzu ausgeklügelte Syntax. In den »Poems about the Spanish Civil War« (1936–1939) strebt er einen überparteilichen Standpunkt an. Er scheut vor der Rolle eines *war poet* zurück, der mit Enthusiasmus für die Sache einer Partei wirbt, und setzt den Typus der Kriegsdichtung fort, der in Wilfred → Owens »Strange meeting« im Ersten Weltkrieg seine reifste Ausprägung fand. In seiner späten Lyrik bevorzugt Spender einen sehr persönlichen Stil, der das emotionale und intellektuelle Oszillieren eines Ich registriert, das die Gründe für das Scheitern persönlicher Beziehungen wie des politischen Engagements bloßlegt.

Nach dem Zweiten Weltkrieg war Spender vornehmlich als Kritiker und Prosaschriftsteller tätig; zugleich lehrte er an verschiedenen Universitäten. Von 1970 bis 1975 hatte er den Lehrstuhl für Englische Literatur am University College in London inne. Von 1939 bis 1941 war er Mitherausgeber der Zeitschrift *Horizon* und 1953 bis 1967 zusammen mit Irving Kristol Herausgeber des *Encounter*. Von seinen literaturkritischen Arbeiten verdienen die Bände *The destructive element* (1935, mit Essays über Henry James, → Yeats, T. S. Eliot, → Lawrence), *The creative element* (1953), *The making of a poem* (1955) sowie *The struggle of the modern* (1963) Beachtung, weil er darin in ständiger Konfrontation mit zumeist zeitgenössischen Autoren seine eigene Position bestimmt. So kann auch seine Literaturkritik als ein Beitrag zu seiner Autobiographie gewertet werden. Weniger erfolgreich war Spender als Dramatiker: Die Tragödie *Trial of a judge* (aufgeführt 1938), in der er das Schicksal eines Richters unter dem Naziregime auf die Bühne brachte, ist künstlerisch nicht ausgereift. Höher zu bewerten sind dagegen die Übersetzungen von Ernst Toller, García Lorca, Rainer Maria Rilke, Paul Eluard, Frank Wedekind und C. P. Cavafy. (E)

Hauptwerke: *20 poems* 1930. – *Poems* (1933) 1934. – *Vienna* 1934. – *The destructive element. A study of modern writers and beliefs* 1935. – *The burning cactus* 1936. – *Forward from liberalism* 1937. – *Trial of a judge* 1938. – *The still centre* 1939. – *The backward son* 1940. – *Ruins and visions* 1942. – *Spiritual exercises (To C. Day Lewis)* 1943. – *Poetry since 1939* 1946. – *Poems of dedication* 1947. – *The edge of being* 1949. – *World within world. The autobiography* 1951. – *Shelley* 1952. – *The creative element. A study of vision, despair, and orthodoxy among some modern writers* 1953. – *The making of a poem* 1955. – *Engaged in writing and The fool and the princess* 1958. – *The imagination in the modern world. Three lectures* 1962. – *The struggle of the modern* 1963. – *T. S. Eliot* 1975. – *The thirties and after. Poetry, politics, people 1933–1975* 1978.

Bibliographie: H. B. Kulkarni, *Stephen Spender. Works and criticism. An annotated bibliography* 1976.

Ausgabe: *Collected poems 1928–1985* 1985.

Sekundärliteratur: H. B. Kulkarni, *Stephen Spender. Poet in crisis* 1970. – A. K. Weatherhead, *Stephen Spender and the thirties* 1975. – S. N. Pandey, *Stephen Spender. A study in poetic growth* 1982.

Edmund Spenser (1552–1599)

Der Romantiker Charles → Lamb verlieh Spenser den Ehrentitel eines »poet's poet«, eines Dichters, von dem andere lernen könnten. Wenn auch immer wieder Kritiker auftraten, die seine Kunstsprache zensierten (der erste war Ben → Jonson), so wurde doch zu allen Zeiten Spensers visionäre Erfindungskraft gerühmt, mit der er es verstand, theologische und philosophische Ideen in poetischen Bildern zu gestalten.

In London geboren, besuchte er dort die Merchant Taylors' School, die damals von dem berühmten Humanisten Richard Mulcaster geleitet wurde, und studierte dann mit einem Stipendium in Cambridge, wo er 1576 den Magistergrad erwarb. Trotz vieler einflußreicher Freunde, wie dem Earl of Leicester, bei dem er kurze Zeit beschäftigt war, Sir Philip → Sidney, Sir Francis Walsingham und Sir Walter → Ralegh, gelang es ihm lange nicht – vielleicht wegen Lord Burghleys Abneigung gegen ihn – ein Staatsamt zu erhalten. Erst 1580 wurde Spenser Sekretär von Lord Grey of Wilton, dem Lord Deputy von Irland. In dieser Eigenschaft lebte und arbeitete er vor allem im irischen Kilcolman Castle und kehrte nur noch zweimal, 1590/91 und 1595/96, zu kurzen Aufenthalten nach London zurück. 1594 heiratete er in Irland Elizabeth Boyle in zweiter Ehe. Die Brautwerbung ist das Thema der Sonettsequenz *Amoretti;* das berühmte *Epithalamium,* ein Geschenk des Dichters an seine Frau, schildert die Hochzeitsfeier. 1598 mußte Spenser vor irischen Rebellen nach London fliehen, wo er im Jahr darauf starb und in der Westminster Abtei begraben wurde. Der Einfluß Spensers, der bereits seinen Zeitgenossen als einer der großen englischen Dichter galt, reichte bis in das 19. Jahrhundert.

Mit seinem *Shepheardes calender,* der 1579 mit einem Kommentar eines nicht mit Sicherheit zu identifizierenden E. K. versehen erschien, leitete Spenser die sogenannte Goldene Epoche der elisabethanischen Literatur ein. In exemplarischer Vielfalt werden verschiedene Metren und Strophenformen vorgeführt sowie poetologische, religiöse und politische Probleme behandelt. Damit lieferte Spenser, ähnlich wie Sidney mit seiner Lyrik, den Nachweis der dichterischen Eignung des Englischen und verhalf zugleich der Pastoraldichtung zum Durchbruch. Anders als Sidney, der die elegante Sprache des Hofes in seiner Lyrik pflegte, schuf sich Spenser eine eigene Dichtersprache, indem er auf die Sprache → Chaucers, aber auch auf Dialekte zurückgriff, um den poetischen Wortschatz zu erweitern und zugleich den Dichtungen eine archaische, der Alltagswelt entrückte Würde zu verleihen. Befürworter des *plain style,* wie Jonson, der im übrigen Spensers Dichtungen durchaus schätzte, griffen ihn wegen dieser unnatürlich aufgeschwellten, dunklen Sprachgebung heftig an.

Spensers Hauptwerk, *The Faerie Queene,* mit dem er England »das« Nationalepos schenken wollte, wurde 1580 begonnen. Die ersten drei Bücher des in zwölf Büchern zu je zwölf Cantos geplanten Epos wurden 1590 gedruckt, drei weitere erschienen 1596. Als Gattung für dieses Werk wählte er nicht das klassische, sondern das romantische Ritterepos, wie es Boiardo, Ariost und Tasso entwickelt hatten. Den Stoff, die Abenteuer der Ritter der Tafelrunde, entnahm er der Artus-Legende. Entsprechend der Intention, die Spenser in der Widmungsepistel an Sir Walter Ralegh formulierte – »to fashion a gentleman or noble person in virtuous and gentle discipline« – können die figurenreichen, märchenhaften Schilderungen und Abenteuer auf drei Ebenen, der moralischen, der religiösen und der politischen, allegorisch gedeutet werden. Sie beziehen sich dann entweder auf die exemplarische Darstellung der Tugenden, oder auf die religiösen Auseinandersetzungen, oder aber auf die politische Situation unter Elisabeth. Daneben veröffentlichte Spenser kleinere Dichtungen und Elegien, die scharfe Satire in Tierfabelform, *Mother Hubbard's tale,* das Prothalamium und vier platonische Hymnen auf die irdische und himmlische Schönheit und die irdische und himmlische Liebe.

Die Dichtung Spensers ist der größte und überzeugendste Versuch, die verschiedenen literarischen Traditionen und Anregungen, die antiken Mythen und die antike Literatur, die mittelalterlichen Stoffe und Formen, die englische Folklore und die italienischen und französischen Vorbilder zu einer polyphonen Einheit zusammenzufügen und sie zum Ausdruck eines christlichen Humanismus protestantisch-patriotischer Prägung zu machen. Er war ebenso strenger Protestant wie von der Florentiner Schule beeinflußter Platoniker. Der Tradition Chaucers und den Anregungen der Pleiade verbunden, schuf er jedoch keine undurchdringliche, philosophisch befrachtete Dichtung. Spenser setzte seine moralischen und philosophischen Ideen in Traumwelten von Mythen, Ritualen, Abenteuern und detailfreudig beschriebenen Örtlichkeiten um, die ihren ästhetischen Eigenwert nicht zuletzt in ihrer dichterischen Sprachkunst besitzen. Es waren diese poetischen Kunstwelten, mit denen Spenser nicht nur auf seine Zeitgenossen und die sogenannten *Spenserian Poets* des 17. Jahrhunderts, sondern bis in das 19. Jahrhundert hinein wirkte. (W)

Hauptwerke: *The Shepheardes calender* 1579. – *The Faerie Queene* 1580–1596.

Bibliographien: W. F. McNeir und F. Provost, *Edmund Spenser. An annotated bibliography 1937–1972* 1975. – F. I. Carpenter, *A reference guide to Edmund Spenser* 1923 (repr. 1969).

Ausgabe: *A Variorum edition of the works*, ed. E. A. Greenlaw, F. M. Padelford et al. 1932–1947, 11 vols (Biographie in vol. XI von A. C. Judson 1945).

Sekundärliteratur: F. I. Carpenter, *A reference guide to Edmund Spenser* 1923 (repr. 1969). – W. R. Mueller, *Spenser's Critics. Changing currents in literary taste* 1959. – P. E. McLane, *Spenser's shepheardes calender. A study in Elizabethan allegory* 1961. – *Essential articles for the study of Edmund Spenser*, ed. A. C. Hamilton 1972. – *Contemporary thought on Edmund Spenser. With a bibliography of criticism of The Faerie Queene, 1900-1970*, ed. R. C. Frushell und B. J. Vondersmith 1975. – J. Nohrnberg, *The analogy of The Faerie Queene* 1976. – R. H. Wells, *Spenser's Faerie Queene and the cult of Elizabeth* 1983. – A. Hume, *Edmund Spenser. Protestant poet* 1984. – E. Heale, *The Faerie Queene. A reader's guide* 1986.

Richard Steele (1672–1729)

Steeles Name ist aufs engste mit dem → Addisons verbunden, und beider Name ist mit dem periodischen Essay des frühen 18. Jahrhunderts verknüpft. Gleichwohl begann Steele seine literarische Karriere nicht als Essayist, sondern als Bühnenautor. Er war Ire, kam aber schon früh nach London, wo er im Charterhouse Addison zum Schulfreund hatte. Die Universität Oxford verließ er ohne Abschluß, begann dann eine militärische Laufbahn, in der er es bis zum Captain brachte. Sein erstes größeres Werk war *The Christian hero, an argument proving that no principles but those of religion are sufficient to make a great man.* Es war als öffentliche Selbstermahnung für den zum lokkeren Leben neigenden Offizier gedacht, aber nicht eben wirkungsvoll.

Mit *The funeral, or grief à-la-mode* (1701), einer farcenhaften Komödie von unverkennbar moralischer Intention, begann Steele eine mehrjährige Arbeit für die Bühne. Es folgte *The lying lover* (1703) und *The tender husband, or the accomplish'd fools* (1705), eine offene Nachahmung von Molières *Sicilien*. Keines der Stücke war ein wirklicher Erfolg, obwohl das letzte, zu dem Addison einen Prolog und Detailverbesserungen beitrug, eine achtbare Komödie der Nach-Restaurationszeit darstellt. Steele gab seine Bühnenschriftstellerei zunächst auf, trat in die Dienste des Prinzgemahls und übernahm zudem das Amt des Regierungsschreibers. Er verkehrte, politisch ein Whig, in der modischen Welt der Kaffeehäuser, die später das literarische Ambiente für den *Tatler* (1709–1711) abgab.

Mit Hilfe → Swifts, der ihm und Addison zu dieser Zeit noch politisch nahestand, etablierte Steele die erste »moralische Wochenschrift« unter Verwendung von Swifts Pseudonym Isaac Bickerstaff. Sie war zunächst in Sparten aufgeteilt und teilte dem Leser ihre Nachrichten und Reflexionen unter dem Signum verschiedener Kaffeehäuser mit. Erst später entwickelte sich der periodische Essay als literarische Form. Steele erklärte »alles Menschliche« zu seinem Gegenstand (»quicquid agunt homines... nostri farrago libelli« war das Motto) und seine moralisch-didaktische Absicht trat bald hervor. Den größten Teil des *Tatler* schrieb Steele selbst und wurde damit zum eigentlichen Begründer dieser später von Addison perfektionierten Form des Journalismus. Seinem Naturell entsprechend, ist Steeles Essayistik weniger formell, aber auch weniger ausgefeilt als die Addisons.

Der *Tatler* kam nach 271 Nummern im Januar 1711 aus persönlichen und wohl auch politischen Gründen zum Erliegen. Ihm folgte ab März 1711 der *Spectator*, ein Gemeinschaftsunternehmen, in dem Addison mehr und mehr die Führung übernahm. Nach dem Ende des *Spectator* (1712) rief Steele den *Guardian* ins Leben, zu dem Addison und andere bedeutende Autoren beitrugen. Doch Steele gab dem *Guardian* bald eine politische Ausrichtung und geriet mit dem *Examiner* der Tories in politische Auseinandersetzungen. Der *Guardian* setzte sich im *Englishman* fort, und auf diesen folgten noch einige andere, meist kurzlebige Periodika, unter denen *The theatre* (1720) das literarisch interessanteste ist. Diese journalistische Tätigkeit, die überdies in zahlreichen politischen Streitschriften Ausdruck fand, ging Hand in Hand mit einer politischen Tätigkeit in einer Reihe von Regierungsämtern und, mit Unterbrechungen, im Parlament.

Mit *The conscious lovers* (1722) kehrte Steele, dem 1715 das Privileg für das Drury Lane Theatre übertragen worden war, nochmals zur Bühne zurück. Es war eine von Terenz abgeleitete Komödie, die ein Musterbeispiel der sentimentalen Komödie abgibt, ein großer Publikumserfolg war und auf die Ausbildung der *comédie larmoyante* auf dem Kontinent beträchtlichen Einfluß hatte. Die Nachwelt hat sich indessen nicht dafür erwärmen können. Es war Steeles letztes größeres Werk, und es ragt einsam aus seinen fast ereignislos zerbröckelnden und durch finanzielle Schwierigkeiten bestimmten letzten Lebensjahren heraus. Steele starb, achtundfünfzigjährig, in Wales an Paralyse. (F)

Hauptwerke: *The Christian hero* 1701. – *The tender husband. A comedy* 1705. – *The Tatler* (mit Addison) 1709–1711. – *The Spectator* (mit Addison) 1711/12, 1714. – *The Guardian* 1713. – *The Englishman* 1714, 1715. – *The theatre* 1720. – *The conscious lovers* 1723.

Ausgaben: *The Tatler*, ed. D. F. Bond, 3 vols 1985. – *The Guardian*, ed. J. C. Stephens 1982. – *Periodical journalism, 1714–1716*, ed. R. Blanchard 1959. – *The theatre 1720*, ed. J. Loftis 1962. – *Tracts and pamphlets*, ed. R. Blanchard 1944. – *Occasional verse*, ed. R. Blanchard 1952. – *Plays*, ed. S. S. Kenny 1971. – *Correspondence*, ed. R. Blanchard (1941) 1968.

Biographie: C. Winton, *Captain Steele. The early career* 1964; *Sir Richard Steele, M.P. The later career* 1970.

Sekundärliteratur: W. Connely, *Sir Richard Steele* 1934 (repr. 1973). – J. Loftis, *Steele at Drury Lane* 1952.

Laurence Sterne (1713–1768)

Wenige Autoren verdanken wie Sterne ihren literarischen Weltruhm einem einzigen Werk. *Tristram Shandy*, sein unvergleichlicher Roman, entstand in der Abgeschiedenheit eines Dorfes in Yorkshire, wo Sterne als Pfarrer wirkte. Ob er bei einem vorteilhafteren Start ins Leben Geistlicher geworden wäre, kann bei seinem Naturell nicht als selbstverständlich gelten. Unter den Gegebenheiten, die seinen Werdegang bestimmten, gab es jedoch für ihn wenig Besseres und nichts Sichereres als ein geistliches Amt. Sterne kam in Irland zur Welt und verbrachte, mit einem jungen Offizier als Vater, seine Kindheit in verschiedenen Garnisonsstädten in Irland und England. Erst mit zehn Jahren erhielt er kontinuierlichen Unterricht, und relativ spät bezog er, nach dem Tode seines Vaters, das Jesus College in Cambridge, zu dem ein Verwandter dem verarmten Urenkel des Erzbischofs von York Zugang verschaffte.

Außerordentliche Sensibilität gab sich bei Sterne ebenso früh zu erkennen wie eine fragile Gesundheit, und die Tuberkulose, an der er starb, trat schon in Studententagen auf. Das Pfarrhausleben, das er über zwei Jahrzehnte bis zum Erscheinen von *Tristram Shandy* in Sutton führte, lag ihm wenig. Er kam seinen Pflichten mehr schlecht als recht nach, doch seine Predigten wurden geschätzt. Seine Ehe war unglücklich (nicht zuletzt wegen seiner erotischen Eskapaden) und sein Fortkommen blokkiert, da er sich mit kirchlich einflußreichen Verwandten überworfen hatte. Aus kirchlichen Querelen entstand sein erstes Werk, *A political romance* (1759), eine unbedeutende Satire mit lokalem Einschlag.

Tristram Shandy erschien 1760, ohne daß es in der Biographie Sternes eine literarische Vorgeschichte dazu gibt. Die ersten beiden Bücher waren, wie *A political romance*, als Lokalsatire entworfen. Der Londoner Verleger Dodsley, selbst Autor, lehnte sie deswegen als zu risikoreich ab, so daß die umgearbeitete Version zunächst in York herauskam. Sie war dort wie in London eine literarische Sensation. Das Lesepublikum zeigte, bald in ganz Europa, Interesse und Begeisterung wie selten seit den Tagen von → Swifts *Gulliver's travels* und erwartete mit Spannung die sieben weiteren Bücher, die Sterne bis 1767 folgen ließ. Ob der Roman damit zu Ende ist oder nicht, bleibt eine offene Frage.

»'Tis ... a picture of myself«, bekannte Sterne gegenüber David → Garrick. In der Tat bietet sich *Tristram Shandy* nicht nur als virtuose literarische Gestaltung, sondern auch als Selbstmitteilung dar. Sie erfolgt nicht in Form eines geordneten Berichts, sondern als spontane (oder sich spontan gebende) Effusion eines ebenso originellen wie skurrilen Geistes. So wird der Roman über das »Geschichtsbuch« des individuellen Bewußtseins hinaus (II,2) zur Selbstoffenbarung eines Autors, der mehr frivol als ernsthaft, mehr ironisch als verständig eher im Reiche des Komisch-Absurden als des Normalen beheimatet ist. Diese existentielle Hintergründigkeit einer spielerischen Erzählung hat für Generationen von Lesern die Faszination von *Tristram Shandy* ausgemacht.

Als eine von Anekdoten umrankte und von Skandälchen umwitterte Berühmtheit verbrachte Sterne die ihm noch verbleibenden Jahre teils in Yorkshire (wo ihm die Pfarrei in Coxwold mit Shandy Hall, heute das Sterne-Museum, übertragen wurde) und teils in London. Literarische Einkünfte ermöglichten ihm Reisen in wärmeren Ländern, deren er wegen seiner fortschreitenden Schwindsucht bedurfte. 1762 und 1763 hielt er sich in Begleitung seiner Tochter und seiner melancholischen Frau in Toulouse auf, 1765 unternahm er eine weitere Reise nach Frankreich und Italien.

Eine Ausgabe von Sternes Predigten begann als *The sermons of Mr. Yorick* (benannt nach einer Figur aus *Tristram Shandy*) 1760 zu erscheinen und kam, insgesamt in sechs Bänden, erst posthum zum Abschluß. Der Titel erregte, da er den Possenreißer zum Pastor machte, vielfach Anstoß, doch wurden die Predigten selbst im Original oder in der Übersetzung in ganz Europa gelesen. Den Plan zu einem zweiten Roman, der Yorick als sein alter ego durch Europa führen sollte und nach dessen Abschluß er *Tristram Shandy* vollenden wollte, konnte er nicht mehr verwirklichen, wie es ihm auch versagt blieb, sein letztes Werk zu vollenden.

Drei Wochen vor seinem Tod erschien *A sentimental journey through France and Italy*, vorgeblich ein Reisebericht, doch in Wirklichkeit ein Erlebnisbuch, das in einer locker gefügten Folge von Episoden und Miniaturen die Eindrücke, Empfindungen und Reaktionen eines feinnervigen Beobachters mitteilt. Nicht den Sehenswürdigkeiten des Landes gilt das Interesse, sondern der oft flüchtigen und zufälligen Begegnung mit Menschen. Das Buch, möglicherweise wie *Tristram Shandy* als Fragment konzipiert, war keiner herkömmlichen Gattung zuzuordnen, wurde aber selbst als »Reise des Herzens« zu einem vielfach nachgeahmten Vorbild. In ganz Europa war es über Jahrzehnte das Kultbuch eines von Sterne ästhetisch und psychologisch geprägten Sentimentalismus. Da Sterne dem Wort »sentimental« einen neuen Sinn gab, riet Lessing dem Übersetzer Johann Joachim Christoph Bode, mit »empfindsam« ein neues deutsches Wort zu prägen.

Wahrscheinlich nicht für die Veröffentlichung gedacht waren die nach Sternes Tode publizierten *Letters from Yorick to Eliza* (1773), die an die zweiundzwanzigjährige verheiratete Elizabeth Draper gerichtet waren. Sterne hatte sie 1766 in London kennengelernt, in ihr eine verwandte Seele erblickt und ihr den Hof gemacht. Die Briefe, in Sternes üblicher Manier geschrieben, sind wenig mehr als ein persönliches Dokument. Ein Journal to Eliza, das er nach ihrer Abreise nach Indien schreiben wollte, möglicherweise als Gegenstück zu Swifts *Journal to Stella*, brach Sterne bei schwindender Gesundheit bald ab. Er starb im März 1768 in London. (F)

Hauptwerke: *The life and opinions of Tristram Shandy, gentleman*, 9 vols 1760–1767. – *The sermons of Mr. Yorick*, 7 vols 1760–1769. – *A sentimental journey through France and Italy*, 2 vols 1768. – *Letters from Yorick to Eliza* 1773.

Bibliographien: L. Hartley, *Laurence Sterne in the twentieth century. An essay and a bibliography of Sternean studies 1900–1965* 1966. – Ders., *Laurence Sterne. An annotated bibliography, 1965–1977* 1978.

Ausgaben: *The Florida edition of the works*, ed. M. New et al. 1978– . – *The life and opinions of Tristram Shandy*, ed. J. A. Work 1940 (repr. 1978). – *A sentimental journey*, ed. G. D. Stout, Jr. 1967. – *Letters*, ed. L. P. Curtis 1935 (repr. 1967).

Übersetzungen: *Das Leben und die Meinungen des Tristram Shandy*, übers. von O. Weith, Nachwort von E. Wolff 1972 (Reclam); übers. von S. Schmitz, Nachwort von J. Kleinstück 1979 (Winkler); hrsg. von N. Kohl (Insel); übers. von R. Kassner 1982 (Diogenes); übers. von M. Walter, 9 Bde 1983– (Haffmans). – *Empfindsame Reise durch Frankreich und Italien*, übers. von S. Schmitz 1979 (Winkler); übers. von J. J. Bode (1768) 1986 (Greno).

Biographien: W. L. Cross, *The life and times of Laurence Sterne* (1909) 1929. – A. H. Cash, *Laurence Sterne. The early & middle years* 1975; *Laurence Sterne. The later years* 1986.

Sekundärliteratur: L. P. Curtis, *The politicks of Laurence Sterne* 1929 (repr. 1978). – J. Traugott, *Tristram Shandy's world. Sterne's philosophical rhetoric* 1954. – A. B. Howes, *Yorick and the critics. Sterne's reputation in England, 1760–1868* 1958. – H. Fluchère, *Laurence Sterne, de l'homme à l'oeuvre* 1961; englische Teilübersetzung 1965. – J. M. Stedmond, *The comic art of Laurence Sterne. Convention and innovation in Tristram Shandy and A sentimental journey* 1967. – M. New, *Laurence Sterne as satirist. A reading of Tristram Shandy* 1969. – D. Thomson, *Wild excursions. The life and fiction of Laurence Sterne* 1972. – W. Freedman, *Laurence Sterne and the origins of the musical novel* 1978. – *Laurence Sterne* (Wege der Forschung), hrsg. von G. Rohmann 1980. – M. Byrd, *Tristram Shandy* 1985. – W. Iser, *Laurence Sternes Tristram Shandy* 1987.

Robert Louis Stevenson (1850–1894)

Schon als Kind krankheitsanfällig, führt Robert Louis Stevenson von Anfang der siebziger Jahre an ein unstetes, vagabundierendes Leben auf der Suche nach Heilung bzw. Linderung für seine Lungenerkrankung: Mentone, Davos, Hyères, Südengland, die Vereinigten Staaten sind einige der Stationen. Erst sechs Jahre vor seinem Tod findet Stevenson auf der Südseeinsel Samoa Ruhe. Dies vagabundierende Leben ist auch Folge der Rebellion gegen die Begrenzungen des ebenso fürsorglichen wie calvinistisch-ernsthaften Elternhauses. Dessen Einfluß reicht immerhin so weit, daß der Sohn nach dem Abbruch des Ingenieurstudiums an der Edinburgher Universität (1871) den Rechtsanwaltberuf erlernt (zugelassen 1875). Ausgeübt hat er ihn freilich nie, zu stark sind seine bohemienhaften Neigungen. Sie führen ihn noch während der Studienzeit in die Halbwelt Edinburghs und danach in die Literatenzirkel Londons, wo er W. E. Henley kennenlernt (mit dem zusammen er vier mediokre Dramen verfaßt). Sie führen ihn auch in die Künstlerkolonie von Fontainebleau. Dort begegnet er 1876 der zehn Jahre älteren Fanny Osbourne, die er nach deren Scheidung 1880 in Amerika heiratet. Der Verlust des Glaubens unter dem Einfluß der Lehren Darwins und Herbert Spencers verstärkt die Distanz des Bohemiens zu den Normen und Konventionen der bürgerlichen Gesellschaft.

Gleichsam zwangsläufig wendet sich der spätviktorianische Bohemien auf der Suche nach einem Lebensunterhalt dem Literatenmetier zu. Und er versucht sich, den Anforderungen der Zeit und den Möglichkeiten des Marktes gemäß, in allen Genres. Stevenson schreibt Essays, Geschichten, Reisebücher, Gedichte, Dramen: »For art is, first of all and last of all, a trade.« In der Kritik am Realismus/Naturalismus, dessen Widerspiegelungstheorie und Faktenorientierung, sowie in der Auseinandersetzung mit der Romantheorie des befreundeten Henry James (»A humble remonstrance« 1884) entwickelt Stevenson seine Poetik. Sie ist auf Überhöhung gerichtet, auf Typisierung, auf – im besten Sinne – Unterhaltung. Für ihn ist »the business of real art – to give life to abstractions and significance and charm to facts«. Um solches zu erreichen, ist eine spannende, ereignisgespickte, meist in der Vergangenheit angesiedelte Handlung von *Treasure island* bis zu dem unvollendet gebliebenen *Weir of Hermiston* Stevensons zentrales Mittel. Als Meister des (historischen) Abenteuerromans hat Stevenson seine meist jugendlichen Leser gefesselt.

Doch die Werke sind mehr als eskapistische Romanzen. Sie sind durchaus auch Spiegel ihrer Zeit. Die Normauflösung des Jahrhundertendes ist in *Kidnapped* in eine Fülle von Loyalitätskonflikten à la → Scott umgesetzt; sie wird Gestalt in moralisch uneindeutigen Figuren wie dem *Master of Ballantrae*; und sie ist in der Doppelgänger-Parabel von der Latenz des Bösen gestaltet, die Stevenson berühmt gemacht hat: *The strange case of Dr Jekyll and Mr Hyde*. Zeittypisch ist zudem, daß Stevenson jenseits eines deklamatorisch vorgetragenen Ethos der Bewährung und der Tat keine Lösungen für die dargestellten Konflikte besitzt. Seine Romane enden so häufig, ohne vollendet zu sein. Wie es auch zeittypisch ist, daß neben der Unterhaltungsabsicht, neben der Zeitspiegelung eine ästhetizistische Neigung die Werke kennzeichnet: »The love of words and not a desire to publish new discoveries, the love of form and not a novel reading of historical events, mark the vocation of the writer and the painter.« Darum beginnt Stevenson in den späten achtziger Jahren, wie in *The master of Ballantrae* mit seinen drei Erzählern, mit der Erzählperspektive zu experimentieren, darum poliert er seinen Stil zu einem präzis-klangvollen Instrument. Rezeptionsgeschichtlich haben diese diskrepanten Tendenzen freilich dazu beigetragen, daß das Werk mangels leichter Einordnung eilfertig in den Jugendbuchbereich ausgegrenzt wurde. Die Reichweite von Stevensons Werk als stellvertretend für seine Zeit bleibt zu entdecken. (T)

Hauptwerke: *Treasure island* 1883. – *A child's garden of verses* 1885. – *The strange case of Dr Jekyll and Mr Hyde* 1886. – *Kidnapped* 1886. – *The master of Ballantrae* 1889. – *Island nights' entertainments* 1893. – *Weir of Hermiston* 1896.

Bibliographien: J. H. Slater, *Robert Louis Stevenson. A bibliography of his complete works* 1914. – F. J. Bethke, *Three Victorian travel writers. An annotated bibliography of criticism on Mrs. Frances Milton Trollope, Samuel Butler, and R. L. Stevenson* 1977.

Ausgabe: *The works*, Vailima Edition, ed. L. Osbourne und Van de G. Stevenson, 26 vols 1922/23.

Übersetzung: *Gesammelte Werke*, übers. von M. und C. Thesing et al., 12 Bde 1979 (Diogenes).

Biographien: J. C. Furnas, *Voyage to windward. The life of Robert Louis Stevenson* 1951. – J. Calder, *Robert Louis Stevenson. A life study* 1980.

Sekundärliteratur: D. Daiches, *Robert Louis Stevenson. A revaluation* 1947. – R. Kiely, *Robert Louis Stevenson and the fiction of adventure* 1964. – E. M. Eigner, *Robert Louis Stevenson and romantic tradition* 1966. – *Robert Louis Stevenson. A critical celebration*, ed. J. Calder 1980. – J. R. Hammond, *A Robert Louis Stevenson companion* 1984.

Tom Stoppard (geb. 1937)

Internationale Anerkennung erlangte Tom Stoppard mit seinem Drama *Rosencrantz and Guildenstern are dead*, das 1966 bei den Edinburgher Festspielen uraufgeführt wurde. Es ist zugleich eine absurde Farce und eine Parodie auf → Shakespeares *Hamlet*. Der Anfang des Stückes erinnert an → Becketts *Waiting for Godot*, jedoch läßt der Dialog der beiden Titelfiguren über Freiheit und Zufall, Wahrscheinlichkeit und Notwendigkeit einen eigenen dramatisch-theatralischen Stil erkennen.

Tom Stoppard stammt aus der Tschechoslowakei, wo er am 3. Juli 1937 in Zlin geboren wurde; sein ursprünglicher Familienname war Straussler. 1939 verließ die Familie ihre Heimat und ging nach Singapur, wo der Vater nach der japanischen Invasion umkam. Die Mutter war mit den Kindern nach Darjeeling (Indien) evakuiert worden. Dort heiratete sie 1946 einen englischen Offizier, Major Kenneth Stoppard, und im gleichen Jahr siedelte die Familie nach England über. Tom Stoppard war seit 1954 als Journalist tätig, und seit 1960 versuchte er sich als Stückeschreiber: Das Drama *A walk on the water* (späterer Titel: *Enter a free man*) wurde 1963 im Fernsehen, 1964 auf der Bühne (in Hamburg) aufgeführt. 1963 war er als Theaterkritiker für die Zeitschrift *Scene* tätig. Die Teilnahme am Literarischen Kolloquium in Berlin im Jahre 1964 ermöglichte ihm die Arbeit an *Rosencrantz and Guildenstern are dead*.

1968 wurde *The real inspector Hound* aufgeführt, ein Kriminalstück, in dem ähnlich wie in *Rosencrantz and Guildenstern are dead* Alltagswirklichkeit und Bühnenwirklichkeit kunstvoll ineinander verschränkt werden: Zwei Theaterkritiker sind zunächst Zuschauer bei einem Kriminalstück. Als sie sich in das Geschehen auf der Bühne einbeziehen lassen, werden beide erschossen. Das Stück ist eine raffinierte Satire auf die Rivalität unter Journalisten. Die Dramen *Jumpers* und *Travesties* sind weitere Beispiele für Stoppards sprachliches und dramatisches

Können, das bei den Kritikern wie beim Publikum schnell Erfolg hatte. *Jumpers* (aufgeführt 1972) vereint Elemente eines Kriminalstücks, einer Liebeskomödie und einer Farce mit philosophischen Reflexionen. Die Handlung verlockt den Zuschauer zu Fragen und Spekulationen, auf die nie eine Antwort gegeben wird. Die äußeren Bewegungen der Menschen sind wie ihre inneren gedanklichen Regungen Ausdruck ihrer im weitesten Sinne akrobatischen Existenz. Der akrobatische Tanz wirkt absurd, weil er ohne Sinn bleibt. Er illustriert lediglich die Leere, den trügerischen Scheincharakter des modernen Lebens.

Das Drama *Travesties* (1974) basiert auf der Tatsache, daß sich während des Ersten Weltkrieges James →Joyce, Tristan Tzara und Lenin in Zürich aufhielten und daß Joyce während dieser Zeit eine Aufführung von Oscar → Wildes Komödie *The importance of being earnest* zuwege brachte. Die stärksten parodistischen Wirkungen gehen von den Szenen aus, die Joyce und Tzara in den Mittelpunkt rücken, während die Passagen, die von den politischen Ideen Lenins handeln, sich nicht mit der gleichen theatralischen Eleganz in den Gang der komödiantischen Handlung einbeziehen lassen. Angesichts des politisch-revolutionären Ernstes versagen die farcenhaften Gags.

Mit dem Drama *Night and day* (1978) kehrte Stoppard zu einem Thema zurück, das ihn bereits in seinen Anfängen beschäftigt hatte: die Rolle des Journalisten in der modernen Gesellschaft. Die Handlung spielt zwar in einem erfundenen afrikanischen Staat, aber die Situation der dort tätigen Journalisten erläutert modellhaft die zentrale Problematik dieses Berufes. Schreibt der Journalist nur, um Geld zu verdienen, oder will er auch der Wahrheit zum Durchbruch verhelfen? Stoppard läßt in diesem Drama erkennen, daß er bei allem Talent für das komödiantische Spiel und allem Spaß an Parodien auch ein Moralist ist, der sich den Grundfragen des Zeitalters stellt.

Kurzdramen wie *After Magritte* (1970), *Dirty linen and new-found-land* (1976) oder *Dogg's Hamlet, Cahoot's Macbeth* (1979) variieren die Themen seiner abendfüllenden Stücke; so behandelt *Dirty linen and new-found-land* (wiederum im Stil einer Farce) Probleme der Sexualmoral im Bereich von Politik und Presse. Von Stoppards breitgefächerten Interessen und seinem Talent, sich auf die besonderen Anforderungen der modernen Medien als Dramatiker einzustellen, zeugen das Fernsehspiel *Professional foul* (1977), das Stück für Schauspieler und Orchester *Every good boy deserves favour* (1977), das Hörspiel

Artist descending a staircase (1972) und das Drehbuch für den Film *The romantic Englishwoman* (1975) sowie die Bearbeitungen von Lorcas *The house of Bernarda Alba* (1973), von Arthur Schnitzlers *Das weite Land* (englisch als *Undiscovered country* 1979) und Nestroys *Einen Jux will er sich machen* (*On the razzle* 1981). 1982 trat Stoppard mit der Ehetragikomödie *The real thing* hervor, in der im Stil seiner frühen Stücke ein Spiel mit den verschiedenen Wirklichkeitsebenen vorgeführt wird. (E)

Hauptwerke: *Lord Malquist and Mr. Moon* 1966. – *Rosencrantz and Guildenstern are dead* 1967. – *The real inspector Hound* 1968. – *Enter a free man* 1968 (rev. Fass. von *A walk on the water* und *The preservation of George Riley*). – *Albert's bridge and If you're Glad I'll be Frank* 1969. – *After Magritte* 1971. – *Jumpers* 1972. – *Artist descending a staircase and Where are they now?* 1973. – *Travesties* 1975. – *Dirty linen and new-found-land* 1976. – *Night and day* 1978. – *Every good boy deserves favour. A play for actors and orchestra and Professional foul. A play for television* 1978. – *Dogg's Hamlet, Cahoot's Macbeth* 1979 (rev. Fass. von *The fifteen minute Hamlet* 1976 und *Dogg's our pet* 1979). – *On the razzle* (Bearb. von J. Nestroy, *Einen Jux will er sich machen*) 1981. – *The real thing* 1982. – *Dalliance and Undiscovered country* (Bearb. von A. Schnitzler, *Liebelei* und *Das weite Land*) 1986.

Bibliographien: K. King, *Twenty modern British playwrights. A bibliography, 1956 to 1976* 1977. – D. Bratt, *Tom Stoppard. A reference guide* 1982.

Übersetzung: *Travesties*, übers. von H. Spiel 1976 (Rowohlt).

Sekundärliteratur: R. Hayman, *Tom Stoppard* (1977) 1979. – V. L. Cahn, *Beyond absurdity. The plays of Tom Stoppard* 1979. – J. F. Dean, *Tom Stoppard. Comedy as a moral matrix* 1981. – J. Hunter, *Tom Stoppard's plays* 1982. – H.-E. Weikert, *Tom Stoppards Dramen. Untersuchungen zu Sprache und Dialog* 1982. – R. T. Whitaker, *Tom Stoppard* 1983. – T. Brassell, *Tom Stoppard. An assessment* 1985. – B. Neumeier, *Spiel und Politik. Aspekte der Komik bei Tom Stoppard* 1986. – A. Jenkins, *The theatre of Tom Stoppard* 1987. – M. Billington, *Stoppard. The playwright* 1987.

Jonathan Swift (1667–1745)

Swifts Wesensmerkmal als satirischer Autor war nach seinen eigenen Worten eine »saeva indignatio«, die ihm bei der Mitwelt und Nachwelt häufig Kritik und Ablehnung eintrug. Fast alle Viktorianer verabscheuten ihn, und erst das 20. Jahrhundert hat ihn in seine vollen Rechte als Autor eingesetzt. Seine Originalität wurde selten in Zweifel gezogen, doch seine vermeintliche Misanthropie und sein schonungsloses Menschenbild haben von Anbeginn Leser nicht nur fasziniert, sondern auch abgestoßen.

Swift, ein Vetter → Drydens, wurde als Kind englischer Eltern in Dublin geboren (sein Vater, ein Rechtsanwalt, starb vor der Geburt). Er besuchte, zur gleichen Zeit wie → Congreve und → Farquhar, die angesehenste Schule der Stadt und danach das Trinity College, wo er seinen Grad nur *speciali gratia* erhielt. 1689 wurde er auf Moor Park Sekretär bei Sir William Temple, einem erfolgreichen Diplomaten und Essayisten, dessen Werke und Briefe er später herausgab (1700/01). Dort begegnete er der damals achtjährigen Esther Johnson, seiner späteren Stella. Temples Bibliothek ermöglichte Swift ausgedehnte Studien. Sein erstes, um diese Zeit entstandenes Gedicht, »An ode to the Athenian Society« in der Manier Pindars (1692), soll Dryden zu der Bemerkung veranlaßt haben: »Cousin Swift, you will never be a poet.«

Nach Erwerb des Magistergrades in Oxford begann Swifts kirchliche Laufbahn in der anglikanischen Kirche mit einer ihn nicht befriedigenden Tätigkeit, so daß er 1696 zu Temple zurückkehrte und in Moor Park seine ersten, vorerst nicht veröffentlichten Satiren schrieb. Verschiedene kirchliche Ämter bedeuteten (auch nach der Promotion zum Doktor der Theologie in Dublin) keinen wirklichen Aufstieg. Mit einem allegorischen Kommentar zur politischen Situation unter dem Titel *A discourse of the contests and dissensions between the nobles and the commons in Athens and Rome* legte Swift seine erste größere Veröffentlichung vor. Während seiner häufigen Besuche in London wurde er mit → Addison und → Steele bekannt und schloß sich politisch zunächst den Whigs an.

A tale of a tub, 1704 zusammen mit *A battle of the books* veröffentlicht, war Swifts literarischer Durchbruch. Seine Verteidigung von Sir William Temple im Kontext der *Querelle des anciens et des modernes* bot sich als witzige Literatursatire dar, und *A tale of a tub* (ins Deutsche als »Tonnenmärchen« übersetzt) als hintergründige Satire auf die, wie er sagte, »zahlreichen und massiven Verfallserscheinungen in Religion und Gelehrsamkeit«. Die zentrale, vielfach ausdeutbare Geschichte von den drei Röcken (die für den Katholizismus, den Anglikanismus und den Calvinismus stehen) wird von zahlreichen Digressionen überlagert, so daß sich eine komplexe Struktur ergibt, in der Swifts charakteristische Neigung zu Paradox und Gedankenspiel erstmals voll in Erscheinung trat.

Mehr und mehr wurde Swift in das politisch-literarische Leben der Hauptstadt hineingezogen, und während der Regierungszeit der Königin Anna hielt er sich verschiedentlich in offizieller Mission in London auf. Neben spielerischen Satiren auf Torheiten der Zeit (so den *Bickerstaff papers* gegen die Astrologie) publizierte er – meist ironische – Beiträge zu kirchenpolitischen Fragen (so *An argument against abolishing Christianity*, 1708) und sozialkritische Gedichte wie *A description of the morning*, die in Steeles *Tatler* erschienen. Aus Abscheu gegen die Politik der Whigs schloß er sich 1710 den Tories an und gab im Auftrag der Tory-Regierung die offiziöse Zeitschrift *The Examiner* heraus. Über Leben und Tätigkeit in London berichtete er im *Journal to Stella*, einem an Esther Johnson und ihre Freundin gerichteten Briefjournal (1710–1713), das teilweise in *baby talk* abgefaßt ist und über seine Beziehungen zu »Stella« (die keusche Dame in → Sidneys Sonett-Zyklus *Astrophel und Stella*) Rätsel aufgibt. Politisch herausragend ist sein Friedensappell *The conduct of the allies* (1711), persönlich bestimmend seine ungeklärte Beziehung zu Esther Vanhomrigh, die 1708 in sein Leben trat und die literarisch als Vanessa in dem ironischen Gedicht *Cadenus and Vanessa* (1713, veröffentlicht 1726) Gestalt gewann. Die Parteigängerschaft für die Tories brachte ihn in Berührung mit → Pope (mit dem ihn fortan Freundschaft verband), mit John Arbuthnot und mit John → Gay; er wurde Mitglied des berühmten Scriblerus Club, in dem die bedeutendsten Satiren der Epoche, darunter *Gulliver's travels*, ihren Ursprung hatten.

Der Tod der Königin Anna und der Regierungsbeginn von Georg I. machten Swifts Hoffnungen auf eine kirchliche Karriere zunichte. Er blieb Dean of St. Patrick's in Dublin, wozu er 1713 ernannt wurde. 1714 nach Irland zurückgekehrt, trat er 1720 gegen die neue Whig-Regierung als politischer Journalist mit *A proposal for the universal use of Irish manufacture* an, seine erste Streitschrift für die Sache der Iren. Die berühmten *Drapier's letters*, mit denen er zum allseits geachteten und gefeierten irischen Patrioten wurde und Freiheit für Irland forderte, folgten 1724.

Von seiner Englandreise im Jahre 1726 erhoffte sich Swift eine Verbesserung der Situation in Irland. Eine Begegnung mit

Premierminister Robert Walpole blieb jedoch ohne Konsequenzen. Unter mysteriösen Umständen (die Swift nach seinen Erfahrungen mit anderen Werken bewußt inszeniert hatte) ließ er *Gulliver's travels* erscheinen, die eine literarische Sensation waren und sofort nicht nur überall in England (»from the cabinet-council to the nursery«), sondern in ganz Europa mit Entzücken und mit Verblüffung gelesen wurden. Swift war es gelungen, die damals neue realistische Erzählweise mit einer spielerischen Phantastik im Dienste einer Satire zu verbinden, die darauf abzielte, den Menschen nicht als »animal rationale«, sondern nur als »animal rationis capax« erscheinen zu lassen, als ein bestenfalls der Vernunft fähiges Lebewesen. Was Swift beabsichtigte, war die Korrektur des gängigen optimistischen Menschenbildes, das nach seiner Auffassung vor der individuellen und der kollektiven Erfahrung nicht bestehen konnte. Ungeachtet seiner satirischen Intention ist *Gulliver's travels* von hohem imaginativem Reiz, und es ist wie der wenige Jahre zuvor erschienene *Robinson Crusoe* zu einem der klassischen Werke der Weltliteratur geworden.

Auf *Gulliver's travels* als Satire des intellektuellen Kalküls folgte mit *A modest proposal for preventing the children of poor people from becoming a burthen to their parents or country* eine Satire der moralischen Verzweiflung über die Zustände in Irland. Mit dem »Vorschlag«, kleine Kinder als Schlachtfleisch zu verkaufen, ging Swift an die Grenzen des satirisch Möglichen. Es war ein letzter Aufschrei gegen die englische Irlandpolitik, wiewohl nicht das letzte seiner sozialkritischen Werke. Eine Reihe von scharfen satirischen Gedichten, wie »A beautiful nymph going to bed«, entstanden in den folgenden Jahren. Neben ihnen stehen Werke versöhnlicherer Art, wie die komödienhafte *Complete collection of polite and ingenious conversation* (1738) oder die ironischen *Directions to servants in general.*

Doch Swifts Schaffen neigte sich dem Ende zu. 1727 besuchte er zum letztenmal England, 1728 starb Stella, der er in »On the death of Mrs. Johnson« ein Denkmal setzte. In *Verses on the death of Dr Swift* (1731) zog er, gleicherweise distanziert wie pathetisch, eine Bilanz seines Lebens. Krankheitssymptome hatten sich seit längerem bemerkbar gemacht. Wahrscheinlich litt Swift an der Menièreschen Krankheit, die sich so verstärkte, daß er ab 1736 als geistig umnachtet galt und entmündigt wurde. Swift starb im Oktober 1745 und wurde an der Seite Stellas in der St. Patricks-Kathedrale in Dublin beigesetzt. Ein Drittel seines Einkommens hatte er für das St. Patrick's Hospital for Imbeciles gespart, das 1757 eröffnet wurde. (F)

Hauptwerke: *A tale of a tub, written for the universal improvement of mankind* 1704. – *An account of a battel between the antient and modern books* (mit *A tale of a tub*) 1704. – *A proposal for the universal use of Irish manufacture* 1720. – *Fraud detected, or the Hibernian patriot. Containing all the Drapier's letters* (erste Sammelausgabe) 1725. – *Travels into several remote nations of the world* (*Gulliver's travels*) 1726. – *A modest proposal for preventing the children of poor people from becoming a burthen to their parents or country* 1729. – *Verses on the death of Dr Swift, written by himself* 1731.

Bibliographien: H. Teerink und A. H. Scouten, *Bibliography of the writings of Jonathan Swift* 1963. – J. J. Stathis, *A bibliography of Swift studies 1945–1965* 1967. – R. H. Rodino, *Swift studies, 1965–1980. An annotated bibliography* 1984. – D. M. Vieth, *Swift's poetry 1900–1980. An annotated bibliography of studies* 1982.

Ausgaben: *Prose works*, ed. H. Davis, 16 vols 1939–1974. – *The poems*, ed. H. Williams, 3 vols (1937) 1958. – *Poetical works*, ed. H. Davis 1967. – *The correspondence*, ed. H. Williams, 5 vols 1963–1965.

Übersetzungen: *Ausgewählte Werke*, übers. von G. Graustein und O. Wilck u. a., hrsg. von A. Schlösser, 3 Bde 1982 (Insel). – *Gullivers Reisen*, übers. von H. J. Real und H. J. Vienken 1987 (Reclam).

Biographien: I. Ehrenpreis, *Swift. The man, his works, and the age*, 3 vols 1962–1983. – D. Nokes, *Jonathan Swift, a hypocrite reversed. A critical biography* 1985.

Sekundärliteratur: D. M. Berwick, *The reputation of Jonathan Swift 1781–1882* 1941. – A. E. Case, *Four essays on Gulliver's travels* 1945 (repr. 1958). – L. A. Landa, *Swift and the church of Ireland* 1954. – R. Quintana, *Swift. An introduction* 1955 (repr. 1979). – K. Williams, *Jonathan Swift and the age of compromise* 1958 (repr. 1965). – R. Paulson, *Theme and structure in Swift's Tale of a tub* 1960. – E. W. Rosenheim, Jr., *Swift and the satirist's art* 1963. – M. Voigt, *Swift and the twentieth century* 1964. – B. Vickers (ed.), *The world of Jonathan Swift. Essays for the tercentenary* 1968. – D. Donoghue, *Jonathan Swift. A critical introduction* 1969. – P. Steele, *Jonathan Swift. Preacher and jester* 1978. – F. P. Lock, *The politics of Gulliver's travels* 1980. – F. P. Lock, *Swift's Tory politics* 1983. – C. Rawson (ed.), *The character of Swift's satire* 1983. – H. J. Real und H. J. Vienken, *Jonathan Swift: Gulliver's travels* 1984. – J. A. Downie, *Jonathan Swift. Political writer* 1984. – D. M. Vieth (ed.), *Essential articles for the study of Jonathan Swift's poetry* 1984. – A. C. Kelly, *Swift and the English language* 1988.

Algernon Charles Swinburne (1837–1909)

Dank der Privilegien seiner aristokratischen Herkunft und einer vom Vater ausgesetzten, nicht unbeträchtlichen Rente konnte Swinburne ein Leben lang den eigenen Bedürfnissen und Neigungen folgen und diese exzessiv kultivieren. Die alltägliche Disziplinierung, die Beruf oder Familie bedeuten, hat er nie erfahren. Der Schulzeit in Eton (1849–1853) verdankt er die Bekanntschaft mit der Prügelstrafe und die lebenslange sadomasochistische praktische und literarische Auseinandersetzung mit ihr – die entsprechenden Werke, etwa »The flogging block« oder sein Beitrag zu *The Whippingham papers*, sind unveröffentlicht geblieben. Der Oxforder Student (1856–1860) schließt sich den Präraffaeliten um Dante Gabriel → Rossetti an, als diese 1857 die Union Society Debating Hall ausmalen. Die Rebellenattitüde der Präraffaeliten gegenüber der Formelkunst der Akademie, ihre Zuwendung zu Mythos und Mittelalter sowie die latente Panerotik und manifeste Künstlichkeit von Rossettis Dichtung und Malerei ziehen Swinburne in ihren Bann. Sie steigern die entsprechenden Züge in seinem Wesen und seiner Kunstabsicht, wie dies das elisabethanische Drama nicht vermochte, das er in seinen ersten Versuchen, den Blankverstragödien *Rosamund* und *The Queen Mother* (1860), imitierte.

Der Nachahmung des griechischen Dramas bzw. des Hellenismus seiner Zeitgenossen wie Matthew → Arnold verdankt er seinen ersten großen Erfolg: *Atalanta in Calydon* (1865) ist nicht von höherer Dramatik als andere Lesedramen der Zeit, aber von höherer sprachlicher und metrischer Virtuosität (so in dem Chorlied »When the hounds of spring are on winter's traces«). In seinem Fatalismus und dem rebellischen Aufbegehren in der Nachfolge → Blakes und → Shelleys gegen »The supreme evil, God«, wie auch durch die Geschlechtsambiguität Atalantas, der Kriegerin, verstößt es gegen mittviktorianische Orthodoxien. Der Verstoß wird von der Kunstfertigkeit überdeckt; → Tennyson zollt dem Werk hohes Lob. Die Gedichtsammlung des nächsten Jahres, *Poems and ballads*, aber provoziert einen der größten literarischen Skandale des Zeitalters: Hatte Swinburne die geheime Identität von Lust und Pein in seiner eigenen Flagellantentätigkeit erfahren (und der Marquis de Sade sie ihm nur unzulänglich beschreiben können), hatten ihn Baudelaires *Fleurs du mal* (die er für den *Spectator* bespricht) die Schönheiten des Bösen gelehrt, so enthüllt er in seinen Gedichten ein Panorama der kühnen moralischen Umwertungen (»Dolores«), der blasphemischen religiösen Nivellierungen (»Hymn to Proserpine«), der zwielichtigen erotischen Vertauschungen (»Laus Veneris«, »Hermaphroditus«). Er schafft sich seine eigene literarische Ahnenreihe der Rebellion, entdeckt → Marlowe, Tourneur, Blake und Emily → Brontë für seine Zeit und widmet ihnen wichtige Studien. Und er trägt maßgeblich dazu bei, die insulare Exklusivität der englischen Literatur dem französischen Einfluß, insbesondere Hugos, Baudelaires, Gautiers und Mallarmés, zu öffnen.

So liegt es nahe, in Swinburnes Werk nachgeahmte Literatur zu sehen. Die hohe stilistische und metrische Kunstfertigkeit, die raffinierte Rhythmisierung der (Lang-)Zeilen, der üppige Schwall von Alliterationen, Assonanzen und Binnenreimen, der provokative Gestus lassen den heutigen Leser, anders als den empörten Zeitgenossen, an der Ernsthaftigkeit von Swinburnes Aufbegehren gegen die mittviktorianischen Werte zweifeln. Sie rücken das Moment der Artistik, der spielerischen Virtuosität in den Vordergrund (das in den achtziger und neunziger Jahren die Ästhetizisten erkannten und bewunderten). Es wird verstärkt durch die Distanz, die Swinburne zu seinen Werken besitzt und die ihn eine treffende Selbstparodie »Nephelidia« schreiben läßt. Diese Virtuosität erstreckt sich jedoch nicht auf die Struktur. Selbst in den besten Gedichten und Dramen überwältigen Melodik und Rhythmik zuweilen den Sinn, nehmen die Kunstmittel überhand, sind Strophen austauschbar (so etwa in der dennoch grandiosen, Baudelaire gewidmeten Elegie »Ave atque vale« oder in den von Mazzini angeregten, rhapsodischen Hymnen auf das Italien des Risorgimento, *Songs before sunrise*). Auch der monumental-monströse Umfang seiner späteren poetischen Dramen, etwa des zweiten und dritten Teiles seiner Maria Stuart-Trilogie, ist hier anzuführen. Das Exzessive als Dichtungsprinzip fordert ästhetisch seinen Preis.

Es fordert auch seinen Preis in der Lebenswirklichkeit. Bezeichnenderweise kann Swinburne zwei narrative Texte, *Love's cross currents* (1901) und *Lesbia Brandon* (erst 1952 veröffentlicht), die ein starkes autobiographisches Element besitzen und exorzisierend hätten wirken können, nur spät und unvollkommen bzw. gar nicht abschließen. Swinburne verfällt dem Trunk – und ein todessüchtiges Element ist seinem Verhalten wie so manchem seiner Gedichte (»The garden of Proserpine«) nicht abzusprechen. 1879 stellt der Rechtsanwalt und Literaturkritiker Theodore Watts (später Watts-Dunton), der zuvor erfolglos versucht hatte, Ordnung in Rossettis Leben zu bringen und dessen Verfall aufzuhalten, Swinburne gleichsam unter Kuratel. Er nimmt ihn in sein Haus auf (1879), pflegt und heilt ihn. Die Heilung und Watts' Einfluß führen zur stetigen Anpassung Swinburnes an die bürgerlichen Normen. Die Virtuosität und Leichtigkeit des Schreibens bleiben ihm zwar erhalten (*A century of roundels* 1883), das Aufbegehren jedoch schwindet. Eine Fülle von Werken vom romantischen Epos bis zum Kindergedicht entsteht und wird von der Welt respektvoll zur Kenntnis genommen – und sogleich vergessen. Als Swinburne 1909 stirbt, ist aus dem Rebellen von einst ein dichtender Gentleman geworden, der für das Amt des *poeta laureatus* in Erwägung gezogen worden war. (T)

Hauptwerke: *Atalanta in Calydon* 1865. – *Poems and ballads* 1866. – *William Blake* 1868. – *Songs before sunrise* 1871. – *Bothwell* 1874. – *Poems and ballads*, 2nd series 1878. – *Specimens of modern poets. The heptalogia or the seven against sense* 1880. – *Tristram of Lyonesse* 1882. – *Poems and ballads*, 3rd series 1889.

Bibliographien: T.J. Wise, *A bibliography of the writings of Swinburne*, Bonchurch Edition, vol 20. – K.H. Beetz, *Algernon Charles Swinburne. A bibliography of secondary works, 1861–1980* 1982.

Ausgaben: *The complete works*, Bonchurch Edition, ed. E. Gosse und T.J. Wise, 20 vols 1925–1927. – *The Swinburne letters*, ed. C.Y. Lang, 6 vols 1959–1962.

Biographie: J.O. Fuller, *Swinburne. A critical biography* 1968.

Sekundärliteratur: T.E. Connolly, *Swinburne's theory of poetry* 1964. – R.L. Peters, *The crowns of Apollo. Swinburne's principles of literature and art* 1965. – C. Enzensberger, *Viktorianische Lyrik. Tennyson und Swinburne in der Geschichte der Entfremdung* 1969. – M.B. Raymond, *Swinburne's poetics. Theory and practice* 1971. – I. Fletcher, *Swinburne* 1973. – D.G. Riede, *Swinburne. A study of romantic mythmaking* 1978.

John Millington Synge (1871–1909)

Sowohl die Spannungen des Jahrhundertendes wie die soziopolitischen Irlands sind nicht ohne Einfluß auf Synges Leben und Werk geblieben. Seine Familie gehört zur Protestant Ascendancy, jener Schicht, die im Gefolge von Cromwells Unterdrükkungsfeldzug jahrhundertelang das katholische Irland beherrscht hat, nun aber zusehends an Einfluß und Vermögen verliert. Die Lektüre Darwins im Alter von fünfzehn Jahren sowie seine musischen Neigungen rücken Synge früh in Distanz zu den bürgerlich-ethischen Normen seiner Umgebung. Neben dem Sprachenstudium am Trinity College, Dublin (1889–1892), beginnt er, Geige zu lernen (1887) und an der Royal Irish Academy of Music Komposition zu studieren (1889). Seine übergroße Scheu vor öffentlichen Auftritten verhindert zur Zufriedenheit der Mutter, daß er den Musikerberuf ergreift. Erste literarische Versuche, Gedichte, von → Wordsworth und den eigenen naturgeschichtlichen Studien beeinflußt, wie auch Dramenfragmente, entstehen.

Auf der Suche nach Beruf und Berufung beginnt ein unstetes Leben, das ihn nach Deutschland (1893/94) führt und seit 1895 zwischen Paris und Irland pendeln läßt: Paris ist zur Jahrhundertwende die Stadt des kosmopolitischen Literaten- und ästhetizistischen Künstlertums par excellence, Irland der Ort des Nationalismus, der soziopolitischen Spannungen, aber auch des Mythos, der poetischen Visionen, der literarischen und sprachlichen Rückbesinnung auf das Gaelische, wie sie William Butler → Yeats und Douglas Hyde ins Werk zu setzen suchen. Synges Lektüre, die zu dieser Zeit die keltische Literatur und das *Kommunistische Manifest*, Thomas à Kempis und Baudelaire umfaßt, spiegelt seine disparaten, noch ziellosen Interessen.

Als Synge Ende 1896 in Paris Yeats und Maud Gonne kennenlernt, nehmen einige der disparaten Tendenzen gleichsam Gestalt an: Maud Gonnes patriotischer, anti-englischer Aktionismus ist trotz Synges Abscheu gegen die Landvertreibung oder die Vagheiten des bürgerlichen Lebens seine Sache nicht; nur kurz ist er Mitglied ihrer Irish League. Dem Ratschlag Yeats', in Leben und Sprache zu den keltischen Ursprüngen zu gehen, wie sie im Westen Irlands noch erhalten seien, folgt er. Von 1898 an besucht er alljährlich die Aran Islands, später auch andere Gegenden wie Kerry und Wicklow. Dort findet er in dem harten, kargen Leben der Fischer, Bauern, Bettler und Vagabunden und in deren Erzählungen die stoffliche und sprachliche Grundlage für seine Werke. Es ist dies eine Sprache, die in der Syntax gaelische Strukturen beibehält, im Vokabular dem Englisch des siebzehnten Jahrhunderts nicht unbeträchtlich verpflichtet ist: Wohlklang, Bilderreichtum, ein in Kadenzen ausklingender Rhythmus machen das Anglo-Irische zum geeigneten Vehikel eines poetischen Dramas. Es ist dies eine

Welt, die Entbehrung, Leid und Tod in der poetischen Strukturierung, im *mythmaking*, aufhebt, eine Welt, die ob der Not des täglichen Lebens Lust und Freiheit nicht vergißt und deshalb den Vagabunden und den Sänger zu ihren Helden erwählt.

Unschwer sind diese Elemente in Synges Dramatik zu erkennen, wie er auch immer, etwa in dem Vorwort zu seinem *Playboy of the western world*, betont hat, seine Dramen beruhten auf wahren Begebenheiten und enthielten kaum ein Wort, das er nicht selbst gehört habe. Geschlossene dörfliche Gemeinschaften sind folglich die Schauplätze seiner Dramen von *Riders to the sea* bis hin zum *Playboy*, Außenseiter wie Vagabund (*The shadow of the glen*), Bettler (*The well of the saints*), Kesselflikker (*The tinker's wedding*), Vatermörder (*The playboy of the western world*) oder Jäger (*Deirdre of the sorrows*) sind ihre Helden, der Gegensatz von Materialität, Konvention und Enge sowie Vitalität, Vision und Freiheit ihre Thematik, groteske Tragik und ironische Komik ihre Modi. Alles aber überschattet die Gewißheit der Vergänglichkeit von Jugend, Schönheit, Leben. Falsch freilich wäre es, daraus den Schluß zu ziehen, Synges Dramen seien naturalistische Abbilder irischen Lebens. Einen solchen Schluß zogen die aktiven Nationalisten Dublins und griffen Synges Werke, insbesondere 1907 *The playboy of the western world*, wegen der angeblichen Verleumdung irischen Wesens und Frauentums sowie kontinentaler Unmoral massiv an – *The tinker's wedding* mit seinem engherzigen, materialistischen Pfaffen wagte man erst gar nicht aufzuführen. Was hierbei übersehen wird, sind Synges Kunstabsichten, die ihn zeitgemäß eine Vereinigung von Realismus und Ästhetizismus suchen lassen; denn seine Dramen sind auch insofern poetische, als sie das Entstehen von Poesie und poetischen Visionen zum Inhalt haben. Tramp und Künstler sind Synge verwandt (mit »your old Tramp« unterzeichnet er Briefe an seine Geliebte, Molly Allgood). Aus ihrer Außenseiterposition erkennen sie die grotesken Züge der gesellschaftlichen Beschränkungen und entwerfen als Gegenbilder Reiche der Poesie. Wie auch Synge weder in Stoff noch Sprache mimetisch getreue Abbilder angestrebt hat. Er revidiert seine Entwürfe immer wieder, konzentriert und intensiviert sie – das, was als Dokument oder Notat auf den Aran Islands oder in Kerry beginnt, wird zum Kunst-Werk geformt.

Diese revisionistische Neigung und eine 1897 ausbrechende unheilbare Krankheit sind dafür verantwortlich, daß nur ein schmales Werk entsteht. Inspiriert von Yeats und dessen literarischen Bemühungen um ein irisches Nationaltheater, die schließlich 1904 zur Gründung des Abbey Theatre führen, hatte sich Synge von der wenig produktiven Literatenexistenz und Essayistik ab- und dem Theater zugewandt. 1905 übernimmt er zusammen mit Lady Gregory und Yeats die Leitung des Abbey Theatre. Er bleibt in Irland eine höchst umstrittene Figur, in England und auf dem Kontinent aber wird ihm Anerkennung zuteil. Noch auf dem Totenbett feilt er an seinem letzten Stück, *Deirdre of the sorrows.* (T)

Hauptwerke: (*In*) *The shadow of the glen* 1904. – *Riders to the sea* 1905. – *The well of the saints* 1905. – *The playboy of the western world* 1907. – *The Aran islands* 1907. – *The tinker's wedding* 1907. – *Deirdre of the sorrows* 1910.

Bibliographien: P. M. Levitt, *John Millington Synge. A bibliography of published criticism* 1974. – E. H. Mikhail, *John Millington Synge. A bibliography of criticism* 1975.

Ausgaben: *Collected works*, ed. R. Skelton, 4 vols 1962–1968. – *The collected letters*, ed. A. Saddlemyer, 2 vols 1983/84.

Biographie: D. H. Greene und E. M. Stephens, *J. M. Synge 1871–1909* 1959.

Sekundärliteratur: A. Price, *Synge and Anglo-Irish drama* 1961. – A. Saddlemyer, *J. M. Synge and modern comedy* 1968. – R. Skelton, *The writings of John Millington Synge* 1971. – *Sunshine and the moon's delight. A centenary tribute to John Millington Synge 1871–1909*, ed. S. B. Bushrui 1972. – N. Grene, *Synge. A critical study of the plays* 1975. – *Synge. Interviews and recollections*, ed. E. H. Mikhail 1977. – M. C. King, *The drama of J. M. Synge* 1985.

Alfred Tennyson (1809–1892)

Als viertes von zwölf Kindern hineingeboren in jene Brutstätte von Genie und Neurose, das evangelische Pfarrhaus des 19. Jahrhunderts, erbte auch Alfred das »black blood« der Tennysons. Es ist dies ein Erbe, das den weitgehend enterbten Vater und drei der Brüder in Alkoholismus, Drogenabhängigkeit und Geisteskrankheit führt. Die Angst davor wird Tennyson lange begleiten, ihn hypochondrisch prägen und dazu beitragen, daß er 1840 nach zweijähriger Dauer das Verlöbnis mit seiner Schwägerin Emily Sellwood löst. Erst nach mehreren Sanatoriumsaufenthalten befreit ihn 1848 die ärztliche Mitteilung, er leide nicht an (ererbter) Epilepsie, von dieser Angst, just zu der Zeit, als sich nach der Veröffentlichung der zweibändigen *Poems* (1842) und von *The princess* auch die Reputation, der größte lebende Dichter zu sein, einstellt. Hatte 1845 eine Staatspension von jährlich £ 200 seine materielle Existenz gesichert, so sieht Tennyson sich 1850 mit dem großen kritischen und kommerziellen Erfolg von *In memoriam*, der Berufung zum *poeta laureatus* nach dem Tode → Wordsworths und der nun erfolgenden Heirat mit Emily Sellwood beruflich, finanziell und häuslich etabliert.

Der Entstehung von Dichtung jedoch ist das Vaterhaus durchaus förderlich. Der Vater selbst vermittelt den drei Ältesten sein nicht unbeträchtliches humanistisches Wissen, seine Bibliothek von 2500 Bänden steht ihnen zur Verfügung, und Alfred hat sich für seine ersten Gedichte hier stofflich reichlich bedient. Alle drei, Frederick, Charles und Alfred, beginnen früh zu dichten, und Frederick und Charles entwickeln sich, wie ihre Beteiligung an den *Poems by two brothers* (1827) und Charles' umfängliche spätere Sonettdichtung zeigen, zu mehr als nur kompetenten Verseschmieden. Dem kleinen Alfred aber geht das Versifizieren in der Manier → Thomsons, → Popes oder → Scotts am flüssigsten von der Hand; es erreicht mit *The devil and the lady*, einem den Elisabethanern nachgefühlten Dramenfragment des Vierzehnjährigen, erstaunliche dramatische Kraft.

Schon der Achtjährige dichtet in jenen elegischen Kadenzen, jenem Ton der Melancholie, der Vergessen und Vergehen sucht, welcher später die besten lyrischen Gedichte wie »Tears, idle tears«, »Break, break, break« und »Far-far-away« durchzieht. Psychisch fundiert in dem ererbten »black blood« verstärkt sich diese Melancholie durch den traumatisch erlebten Tod des Freundes Arthur Hallam (1833). Mit diesem, dem von vielen als genialisch geschätzten Sohn des Historikers Henry Hallam und Schulfreund Gladstones, hatte Tennyson während der Cambridger Studienzeit (1827–1831) eine enge Freundschaft gepflegt; 1833 hatte sich Hallam mit Tennysons Schwester Emily offiziell verlobt. Als Reaktion auf den Tod des Freundes verfaßt Tennyson nicht nur »Ulysses«, einen dramatischen Monolog, der heroisches Streben und Todessehnsucht in eins setzt, sondern beginnt auch jene dichterische Trauerarbeit, an deren Ende die große Sammlung von mehr als einhundertdreißig Elegien steht, *In memoriam A. H. H.* (1850).

Nicht allein der Schmerz über den Tod des geliebten Freundes läßt Tennyson nach der Veröffentlichung eines Gedichtbandes 1832 für ein Jahrzehnt verstummen. Noch ist die von einigen vorgebrachte hämische Kritik, die seinen Gedichten zuteil wird, bei aller Empfindlichkeit Tennysons hierfür allein verantwortlich. Daß Tennyson in dieser Dekade des Übergangs seine Eigenart und (öffentliche) Rolle als Dichter sucht, muß überdies berücksichtigt werden. Seine Melancholie sieht sich mit dem Zeitgeist, einem Geist der Reform, konfrontiert. Den eigenen (romantischen) Neigungen zur Introspektion und Ich-Aussprache stellen seine Studienkollegen in Cambridge, die »Apostles«, die soziale Verpflichtung des Dichters fordernd gegenüber. In »The palace of art« und »The Lady of Shalott« stellt Tennyson die gegensätzlichen Anforderungen an den Künstler dar, in »Supposed confessions« und »The two voices« die Zweifel eines Zerrissenen. Ein Jahrzehnt lang siebt er das Erhaltenswerte, feilt und formt es klanglich und metrisch zu großer Vollkommenheit (wobei die Einwände der Kritiker hohe Beachtung finden) und kreiert mit den »English idyls« ein Genre, das eine bürgerliche Welt und ihre Werte abbildet. Diesem »viktorianischen« Tennyson wird denn auch nach der Veröffentlichung seiner zweibändigen *Poems* (1842) weithin Anerkennung gezollt. *Maud* schließlich kann als der metrisch virtuose, endgültige Exorzismus der romantischen Subjektivität verstanden werden.

Bereits zuvor aber läßt es sich Tennyson angelegen sein, das Private der Ich-Aussprache in öffentliche Dichtung zu verwandeln, Subjektivität zu objektivieren. Die Hinwendung zu Themen der Gegenwart und des Alltags, die »Locksley Hall« in den *Poems* von 1842 anzeigt, findet Ausdruck in einem großangelegten Gedicht zur Erziehung und Stellung der Frau, *The princess* (1847). Die Feier der bürgerlichen Werte in den »English idyls« setzt sich in dem sentimentalen Versroman *Enoch Arden* fort. Tennyson erreicht mit solcher Dichtung eine breite Leserschaft – 40000 Exemplare werden binnen kürzester Zeit verkauft – und gewinnt den Status eines *Victorian sage*. Die öffentliche Anerkennung führt schließlich, nachdem er zweimal eine auf seine Lebenszeit beschränkte Nobilitierung abgelehnt hat, 1883 zur Erhebung in den erblichen Adelsstand.

Das Streben nach Objektivität läßt Tennyson auf mythische und historische Stoffe zurückgreifen – auch dies ist 1842 mit »Morte d'Arthur« vorgeprägt. Er stellt sich in die Nachfolge

→ Spensers und → Miltons und entwirft ein Nationalepos um König Artus, *Idylls of the King* (1859–1885). Eine umfassende Analyse der gesellschaftlichen Wirklichkeit, ein »Morte d'Albert«, wie → Swinburne süffisant bemerkt, ist beabsichtigt. Die metrische und klangliche Virtuosität, die Exaktheit und Schönheit der Naturbeschreibung, die Evokation des Zwielichtigen, von Traum, Trance und Vision, dekorieren die Studie einer korrumpierten, potentiell aber idealen Gesellschaft. Das Streben nach Objektivität wie auch der Wunsch, seine Dichtung an der größten englischen zu messen, lassen Tennyson während seiner letzten Schaffensperiode aber auch nach dem Drama und solchen nationalen Stoffen greifen, die Shakespeare nicht bearbeitet hat. Neben einigen kürzeren Werken entstehen die Tragödien *Queen Mary*, *Harold* und *Becket*. Wie alle Dichter des 19. Jahrhunderts scheitert auch Tennyson an der Übermacht des Vorbildes und an dem historistischen Imperativ seiner Zeit, welcher eine umfassende und exakte Wiedergabe des Stoffes fordert und so dramatischer Konzentration entgegensteht. Einem Theaterpraktiker aber wie Henry Irving bot *Becket* das Material, um daraus 1893, ein Jahr nach Tennysons Tod, ein spektakuläres Vehikel für die eigene Schauspielkunst zu formen. Unter den Großen der englischen Literatur, neben Robert → Browning, liegt Tennyson in Westminster Abbey begraben. (T)

Hauptwerke: *Poems* 1832. – *Poems*, 2 vols 1842. – *The princess* 1847. – *In memoriam A. H. H.* 1850. – *Maud, and other poems* 1855. – *Idylls of the King* 1859–1885. – *Enoch Arden* 1864. – *Queen Mary* 1875. – *Harold* 1876. – *Becket* 1884. – *Locksley Hall sixty years after* 1886. – *The death of Oenone* 1892.

Bibliographien: T. J. Wise, *A bibliography of the writings of Alfred, Lord Tennyson*, 2 vols 1908. – C. Tennyson und C. Fall, *Alfred Tennyson. An annotated bibliography* 1967.

Ausgaben: *The works*, Eversley Edition, ed. Hallam, Lord Tennyson, 9 vols 1907/08. – *The poems*, ed. C. Ricks, 3 vols 1987. – *The letters*, ed. C. Y. Lang und E. F. Shannon 1982– .

Biographien: *Alfred Lord Tennyson. A memoir by his son* (Hallam Lord Tennyson), 2 vols 1897. – C. Tennyson, *Alfred Tennyson* 1949. – R. B. Martin, *Tennyson. The unquiet heart* 1980.

Sekundärliteratur: H. Nicolson, *Tennyson. Aspects of his life, character and poetry* 1923. – E. F. Shannon, *Tennyson and the reviewers* 1952. – J. H. Buckley, *Tennyson. The growth of a poet* 1960. – *Critical essays on the poetry of Tennyson*, ed. J. Killham 1960. – C. Ricks, *Tennyson* 1972. – F. E. L. Priestley, *Language and structure in Tennyson's poetry*

1973. – J. R. Kincaid, *Tennyson's major poems* 1975. – W. D. Shaw, *Tennyson's style* 1976. – A. D. Culler, *The poetry of Tennyson* 1977. – *Tennyson. Interviews and recollections*, ed. N. Page 1983. – D. Albright, *Tennyson. The muses' tug-of-war* 1986. – A. Sinfield, *Alfred Tennyson* 1986.

WILLIAM MAKEPEACE THACKERAY (1811–1863)

Herkunft – er entstammt einer wohlhabenden anglo-indischen Familie – und Erziehung – auf der renommierten Privatschule Charterhouse (1822–1828) sowie an der Universität Cambridge (1829–1830) – sichern Thackeray als Angehörigem der gehobenen Mittelschicht, als *gentleman*, einen festen Platz in der viktorianischen Gesellschaftshierarchie. Der Verlust des Familienvermögens (1832/33) und der Zwang, das müßiggängerische Leben aufzugeben und einem Broterwerb nachzugehen, werden deshalb von Thackeray nicht in der Weise traumatisierend und als soziale Degradierung erfahren, wie dies dem jungen → Dickens widerfährt. Sie tragen aber dazu bei, ihm überkommene Vorstellungen, etwa die, was ein *gentleman* sei, als fragwürdig erscheinen zu lassen: Deren Analyse und Neudefinition rücken ins Zentrum seines Œuvre. Mehrere Jahre als Herausgeber und Mitarbeiter verschiedener Zeitungen und Zeitschriften lassen ihn zu einem der besten und vielseitigsten Journalisten seiner Zeit werden. Er schreibt – im wahrsten Sinne des Wortes, wie → Carlyle bemerkt, »writing for his life« – für zahlreiche Periodika, vor allem für *Fraser's magazine*, *The morning chronicle* und, ab 1842, für *Punch*. Und er schreibt über alles, über Literatur und Reisen (*The Irish* bzw. *Paris sketch book*), über bildende Kunst oder über die Sitten und Unsitten der bürgerlich-aristokratischen Gesellschaft (so in *The Yellowplush papers* und *The snobs of England*).

Um sein Publikum ansprechen und sich selbst aussprechen zu können, gleichzeitig aber auch um seine Kritik zu verfremden und die Anonymität der Beiträge zu wahren, kreiert Thackeray eine Fülle von *personae*, etwa die des Lakaien und Snob Yellowplush oder des liebenswerten Michael Angelo Titmarsh. Die Vermittlung durch solche *personae* fiktionalisiert die Beiträge nicht nur, sie stellt zwischen ihnen auch eine lose »Einheit des

Helden« her, die durch die durchgängig komisch-satirische Perspektive verstärkt wird. Thackeray entfaltet hierbei ein Talent, das schon in Charterhouse bissige Parodien auf modische Gesellschaftslyrik zeitigte. So führt sein Weg zur Romangroßform zu einem gut Teil über die Parodie der wichtigsten zeitgenössischen Genres und Autoren. Folgerichtig wird etwa der Newgate-Roman mit *Catherine* (1839/40), → Disraelis *Coningsby* mit *Codlingsby* (1847) und → Scotts *Ivanhoe* mit *Rebecca and Rowena* (1846 und 1850) witzig aufgespießt. Daß Thackeray ein karikierendes Talent besaß, einen Blick für das grotesk zu übertreibende, bezeichnende Detail, und seine Werke oft selbst illustrierte, hat ihrer Wirkung nicht geschadet.

Die Entwicklung des Romans unter dem Zwang der termingebundenen journalistischen Arbeit hat in Thackerays Werk auch anderweitig Spuren hinterlassen. Thackeray bevorzugt Strukturen, die Episode für Episode erfüllt und angereichert werden können; die durchkonstruierte, ausgeklügelte Handlung ist nicht seine Sache. Er beginnt in angemessener Bescheidung mit Kurzformen (etwa *A shabby genteel story*) oder greift in *Barry Lyndon* auf das additive Prinzip des pikaresken Romans zurück. In den Romanen der mittleren Schaffensperiode aber und insbesondere seinen letzten Werken (so in *The Virginians*) vernachlässigt er die Handlungskonstruktion und scheint Inkonsistenzen, lose oder mangelnde Verknüpfungen, nicht weiter verfolgte Motive sorglos in Kauf zu nehmen.

In der Tat ist *Vanity Fair*, Thackerays erstes Meisterwerk, thematisch strukturiert. Der Untertitel, *A novel without a hero*, besagt, daß die bürgerliche viktorianische Gesellschaft keine Helden mehr hervorbringen kann. Er besagt auch, daß ein umfassendes Bild der Gesellschaft in ihren Interdependenzen beabsichtigt ist sowie eine Darstellung solcher Figuren, die in ihren Eigenschaften und ihrem moralischen Verhalten uneindeutig, gemischt sind. Eine solche Sicht entspricht dem realistischen Impuls der Zeit. Zudem schafft sich Thackeray auch hier in der Gestalt des Puppenspielers als Erzähler eine *persona*. In ihr sind die Funktionen des »Satirical-Moralist« vereinigt, der Thackeray nunmehr zu sein anstrebt, und zwar die Funktionen der satirischen Attacke und Dekuvrierung sowie der moralischen Wertung und Belehrung. Attackiert und bewertet wird die materialistische, dem Schein huldigende Ideologie des bürgerlich-aristokratischen Jahrmarkts der Eitelkeiten an Hand zweier sich spiegelnder Lebensläufe, dem der sentimental-naiven Amelia

Sedley und dem der amoralisch-gewitzten Becky Sharp. Im Gegensatz zu Dickens blendet Thackeray wegen mangelnder eigener Kenntnisse die unteren Schichten aus seiner Gesellschaftsdarstellung aus. Seine Kritik richtet sich auf Ideologie und Sitten, nicht auf gesellschaftliche Institutionen.

Thackerays folgende Romane sind recht klar autobiographisch geprägt. Anlaß hierfür mögen die qualvollen eigenen Erfahrungen, die Geisteskrankheit seiner Frau (1840), der Bruch der Beziehung zu der verheirateten Jane Brookfield, gewesen sein. Thackerays Bildungsroman *Pendennis*, zeitweise mit Dickens' biographischem Roman *David Copperfield* auf dem Markt konkurrierend, verwertet die eigene Schul- und Jugendzeit, kritisiert Snobismus und Dandytum der frühviktorianischen *jeunesse dorée* und nimmt die Praktiken von Journalisten und Literaten aufs Korn (eine Attacke, die dazu beitrug, Dickens' Abneigung ihm gegenüber zu vergrößern). Wie für David Copperfield bedeutet Bildung auch für Pendennis, vorgegebene moralische Normen zu übernehmen und gesellschaftliche Rollen zu akzeptieren. Die hier angedeutete Sentimentalisierung von Thackerays satirisch-aggressiver Weltsicht setzt sich mit *Henry Esmond*, *The Newcomes* und *The Virginians* fort. Der satirische Impetus bleibt durchaus bestehen – in *Henry Esmond* etwa wird Geschichte radikal auf die egoistischen Motive und Bestrebungen der Figuren reduziert, in *The Newcomes* die Käuflichkeit einer »most respectable family« (so der Untertitel) am Problem der *mariage de convenance* bloßgestellt. Derartige Lösungen der individuellen und gesellschaftlichen Probleme aber stehen einer Dickensschen Herzens- und Gefühlskultur näher, als vielfach anerkannt wird. In allen diesen Werken versucht Thackeray – ganz wie Dr. Arnold, Dickens und → Trollope –, den ehedem aristokratischen *gentleman*, der zum Snob oder Dandy verkommen ist, bürgerlich neu zu definieren. Die transformierenden Mächte sind die der Moral, des Gefühls, des Anstands.

Thackeray projiziert seine zwiespältige Einstellung zu der eigenen Zeit auf das achtzehnte Jahrhundert zurück. Dieses gilt ihm als Inbegriff einer wahren (aristokratischen) Kultur. Er widmet seine erste öffentliche Vortragsserie den *English humourists of the eighteenth century*; seine Bibliothek besteht zu einem beträchtlichen Teil aus kostbaren Ausgaben von Autoren des 18. Jahrhunderts; er baut sein prachtvolles letztes Haus im Stile der Zeit Queen Annes und richtet es entsprechend ein.

Und er hat von der Literatur des 18. Jahrhunderts, insbesondere von Fielding, gelernt. Sein eigener pikaresker Roman freilich gibt in der Gestalt Barry Lyndons den *gentleman-scoundrel* der Verachtung preis. *Henry Esmond* legt die materialistischen und egoistischen Grundlagen dieser Kultur bloß, und die zweite Vortragsserie, *The four Georges*, zeigt den Verfall des *gentleman*-Ideals an königlichen Beispielen mit maliziöser Schärfe auf (und Thackeray hatte es daraufhin für einige Zeit in den Salons der großen Whig-Familien nicht leicht).

Vanity Fair macht Thackeray berühmt, die folgenden Romane machen ihn finanziell unabhängig. 1859 wird er für ein fürstliches Salär Herausgeber des neugegründeten *Cornhill magazine*. Er verfaßt für dieses Romane in Fortsetzungen (*Lovel the widower*; *Philip*; *Denis Duval* 1864), die seinen eigenen Verdacht, seine Erfindungskraft sei erschöpft, nicht rundweg entkräften. Dank seiner Causerien (veröffentlicht als *Roundabout papers*), vor allem dank einer geschickten und generösen Herausgeberpolitik (er gewinnt u. a. Trollope, → Browning, George Henry Lewes und → Ruskin als Beiträger) wird die Zeitschrift ein großer Erfolg. Als Thackeray am Weihnachtsabend 1863 überraschend stirbt, hat er das Vermögen zurückgewonnen, das seine Familie, aber auch er durch seine Spielschulden einst verloren hatte. Er trägt damit einem zentralen Aspekt seines *gentleman*-Ideals Rechnung: der Welt und den Menschen zu geben, statt zu nehmen. (T)

Hauptwerke: *The Yellowplush papers* 1837–1840. – *A shabby genteel story* 1840. – *Barry Lyndon* 1844. – *Punch's prize novelists* 1844–1850. – *The snobs of England* (später: *The book of snobs*) 1846/47. – *Vanity Fair* 1847/48. – *Pendennis* 1848–1850. – *Henry Esmond* 1852. – *The English humourists of the eighteenth century* 1853. – *The Newcomes* 1853–1855. – *The Virginians* 1857–1859. – *The four Georges* 1860. – *Lovel the widower* 1860. – *Philip* 1861/62. – *Roundabout papers* 1860–1863.

Bibliographien: H.S. Van Duzer, *A Thackeray Library* 1919. – D. Flamm, *Thackeray's critics. An annotated bibliography of British and American criticism, 1836–1901* 1966. – J.C. Olmsted, *Thackeray and his twentieth-century critics. An annotated bibliography, 1900–1975* 1977.

Ausgaben: *The Oxford Thackeray*, ed. G. Saintsbury, 17 vols 1908. – *The letters and private papers*, ed. G. N. Ray, 4 vols 1945/46. – *Thackeray's contributions to the morning chronicle*, ed. G. N. Ray 1955.

Übersetzungen: *Das Buch der Snobs*, übers. von H. Conrad, hrsg. von N. Kohl 1979 (Insel). – *Jahrmarkt der Eitelkeit*, übers. von

H. Röhl, hrsg. von N. Kohl 1980 (Insel); übers. von E. Schwartz 1983 (Manesse); übers. von T. Mutzenbecher 1977 (Winkler), 1975 (dtv).

Biographien: G. N. Ray, *Thackeray. The uses of adversity (1811–1846)* 1955. – Ders., *Thackeray. The age of wisdom (1847–1863)* 1958.

Sekundärliteratur: G. Tillotson, *Thackeray the novelist* 1954. – J. Loofbourow, *Thackeray and the form of fiction* 1964. – J. H. Wheatley, *Patterns in Thackeray's fiction* 1969. – J. McMaster, *Thackeray. The major novels* 1971. – B. Hardy, *The exposure of luxury. Radical themes in Thackeray* 1972. – J. Sutherland, *Thackeray at work* 1974. – J. Carey, *Thackeray. Prodigal genius* 1977. – K. C. Phillips, *The language of Thackeray* 1978. – R. A. Colby, *Thackeray's canvass of humanity. An author and his public* 1979. – *Thackeray. Interviews and recollections*, ed. P. Collins, 2 vols 1983.

Dylan Thomas (1914–1953)

Dylan Thomas wurde in Swansea (Wales) geboren, und obgleich er kein Walisisch sprach, sah er sich gern in der Rolle eines keltischen Barden. Von Anfang an überließ er sich der Flut der Bilder, die im schöpferischen Augenblick in ihm aufstiegen und in einem abwechselnd kreativen und destruktiven Prozeß sein Bewußtsein erfüllten. Er schulte sich an der walisischen Dichtungstradition, deren Wechselspiel komplexer Metren und Rhythmen ihm durch den Vater nahegebracht wurde. Gerard Manley → Hopkins' hohe Formkunst, in der germanische und keltische, lateinische und romanische Traditionen miteinander verschmolzen sind, aber auch D. H. → Lawrence, → Joyce, T. S. → Eliot, die *Metaphysicals* sowie die Surrealisten regten seine Phantasie an. In diesen dichterischen Traditionen sah Thomas Möglichkeiten des künstlerischen Ausdrucks angelegt, die für ihn nicht überholt waren, sondern jederzeit in den Strom seiner Inspiration einbezogen und in eigener Weise geformt werden konnten: »I use everything and anything to make my poems work and move in the directions I want them to: old tricks, new tricks, puns, portmanteau-words, paradox, allusion, paranomasia, paragram, catachresis, slang, assonantal rhymes, vowel rhymes, sprung rhythm. Every device there is in language is there to be used if you will.«

Wenngleich sich Dylan Thomas auch nicht völlig einer surrealistisch-alogischen Dichtung verschrieb, herrschen in seinen frühen Gedichten Klangfülle und eine intrikate Rhythmik vor, während die Thematik – wie oft in moderner, dem manieristischen Stil verpflichteter Dichtung – meist auf einfache Geschehnisabläufe wie Geburt und Tod, Zeugung und Zerstörung, Tod und Wiedergeburt abgestimmt ist. Dylan Thomas neigte insbesondere in seinen Anfängen pantheistischen Vorstellungen zu; Freuds Erkenntnisse halfen ihm, in das unterbewußte Triebleben der Menschen vorzudringen, aber auch christliche Vorstellungen gewannen in seinen Phantasien immer wieder an Bedeutung wie z. B. in der Sonettfolge »Altarwise by owl-light«.

In späteren Gedichtbänden wie *Deaths and entrances* (1946) gelang es ihm, die Fülle der klanglichen und bildlichen Einfälle durch eine wohldurchdachte Kompositionskunst zu meistern, und in die manieristischen Aufschwünge seiner Phantasie Elemente einer klassizistischen Ordnung einzuführen. Obwohl Gedichte wie »Fern Hill« oder »Poem in October« stark autobiographische Züge haben, vermochte Thomas, das eigene Schicksal in das kosmische Geschehen einzugliedern und ihm damit ohne Selbstüberheblichkeit einen paradigmatischen Wert zu verleihen. Mit den Gedichten über die Kindheit setzte er die dichterische Tradition, die im 17. Jahrhundert durch Henry Vaughan und Thomas Taherne und in der Romantik durch William → Wordsworth vertreten wurde, in origineller Weise fort.

Als Dramatiker machte sich Dylan Thomas durch das Hörspiel *Under milk wood* (aufgeführt 1953), als Erzähler durch *Portrait of the artist as a young dog* (1940) und *Adventures in the skin trade* (1955) einen Namen. Insbesondere in dem Hörspiel durchdringen sich deftiger Realismus und skurrile Poesie; sie erschließen den Lebensraum, aus dem auch die Eigenwilligkeiten seiner Lyrik erklärlich werden. Dylan Thomas berauschte sich nicht nur an Worten: Vor allem auf seinen drei Amerika-Reisen (1950, 1952, 1953), auf denen er eigene wie fremde Texte vor begeistertem Publikum las, überließ er sich alkoholischen Exzessen, die am 9. November 1953 zu seinem frühen Tod in New York City führten. Nach einer Zeit enthusiastischer Bewunderung folgte eine Phase distanzierter Bewertung und gelegentlich auch Ablehnung seines Werkes: Die barocke Bildfülle störte Kritiker, die den nüchtern-prosaischen Ton auch in der Lyrik bevorzugen. Inzwischen hat sich eine ausgewogene Beurteilung durchgesetzt, und neben den manieristischen Dunkelheiten haben Leser wie Literaturkritik diejenigen Werke Thomas' schätzen gelernt, in denen sich seine poetische Kraft wie seine souveräne formale Meisterschaft bekunden. (E)

Hauptwerke: *18 poems* 1934. – *Twenty-five poems* 1936. – *The map of love. Verse and prose* 1939. – *The world I breathe* 1939. – *Portrait of the artist as a young dog* 1940. – *New poems* 1943. – *Deaths and entrances* 1946. – *Twenty-six poems* 1950. – *Under milk wood. A play for voices* 1954. – *Adventures in the skin trade* 1955. – *The doctor and the devils and other scripts* 1966.

Bibliographien: J. A. Rolph, *Dylan Thomas. A bibliography* 1956. – R. Maud, *Dylan Thomas in print. A bibliographical history* 1970.

Ausgaben: *The collected poems* 1953. – *Poet in the making. The notebooks*, ed. R. Maud 1968. – *Collected prose* 1969. – *The poems*, ed. D. Jones (1971) 1974. – *The collected letters*, ed. P. Ferris 1985.

Übersetzungen: *Tode und Tore* (zweispr.), übers. von R. P. Becker 1952 (Drei Brücken). – *Unter dem Milchwald*, übers. von E. Fried 1954 (Drei Brücken), 1984 (Reclam). – *Ausgewählte Gedichte* (zweispr.), übers. von E. Fried 1967 (Hanser). – *Abenteuer in Sachen Haut*, übers. von A. Schmitz 1971 (Hanser). – *Unter dem Milchwald. Ganz früh eines Morgens. Ein Blick aufs Meer*, übers. von E. Fried 1973 (Hanser), 3 Bde 1984 (Fischer). – *Porträt des Künstlers als junger Dachs*, übers. von F. Polakovics 1978 (Hanser). – *Rebecca's Töchter*, übers. von W. Teichmann 1983 (Eichborn).

Biographien: C. FitzGibbon, *The life of Dylan Thomas* 1965. – P. Ferris, *Dylan Thomas* 1977. – D. Jones, *My friend Dylan Thomas* 1977. – G. Watkins, *Portrait of a friend* 1983.

Sekundärliteratur: D. Stanford, *Dylan Thomas. A literary study* 1954. – E. Olson, *The poetry of Dylan Thomas* 1954. – *Dylan Thomas. The legend and the poet. A collection of biographical and critical essays*, ed. E. W. Tedlock 1960. – D. Holbrook, *Llareggub revisited. Dylan Thomas and the state of modern poetry* 1962 (als *Dylan Thomas and poetic dissociation* 1964). – W. Y. Tindall, *A reader's guide to Dylan Thomas* 1962. – T. H. Jones, *Dylan Thomas* 1963. – A. T. Davies, *Dylan. Druid of the broken body* 1964. – R. Maud, *Entrances to Dylan Thomas's poetry* 1965. – W. T. Moynihan, *The craft and art of Dylan Thomas* 1966. – L. B. Murdy, *Sound and sense in Dylan Thomas's poetry* 1966. – A. Sinclair, *Dylan Thomas. No man more magical* 1975.

R. S. Thomas (geb. 1913)

Die Tradition religiöser Lyrik ist in der Geschichte der englischen Literatur seit ihren Anfängen niemals unterbrochen worden. Nach dem Ersten Weltkrieg wurde die Lyrik der *Metaphysicals* neu entdeckt, und die erst 1918 von Robert Bridges veröffentlichte Dichtung des viktorianischen Jesuitenpaters Gerard Manley → Hopkins übte auf die Leser und Kritiker der zwanziger und dreißiger Jahre einen tiefgreifenden Einfluß aus. Mit T. S. → Eliots *Four quartets* erreichte die religiöse Lyrik in der ersten Hälfte des 20. Jahrhunderts ihren Höhepunkt. Ronald Stuart Thomas setzte mit seinem 1946 publizierten Band *The stones of the field* diese Linie fort und entwickelte sich innerhalb von vier Jahrzehnten zum bedeutendsten anglo-walisischen Dichter der Gegenwart.

R. S. Thomas wurde in Cardiff geboren, studierte Altphilologie am University College von Nordwales in Bangor, danach Theologie am St. Michael's College in Llandaff. 1937 wurde er zum anglikanischen Priester ordiniert. Er war zunächst Hilfsgeistlicher, anschließend Pfarrer in den Gemeinden Manafon, Montgomeryshire (1942–1954), Eglwysfach (1954–1967) und St. Hywyn, Aberdaron (ab 1967), bis er schließlich 1978 in den Ruhestand trat.

Seine Dichtung war von Anfang an von eigentümlichen Spannungen erfüllt: Seine Sympathie galt Wales, aber seine Muttersprache war Englisch, und die Kenntnisse des Walisischen, die er sich aneignete, reichten nicht aus, um sich in der Weise dichterisch zu artikulieren, wie er es im Englischen vermochte. Seine langjährige Tätigkeit als Pfarrer brachte es mit sich, daß er die einfachen Menschen schätzenlernte. Zugleich sah er in vielen von ihnen die geistige und geistliche Leere, und er zögerte nicht, seinen Zorn über ihre störrisch-sture Art in seiner Lyrik zum Ausdruck zu bringen. Mit nüchternem Blick beobachtete er die alltägliche Umgebung, in der sich sein und das Leben seiner Gemeindemitglieder abspielten, und er sah einen inneren Zusammenhang zwischen der steinig-harten Natur und dem verhärteten Charakter der Menschen. Die Zweifel des modernen Menschen spürte R. S. Thomas in sich selbst, und sie verwehrten ihm, in spontan-hymnischer Weise Gott zu preisen, wie dies Hopkins in zahlreichen seiner Gedichte noch konnte. Mit seinen religiösen Gedichten setzte er vielmehr einen Traditionsstrang fort, der bei Hopkins in den »dark sonnets« der Dubliner Zeit anzutreffen ist.

In seinem ersten Band *The stones of the field* klingen bereits die wesentlichen Themen an, die Thomas in den folgenden Jahren weiter entfaltete, und auch die Gestalt des Bauern Iago Prytherch wird in dem Gedicht »A peasant« schon vorgestellt. Iago Prytherch ist »Just an ordinary man of the bald Welsh hills«, aber er unterscheidet sich merklich von den idealisierten Bauerngestalten der romantischen Pastoralpoesie. Obgleich Iago Prytherch von der *superbia* frei ist, die der Priester in sich selbst verspürt, behält er seine groben Kanten. Er ist der Inbegriff des einfachen Menschen, der bei seiner Arbeit auf den wenig ertragreichen Feldern in einem Lebens- und Schöpfungszusammenhang einbezogen bleibt, aus dem der Dichter (nach seiner eigenen Einschätzung) durch seine verächtlich-satirischen Urteile über seine Mitmenschen heraustrat.

Mit den beiden Bänden *Poetry for supper* (1958) und *Tares* (1961) verdüstert sich die Tonlage. Die nationalen Bestrebungen der Waliser und die Enttäuschungen, die ihnen die Geschichte bereitete, klingen an; das Eindringen der Technik und der städtischen Zivilisation wird mit Mißbehagen registriert, und schließlich stellen sich die Sorgen des Priesters ein, der spürt, wie groß die innere Distanz zwischen den Menschen und dem christlichen Gott geworden ist. In *The bread of truth* (1963), *Pietà* (1966) und *Not that he brought flowers* (1968) lassen sich formale Wandlungen, das Zurückweichen des Reimes, die Vereinfachung der Diktion beobachten. Erst in dem Band *H'm* (1972) hat R. S. Thomas in seiner neuen Einfachheit einen hohen Grad an künstlerischer Reife erreicht. Von seinen letzten Bänden verdient *Between here and now* (1981) besondere Aufmerksamkeit, weil Thomas hier, angeregt durch Werke der Malerei, über den Stellenwert der Kunst reflektiert. Bei allen sprachlichen Eigenheiten, die in seiner Lyrik anzutreffen sind, ist der innere thematische Zusammenhang zwischen der alltäglichen Erfahrungswirklichkeit und dem Bereich des Göttlichen, zwischen der Hinwendung zum Mitmenschen und der Reflexion über das dichterische Ich, das sich seines sprachlichen Könnens, aber auch seiner kreatürlichen Grenzen bewußt ist, nicht zu übersehen. (E)

Hauptwerke: *The stones of the field* 1946. – *An acre of land* 1952. – *The minister* 1953. – *Song at the year's turning. Poems 1942–1954* 1955. – *Poetry for supper* 1958. – *Judgement day* 1960. – *Tares* 1961. – *The bread of truth* 1963. – *Pietà* 1966. – *Not that he brought flowers* 1968. – *H'm* 1972. – *What is a Welshman?* 1974. – *Laboratories of the spirit* 1975. – *The way of it* 1977. – *Frequencies* 1978. – *Between here and now* 1981. – *Destinations* 1985. – *Welsh airs* 1987.

Biographie: W. M. Merchant, *R. S. Thomas* 1979.

Sekundärliteratur: A. E. Dyson, *Yeats, Eliot and R. S. Thomas. Riding the echo* 1981. – *Critical writings on R. S. Thomas*, ed. S. Anstey

1982. – S. Volk, *Grenzpfähle der Wirklichkeit. Approaches to the poetry of R. S. Thomas* 1985. – D. Z. Phillips, *R. S. Thomas. Poet of the hidden god. Meaning and mediation in the poetry of R. S. Thomas* 1986.

James Thomson (1700–1748)

Thomson war, obwohl ein Dutzend Jahre jünger, → Popes unmittelbarer Zeitgenosse. Beide sind repräsentativ für die Epoche, doch ihr Werk könnte kaum verschiedener sein. Für Pope ist das urbane Lebenselement und die satirische Ausdrucksform charakteristisch, für Thomson die Natur als Landschaft und das Deskriptive und das Panegyrische als Mitteilungsweise. Als Dichter waren beide unterschiedlichen Traditionen verbunden, und obwohl sie grundlegende philosophische Auffassungen der Zeit teilten, gehören sie in einen jeweils anderen literarischen Kontext.

Thomson war schottischer Herkunft und wurde, wie später Walter → Scott, durch das Grenzland zwischen England und Schottland entscheidend geprägt. Er studierte in Edinburgh Theologie, brach aber sein Studium ab und ging 1725 nach London, wo er zunächst als Tutor tätig war. Bereits 1726 legte er mit *Winter* sein erstes bedeutendes Gedicht vor, das aus seinen frühen poetischen Versuchen als Student erwachsen war. Es ist nicht im verbreitetsten Versmaß der Zeit, dem *heroic couplet* (gereimter Pentameter) geschrieben, sondern in dem auf John → Milton zurückverweisenden Blankvers.

Wie viele Verswerke der Epoche ist *Winter* ein deskriptives Gedicht mit einem starken philosophischen und religiösen Einschlag. Unter den zahlreichen zeitgenössischen Versuchen, das durch die neue Naturphilosophie entworfene Weltbild poetisch zu vermitteln, ragt es durch eine Gestaltungskraft heraus, die Pope als Klassizisten ebenso beeindruckte wie → Wordsworth als Romantiker. Thomson sah in der Natur als Werk ihres Schöpfers den eigentlichen Gegenstand der Dichtung, und er verband Naturbetrachtung mit kosmologischer Spekulation und moralischer Reflexion auf eine Weise, die den zeitgenössischen Leser ansprach und die ihn im historischen Rückblick als einen Wegbereiter der Romantik erscheinen läßt.

Breiter Zuspruch und das Vorbild von Popes *Pastorals* (die ihrerseits Teil der Vergilschen Tradition in der englischen Literatur sind) ermunterten Thomson zu weiteren Gedichten in dieser Manier. *Summer* (1727), *Spring* (1728) und *Autumn* (1730) entstanden in schneller Folge und bildeten zusammen mit *Winter* unter dem Titel *The seasons* einen Zyklus, der zu den beliebtesten Gedichten des 18. Jahrhunderts gehörte. Nicht nur waren die Jahreszeiten ein zentrales Thema für die Epoche, das in Dichtung, Musik, Malerei und bildender Kunst immer neu gestaltet wurde. Thomsons abschließende Hymne brachte auch mit ihrer teleologischen Auffassung des Natur- und Sozialgeschehens eine Grundüberzeugung des Zeitalters zum Ausdruck. *The seasons* blieben bis ins 19. Jahrhundert populär, und nicht zuletzt in Deutschland hatte das Gedicht, übersetzt und nachgeahmt, eine starke Wirkung. Die von Gottfried von Swieten bearbeiteten Texte für Haydns Oratorium *Die Jahreszeiten* (1801) beruhen auf Thomsons Gedicht.

Seinen beiden anderen großen Gedichten war eine ähnliche Wirkung nicht beschieden. *Liberty* (1735/36), ein langes allegorisches Gedicht über den Fortschritt und Siegeszug der Freiheit, in dem sich Thomsons whiggistisch eingefärbter Patriotismus dokumentiert, ist mehr ein Traktat in Versen als ein Gedicht. *The castle of indolence. An allegorical poem*, sein letztes Werk (1748), ist in der Manier → Spensers ausgeführt und trotz formaler Virtuosität ein nicht geglückter Versuch, die Versromanze unter den Prämissen eines rationalistischen Zeitalters neu zu beleben. Von Thomsons Gelegenheitsgedichten hat sich nur *To the memory of Isaac Newton* (1727) als der eindrucksvollste der zahlreichen poetischen Nachrufe auf den »Fürsten der Neuen Philosophie« behauptet.

Über einen längeren Zeitraum versuchte sich Thomson mit mäßigem Erfolg auch als Bühnenautor. Zwischen 1730 und 1745 schrieb er eine Reihe von heroischen Tragödien, darunter *Sophonisba* (1730), *Edward and Eleonora* (1739) und *Tancred and Sigismunda* (1745), sowie ein Maskenspiel, *Alfred* (1740), in Zusammenarbeit mit David Mallet. Sie sind, wie auch andere Dramen der Zeit, noble aber kraftlose Gegenstücke zu den heroischen Dramen der Restaurationsepoche. Zum Glück brauchte Thomson nicht von seinen Bühneneinkünften zu leben. Durch seinen Gönner, Lord Lyttelton, fand er Unterstützung, und der Prince of Wales gewährte ihm 1738 ein Jahrgeld von 100 Pfund, so daß sich Thomson lange Zeit der intensiven Überarbeitung seiner *Seasons* widmen konnte – häufig nicht zum Vorteil der Gedichte. Thomson lebte komfortabel und mit einem gewissen Hang zum Epikureismus in einem nicht kleinen Kreis von Freunden in Richmond. Er starb, noch nicht fünfzigjährig, an einer Erkältung, die er sich auf dem Rückweg von London zugezogen hatte. (F)

Hauptwerke: *A poem sacred to the memory of Sir Isaac Newton* 1727. – *The seasons* 1730. – *The tragedy of Sophonisba* 1730. – *Liberty* 1735/36. – *Alfred* 1740. – *The castle of indolence. An allegorical poem* 1748.

Bibliographie: H.H. Campbell, *James Thomson (1700–1748). An annotated bibliography of selected editions and the important criticism* 1976.

Ausgaben: *Letters and documents*, ed. A.D. McKillop 1958. – *The seasons*, ed. J. Sambrook 1981. – *Liberty, The castle of indolence, and other poems*, ed. J. Sambrook 1986.

Biographien: D. Grant, *James Thomson. Poet of The seasons* 1951. – M.J. Scott, *James Thomson, Anglo-Scot* 1988.

Sekundärliteratur: A.D. McKillop, *The background of Thomson's Seasons* 1942. – P.M. Spacks, *The varied God. A critical study of Thomson's The seasons* 1959. – R. Cohen, *The art of discrimination. Thomson's The seasons and the language of criticism* 1964. – R. Cohen, *The unfolding of The seasons* 1970.

Charles Tomlinson (geb. 1927)

Von den Lyrikern, die in den fünfziger und sechziger Jahren hervortraten, hat sich Charles Tomlinson am entschiedensten für eine bewußte Fortsetzung der symbolistischen Tradition, für eine Weiterentwicklung der Techniken Pounds, T.S. → Eliots und → Yeats' eingesetzt. Er steht damit in scharfem Kontrast zum Movement, dem er provinzielle Enge und Verarmung vorwirft und das seinerseits Tomlinsons Kritik damit begegnete, daß es ihn zur persona ingrata erklärte.

In Stoke-on-Trent geboren, studierte er englische Literatur am Queens' College in Cambridge, wo Donald Davie einer seiner Lehrer war, anschließend an der Universität London. Vorübergehend war er als Lehrer an einer Volksschule in London tätig, danach arbeitete er als Privatsekretär von Percy Lubbock in Norditalien. Seit 1956 lehrt er an der Universität Bristol. Mehrfach besuchte er die Vereinigten Staaten und Mexiko. In den Jahren 1962/63 erhielt er eine Gastprofessur an der University of New Mexico in Albuquerque, 1967 lehrte er an der Colgate University in Hamilton, N. Y.

Der Titel des 1958 veröffentlichten Gedichtbandes *Seeing is believing* ist aufschlußreich für sein gesamtes künstlerisches Schaffen: Tomlinson hat eine besonders enge Beziehung zur visuellen Erfassung der Wirklichkeit. Er ist ein Maler, dessen Einstellung zur dinglichen Welt mehrfach mit derjenigen Cézannes verglichen wurde; wie bei seinem französischen Vorbild legt auch bei ihm das Bild die Struktur eines visuell wahrgenommenen Ausschnittes der Wirklichkeit dar und drückt zugleich eine bestimmte geistige Einstellung zu ihr aus. Tomlinson wurde als Lyriker vom Imagismus beeinflußt, der wie T. E. Hulme und Ezra Pound darum bemüht ist, den Blick des Lesers von überlieferten Wahrnehmungsschemata zu befreien und ihn für die verschiedenen Interpretationsmöglichkeiten des Wahrgenommenen zu sensibilisieren. Was den Lyriker Tomlinson mit den Strömungen des Postimpressionismus und des Imagismus verbindet, ist eine ausgesprochene Neigung zur kunsttheoretischen Reflexion; das konzentrierte Sehen und die ebenso konzentrierte Reflexion über die Wahrnehmung sind ständig miteinander gekoppelt. In seiner Lyrik liefert er im Sinne von Maurice Merleau-Ponty (mit dem er sich nachweislich beschäftigte) eine »Phänomenologie der Wahrnehmung«.

Tomlinsons erster Band, *Relations and contraries* (1951), zeugt noch von seinem Versuch, sich an die Eliot-Pound-Tradition anzuschließen. Mit *The necklace* (1955) beginnt seine erste originelle Schaffensphase, die *Seeing is believing* und *A peopled landscape* (1963) mit einschließt. Er strebte einem Objektivismus zu, insofern er versuchte, die Dinge in ihrer Eigenständigkeit und Fremdheit zur Sprache zu bringen. In der zweiten Phase, die die Bände *American scenes and other poems* (1966), *The way of a world* (1969) und *Written on water* (1972) umfaßt, sieht er das wahrnehmende und erlebende Ich und die Objektwelt in einem komplexen Wechselspiel aufeinander bezogen. Gefordert ist jetzt nicht mehr das passive Aufnehmen der Objekte, sondern das bewußte Zugehen auf die Welt. In der dritten Phase – in *The way in and other poems* (1974), *The shaft* (1978) und *The flood* (1981) – verschiebt sich das Interesse auf das Subjekt: die Gefühlswelt wird stärker betont, die subjektiven Aspekte der Wirklichkeit werden hervorgehoben; ein fester Wahrheitsbegriff scheint kaum noch möglich zu sein, so daß sich im Ich eine gewisse Resignation angesichts der Vielschichtigkeit der Welt einstellt.

Tomlinson hat aus der englischen Tradition auch Anregungen von → Wordsworth, → Ruskin und → Hardy aufgenommen. Zugleich befaßte er sich während seiner Aufenthalte in Amerika mit dem Werk von Marianne Moore, Wallace Stevens und William Carlos Williams, die – wie er selbst – danach streben, die Wirklichkeit möglichst exakt und objektiv wiederzugeben. Wie die Bände *A peopled landscape* und *American scenes and other poems* zeigen, gewann Tomlinson unter dem Einfluß dieser Autoren eine größere Lockerheit in der Diktion. Für sein Bemühen, der Provinzialität zu entgehen und ständig im Dialog mit der europäischen und außereuropäischen Dichtungstradition wie mit seinen Zeitgenossen zu bleiben, sprechen seine Übersetzungen. Er übertrug u.a. Werke des Russen Tjutschew, des Spaniers Machado, des Mexikaners Octavio Paz und des Italieners Lucio Piccolo ins Englische. (E)

Hauptwerke: *Relations and contraries* 1951. – *The necklace* (1955) 1966. – *Seeing is believing* (1958) 1960. – *Versions from Fyodor Tyutchev, 1803–1873* (mit H. Gifford) 1960. – *A peopled landscape* 1963. – *Castilian ilexes. Versions from Antonio Machado* (mit H. Gifford) 1963. – *American scenes and other poems* 1966. – Translations from Lucio Piccolo, in *Hudson Review* 20 (1967), 378–384. – Translations from Octavio Paz, in *Hudson Review* 21 (1968), 457–462. – *The poem of initiation* 1968. – *American west southwest* 1969. – *The way of a world* 1969. – *Written on water* 1972. – *Words and images* 1972. – *The way in and other poems* 1974. – *The shaft* 1978. – *The flood* 1981. – *Some Americans. A personal record* 1981. – *Poetry and metamorphosis* 1983. – *Translations* 1983. – *Notes from New York and other poems* 1984. – *The return* 1987.

Ausgabe: *Collected poems* 1985.

Sekundärliteratur: P.R. King, *Nine contemporary poets. A critical introduction* 1979. – A.K. Weatherhead, *The British dissonance. Essays on ten contemporary poets* 1983. – H. Weber, *Wahrnehmung und Realisation. Untersuchungen zu Gedichten von Charles Tomlinson* 1983.

Anthony Trollope (1816–1882)

Der postum veröffentlichten *Autobiography* entnahm die Nachwelt ein Bild Trollopes, das seinem künstlerischen Ansehen jahrzehntelang abträglich war. Es ist das Bild eines Mechanikers der Schriftstellerei, der mit Uhr und Kalender tagein, tagaus ein festgesetztes Quantum zu Papier bringt und so Band um Band, mehr als 40 Romane, dazu Reiseberichte und Artikel aller Art, füllt; eines Traditionalisten, der den Publikumsgeschmack bedient; eines literarischen Entrepreneurs, der sein als Ware begriffenes Werk vermarktet. In der Tat enthält die *Autobiography* all dies. Die Entstehung eines solchen Selbstverständnisses erscheint freilich als psychologische Notwendigkeit: Trollope wächst in einem Haushalt auf, der durch die Schuld des launisch-herrischen Vaters aus bürgerlichem Wohlstand in Not gerät. Schmutzig, mittellos ist er während seiner langen, vorwiegend in Harrow verbrachten, akademisch gleichwohl unergiebigen Schulzeit ein ungeliebter Außenseiter (1822–1834). Er bleibt mit dem Vater zurück, als die Familie nach Amerika auswandert (1827–1831) und als sie vor den Gläubigern nach Brügge flieht (1834). Der Neunzehnjährige beginnt eine, auch dank eigener Liederlichkeit wenig erfolgreiche, Tätigkeit als *junior clerk* in der Londoner Postverwaltung. Die Versetzung nach Irland 1841 bringt den Umschwung: Die größere Selbständigkeit der Position und die Anerkennung für seine Kompetenz begründen ein neues Selbstwertgefühl; das höhere Einkommen erlaubt ihm, dem Zeitvertreib eines *gentleman*, der Fuchsjagd, nachzugehen; er beginnt zu schreiben (1843); und er heiratet (1844).

Die biographisch-psychologischen Zusammenhänge erhellen die Rolle, welche die Literatur für Trollope einzunehmen hatte. Schon die Mutter, Frances Trollope, hatte zur Feder gegriffen, um nach dem Bankrott den Lebensunterhalt der Familie zu sichern. Auch für den älteren Bruder Thomas ist wie für Anthony das Verfassen von Romanen Lebensunterhalt, im Wortsinne: Notwendigkeit. Insbesondere Anthony aber – und die Ähnlichkeit zu → Dickens und → Thackeray ist augenfällig – treibt noch eine andere Notwendigkeit, diejenige nämlich, die Vergangenheit zu überwinden, die Außenseiterrolle abzustreifen und sich als *gentleman* in die Gesellschaft einzugliedern. Dank des neu gewonnenen Ansehens seiner Kunst ist dies, wie Trollope sehr wohl weiß und in seiner *Autobiography* ausführt, dem Romancier um vieles leichter möglich als einem Beamten der Postverwaltung.

So macht sich Trollope auf, sein Publikum zu finden und sich zu beweisen. Im Falle der ersten drei Romane steht dem Erfolg schon die Stoffwahl entgegen. Der Darstellung irischer Probleme in *The Macdermots of Ballycloran* (1847) und *The Kellys and the O'Kellys* (1848) war das englische Publikum während der »hungry forties« ebenso überdrüssig wie des historischen Romans (*La Vendée* 1850). Mit *The warden* (1855) und *Barchester towers* (1857) jedoch beginnt Trollope jene Saga der bürgerlichen Alltäglichkeit, an der er bis zu seinem Lebensende weiterspinnt. Er wendet sich den Wonnen und Leiden der Gewöhnlichkeit zu und zeichnet in klarem, flexiblem Stil die kleinen Aufregungen und Aufgeregtheiten, die stillen Sehnsüchte und die oszillierenden Gefühle, die geringen Abweichungen von den Verhaltensnormen und deren bittere Folgen mit epischer Breite und Gelassenheit nach. Er erschafft eine Kleinstadt, einen Bischofssitz, und weitet die einfühlsame Anatomie der Geistlichkeit über mehrere Romane hinweg zu einem Gesellschaftsportrait des Bürgertums aus. Wie auch in dem späteren Romanzyklus, der sich der Politik widmet, den *Palliser novels*, geht es Trollope nicht um die Diskussion von Ideen. Die Auseinandersetzungen um Religion, Naturwissenschaft oder Politik, welche die mittviktorianische Zeit beherrschen, werden nicht ausgetragen. Sie werden gegenwärtig, sofern sie im alltäglichen Verhalten, Denken oder Fühlen der Figuren ihre Spuren hinterlassen, d.h. als Charakterzüge. In der Tat hat Trollope die vornehmste Aufgabe des Romanciers darin gesehen, fiktionale Welten voller lebensvoller Charaktere zu entwerfen. Nicht zu Unrecht hat ihn die viktorianische Kritik vor allem als Schöpfer differenzierter Charakterportraits geschätzt.

Im Gegensatz zu den philiströs-dogmatischen Ansichten zur Klassenstruktur oder zur Rolle der Frau, die Trollope in der *Autobiography* ausbreitet, werden in den meisten Romanen absolute Wertnorm gegen individuelle Kasuistik, moralische Imperative und Konventionen gegen die Bedürfnisse und Nöte des einzelnen verstehend gewogen. Daß Trollope dem traditionellen *gentleman*-Ideal als Maßstab sehr viel stärker verpflichtet bleibt als etwa Dickens oder Thackeray, ist vor dem biographischen Hintergrund und Trollopes Beachtung der Publikumsgunst unschwer verständlich. Das Brüchigwerden des mittviktorianischen Ausgleichs wird jedoch auch von ihm gestaltet, wie er zudem der Entwicklung des Romangenres Rechnung zu tragen sucht. In *He knew he was right* wendet er sich der psychologischen Analyse zu, der intensiven Gestaltung eines morbiden Extremzustandes, einer krankhaften Eifersucht. In *The way we live now* wird die Korruption einer dem Materialismus verfallenen Gesellschaft satirisch-ätzend bloßgestellt.

Mit dem Schwinden des Vertrauens in die Werte viktorianischer Bürgerlichkeit nach 1870 schwindet auch Trollopes Ansehen. Äußerlich hat er erreicht, was er sich zum Ziel gesetzt hat: Landgut, Vermögen, gesellschaftliche Position. Auch in seinen Vergnügungen – er geht bis ins hohe Alter zwei-, dreimal wöchentlich auf die Fuchsjagd; er unternimmt lange Reisen nach Australien, Südafrika, in die Vereinigten Staaten – unterwirft er sich dem viktorianischen Arbeits- und Pflichtethos. Pflichtbewußt unterzieht er sich auch einer (aussichtslosen) Parlamentskandidatur. Mit einem Caesar-Kommentar (1870) und einer Cicero-Biographie (1880) versucht er, seine mangelhafte Schulbildung zu bewältigen. Und er schreibt pflichtbewußt, seine Kindheit und Melancholie durch Aktivismus exorzisierend, mit Uhr und Kalender bzw. gegen sie bis zu seinem Tode Romane, Reiseberichte, Zeitschriftenaufsätze. (T)

Hauptwerke: *Chronicles of Barsetshire* 1855–1867. – *The three clerks* 1858. – *Orley Farm* 1861/62. – *The Palliser novels* 1864–1880. – *The Belton estate* 1865/66. – *The Claverings* 1866/67. – *He knew he was right* 1868/69. – *The vicar of Bullhampton* 1869/70. – *The way we live now* 1874/75. – *The American senator* 1876/77. – *Dr. Wortle's school* 1880. – *An autobiography* 1883.

Bibliographien: M. Sadleir, *Trollope. A bibliography* (1928) 1934. – R. Helling, *A century of Trollope criticism* 1956. – J. C. Olmsted und J. E. Welch, *The reputation of Trollope. An annotated bibliography, 1925–1975* 1978.

Ausgaben: *Shakespeare Head edition*, ed. M. Sadleir, 14 vols 1929. – *The letters*, ed. N. J. Hall und N. Burgis, 2 vols 1983.

Übersetzungen: *Die Pallisers. Eine Familiensaga* 1979 (Knaur). – *Septimus Harding. Vorsteher des Spitals zu Barchester*, übers. von T. Schultz 1984 (Reclam).

Biographien: M. Sadleir, *Trollope. A commentary* 1945. – L. P. und R. P. Stebbins, *The Trollopes. The chronicle of a writing family* 1945.

Sekundärliteratur: A. O. J. Cockshut, *Anthony Trollope* 1955. – B. A. Booth, *Anthony Trollope. Aspects of his life and art* 1958. – R. M. Polhemus, *The changing world of Anthony Trollope* 1968. – R. apRoberts, *The moral Trollope* 1971. – J. R. Kincaid, *The novels of Anthony Trollope* 1977. – W. M. Kendrick, *The novel-machine. The theory and fiction of Anthony Trollope* 1980. – *Trollope centenary essays*, ed. J. Halperin 1982. – A. Wright, *Anthony Trollope. Dream and art* 1983. – C. Herbert, *Trollope and comic pleasure* 1987.

Horace Walpole (1717–1797)

Horace Walpole spielt in der Geschichte des Geschmacks fast eine größere Rolle als in der Geschichte der Literatur. Er war ein Mann von vielen Talenten und allumfassenden Interessen, und er hatte die Möglichkeit, diesen Interessen nachzugehen. Als Sohn von Sir Robert Walpole, dem Führer der Whigs und langjährigen Premierminister, wurde er standesgemäß in Eton und Cambridge erzogen und unternahm mit Thomas → Gray die Grand Tour durch Frankreich und Italien. Neben Gray (mit dem es zeitweilig Differenzen gab) gehörten schon früh Dichter, Literaten und Künstler zu seinem Freundeskreis, dem er sich mit ebensoviel Charme wie Zuwendung widmete. Walpole war lange Mitglied des Parlaments (1741–1767) und blieb zeitlebens ein in seiner Position begünstigter, bald faszinierter, bald abgestoßener Beobachter des politischen Lebens.

Der Erwerb von Strawberry Hill nahe Twickenham (1747) nach dem Tode seines Vaters (1745) brachte die entscheidende Wendung in seinem Leben. Walpole baute, beraten von seinen Freunden Richard Chute (»my oracle in taste«) und Richard Bentley (dem begabten, aber fehlgeschlagenen Sohn des berühmten Altphilologen) den Besitz zu einem »kleinen gotischen Schloß« aus. Der Connaisseur legte dort seine umfangreichen Sammlungen von Antiquitäten, Kuriositäten und Kunstgegenständen an. Strawberry Hill war bald eine viele Besucher anziehende Sehenswürdigkeit. Für Walpole selbst der Inbegriff der Abwendung von der Gegenwart, entwickelte es sich für England zum Symbol der in Europa vielerorts in Erscheinung tretenden Renaissance der Gotik. 1757 errichtete Walpole eine eigene Druckerei, die als Strawberry Hill Press eine der berühmten Privatpressen Englands wurde. Grays Oden waren seine erste Publikation.

Schon 1758 druckte Walpole als erstes eigenes Werk *A catalogue of the royal and noble authors of England*, eine Übersicht über die adlige Literaturproduktion seit Richard I., die in der kommerziellen Ausgabe auf starke Kritik stieß. Seine nächste wichtige Publikation waren die auf den Manuskriptsammlungen von George Vertue (1684–1756), dem bekannten Kupferstecher, beruhenden *Anecdotes of painting in England* (1762–1765), die für die englische Kunstgeschichte einen bleibenden Wert haben.

Sein großer literarischer Wurf gelang ihm mit *The castle of Otranto*, das er zu Weihnachten 1764 unter dem Deckmantel einer von William Marshall veröffentlichten italienischen Romanze des 16. Jahrhunderts herausbrachte. Walpole hatte damit den »gotischen Roman« in England begründet und das Modell für die zahllosen phantastischen und makabren, aber nicht notwendigerweise im Mittelalter spielenden Erzählwerke geliefert, an denen sich das Lesepublikum des ausgehenden 18. und beginnenden 19. Jahrhunderts überall in Europa schaudernd ergötzte und die mit Figuren wie Frankenstein (von Mary Wollstonecraft Shelley, 1818) bis in die Gegenwart wirken. Weit über 100 Auflagen des von Walpole selbst hochgeschätzten *Castle of Otranto* (»it is the sole one that pleases me«) waren bis etwa 1950 erschienen. 1768 folgte mit *The mysterious mother* das dramatische Gegenstück dazu, die Geschichte eines Inzests zwischen Mutter und Sohn, die → Byron für »eine Tragödie höchsten Ranges« hielt, Walpole aber für zu gewagt für eine Aufführung.

Die eigentliche literarische Leistung Walpoles blieb zu seinen Lebzeiten jedoch der Öffentlichkeit vorenthalten: seine etwa 4000 Briefe, die eine der bedeutendsten Korrespondenzen der englischen Literatur ausmachen. Walpole unterhielt mit einer Vielzahl von Zeitgenossen einen ausgedehnten Briefwechsel, der einen intimen Kommentar zu seinem eigenen exzentrischen und extravaganten Leben abgibt und zudem ein faszinierendes Spiegelbild der Epoche liefert. Walpole sah im Brief eine vollgültige literarische Form, die er mit ebensoviel Muße wie Feinsinn bereits im Hinblick auf eine spätere Publikation kultivierte und für die er in den berühmten Briefen der Marquise des Sévigné (1626–1696) das Vorbild erblickte. Walpoles Briefe sind nach seinem Tode sukzessive veröffentlicht worden, und die definitive Ausgabe, an der fast 50 Jahre gearbeitet wurde, ist erst vor wenigen Jahren zum Abschluß gekommen.

Wie die Briefe so sind auch Walpoles *Memoirs of the last ten years of the reign of King George the Second* und *Memoirs of the reign of King George the Third* erst posthum verfügbar geworden. Sie sind im wesentlichen Parlamentsgeschichten, nehmen aber gleichwohl in der Memoirenliteratur des späten 18. Jahrhunderts einen prominenten Platz ein. Sie weisen Walpole als scharfsichtigen politischen Beobachter aus, auf dessen Erkenntnisse kaum ein Historiker verzichten kann. Letztlich sind es jedoch seine Briefe, die ihn als den Chronisten der Epoche *sans pareille* etablieren. Nach einem Leben voll rastloser literarischer und politischer Tätigkeit starb Walpole, nahezu achtzigjährig, in London. (F)

Hauptwerke: *A catalogue of the royal and noble authors of England*, 2 vols 1758. – *Anecdotes of painting in England*, 4 vols 1762–1765. – *The castle of Otranto* 1765. – *The mysterious mother* 1768.

Bibliographien: A. T. Hazen, *A bibliography of Horace Walpole* 1948 (repr. 1973). – P. Sabor, *Horace Walpole. A reference guide* 1984.

Ausgaben: *Works*, 10 vols 1798–1825 (repr. 1975–1977). – *The Yale edition of Horace Walpole's correspondence*, ed. W. S. Lewis et al., 48 vols 1937–1983.

Übersetzung: *Hieroglyphische Geschichten*, übers. von Schuldt 1988 (Rowohlt).

Biographie: R. W. Ketton-Cremer, *Horace Walpole. A biography* 1964. (1940) 1946 (repr. 1979).

Sekundärliteratur: W. S. Lewis, *Horace Walpole* 1961. – *Horace Walpole, writer, politician, and connoiseur. Essays on the 250th anniversary of Walpole's birth*, ed. W. H. Smith 1967. – W. S. Lewis, *Rescuing Horace Walpole* 1978. – B. Fothergill, *The Strawberry Hill set. Horace Walpole and his circle* 1983. – N. Miller, *Strawberry Hill. Horace Walpole und die Ästhetik der schönen Unregelmäßigkeit* 1986.

Evelyn Waugh (1903–1966)

Evelyn Arthur St. John Waugh, der sich als Schriftsteller Evelyn Waugh nannte, war einer der bedeutendsten Satiriker der englischen Literatur des 20. Jahrhunderts. Sohn eines Verlegers, studierte er zunächst am Hertford College in Oxford Geschichte und wandte sich dann dem Studium der Malerei in London zu. Seine ersten Veröffentlichungen *P. R. B. An essay on the Pre-Raphaelite Brotherhood 1847–1854* (1926) und *Rossetti. His life and works* (1928) sind deutliche Beweise für diese Interessenrichtung. In den zwanziger Jahren war er Lehrer, Reporter und Kunsttischler; 1928 heiratete er Evelyn Gardner, die Tochter von Lord Burghclere, ließ sich ein Jahr später bereits wieder scheiden und schloß sich 1930 der katholischen Kirche an. Seit 1928 lebte er als freier Schriftsteller, was ihm nicht zuletzt durch den großen literarischen Erfolg seines ersten satirischen Romans *Decline and fall* (1928) ermöglicht wurde. Es folgten *Vile bodies* (1930), *Black mischief* (1932), *A handful of dust* (1934) und *Scoop. A novel about journalists* (1938).

Zwar trägt auch Waugh, ähnlich wie Aldous → Huxley, seine Satire auf die Gesellschaft der zwanziger und dreißiger Jahre in einem zynisch-pessimistischen Ton vor, aber der Unterschied zwischen den beiden Autoren ist nicht zu übersehen: Huxley neigt dazu, seine Satire kommentierend zu verdeutlichen. Sowohl in seinen Romanen als auch in den jeweils gleichzeitig verfaßten Essaybänden läßt er erkennen, welches die Stoßrichtung seiner Angriffe ist. Waugh arbeitet dagegen verdeckt, mit zahlreichen subtilen Anspielungen. Er läßt die Personen sich in ihrer geistigen Borniertheit, ihren Prätentionen und Ambitionen durch Dialog und Handlung selbst entlarven und überträgt die Bewertung der dargestellten Situationen weitgehend dem Leser. Die satirische Absicht bekundet sich in der Übertreibung: Waugh hat eine Vorliebe für die Kuriositäten und Albernheiten der menschlichen Gesellschaft, sei es in Europa, Afrika oder Amerika, sei es im Alltag der Journalisten, der alten Generation, die wenigstens zum Schein noch an viktorianischen Maßstäben festhält, oder im Lebensstil der »Bright Young Things«.

A handful of dust unterscheidet sich von den frühen Satiren durch die eindringliche Charakterisierung des Protagonisten Tony Last, der am Ende dazu verurteilt ist, dem Einsiedler Mr. Todd am Amazonas ständig aus Dickens' Werken vorzulesen. Groteske, absurde und makabre Elemente sind in diesem Roman aufs engste miteinander verbunden. Ähnlich makaber ist *The loved one. An Anglo-American tragedy* (1948), ein Roman, in dem Waugh die amerikanischen Begräbnisriten verspottet.

Mit dem Roman *Brideshead revisited. The sacred and profane memories of Captain Charles Ryder* (1945) kam bei der Darstellung des Schicksals einer katholischen Adelsfamilie in Waughs Prosawerken zum erstenmal das Interesse für theologische Fragen zum Durchbruch. Prolog und Epilog dieses Romans sind auf das Jahr 1943 datiert: Aus der Sicht eines Offiziers, der im Zweiten Weltkrieg die Auflösung vieler Traditionen und Konventionen erlebt, wird in der Retrospektive nicht nur der in vieler Beziehung dekadente Lebensstil der Aristokratie charakterisiert, sondern zugleich auf religiöse Vorstellungen hingewiesen, die Krieg und Chaos überdauern. Der Zweite Weltkrieg, an dem Waugh zunächst bei den Royal Marines, später bei den Royal Horse Guards teilnahm und der ihn sowohl die militärischen Ereignisse auf Kreta als auch die Partisanenkämpfe in Jugoslawien miterleben ließ, wurde in der Trilogie *Sword of honour* verarbeitet, die die Romane *Men at arms* (1952), *Officers and gentlemen* (1955) und *Unconditional surrender* (1961) umfaßt. Der Held Guy Crouchback ist eine Art moderner Don Quijote, der mit den Idealen eines Kreuzritters in den Kampf zieht, sich aber durch Schwäche, Feigheit, Verrat und Egoismus ständig desillusioniert sieht.

Die Werke der letzten Schaffensjahre zeugen von Waughs weitgespannten Interessen, erreichen aber oft nicht die künstlerisch durchschlagende Wirkung seiner frühen Satiren. Genannt seien *Scott-King's modern Europe* (1947), *Helena* (1950) und *The ordeal of Gilbert Pinfold. A conversation piece* (1957). Wie D. H. → Lawrence und Aldous Huxley, E. M. → Forster und Graham → Greene unternahm auch Evelyn Waugh zahlreiche Reisen, über die er in Reisebüchern berichtete: 1930 begann er mit *Labels. A Mediterranean journal*; es folgten *Remote people* (1931), *Ninety-two days* (1934), *Waugh in Abyssinia* (1936), *Robbery under law. The Mexican object-lesson* (1939), *The holy places* (1952) und *A tourist in Africa* (1960). Von seinen biographischen Werken erregten *Edmund Campion. A biography* (1935) und *The life of the right Reverend Ronald Knox* (1959) einige Aufmerksamkeit. (E)

Hauptwerke: *Decline and fall* (1928) 1962. – *Vile bodies* (1930) 1965. – *Labels. A Mediterranean journal* 1930. – *Remote people* 1931. – *Black mischief* (1932) 1962. – *A handful of dust* (1934) 1964. – *Ninety-two days* 1934. – *Edmund Campion. A biography* (1935, 1946) 1961. – *Mr. Loveday's little outing and other sad stories* 1936. – *Waugh in Abyssinia* 1936. – *Scoop. A novel about journalists* (1938) 1964. – *Robbery under law. The Mexican object-lesson* 1939. – *Put out more flags* (1942) 1967. – *Brideshead revisited. The sacred and profane memories of Captain Charles Ryder* (1945) 1960. – *Scott-King's modern Europe* 1947. – *The loved one. An Anglo-American tragedy* (1948) 1965. – *Work suspended and other stories written before the Second World War* 1948. – *Helena* 1950. – *The holy places* 1952. – *Sword of honour* 1965: *Men at arms* 1952; *Officers and gentlemen* 1955; *Unconditional surrender* 1961. – *The ordeal of Gilbert Pinfold. A conversation piece* 1957. – *The life of the right Reverend Ronald Knox* 1959. – *A tourist in Africa* 1960. – *A little learning* (Autobiographie) 1964.

Bibliographien: M. Morriss und D. J. Dooley, *Evelyn Waugh. A reference guide* 1984. – R. M. Davis et al., *A bibliography of Evelyn Waugh* 1986.

Ausgaben: *Works*, Uniform edition, 8 vols 1960–1967. – *The diaries*, ed. M. Davie 1976. – *The letters*, ed. M. Amory 1980. – *The essays, articles and reviews*, ed. D. Gallagher 1983.

Übersetzungen: *Tod in Hollywood. Eine anglo-amerikanische Tragödie*, übers. von P. Gan 1950 (Arche), 1984 (Diogenes). – *Helena*, übers. von P. Gan 1951 (Nymphenburger), 1959 (Herder), 1988 (Diogenes). – *Die große Meldung*, übers. von E. Schnack 1953 (Nymphenburger), als *Der Knüller* 1984 (Diogenes). – *Edmund Campion. Jesuit und Blutzeuge*, übers. von H. Fischer 1954 (Kösel). – *Wiedersehen mit Brideshead*, übers. von F. Fein 1955 (Claassen), 1982 (Ullstein). – *Aber das Fleisch ist schwach*, übers. von H. v. Kleeborn 1959 (Rowohlt), als *Lust und Laster*, übers. von U. Simon 1984 (Diogenes). – *Ohne Furcht und Tadel*, übers. von W. Peterich 1979 (Knaus). – *Auf der schiefen Ebene*, übers. von U. Simon 1984 (Diogenes). – *Schwarzes Unheil*, übers. von I. Andrae 1986 (Diogenes). – *Eine Handvoll Staub*, übers. von M. Fienbork 1986 (Diogenes). – *Mit Glanz und Gloria*, übers. von M. Fienbork 1987 (Diogenes).

Biographien: *Evelyn Waugh and his world*, ed. D. Pryce-Jones 1973. – C. Sykes, *Evelyn Waugh. A biography* 1975. – M. Stannard, *Evelyn Waugh. The early years 1903–1939* 1986.

Sekundärliteratur: A. A. DeVitis, *Roman holiday. The catholic novels of Evelyn Waugh* 1956. – F. J. Stopp, *Evelyn Waugh. Portrait of an artist* 1958. – M. Bradbury, *Evelyn Waugh* 1964. – S. J. Greenblatt, *Three modern satirists. Waugh, Orwell and Huxley* 1964. – J. F. Carens, *The satiric art of Evelyn Waugh* 1966. – D. Lodge, *Evelyn Waugh* 1971. – W. J. Cook, *Masks, modes, and morals. The art of Evelyn Waugh* 1971. – K. O. Wyss, *Pikareske Thematik im Romanwerk Evelyn Waughs* 1973. – G. D. Phillips, *Evelyn Waugh's officers, gentlemen and rogues. The fact behind his fiction* 1975. – Y. Tosser, *Le sens de l'absurde dans l'œuvre d'Evelyn Waugh* 1977. – R. M. Davis, *Evelyn Waugh. Writer* 1981. – J. Heath, *The picturesque prison. Evelyn Waugh and his writing* 1982. – I. Littlewood, *The writings of Evelyn Waugh* 1982.

JOHN WEBSTER (ca. 1580–ca. 1634)

Von den Dramatikern seiner Zeit, die oft mit schneller Hand ihre Stücke schrieben, unterscheidet sich Webster durch die künstlerische Sorgfalt, die er Aufbau und Sprache seiner wenigen Dramen angedeihen ließ. Über seine Herkunft ist nur bekannt, daß er aus dem Londoner Tuchhandwerkermilieu stammt. Ab 1602 taucht sein Name in Philip Henslowes Geschäftsbuch auf, wo Zahlungen an ihn als Mitautor von verlorengegangenen Stücken vermerkt sind. Von eigenen Werken sind lediglich eine *masque*, einzelne Charakterskizzen, die Tragikomödie *The devil's law-case* (1623) und zwei Tragödien, *The white devil* (1612) und *The Duchess of Malfi* (1614), erhalten. Letztere gehören zu den größten Tragödien der Shakespeare-Zeit.

Webster legte seinen Stücken historische Kriminalfälle zugrunde und gestaltete sie zu Rachetragödien, deren Genre er allerdings durch die meisterhafte Zeichnung der von Leidenschaften und Trieben beherrschten Figuren erneuert. Er gestaltete darin das Schicksal von zwei sehr unterschiedlichen Heldinnen, die aber beide ihr Glück gegen die Interessen und Normen der Gesellschaft durchzusetzen versuchen und deshalb grausam zu Tode gefoltert werden. Von den Tragikern der jakobäischen Ära hat mit Ausnahme → Shakespeares keiner die Symbolkraft seiner Szenen, die Dichte seiner Bildersprache und die psychologische Durchdringung seiner Figuren erreicht. (W)

Hauptwerke: *The white devil* 1612. – *The Duchess of Malfi* 1614.

Bibliographien: S. A. Tannenbaum, *John Webster*, Elizabethan bibliographies 1941 (repr. 1967). – D. Donovan, *John Webster 1940–1965*, Elizabethan bibliographies supplements I (1967).

Ausgabe: *The complete works*, ed. F. L. Lucas, 4 vols 1927 (repr. 1966).

Übersetzungen: *The white devil* (englisch-deutsch), übers. von A. Marnau 1986 (Greno). – *The Duchess of Malfi* (englisch-deutsch), übers. von A. Marnau 1986 (Greno).

Sekundärliteratur: *John Webster. A critical anthology*, ed. G. K. und S. K. Hunter 1969. – *John Webster*, ed. B. Morris 1970. – J. Pearson, *Tragedy and tragicomedy in the plays of John Webster* 1980. – M. C. Bradbrook, *John Webster. Citizen and dramatist* 1980. – L. Bliss, *The world's perspective. John Webster and the Jacobean drama* 1983. – C. R. Focher, *Skull beneath the skin. The achievement of John Webster* 1986.

H. G. Wells (1866–1946)

Herbert George Wells war einer der produktivsten Schriftsteller des 20. Jahrhunderts, phantasiebegabt und doch nur von begrenzter künstlerischer Gestaltungskraft. Er stammte aus einer Familie, die der *lower middle class* zuzurechnen war. 1866 wurde er in Bromley, Kent (heute ein Stadtteil Londons), geboren. Der Vater war zeitweilig Inhaber eines kleinen Spezereiladens; als das Geschäft schließen mußte, nahm Wells' Mutter eine Stelle als Haushälterin auf dem Landsitz Up Park in Sussex an, wo der junge H. G. Wells zum erstenmal die Klassengegensätze wahrnahm, zugleich aber auch die Möglichkeit vorfand, seinen Lesehunger zu stillen. Nach einer Lehre bei einem Tuchhändler und später bei einem Drogisten war er vorübergehend als Hilfslehrer tätig, bis er ein Stipendium erhielt, das ihm das Studium am Royal College of Science ermöglichte. Einer seiner Lehrer war T. H. Huxley, dessen Ideen Wells später in seinen Schriften einem größeren Publikum nahezubringen versuchte. Wells erkannte bald, daß seine besondere Begabung weniger in der wissenschaftlichen Forschung als in der schriftstellerischen Vermittlung neuer Ideen lag.

Das gelang ihm bereits mit *The time machine* (1895), einem Buch, das er selbst zu den »naturwissenschaftlichen Romanzen« rechnete, das heute aber eher unter Bezeichnungen wie Anti-Utopie und Science Fiction registriert wird. Von T. H. Huxley übernahm er den Gedanken des Rückschritts in der Naturordnung zu primitiven Lebewesen: In *The time machine* entwarf Wells das Bild eines zukünftigen Gesellschaftszustandes (im Jahre 802701), in dem sich die Arbeitgeber (Eloi) zu Blumenkindern entwickelt haben, während die Arbeiter (Morlocks) zu lemurenhaften Wesen geworden sind, die sich nachts von den Eloi ernähren. Den Kontrast dazu bildet *A modern utopia* (1905), eine sogenannte kinetische Utopie. Wells glaubte nur an die Möglichkeit zur Verbesserung und Vervollkommnung der menschlichen Gesellschaft; er war nicht davon überzeugt, daß es den Menschen je gelingen werde, auf Dauer in einen paradiesischen Zustand zurückzukehren und das Goldene Zeitalter wiederzugewinnen. Beides, pessimistische wie optimistische Sicht der Menschheitsgeschichte, läßt sich durch Wells' gesamtes Schaffen verfolgen. Zu Beginn des 20. Jahrhunderts war er – zeitweilig als Fabianer – Verfechter einer sozialistischen Utopie in der Form eines Weltstaates; 1923 träumte er von *Men like gods*, mußte aber in seinem letzten Buch *Mind at the end of its tether* (1945) unter dem Druck der Ereignisse gestehen, daß es ihm immer schwerer falle, an seinem utopischen Credo festzuhalten. Dennoch nahm er in seinem letzten Artikel wiederum eine zuversichtlichere Haltung ein.

Der Romancier Wells legte im ersten Jahrzehnt des 20. Jahrhunderts mit *Love and Mr. Lewisham* (1900), *Kipps* (1905), *Tono-Bungay* (1909) und *The history of Mr. Polly* (1910) seine besten erzählerischen Leistungen vor. In allen Romanen verfolgte Wells aufgrund eigener Erfahrungen den Lebensweg eines Mannes durch die zeitgenössische Gesellschaft. Er begann mit einem Desillusionsroman: Der Held in *Love and Mr. Lewisham* sieht sich durch sein Privatleben, seine Heirat, gezwungen, alle Ziele im öffentlichen Leben aufzugeben. *Kipps* und *The history of Mr. Polly* sind optimistische Erfolgsromane, deren Komik an → Dickens denken läßt. Kipps gewinnt, verliert und gewinnt erneut Vermögen; er entflieht jedoch der »vornehmen« Gesellschaft, heiratet seine Jugendliebe und führt ein idyllisch-zufriedenes Leben. In *The history of Mr. Polly* möchte der Protagonist sich der Gesellschaft durch Suizid entziehen, der allerdings mißlingt; der Brand, den er selbst gelegt hat, bricht jedoch aus und verhilft ihm zur Freiheit. In *Tono-Bungay* entlarvt Wells die Rolle des Reklamewesens in der modernen Geschäftswelt, in der Ponderevo durch ein billiges Heilmittel zwar zu Reichtum gelangt, aber durch einen Zeitungskönig ruiniert wird, so daß ihm nur die Flucht nach Frankreich bleibt. Der Erzähler dieses Romans, der Neffe des Protagonisten, glaubt am Ende, den eigentümlichen Rhythmus des modernen Lebens zu durchschauen; die hektische Aktivität, die auf Sinn angelegt zu sein scheint, erweist sich für ihn als sinnleer.

Von den zahlreichen Abhandlungen, die Wells verfaßte, um die Wissenschaft seiner Zeit in weiten Kreisen zu verbreiten, sei nur *The outline of history* (1920, Kurzfassung *A short history of the world* 1922) erwähnt, womit er in England wie in Amerika großen Erfolg erzielte. Wells kam durch seine schriftstellerischen Arbeiten zu internationalem Ruhm und Ansehen; er begegnete Roosevelt, Lenin und Stalin, sein Urteil wurde im politischen Leben geachtet. (E)

Hauptwerke: *The time machine* 1895. – *The island of Dr. Moreau* 1896. – *The invisible man* 1897. – *The war of the worlds* 1898. – *When the sleeper wakes. A story of the years to come* 1899 (rev. Fass. als *The sleeper awakes* 1910). – *Tales of space and time* 1899. – *Love and Mr. Lewisham* 1900. – *The first men in the moon* 1901. – *Mankind in the making* 1903. – *A modern utopia* 1905. – *Kipps. The story of a simple soul* 1905. – *Tono-Bungay* 1909. – *Ann Veronica. A modern love story* 1909. – *The history of Mr. Polly* 1910. – *The country of the blind and other stories* 1911. – *The new Machiavelli* 1911. – *Liberalism and its party. What are we liberals to do?* 1913. – *The peace of the world* 1915. – *The outline of history, being a plain history of life and mankind* 1920. – *Men like gods* 1923. – *The way to world peace* 1930. – *The shape of things to come. The ultimate revolution* 1933 (rev. Fass. als *Things to come. A film story* 1935). – *Experiment in autobiography. Discoveries and conclusions of a very ordinary brain (since 1866)*, 2 vols 1934. – *Star begotten. A biological fantasia* 1937. – *Mind at the end of its tether* 1945.

Bibliographien: J. R. Hammond, *Herbert George Wells. An annotated bibliography of his works* 1977.

Ausgaben: *Works*, Atlantic edition, 28 vols 1924–1927. – *Works*, Collected Essex edition, 24 vols 1926/27. – *Works*, 24 vols 1968/69.

Übersetzungen: *Die Zeitmaschine*, übers. von P. Naujack 1951 (Rowohlt), 1974 (Diogenes), übers. von A. Reney und A. Auer 1980 (Zsolnay), 1982 (Ullstein). – *Die Geschichte unserer Welt*, übers. und hrsg. von O. Mandl 1953 (Zsolnay), übers. von O. Mandl, H. M. Reiff und E. Redtenbacher 1975 (Diogenes). – *Menschen, Göttern gleich*, übers. von P. v. Sonnenthal und O. Mandl 1980 (Zsolnay), 1982 (Ullstein). – *Der Unsichtbare*, übers. von B. Reiffenstein und A. Winternitz 1981 (Zsolnay), 1984 (Ullstein). – *Tono-Bungay*, übers. von G. Zoller und H. v. Sauter 1981 (Zsolnay), 1983 (Ullstein). – *Kipps*, übers. von J. Wagner 1982 (Zsolnay), 1985 (Ullstein).

Biographien: J. Kagarlitski, *The life and thought of H. G. Wells* 1966. – L. Dickson, *H. G. Wells. His turbulent life and times* 1969. – A. West, *H. G. Wells. Aspects of a life* 1984. – D. C. Smith, *H. G. Wells. Desperately mortal. A biography* 1986.

Sekundärliteratur: B. Bergonzi, *The early H. G. Wells. A study of the scientific romances* 1961. – W. W. Wagar, *H. G. Wells and the world state* 1961. – M. R. Hillegas, *The future as nightmare. H. G. Wells and the anti-utopians* 1967. – P. Parrinder, *H. G. Wells* 1970. – B. Schultze, *H. G. Wells und der Erste Weltkrieg* 1971. – J. Williamson, *H. G. Wells. Critic of progress* 1973. – S. M. Gill, *The scientific romances of H. G. Wells. A critical study* 1975. – R. D. Haynes, *H. G. Wells. Discoverer of the future. The influence of science on his thought* 1980. – F. D. McConnell, *The science fiction of H. G. Wells* 1981. – J. Huntington, *The logic of fantasy. H. G. Wells and science fiction* 1982. – P. Kemp, *H. G. Wells and the culminating ape. Biological themes and imaginative obsessions* 1982. – M. Draper, *H. G. Wells* 1987.

Arnold Wesker (geb. 1932)

Arnold Wesker gilt als einer der Hauptvertreter des englischen politisch-sozialistischen Dramas, wie es sich seit den fünfziger Jahren herausbildete. Er wurde 1932 in Stepney im Londoner East End als Sohn jüdischer Eltern geboren; väterlicherseits stammt die Familie aus Rußland, mütterlicherseits aus Ungarn. Schon früh gewann er durch seine Eltern Einblick in die politischen und sozialen Probleme, mit denen sich eine jüdische Familie einerseits und die englische Unterschicht andererseits in den dreißiger und vierziger Jahren auseinanderzusetzen hatten. Nach der Schulzeit arbeitete er als Tischlerlehrling, Zimmermannsgehilfe, Buchverkäufer, Klempnergehilfe, Landarbeiter, Küchengehilfe und schließlich als Konditor und Koch in Norfolk, London und Paris. Ein zweijähriger Militärdienst bei der Royal Air Force unterbrach diese Serie von Gelegenheitsarbeiten. Seine künstlerische Begabung wurde durch den Besuch der London School of Film Technique gefördert.

Das Drama *The kitchen* (aufgeführt 1959) ist der Versuch, die Arbeitswelt einer Hotelküche vom Vormittag bis zum Abend darzustellen, den Arbeitsrhythmus, aber auch die Spannungen und Konflikte zu zeigen, die in dieser Umwelt herrschen, wobei sich private und berufliche Auseinandersetzungen oft kaum voneinander trennen lassen. Tiefer in soziale Fragen drang Wesker mit einer Trilogie ein, die die Dramen *Chicken soup with barley* (1958), *Roots* (1959) und *I'm talking about Jerusalem* (1960) umfaßt. Die dargestellten Ereignisse spielen sich zwischen 1936 und 1959 ab; am Beispiel der jüdischen Familie Kahn werden die Probleme aufgeworfen, mit denen sich Sozialisten und Kommunisten während dieser Zeit konfrontiert sahen. *Chicken soup with barley* dreht sich zunächst um die Auseinandersetzungen zwischen Kommunisten und Faschisten (1939), zeigt, welche Enttäuschungen die Nachkriegsgeneration erlebte (1946) und läßt schließlich die niederdrückende Wirkung der Ereignisse in Ungarn im Jahre 1956 deutlich werden. *Roots* rückt die Frage der politischen und emanzipatorischen Bewußtseinsbildung in den Mittelpunkt. *I'm talking about Jerusalem* konzentriert sich auf ein Experiment, das Ada, die Tochter von Sarah und Harry Kahn, und Dave auf dem Lande unternehmen, um sich allen Zwängen der Industriegesellschaft zu entziehen; das Experiment scheitert, und der politische Sieg der Konservativen verstärkt in ihnen das Gefühl, äußerlich unterlegen zu sein. Dennoch bleiben der Glaube an das Leben sowie an die Möglichkeit, einen Sozialismus mitmenschlicher Hilfsbereitschaft praktizieren zu können und letztlich die Hoffnung, daß es einmal ein Neues Jerusalem in England geben wird, wie es sich schon William → Blake erträumt hatte. Die konkrete politische und intellektuelle Aufarbeitung der gegenwärtigen gesellschaftlichen Situation bleiben die Charaktere im Drama allerdings ebenso schuldig wie Wesker selbst.

Um seine kulturpolitischen Ziele verwirklichen zu können, engagierte sich Wesker im Centre 42, dessen Direktor er 1961 wurde. Aber trotz vielfältiger Bemühungen waren diesem Unternehmen nicht die Breitenwirkung und der dauernde Erfolg beschieden, die Wesker sich erhofft hatte. Die Erfahrungen, die er im Centre 42 sammelte, fanden ihren Niederschlag in dem Drama *Their very own and golden city* (1966). Künstlerisch wirkungsvoller war jedoch das vorausgegangene Stück *Chips with everything* (1962), das vom Schicksal Pip Thompsons berichtet, der – wie ehedem Wesker – in der Royal Air Force dient, sich aber zunächst weigert, Offizier zu werden, obwohl dieser Weg seiner Herkunft und Bildung entspricht. Er fühlt sich mit denjenigen verbunden, die aus den unteren Schichten stammen; seine Sprache zeigt jedoch die Kluft an, die zwischen ihm und den Arbeitersöhnen besteht. Am Schluß siegt trotz Widerstand und Meuterei das Establishment, in das Pip eingegliedert wird.

Mit dem Drama *The four seasons* (1965), der Liebesgeschichte zwischen Adam und Beatrice, schien Wesker sich in den Bereich des poetischen Dramas zu begeben, aber die Theaterkritik monierte sogleich, daß er sich damit an eine Form von Theater gewagt hatte, für die er keine Begabung besaß. Auch gegen *The friends* (1970) wurde scharfe Kritik vorgebracht. Hierin hatte Wesker das Todesthema in den Mittelpunkt gerückt und sich bei der Ausarbeitung des Vorbildes von Tschechows Drama *Drei Schwestern* bedient. Auf die Problematik des Alterns ist das Stück *The old ones* (1972) abgestimmt, das eine Gruppe älterer Juden in den Vordergrund stellt, die sich im Leben zu behaupten wußten. Diesem Drama mangelt es an Spannung: Die einzelnen Szenen illustrieren die Thematik; Konflikte und Entscheidungen, die eine zielgerichtete Handlung zustande bringen könnten, fehlen jedoch. Das Drama *The journalists* (1977) ist eine Milieustudie, die ähnlich wie *The kitchen* die moderne Arbeitswelt porträtiert, und für die Wesker Material aus der *Sunday Times* sammelte. *Love letters on blue paper* (1977) läßt das Schicksal des Gewerkschaftlers Victor Marsden aus seiner desillusionierten Perspektive und aus der positiven Sicht seiner Frau Sonia lebendig werden, die Marsdens Leben in Briefen festgehalten hat. *The wedding feast* (1974) illustriert im Anschluß an Dostojewskis »Eine dumme Geschichte« den Konflikt zwischen Arbeitgebern und Arbeitnehmern, ohne diesem Thema allerdings wesentlich neue Aspekte abzugewinnen. Höher einzustufen ist dagegen *The merchant* (1977), ein Drama, in dem Wesker → Shakespeares *Merchant of Venice* nach völlig neuen Gesichtspunkten bearbeitete. Antonio und Shylock sind hier Freunde, Portia nimmt nach Shylocks Abschied dessen Platz ein, und der Grundkonflikt ist auf der Spannung zwischen der von Antonio, Shylock und Portia vertretenen Humanität und der vom Adel verfochtenen Legalität aufgebaut. In *Caritas* (1981) schildert Wesker das Schicksal einer Anachoretin aus dem 14. Jahrhundert, der eine Rückkehr in die Welt trotz ihres Sinneswandels verwehrt wird und die in ihrem Verlies dem Wahnsinn und dem Tod ausgeliefert ist.

Wenngleich Wesker in seinen (bisher) letzten Stücken die politische, sozialistische Tendenz zurücknahm, kann man doch von Ronnie Kahn bis hin zu den Protagonisten der jüngsten Dramen eine durchgängige Linie ziehen: Es geht ihm um den Versuch einzelner Individuen, durch die angestrebte eigene Lebensform zum Fortschritt, zur Höherentwicklung der menschlichen Gesellschaft beizutragen. Die starke Betonung der Thematik brachte es mit sich, daß er sich damit begnügte, in den meisten seiner Dramen das realistisch-naturalistische Modell mit symbolisch-allegorischen Elementen zu durchdringen, entsprechend seiner Absicht: »I want to teach.« (E)

Hauptwerke: *Chicken soup with barley* 1959. – *Roots* 1959. – *I'm talking about Jerusalem* (1960) 1979. – *The kitchen* (1960) 1961. – *Chips with everything* 1962. – *Their very own and golden city* 1966. – *The four seasons* 1966. – *The friends* 1970. – *Fears of fragmentation* 1970. – *The old ones* (1973) 1974. – *Say goodbye, you may never see them again. Scenes from two East-End backgrounds* (mit J. Allin) 1974. – *The journalists* 1975. – *Journey into journalism. A very personal account in four parts* 1977. – *Love letters on blue paper* 1978. – *Said the old man to the young man* 1978. – *The merchant* (1980) 1983. – *Love letters on blue paper and other stories* 1980. – *Caritas* 1981. – *Distinctions* 1985.

Bibliographien: K.-H. Stoll, *The new British drama. A bibliography with particular reference to Arden, Bond, Osborne, Pinter, Wesker* 1975. – K. King, *Twenty modern British playwrights. A bibliography, 1956 to 1976* 1977.

Ausgaben: *The plays*, 2 vols 1976/77. – *Wesker. Penguin plays*, 4 vols 1980/81.

Übersetzungen: *Die Trilogie*, übers. von W. H. Thiem u. a. 1967 (Suhrkamp). – *Die Küche*, übers. von E. Fried 1969 (Suhrkamp). – *Gesammelte Stücke* 1969 (Suhrkamp). – *Die Freunde*, übers. von I. und Y. Karsunke 1970 (Suhrkamp).

Sekundärliteratur: R. Hayman, *Arnold Wesker* (1970) 1973. – G. Leeming und S. Trussler, *The plays of Arnold Wesker. An assessment* 1971. – V. Lindemann, *Arnold Wesker als Gesellschaftskritiker* 1980. – G. Leeming, *Wesker the playwright* 1983. – K. Lindemann und V. Lindemann, *Arnold Wesker* 1985.

Oscar Wilde (1854–1900)

Analysierend, klagend und anklagend aus dem Gefängnis zurückblickend, bezeichnet sich Oscar Wilde in *De profundis* als »a man who stood in symbolic relations to the art and culture of my age«. In der Tat bringen Leben und Werk Wildes – jenseits aller Selbststilisierung der Aussage – soziale, moralische und ästhetische Strömungen der Zeit zur Erscheinung, insbesondere den spätviktorianischen Konflikt von individuellem, auch normüberschreitendem Anspruch und gesellschaftlicher Beharrung. Der Tod des Vaters (1876) konfrontiert die Familie mit dem Problem der *shabby gentility*. Wilde münzt seine glänzende schulische und universitäre Karriere am Trinity College, Dublin, und Magdalen College, Oxford (1871–1874) dennoch nicht in einen Brotberuf um. Unter dem Einfluß → Ruskins und – vor allem – → Paters, dessen *Studies in the history of the Renaissance* (1873) er noch im Gefängnis als eines der ersten Bücher erbitten wird, entwickelt er ein ästhetizistisches Credo, gemäß dem das Ich sich nur kraft subjektiver Empfindungen und Erfahrungen konstituiert. Folgerichtig schafft sich Wilde selbst zum Kunstwerk, zum Poseur und Dandy, dessen Erscheinung, Verhalten und geistsprühende Konversation die Gesellschaft gleichzeitig provozieren und amüsieren. Die Unterordnung der Ethik unter die Ästhetik ist vorwiegend verbaler Art und findet pointierten Ausdruck im paradoxen Epigramm. Der Erfolg einer ausgedehnten Vortragsreise in Amerika (1882), arrangiert auch als Werbeaktion für Gilbert und Sullivans *Patience* (1881), die musikalische Parodie des Ästhetentums, belegt den Marktwert und die gesellschaftliche Duldung solchen Posierens, zumal Wildes literarische Produktion, ein Band *Poems* (1881), eklektisch und epigonal bleibt, »Swinburne and water«, wie *Punch* maliziös-treffend bemerkt.

Wildes nutznießende Anpassung an die bürgerliche Gesellschaft ist aber stets eine prekäre, trotz der Gründung einer Familie (1884), trotz der Übernahme der Mitherausgeberschaft einer Zeitschrift (1887). Die Essays, Geschichten und Kunstmärchen der achtziger Jahre radikalisieren ästhetizistische Ideen, lösen die Kunst aus jeder Zweckbindung (»The decay of lying«) oder binden Kunst und Verbrechen in die Analogie ein (»Pen, pencil and poison«). Wildes einziger Roman, *The picture of Dorian Gray*, dringt zur Darstellung gesellschaftlicher und moralischer Randzonen vor, jedoch nicht, um diese reformerisch abzuschaffen, sondern um der neuen Erfahrung willen, um Schwüles, Kriminelles – Mord, Drogen, Homoerotik – sinnenhaft und sinnlich auskosten zu können. Kein Wunder, daß nun die Provokation das Amüsement der Gesellschaft übersteigt. Ob, nach einer zentralen These Wildes, hier das Leben die Kunst nachahmt oder nicht, auch Wilde sucht diese Erfahrungsreize, wird um 1886 zum praktizierenden Homosexuellen, begibt sich in die Welt der Strichjungen, Kuppler und Erpresser. 1891 lernt er den jungen Lord Alfred Douglas kennen und verfällt dessen ephebenhafter Schönheit. Wilde gilt sich und dem Bürgertum als Produkt und Verkörperung einer moralischen, ästhetischen, sozialen Endzeit, der Dekadenz – angesichts der radikal unterschiedlichen Wertung des Konzepts ein explosiver Sachverhalt.

Dank der Gesellschaftsdramen der frühen neunziger Jahre scheint Wilde nochmals gesellschaftlich vereinnahmt, scheint sein Werk ästhetisch konsumiert werden zu können. Wilde benutzt in *Lady Windermere's fan*, *A woman of no importance* und *An ideal husband* traditionelle Genres wie *pièce bien faite* oder *problem play* und prägt sie durch seine Sprachkunst, indem er sie mit geschliffenen Dialogen, Pointen und Epigrammen dekoriert. Repräsentant dieser Sprachkunst ist der elegante Dandy, der distanziert-genießende, passive Betrachter und Kommentator (wie etwa Lord Goring in *An ideal husband*). Auch ist den Dramen ein Element der Gesellschaftskritik, etwa an der doppelten Sexualmoral, nicht abzusprechen, eine Kritik, wie sie Wilde schon früher in seinen Kunstmärchen (»The young king«) geübt hatte oder in dem Essay »The soul of man« (1895) erneut übt. Wildes dramatisches Meisterwerk ist *The importance of being Earnest*, eine virtuose Farce voll absurden Sinns, ein Spiegelsaal der dramatischen Artistik, eine eigengesetzliche, amoralische Welt der Fiktionen – das dramatische Pendant zum *Dorian Gray* und, genau bedacht, nicht minder destruktiv.

Den triumphalen Erfolg dieses Dramas hat Wilde in selbstzerstörerischem Übermut selbst beendet. Die Verleumdungsklage gegen Lord Alfred Douglas' Vater, der ihn als »posing as a Somdomite (*sic*)« bezeichnet, führt schließlich zu seiner Verurteilung zu zwei Jahren Zuchthaus mit Zwangsarbeit, der Höchststrafe, wegen homosexueller Praktiken. Der Prozeß verdeutlicht, daß hier eine Klasse und ihre Ideologie, das puritanisch-moralische Bürgertum, mit einer anderen, der dekadenten Künstlerschaft, abrechnet. Er zerstört die Grundlagen des englischen Ästhetizismus sowie Wildes Leben und Künstlertum. Im Gefängnis entsteht ein langer, menschlich bewegender, aber stilistisch ob seiner Larmoyanz unebener Brief der Abrechnung und Selbstkritik, nach Wildes Tod als *De profundis* veröffentlicht. Nach der Entlassung entsteht ein letztes Werk, *The ballad of Reading gaol*, in dem Melodramatik und Realismus nicht stets wirkungssteigernd koexistieren. 1900 stirbt Wilde in seinem Exil in Paris, die katholische Kirche nimmt den Sprachlosen auf seinem Sterbebett in ihre Reihen auf. (T)

Hauptwerke: *Poems* 1881. – *The happy prince and other tales* 1888. – *The picture of Dorian Gray* 1891. – *Intentions* 1891. – *Lady Windermere's fan* 1893. – *Salome* 1893. – *A woman of no importance* 1894. – *An ideal husband* 1899. – *The importance of being Earnest* 1899. – *The ballad of Reading gaol* 1898. – *De profundis* 1905.

Bibliographien: S. Mason, *Bibliography of Oscar Wilde* 1914. – E. H. Mikhail, *Oscar Wilde. An annotated bibliography of criticism* 1978.

Ausgaben: *Complete works*. With an introduction by V. Holland 1966. – *The letters*, ed. R. Hart-Davis 1962.

Übersetzungen: *Sämtliche Werke*, übers. von G. Hoeppener, H. Soellner et al., hrsg. von N. Kohl, 10 Bde 1982 (Insel). – *Werkausgabe*, übers. von H. Wollschläger 1986– (Haffmans). Bisher erschienen: *Ein idealer Ehemann*.

Biographie: R. Ellmann, *Oscar Wilde* 1987.

Sekundärliteratur: G. Woodcock, *The paradox of Oscar Wilde* 1949. – E. San Juan, *The art of Oscar Wilde* 1967. – C. S. Nassaar, *Into the demon universe. A literary exploration of Oscar Wilde* 1974. – R. Shewan, *Oscar Wilde. Art and egotism* 1977. – *Oscar Wilde. Interviews and recollections*, ed. E. H. Mikhail, 2 vols 1979. – N. Kohl, *Oscar Wilde. Das literarische Werk zwischen Provokation und Anpassung* 1980. – R. Gagnier, *Idylls of the marketplace. Oscar Wilde and the Victorian public* 1986.

Angus Wilson (1913–1991)

Angus Wilson, 1913 in Bexhill (Sussex) geboren, trat als Erzähler zunächst mit dem Kurzgeschichtenband *The wrong set and other stories* (1949) hervor; sein erster Roman *Hemlock and after* erschien erst 1952. Zuvor hatte Wilson mittelalterliche und neuere Geschichte am Merton College in Oxford studiert (1932–1936) und war von 1937 bis 1955 – zuletzt als Deputy Superintendent – im Lesesaal des British Museum beschäftigt.

Seine Sympathie galt von Anfang an der großen klassischen Romantradition des 19. Jahrhunderts. Das weite Feld seiner literarischen Interessen wird deutlich durch die literaturkritischen Studien markiert, die er im Laufe seines Lebens verfaßte: 1952 erschien sein Buch über Emile Zola, 1970 *The world of Charles Dickens*, 1977 *The strange ride of Rudyard Kipling*. Besondere Aufmerksamkeit schenkte Wilson weiterhin Jane → Austen, George → Eliot und Dostojewski. Von den neueren Autoren waren es insbesondere James → Joyce und Virginia → Woolf, die ihm für die eigene Erzähltechnik Anregungen vermittelten. Seine »moderne« Einstellung bekundete sich von Anfang an in seiner Kritik an der allzu engstirnigen viktorianischen Auffassung von Sitte und Moral, seiner Ablehnung der christlichen Tradition und Werte und seiner Auseinandersetzung mit der Form des Liberalismus, zu der sich E. M. → Forster noch bekannt hatte.

Bereits in seinen ersten Kurzgeschichten erwies sich Angus Wilson als ein witziger, bissiger Satiriker der zeitgenössischen Gesellschaft. In *Hemlock and after* griff er den Konflikt zwischen Egoismus und Selbsttäuschung einerseits und Altruismus und nüchterner Selbsterkenntnis andererseits auf, den George Eliot bereits in Anlehnung an die sozialphilosophischen Theorien der viktorianischen Zeit behandelt hatte. In *Anglo-Saxon attitudes* (1956) trägt der Historiker Gerald Middleton, der sich sowohl von seiner Frau und seinen Kindern als auch von seiner Geliebten löst, diesen Konflikt aus. Er versenkt sich in die eigene Vergangenheit und erkennt, daß er verpflichtet ist, eine wissenschaftliche Fälschung aufzuklären, die er zunächst lieber der Vergessenheit preisgegeben hätte. Der Wille, die Wahrheit freizulegen, ist letztlich stärker als die Neigung, sich verantwortungslos der Selbsttäuschung zu überlassen. In dem Roman *The middle age of Mrs. Eliot* (1959) kehrte Wilson das herkömmliche Romanschema mit dem »happy ending« um. Meg Eliot, die Protagonistin des Romans, deren komplexe psychische Situation erzählerisch mit Hilfe des inneren Monologs erfaßt wird, erscheint zunächst als eine Frau, die ein glückliches Leben im Sinne der *upper middle class* führt. Der plötzliche Tod ihres Mannes zwingt sie, sich eine eigene Existenz aufzubauen. Dabei entdeckt sie in sich die moralische Kraft, sich selbst und ihre Lebensumstände illusionslos zu beurteilen und – zusammen mit ihrem völlig anders gearteten Bruder – zu überleben.

Der Roman *The old men at the zoo* (1961) war für viele Kritiker eine Enttäuschung, und auch heute, in den neunziger Jahren, gibt es noch Interpreten, die bei Angus Wilson mit dem Beginn der sechziger Jahre einen katastrophalen Verfall seiner schöpferischen Fähigkeiten konstatieren. Er billigt seit dieser Zeit der Darstellung von Grausamkeit, Brutalität und Irrationalität im menschlichen Leben größeren Spielraum zu und stimmt seine Erzähltechnik auf diese Themen ab. So dominieren in *The old men at the zoo* Egoismus und Animalität vor dem Hintergrund eines Krieges, in dem Bomben auf London fallen und der Zoo zerstört wird. Die moralischen Energien der Menschen sind angesichts des Krieges so geschwächt, daß sie sich willenlos ihrem Schicksal ausliefern.

Late call (1964) schildert das Leben von Sylvia Calvert, der eine Art Erweckungserlebnis zuteil wird, durch das sie die Kraft für den alltäglichen Lebenskampf findet. In *No laughing matter* (1967) nutzte Wilson epische und dramatische Techniken, um eine Familiensaga zu schreiben, die vom Ersten Weltkrieg bis in die sechziger Jahre reicht und am Beispiel der Familie Matthews die gesellschaftlichen, politischen, persönlichen und insbesondere die sexuellen Themen darstellt, die die englische Gesellschaft in dieser Zeitspanne beschäftigten. Mit dem Roman *As if by magic* (1973) nahm er die Probleme der Hippie-Generation auf und zeigte die Fragwürdigkeit westlich-wissenschaftlicher wie östlich-okkulter Magie auf. *Setting the world on fire* (1980) nutzt in ähnlicher Weise das Kontrastschema, um den Konflikt zwischen (künstlerischer) Imagination und (juristischer) Vernunft zu verdeutlichen.

Wie immer man auch die letzte Phase in der Entwicklung von Angus Wilson beurteilt, er hat mit jedem Roman ein neues formales Experiment gewagt. Seine Romane wurden zu Seismographen, die seit den fünfziger Jahren in subtiler Weise die Veränderungen des gesellschaftlichen Klimas in England, aber auch der westlichen Gesellschaft insgesamt aufzeichnen. (E)

Hauptwerke: *The wrong set and other stories* 1949. – *Such darling Dodos and other stories* 1950. – *Hemlock and after* 1952. – *Emile Zola. An introductory study of his novels* (1952) 1964. – *Anglo-Saxon attitudes* 1956. – *The mulberry bush* 1956. – *A bit off the map and other stories* 1957. – *The middle age of Mrs. Eliot* 1959. – *The old men at the zoo* 1961. – *Late call* 1964. – *Tempo. The impact of television on the arts* 1964. – *No laughing matter* 1967. – *The world of Charles Dickens* 1970. – *As if by magic* 1973. – *The naughty nineties* 1976. – *The strange ride of Rudyard Kipling. His life and works* 1977. – *Setting the world on fire* 1980.

Bibliographie: R. J. Stanton, *A bibliography of modern British novelists* 1978.

Übersetzungen: *Späte Entdeckungen*, übers. von A. Koval 1957 (Insel), 1984 (Suhrkamp). – *Meg Eliot*, übers. von H. Lindemann 1960 (Insel). – *Die alten Männer im Zoo*, übers. von P. Stadelmayer 1962 (Insel). – *Kein Grund zum Lachen*, übers. von M. Dessauer 1969 (Droemer Knaur). – *Brüchiges Eis*, übers. von W. Peterich 1982 (Hohenheim), 1984 (Suhrkamp). – *Später Ruf*, übers. von U. v. Zedlitz 1988 (Fischer).

Sekundärliteratur: J. L. Halio, *Angus Wilson* 1964. – K. Schlüter, *Kuriose Welt im modernen englischen Roman. Dargestellt an ausgewählten Werken von Evelyn Waugh und Angus Wilson* 1969. – D. Escudié, *Deux aspects de l'aliénation dans le roman anglais contemporain, 1945–1965. Angus Wilson et William Golding* 1975. – P. Faulkner, *Angus Wilson. Mimic and moralist* 1980.

Virginia Woolf (1882–1941)

Leslie Stephen, der Vater Virginia Woolfs, hatte sich im 19. Jahrhundert als Literatur- und Religionskritiker sowie als Biograph einen Namen gemacht. Virginia Woolf, die nie eine Schule oder eine Universität besuchte, verdankt einen großen Teil ihrer Bildung den väterlichen Bemühungen, und wenn sie sich später auch von dieser gelegentlich schwer auf ihr lastenden Autorität befreite und nach seinem Tod mit ihren Geschwistern und ihrem Freundeskreis, der sogenannten Bloomsbury Group, einen unabhängigen, ihren Neigungen und ihrer Begabung entsprechenden Lebensstil entfalten konnte, ist der tiefgreifende Einfluß des Vaters auf die Tochter nicht zu übersehen.

Leslie Stephen bekannte sich (nachdem er das Theologiestudium aufgegeben hatte) zum Agnostizismus, und Virginia Woolf blieb Agnostikerin zeit ihres Lebens. Wie der Vater war sie von der Literatur und der Philosophie des 18. Jahrhunderts beeindruckt, wenngleich nicht zu übersehen ist, daß sie eine besonders starke Affinität zur englischen Romantik besaß. Auch sie fragte sich in ihren ersten Romanen *The voyage out* (1915) und *Night and day* (1919), was es eigentlich bedeutet, das Leben eines Menschen zu erzählen (Leslie Stephen war der erste Herausgeber des *Dictionary of national biography*). Gewiß sind die ersten Romane noch stark von der traditionellen realistischen Erzähltechnik geprägt – der Einfluß Jane → Austens auf *Night and day* ist unverkennbar –, aber in den lyrisch getönten Passagen schlägt ein eigener Stil durch, der über die Konventionen des Realismus hinausführt.

Ihre Kurzprosa, wie die Sammlung *Monday or Tuesday* (1921), zeigt die Tendenz zum experimentellen Erzählen ebenso an wie die Essays »Modern fiction« oder »Mr. Bennett and Mrs. Brown«, in denen sie dem Prosastil von → Galsworthy, Bennett und → Wells eine deutliche Absage erteilt; sie nennt diese Zeitgenossen »materialists«, weil sie – so Virginia Woolfs Urteil – an der materiellen Oberfläche der Realität verweilen und in ihren Romanen im Gegensatz etwa zu → Conrad, Henry James oder → Joyce nicht zum spirituellen Zentrum des Lebens vordringen.

Jacob's room (1922) ist ihr erster größerer experimenteller Versuch, in den die gleichzeitig angestellten romantheoretischen Reflexionen eingebaut sind; stilistisch ist sie bei diesem Werk dem Impressionismus verpflichtet. *Mrs. Dalloway* (1925) verrät, wie stark sie von James Joyce beeindruckt war, dessen *stream-of-consciousness technique* sie ihrer persönlichen Sensibilität, ihrer subtilen Kunst, Stimmungen zu erfassen, anpaßte. Dazu kam bei der Darstellung des Zeiterlebnisses der Personen der deutlich wahrnehmbare Einfluß Marcel Prousts. Mit *To the lighthouse* (1927) erlangte sie bei ihren Lesern für lange Zeit die größte Popularität; autobiographische Erinnerungen bilden den Grundstock für die Darstellung der Familie Ramsay. Kunsttheorien von Cézanne und van Gogh sind in die Darstellung der Malerin Lily Briscoe ebenso eingegangen wie in die Erzähltechnik, die Virginia Woolf von diesen Theorien her entwickelte. Erlangte sie mit *The waves* (1931) die radikalste Ausprägung ihres experimentellen Stils – sechs Lebensläufe werden in kunstvoll koordinierten Monologpassagen und dazwischen eingeschobenen Naturbeschreibungen wiedergegeben –, so nahm sie mit *The years* (1937) wiederum einfachere Darbietungsweisen auf; sie ist mit ihrer Technik jedoch mehr Tschechow als etwa Galsworthy verpflichtet. Mit *Between the acts* (1941) lieferte sie eine Summe ihrer dichterischen Meditationen über den Menschen und die Geschichte, über die Rollenhaftigkeit seiner Existenz in einem *danse macabre*.

Virginia Woolf versuchte, mit einer Reihe von Essaybänden, von denen die beiden Bände *The common reader* wohl die bekanntesten sind, das moderne Publikum an eine angemessene Bewertung moderner Kunst heranzuführen, gleichzeitig aber Möglichkeiten für ein neues Verständnis älterer Kunst zu eröffnen. Sie verfaßte kontinuierlich Tagebücher, die von ihrer hohen Sensibilität, aber auch von ihrer Fähigkeit zu scharfsinniger Kritik an ihren Zeitgenossen und ihrer unmittelbaren Umgebung Zeugnis ablegen. Sie schrieb Kritiken für das *Times literary supplement* und andere Zeitschriften und baute schließlich, zusammen mit ihrem Ehemann Leonard Woolf, die Hogarth Press auf, einen Verlag, den sie von 1917 bis 1941 leitete. Schließlich setzte sie sich in ihren Essays auch mit gesellschaftlichen Problemen auseinander, die durch die moderne Frauenbewegung aufgeworfen wurden (*Three guineas* und *A room of one's own*) – dies alles trotz einer labilen Konstitution, die von immer neuen Krisen und Zusammenbrüchen bedroht war. Virginia Woolf ist schließlich unter der Last, die sie sich aufbürdete und die ihr das Zeitalter noch zusätzlich auflud, zusammengebrochen und am 28. März 1941 freiwillig aus dem Leben geschieden. (E)

Hauptwerke: *The voyage out* 1915. – *Night and day* 1919. – *Kew gardens* 1919. – *Monday or Tuesday* 1921. – *Jacob's room* 1922. – *Mrs. Dalloway* 1925. – *The common reader*, 2 vols 1925–1932. – *To the lighthouse* 1927. – *Orlando. A biography* 1928. – *A room of one's own* 1929. – *The waves* 1931. – *A letter to a young poet* 1932. – *Flush. A biography* 1933. – *The years* 1937. – *Three guineas* 1938. – *Roger Fry. A biography* 1940. – *Between the acts* 1941. – *The death of the moth and other essays* 1942. – *A haunted house and other short stories* 1944. – *The moment and other essays* 1947. – *The captain's death bed and other essays* 1950. – *Granite and rainbow* 1958. – *Contemporary writers*, ed. J. Guiguet 1965.

Bibliographien: R. Majumdar, *V. Woolf. An annotated bibliography of criticism 1915–1974* 1976. – B. J. Kirkpatrick, *A bibliography of Virginia Woolf* (1957, 1967) 1980. – T. J. Rice, *Virginia Woolf. A guide to research* 1984.

Ausgaben: *Works*, Uniform edition, 17 vols 1929–1955. – *Collected essays*, ed. L. Woolf, 4 vols 1966/67. – *The letters*, ed. N. Nicolson, 6 vols 1975–1980. – *The diary*, ed. A. O. Bell, 5 vols 1977–1984. – *The complete shorter fiction*, ed. S. Dick 1985. – *The essays*, ed. A. McNeillie 1986– .

Übersetzungen: *Eine Frau von fünfzig Jahren*, übers. von T. Mutzenbecher 1928 (Insel), als *Mrs. Dalloway*, übers. von H. und M. Herlitschka 1955, 1977 (Fischer). – *Die Jahre*, übers. von H. und M. Herlitschka 1954, 1979 (Fischer). – *Die Fahrt zum Leuchtturm*, übers. von

H. und M. Herlitschka 1956, 1979 (Fischer). – *Die Wellen*, übers. von H. und M. Herlitschka 1959, 1979 (Fischer). – *Granit und Regenbogen. Essays*, übers. von H. Herlitschka 1960 (Suhrkamp). – *Orlando*, übers. von H. und M. Herlitschka 1961, 1977 (Fischer). – *Die Dame im Spiegel und andere Erzählungen*, übers. von H. und M. Herlitschka 1965, 1978 (Fischer). – *Zwischen den Akten*, übers. von H. und M. Herlitschka 1978 (Fischer). – *Drei Guineen*, übers. von A. Eichholz 1978 (Frauenoffensive). – *Ein Zimmer für sich allein*, übers. von R. Gerhardt und W. Teichmann 1978 (Gerhardt). – *Jacobs Raum*, übers. von G. K. Kemperdick 1981, 1985 (Fischer). – *Nacht und Tag*, übers. von M. Walter 1983 (Fischer).

Biographien: Q. Bell, *Virginia Woolf. A biography*, 2 vols 1972. – R. Poole, *The unknown Virginia Woolf* 1978. – P. Rose, *Woman of letters. A life of Virginia Woolf* 1978. – L. Gordon, *Virginia Woolf. A writer's life* 1984.

Sekundärliteratur: J. Hafley, *The glass roof. Virginia Woolf as novelist* 1954. – J. Guiguet, *Virginia Woolf et son oeuvre. L'art et la quête du réel* 1962. – A. D. Moody, *Virginia Woolf* 1963. – J. O'Brien Schaefer, *The three-fold nature of reality in the novels of Virginia Woolf* 1965. – H. Marder, *Feminism and art. A study of Virginia Woolf* 1968. – J. O. Love, *Worlds in consciousness. Mythopoetic thought in the novels of Virginia Woolf* 1970. – H. Richter, *Virginia Woolf. The inward voyage* 1970. – A. van Buren Kelley, *The novels of Virginia Woolf. Fact and vision* 1973. – J. Naremore, *The world without a self. Virginia Woolf and the novel* 1973. – A. Fleishman, *Virginia Woolf. A critical reading* 1975. – J. Novak, *The razor edge of balance. A study of Virginia Woolf* 1975. – H. Lee, *The novels of Virginia Woolf* 1977. – T. E. Apter, *Virginia Woolf. A study of her novels* 1979. – M. Rosenthal, *Virginia Woolf* 1979.– M. DiBattista, *Virginia Woolf's major novels. The fables of anon* 1980. – L. A. Poresky, *The elusive self. Psyche and spirit in Virginia Woolf's novels* 1981. – *New feminist essays on Virginia Woolf*, ed. J. Marcus 1981. – W. Erzgräber, *Virginia Woolf. Eine Einführung* 1982, 1993[3]. – *Critical essays on Virginia Woolf*, ed. M. Beja 1985. – L. P. Ruotolo, *The interrupted moment. A view of Virginia Woolf's novels* 1986. – M. Hussey, *The singing of the real world. The philosophy of Virginia Woolf's fiction* 1986. – A. Zwerdling, *Virginia Woolf and the real world* 1986.

William Wordsworth (1770–1850)

Wordsworth war, zusammen mit → Coleridge, der bedeutendste Vertreter der älteren Romantikergeneration, und er war, ungeachtet der europäischen Ausstrahlung → Byrons, der einflußreichste romantische Dichter Englands. Vielfach wird er in England als *der* repräsentative Dichter des Landes angesehen, doch wird diese Hochschätzung außerhalb Englands nur bedingt geteilt.

Als Naturdichter ist Wordsworth untrennbar mit der Landschaft des Lake District verbunden. Dort wurde er, in der Grafschaft Cumberland, 1770 als Sohn eines Anwalts geboren. Er wuchs mit mehreren Geschwistern auf, von denen seine Schwester Dorothy ihm zeitlebens besonders nahestand. Nach einer Grammar School bei Windermere (wo er die Dichtung des 18. Jahrhunderts bis hin zu zeitgenössischen Autoren aufnahm), besuchte er das St. John's College in Cambridge, dem er wenig abgewinnen konnte, das er aber 1791 mit einem akademischen Grad verließ. Die Geschehnisse dieser äußerlich wenig ereignisreichen, aber durch große Erlebniskraft und eine reiche innere Vorstellungswelt bestimmten Kindheit und Jugend zeichnete er in den ersten Büchern seines großen autobiographischen Gedichts auf.

Wie viele Romantiker empfand Wordsworth über längere Zeit eine Sympathie für das republikanische Frankreich. Einer Ferienwanderung in Frankreich (1790) folgte ein längerer Aufenthalt (1792). Er schloß Freundschaft mit dem späteren General Beaupuy, der ihn für die Girondisten begeisterte, und hatte eine Liebesaffäre mit einer Französin, aus der eine Tochter hervorging. Doch eine »harte Notwendigkeit«, die er im Rückblick als providentiell ansah, zwang ihn zur Rückkehr nach London. Die folgenden Jahre waren eine Zeit tastender Unsicherheit, fehlenden Lebensunterhalts und einer zwischen England und Frankreich geteilten Loyalität.

Wordsworths erste Gedichte erschienen 1793: *An evening walk. An epistle in verse* (bereits früher entstanden) und *Descriptive sketches in verse, taken during a pedestrian tour in the ... Alps*. Beide sind konventionell in der Manier des späten 18. Jahrhunderts ausgeführt und im gängigen Versmaß der Zeit, dem *heroic couplet*, geschrieben, das Wordsworth später nicht mehr benutzte. Seine literarische und auch politische Neuorientierung war ein allmählicher Prozeß und ist eines der großen Themen seiner poetischen Autobiographie. Der äußere Anstoß zur Veränderung kam durch eine Erbschaft, die es ihm ermöglichte, sich mit seiner Schwester in Dorset niederzulassen und in der Zurückgezogenheit seine Krise zu überwinden. Abgestoßen vom Terror der Revolution, wandte sich Wordsworth von

Frankreich und darüber hinaus auch von der radikalen Philosophie William Godwins (1756–1836) ab und fand mehr und mehr zu einem für ihn hinfort kennzeichnenden Konservatismus. In Dorset entstand sein einziges Drama, die Blankvers-Tragödie *The borderers*, die wohl für seine Entwicklung, nicht aber literarisch bedeutsam war und erst 1842 erschien.

Die Begegnung (1795) des Geschwisterpaars mit dem damals in Bristol lebenden Coleridge war ein Wendepunkt. Sie führte nicht nur zur Freundschaft, sondern zu einer in den Annalen der Literatur einzigartigen geistigen Partnerschaft. Coleridge und Wordsworth ergänzten sich persönlich und intellektuell, und aus ihrem intensiven Austausch gingen jene *Lyrical ballads* (1798) hervor, die mit einem neuen Dichtungsstil den Beginn der romantischen Epoche einleiteten.

Wordsworth, dessen Anteil an dem gemeinsamen Band überwog, charakterisierte die Gedichte als »Versuche« – »to ascertain how far the language of conversation in the middle and lower classes of society is adapted to the purposes of poetic pleasure«. Dies war programmatisch für die Rolle, die er hinfort sich selbst und damit dem Dichter überhaupt zuwies – »a man speaking to men« – und für die Aufgabe der Dichtung, die er als »a natural delineation of human passions, human characters, and human incidents« bestimmte. Die Reaktion war verhalten. Solche für Wordsworth kennzeichnenden Gedichte wie »The idiot boy« stießen auf scharfe Kritik, während die dem Programm kaum entsprechenden, aber für seine spätere Dichtart bezeichnenden »Lines composed a few miles above Tintern Abbey« allgemein Zustimmung fanden. Eine zweite Auflage brachte Wordsworth 1800 unter seinem Namen mit einer längeren Einleitung heraus, für deren wichtige literaturtheoretische und literaturkritische Äußerungen Coleridge später Mitautorschaft beanspruchte.

Von einer gemeinsamen Deutschlandreise mit Coleridge hatten die Geschwister wenig. Wordsworth begann jedoch in Goslar, wo sie sich länger aufhielten, ein »poem to Coleridge«, aus dem später *The prelude* hervorgehen sollte. Auch einige seiner bekannteren kleinen Gedichte entstanden hier (die sogenannten »Lucy poems«, deren Anlaß ungeklärt ist). Nach der Rückkehr in den Lake District lebten die Wordsworths in der berühmten Dove Cottage bei Grasmere, die heute die Pilgerstätte für die Verehrer des Dichters ist. Wordsworth heiratete 1802 Mary Hutchinson, die er seit Kindertagen kannte. Dove Cottage war für längere Zeit die Bleibe des Ehepaars. Ihr äußerlich einfaches, doch geistig überaus intensives Leben spiegelt sich in dem von Dorothy Wordsworth geführten Tagebuch (*Grasmere journal*), von dem ihr Bruder auch für seine Gedichte Gebrauch machte.

In der Abgeschlossenheit des Lake District entstanden innerhalb weniger Jahre Wordsworths bedeutendste Gedichte, wie überhaupt das Jahrzehnt zwischen 1796 und 1806 als sein produktivstes gilt. Sein Ziel, das ihm Coleridge wiederholt als »philosophisches« Gedicht vor Augen stellte, war ein großes dreiteiliges Werk – »on man, on nature and on human life«. Unter dem Titel *The recluse* (als Bezeichnung für den in Zurückgezogenheit lebenden Dichter) sollte es dem romantischen Welt- und Menschenbild verbindlichen Ausdruck geben. Es realisierte sich nur in Teilen. Einer davon, der Wordsworth für Jahre am stärksten in Anspruch nahm, war *The prelude, or growth of a poet's mind*. Der Entwurf in 13 Büchern war 1805 abgeschlossen, doch Wordsworth arbeitete bis zu seinem Tode daran. Da Wordsworth introspektiv, kontemplativ und selbstbezogen war und zudem eine außergewöhnliche Erinnerungs- und Vergegenwärtigungsfähigkeit besaß, war die eigene Entwicklung der ihm gemäße poetische Vorwurf. *The prelude* ist Wordsworths eigenstes Gedicht und zugleich das repräsentative Epos der romantischen Subjektivität. Demgegenüber tritt das als Mittelteil konzipierte Gedicht *The excursion* (in neun Büchern 1814 publiziert) an Bedeutung zurück, ungeachtet der Wertschätzung, der es sich weithin erfreut. Es ist in seiner religiös-philosophischen und zeitkritischen Thematik konventioneller und zudem von geringerer dichterischer Ausdruckskraft.

Die zweibändige Sammlung seiner Gedichte, die Wordsworth 1807 herausbrachte, bedeutete in vieler Hinsicht den Abschluß seiner großen Schaffensepoche. Sie enthielt eine Reihe von Gedichten, die neben dem *Prelude* am kennzeichnendsten für ihn sind. So vor allem »Resolution and independence«, das den »einfachen« Menschen als Inbegriff der Humanität zum Gegenstand hat, und die Ode »Intimations of immortality from recollections of early childhood«, die in der Mitteilung der Intensität des Kindheitserlebens als eines seiner ausdrucksstärksten Gedichte gilt.

Von Dove Cottage zog Wordsworth mehrfach um, zuletzt nach Rydal Mount, wo er bis zu seinem Tode lebte. 1813 wurde er »distributor of stamps« für Westmorland – eine Sinekure, die ihm einen sicheren Lebensunterhalt bot. Nach dem Tode von

→Southey wurde er 1843 zum poet laureate ernannt. Seine literarische Produktion kam nach der Publikation der *Excursion* nicht ganz zum Erliegen, doch erschien nur noch wenig, was seinen großen Leistungen vergleichbar war. Über das Versiegen seiner schöpferischen Kräfte ist viel spekuliert worden. Möglicherweise war die frühe Erschöpfung der Romantiker (Coleridge ausgenommen) ein Generationsproblem. Die jüngeren Romantiker wandten sich fast ausschließlich von Wordsworth ab. Doch je weiter das Jahrhundert fortschritt, um so ausgeprägter wurde die Bewunderung und Verehrung für ihn – nicht nur als Dichter, der neue Themen und Ausdrucksformen erschlossen hatte, sondern auch als Verkünder einer nicht mehr vorhandenen und schmerzlich vermißten Einheit von Mensch und Natur. (F)

Hauptwerke: *Lyrical ballads, with a few other poems* 1798. – *Poems*, 2 vols 1807; 2 vols 1815. – *The excursion, being a portion of the Recluse, a poem* 1814. – *The prelude, or growth of a poet's mind; an autobiographical poem* 1850.

Bibliographien: N. S. Bauer, *William Wordsworth. A reference guide to British criticism, 1793–1899* 1978. – J. V. Logan, *Wordsworthian criticism. A guide and bibliography* 1947 (repr. 1961). – E. F. Henley und D. H. Stam, *Wordsworthian criticism, 1945–1964. An annotated bibliography* 1965. – D. H. Stam, *Wordsworthian criticism, 1964–1973. An annotated bibliography* 1974.

Ausgaben: *The poetical works*, ed. E. de Selincourt und H. Darbishire, 5 vols 1940–1949. – *The Prelude*, ed. E. De Selincourt, rev. H. Darbishire 1959, rev. S. Gill. – *The Cornell Wordsworth*, ed. S. Parrish 1975– . – *The prose works*, ed. W. J. B. Owen und J. W. Smyser, 3 vols 1974. – *Literary criticism*, ed. N. C. Smith, rev. H. Mills 1988. – *The letters of William and Dorothy Wordsworth*, ed. E. de Selincourt et al. 1967– .

Übersetzung: *Präludium oder Das Reifen eines Dichtergeistes. Ein autobiographisches Gedicht*, übers. von H. Fischer 1974 (Reclam).

Biographien: G. M. Harper, *William Wordsworth. His life, works, and influence*, 2 vols 1929 (repr. 1960). – M. Moorman, *William Wordsworth. A biography*, 2 vols 1957–1965. – M. L. Reed, *Wordsworth. The chronology of the early years 1770–1799* 1967; *... of the middle years 1800–1815* 1975.

Sekundärliteratur: R. D. Havens, *The mind of a poet. A study of Wordsworth's thought with particular reference to The prelude* 1941 (repr. 1965). – F. W. Bateson, *Wordsworth. A re-interpretation* 1954 (repr. 1975). – J. Jones, *The egotistical sublime. A history of Wordsworth's imagination* 1954 (repr. 1978). – J. F. Danby, *The simple Wordsworth. Studies in the poems 1797–1807* 1960. – G. H. Hartman,

Wordsworth's poetry 1787–1814 (1964) 1971. – J. Wordsworth, *William Wordsworth. The borders of vision* 1982. – F. B. Pinion, *A Wordsworth companion. Survey and assessment* 1984. – K. R. Johnston, *Wordsworth and The recluse* 1984. – D. Simpson, *Wordsworth's historical imagination. The poetry of displacement* 1987. – T. M. Kelley, *Wordsworth's revisionary aesthetics* 1988. – F. B. Pinion, *A Wordsworth chronology* 1988.

Thomas Wyatt (1503–1542)

Die Rolle Wyatts als literarischer Pionier, der vor allem Petrarcas Sonettkunst für die englische Literatur entdeckte, hat lange Zeit den Blick auf seine Originalität als Dichter verstellt. Geboren auf Allington Castle in Kent, wurde er in Cambridge erzogen. Anschließend trat er in den Dienst Heinrichs VIII., für den er jahrelang auf diplomatischen Missionen, als Gesandter in Spanien, später in Frankreich und Italien, tätig war. Am Königshof wurde Wyatt mehrfach das Opfer von Intrigen. Er war zweimal im Gefängnis, einmal, weil er in den Verdacht geriet, der Liebhaber Ann Boleyns zu sein. Er konnte jedoch immer wieder das Vertrauen des Königs zurückgewinnen.

Bereits gegen Ende des 16. Jahrhunderts wurde Wyatt als einer der Erneuerer der englischen Dichtkunst gefeiert. Zusammen mit dem jüngeren → Surrey führte er das petrarkistische Sonett in England ein, indem er über 30 Sonette Petrarcas übersetzte oder adaptierte. Er übernahm auch italienische Strophenformen, schrieb Epigramme und horazische Verssatiren und wies damit die englischen Dichter auf den Formenreichtum der französischen und italienischen Dichtung hin. Daneben schrieb er aber auch traditionelle höfische Lyrik, zumeist kurze strophische Gedichte. Seine Lyrik wurde zusammen mit den Gedichten anderer *courtly makers* 1557 in *Tottel's miscellany* abgedruckt und konnte dadurch als Teil dieser Modellsammlung »moderner« Lyrik eine ungeheure Wirkung entfalten, bis sie durch → Spensers und → Sidneys Dichtung ihre Bedeutung als Vorbild zu verlieren begann.

In seiner höfischen Lyrik präsentiert Wyatt einen Sprecher, der kurz angebunden der Dame seine Treue versichert oder aber gegen die Liebesfron rebelliert und über Abweisung und Undankbarkeit klagt. Besonders die kurze strophische Lyrik erweist seine Meisterschaft, dem Ritual des literarischen »game of love« mit einer nüchternen, bilderarmen, aber affektgeladenen Sprache neue Töne des Verzichts, des Schmerzes, der Rebellion abzugewinnen. In klassizistischen Zeiten galt seine Lyrik als kunstlos, anfängerhaft und metrisch fehlerhaft; lediglich als literarischer Pionier fand er Beachtung. Im 20. Jahrhundert wurde jedoch sein kolloquialer, ungestümer Sprachton als Ausdruck einer sehr eigenwilligen Erfüllung der höfischen Liebhaberrolle neu entdeckt und gewürdigt. Heute gilt Wyatt nicht nur als ein Autor, der die englische Dichtung mit neuen Formen bekannt machte, sondern als Lyriker von eigenem Gewicht, der die konventionellen Formen höfischer Dichtung mit Frische und Originalität erfüllt hat. (W)

Bibliographie: M. C. O'Neal, A Wyatt bibliography, in *Bulletin of bibliographies* 27 (1970).
Ausgabe: *Collected poems*, ed. K. Muir und P. Thomson 1969.
Biographie: K. Muir, *Life and letters of Sir Thomas Wyatt* 1963.
Sekundärliteratur: S. Baldi, *La poesia di Sir Thomas Wyatt* 1953. – R. Southall, *The courtly maker. An essay on the poetry of Wyatt and his contemporaries* 1964. – P. Thomson, *Sir Thomas Wyatt and his background* 1964.

William Wycherley (1641–1716)

Wycherley gilt als typischer Dramatiker der Restaurationszeit, der seinen Platz in der Literatur der Epoche einigen wenigen Dramen verdankt. Er selbst hatte, ohne dabei ein subtiles moralisches Empfinden zu entwickeln, ein gespaltenes Verhältnis zu der ihn umgebenden Welt, und die Nachwelt hat in ihm bald mehr den Exponenten, bald mehr den Satiriker seiner Zeit gesehen – sofern sie nicht einfach seine Komödien goutiert hat.

Wycherley kam aus einer gutsituierten Familie in Shropshire und wurde, kaum fünfzehnjährig, nach Frankreich geschickt, dessen feine Gesellschaft und Literatur ihn geprägt zu haben scheinen. Ein Studium in Oxford brachte er ebensowenig zum Abschluß wie eine juristische Ausbildung im Inner Temple. In London zog ihn das literarische und gesellschaftliche Leben der neuen Ära an, und zu seinem Umgang gehörten einige Adlige von zweifelhaftem Ruf. Seine Behauptung, das erste Stück schon 1661 geschrieben zu haben, ist sicher unrichtig und entweder seinem Gedächtnisschwund im Alter oder seinem starken literarischen Ehrgeiz zuzuschreiben. Sein Dienst in der Marine, entweder gegen Mitte der sechziger oder Mitte der siebziger Jahre, scheint mehr eine Formsache gewesen zu sein.

Love in a wood, or St. James's Park, Wycherleys erstes Stück, kam 1671 auf die Bühne. Es war ein typisches Erstlingswerk, das Fähigkeit ahnen ließ, aber noch nicht von Fertigkeit zeugte. Eine Verwechslungskomödie mit satirischem Einschlag, die noch Züge der elisabethanischen Dramen aufweist, zeichnet sie sich weniger durch gute Handlungsführung als durch kunstfertige, allerdings etwas langatmige Dialoge aus. Die Komödie lief zwar nicht lange, aber mit einigem Erfolg, und sie brachte Wycherley mit der Gunst des Publikums die der Duchess of Cleveland ein, des Königs Mätresse.

Schon im nächsten Jahr wurde *The gentleman dancing-master* aufgeführt, wofür Wycherley Calderóns *El maestro de danzar* als Vorlage gedient haben dürfte. Es ist eine einfache Intrigenkomödie von fast makelloser Ausführung. In ihrer Unkompliziertheit, stereotypen Figurenzeichnung und auf Überraschungssituationen abgestellten Handlung steht sie allerdings der Farce näher als der echten Komödie. Sie ist amüsant und zugleich dezenter als Wycherleys andere Stücke, war aber kein Erfolg auf der Bühne.

Die beiden letzten Stücke folgten, nach einer biographisch nicht ganz erklärbaren Pause, 1675 und 1676 ebenso schnell aufeinander wie die ersten. In *The country-wife*, einer der herausragenden Restaurationskomödien und Wycherleys Meisterwerk, ergibt sich eine Szene mit der gleichen Leichtigkeit und Mühelosigkeit aus der anderen wie die Dialoge, oft scharf pointiert, perfekt ineinandergreifen. Das Stück dreht sich als typisches Zeitstück um Sex und Geld, aber es ist, ungeachtet seiner Laszivität und Unmoral, zugleich eine virtuose Satire auf die Sitten der Zeit. Im 18. Jahrhundert wurde es, um für die Bühne akzeptabel zu sein, überarbeitet (unter anderem von David → Garrick); und im 19. Jahrhundert fand es seine schärfsten Kritiker (vor allem in → Macaulay). Es gilt heute, immer wieder aufgeführt, als geniale, wenngleich nicht erbauliche Komödie.

The plain dealer – Wycherleys Äquivalent zu Molières *Le misanthrope* – wurde schon von → Dryden als »eine der kühnsten, weitreichendsten und nützlichsten Satiren« der englischen Theatergeschichte empfunden. Angefüllt von Schurken und Tölpeln, ist das Stück Wycherleys düsterste Komödie, mit sicherer Hand entworfen und auf Demaskierung abgestellt. Doch es entbehrt (besonders im Hinblick auf die mehr satirisch als komisch konzipierte Hauptfigur, nach der Wycherley den Zeitgenossen als »Manly Wycherley« geläufig war) einiger Voraussetzungen für ein erfolgreiches Bühnenstück, ungeachtet einiger hervorragender Szenen. *The plain dealer* war bis ins 19. Jahrhundert populär, hat aber seither keine Renaissance erlebt.

Wycherleys Karriere als Dramatiker war damit in noch jungen Jahren beendet. Er lehnte ein Angebot Karls II. ab, Erzieher seines Sohnes zu werden, und heiratete 1679 die Gräfin Drogheda, eine reiche Witwe, nach deren Tod (1681) er so mittellos dastand, daß er im Schuldgefängnis einsitzen mußte, bis Jakob II., der neue König, ihn auslöste und ihm eine Rente aussetzte. 1704 veröffentlichte Wycherley *Miscellany poems*, eine Sammlung von Verswerken, die zwar bestätigen, daß ihm ein wichtiger Platz in der Geschichte der Satire in England zugewiesen werden muß, die aber bei den Zeitgenossen ohne Echo blieben und seinem Nachruhm nur geschadet haben. In seinen späten Jahren hatte er in dem jungen → Pope einen Bewunderer (und wohl auch einen Helfer bei der Bearbeitung seiner Gedichte). Wycherley litt unter Gedächtnisschwund und war im Alter, eifersüchtig auf seine frühen literarischen Leistungen bedacht, fast eine Karikatur seiner selbst. Doch »the satire, wit, and strength of manly Wycherley«, wie Dryden in einem Prolog es formulierte, sind unbestritten. (F)

Hauptwerke: *Love in a wood, or St. James's Park* 1672. – *The gentleman dancing-master* 1672. – *The country-wife* 1675. – *The plain dealer* 1677. – *Miscellany poems* 1704.

Bibliographie: B. E. McCarthy, *William Wycherley. A reference guide* 1985.

Ausgaben: *Complete works*, ed. M. Summers, 4 vols 1924. – *The plays*, ed. A. Friedman 1979.

Übersetzung: *Die Unschuld vom Lande* (englisch-deutsch), übers. von J. Klein (Reclam).

Biographie: B. E. McCarthy, *William Wycherley. A biography* 1980.

Sekundärliteratur: R. A. Zimbardo, *Wycherley's drama. A link in the development of English satire* 1965. – J. Thompson, *Language in Wycherley's plays. Seventeenth-century language theory and drama* 1984.

William Butler Yeats (1865–1939)

W. B. Yeats hat auf die deutschsprachige Literatur kaum Einfluß ausgeübt, obwohl ihn die englischsprachige Literaturkritik diesseits und jenseits des Atlantiks als den bedeutendsten Dichter in englischer Sprache bezeichnet, der im 20. Jahrhundert lebte. Yeats gehörte der Gruppe von Autoren an, die aus Irland kam und in der ersten Hälfte des 20. Jahrhunderts die Entwicklung der englischen Literatur in geradezu revolutionierender Weise prägte: neben Yeats und → Joyce sind vor allem die Dramatiker → Wilde, → Shaw, → O'Casey und → Beckett zu nennen.

Yeats wurde 1865 in Dublin geboren. Sein Vater, ursprünglich Rechtsanwalt, widmete sich später der Malerei und zog 1867 mit der Familie nach London, 1876 nach Bedford Park. William Butler Yeats verbrachte im Sommer einige Wochen in Irland bei seinem Großvater mütterlicherseits, der in Sligo wohnte. Erinnerungen an die Landschaft dieser Gegend blieben in ihm lebendig und gingen später in seine Dichtung ein. Er besuchte die Godolphin School in Hammersmith (1877–1880) und anschließend (1881–1883) die Erasmus Smith High School in Dublin. Yeats folgte zunächst dem Vorbild des Vaters und studierte von 1884 bis 1886 an der Dubliner School of Art, um sich als Kunstmaler ausbilden zu lassen. Eine plötzliche Eingebung veranlaßte ihn, dieses Studium aufzugeben und sich ganz dem eigenen literarischen Schaffen zu widmen, das insgesamt ein halbes Jahrhundert umspannt: 1889 erschien sein erster bedeutender Gedichtband *The wanderings of Oisin and other poems*; 1939, in seinem Todesjahr, wurde der Band *Last poems and two plays* veröffentlicht.

Um die Stagnation zu überwinden, in die die spät-viktorianische Lyrik hineingeraten war, gab es für Yeats zunächst zwei Wege: Er griff einerseits auf romantische Dichtung zurück, und er schloß sich andererseits an zeitgenössische Strömungen im literarischen Leben Irlands an. Seine theoretischen Schriften und Tagebücher aus den neunziger Jahren zeigen, daß er immer neue Symbolsysteme entwarf, die er in seine Dichtungen einzuarbeiten versuchte. Besonders tief beeindruckte ihn die okkulte Philosophie: Bereits 1885 gründete er mit George Russell die Dublin Hermetic Society; von 1887 bis 1890 war er in London Mitglied der Theosophischen Gesellschaft und stand unter dem Einfluß von Mme. Blavatsky; schließlich fühlte er sich 1891 dazu bewogen, dem Orden der Rosenkreuzer, Golden Dawn genannt, beizutreten. Er beschäftigte sich dabei mit kabbalistischen Schriften und nahm ein Konglomerat von Elementen der jüdischen und christlichen Mystik, der neuplatonischen Philosophie und der orientalischen Mythologie auf. Gefördert wurde Yeats' Neigung zu einer symbolistischen Technik durch seine Blake-Studien – 1889 bis 1892 war er mit der Herausgabe einer Blake-Ausgabe befaßt –, aber auch durch die Bekanntschaft mit dem französischen Symbolismus, auf den ihn in den neunziger Jahren Arthur Symons mit seinem einflußreichen Buch *The symbolist movement in literature* (1899) aufmerksam gemacht hatte. Symons gehörte mit Lionel Johnson, Ernest Dowson und Richard Le Gallienne zum Rhymers' Club, den Yeats zusammen mit E. Rhys in London ins Leben rief. Auf Yeats' Initiative geht weiterhin die Gründung der Irish Literary Society in London (1891) und Dublin (1892) zurück. Sehr früh zeigte Yeats auch Interesse am Theater. 1896 begegnete er Lady Gregory und John Millington Synge, die ihn bei seinen Plänen unterstützten, so daß 1899 The Irish Literary Theatre entstand (später The Irish National Theatre Company genannt) und im Dezember 1904 das Abbey Theatre eröffnet werden konnte, das sehr schnell zum Zentrum der kulturellen Erneuerungsbewegung in Irland wurde.

In der Zeit, in der sich Yeats verstärkt dem Drama zuwandte und sich in kulturpolitischen und politischen Auseinandersetzungen engagierte, wandelte sich seine Ausdrucksweise merklich: An die Stelle des romantisch-weichen, melancholisch-verträumten Stils seiner frühen Werke trat eine harte und trockene Diktion. Er setzte sich für Synge ein, als dessen *Playboy of the Western world* 1907 einen Theaterskandal auslöste, und er nahm zum Osteraufstand des Jahres 1916 Stellung. In dem Lyrik-Band *Responsibilities* (1916) ging er – Dante vergleichbar – mit seinen Zeitgenossen ins Gericht. Sein neuer Stil war durch die poetische Theorie und Praxis beeinflußt, für die sich seit 1911 die Imagisten, insbesondere T. E. Hulme und Ezra Pound einsetzten. Wie Eliot verarbeitete auch Yeats Einflüsse der *Metaphysical poets*. Er strebte nach einer »passionate syntax«, die durch leidenschaftliche Direktheit und sprachliche Intensität gekennzeichnet ist, jedoch durch eine klassische Formenstrenge im Metrischen gezügelt wird. Zur Ausformung seines Weltbildes trugen die Philosophen Schopenhauer und Nietzsche ebenso bei wie die Lehren des Buddhismus.

Schließlich sind auch die autobiographischen Elemente in seinem dichterischen Werk nicht zu übersehen. Die frühe Liebeslyrik wurde durch die Begegnung mit Maud Gonne im Jahre 1889 inspiriert, einer revolutionär gesinnten irischen Schauspielerin, die jedoch 1903 John MacBride heiratete. Als Maud Gonne sich 1908 von MacBride trennte, machte sich Yeats erneut Hoffnungen auf eine Ehe mit dieser für ihn faszinierenden Frau, die ihn jedoch 1916 endgültig abwies. Ein Jahr später ging er eine Ehe mit Georgie Hyde-Lees ein, die er selbst in den Orden der Golden Dawn eingeführt hatte und die sich im »automatischen Schreiben« versuchte: Die Botschaften, die sie als spiritistisches Medium empfing, wurden von Yeats in dem Band *A vision* (1925, rev. Fass. 1937) aufgezeichnet, der eine konzentrierte Darstellung seiner Geschichtsauffassung, seines Menschenbildes und seiner Vorstellungen vom Leben nach dem Tod und der Reinkarnation enthält. Die geschichtlichen Entwicklungen innerhalb eines Zyklus von zirka 2000 Jahren gleichen spiralischen Linien, die sich – in antithetischer Zuordnung – ausweiten oder verengen und am Ende des jeweiligen Zyklus in die entsprechende Gegenbewegung umschlagen. Die Gedichtsammlungen *The tower* (1928) und *The winding stair* (1929) beweisen, daß Yeats dieses Modell auch auf das Leben des einzelnen Menschen übertrug.

Die zwanziger Jahre brachten Yeats großes öffentliches Ansehen, aber auch Krisen in seinem persönlichen Leben. 1923 wurde er mit dem Nobelpreis ausgezeichnet, 1922 bis 1928 war er Senator im Irish Free State; gesundheitliche Beschwerden zwangen ihn jedoch zu Aufenthalten in Spanien, an der Riviera und in Rapallo. 1934 unterzog er sich einer Verjüngungsoperation und glaubte, Heilung gefunden zu haben. Fünf Jahre später jedoch starb er während eines Aufenthaltes an der französischen Riviera; erst 1948 konnten seine sterblichen Überreste nach Drumcliff überführt werden.

Auch in seinem dramatischen Schaffen zeichnet sich bei Yeats eine Entwicklung ab, die von einem dekorativ-märchenhaften Stil, wie er in *The Countess Cathleen* (aufgeführt 1899) oder in *The land of heart's desire* (1894) zu beobachten ist, zu einer harten, präzisen und nüchternen Diktion führt, die für Dramen wie *At the hawk's well* (1916) oder *Purgatory* (1938) kennzeichnend ist. In seinen frühen Dramen werden die alltägliche Erfahrungswirklichkeit und die Traumwirklichkeit gegenübergestellt, die sich dem Menschen durch die Imagination erschließt.

Yeats' Sympathie galt den Träumern und Poeten wie beispielsweise Aleel in *The Countess Cathleen*. In allen seinen Dramen – wie im übrigen auch in seinen Anweisungen für die Schauspieler – wandte sich Yeats entschieden gegen die realistisch-naturalistische Stilart. Schauplatz, Handlung, Gebärden, Dekoration und Bühnenmusik sollen nach seinem Willen im Zuschauer eine kontemplative Haltung fördern, die es ihm ermöglicht, die symbolischen Bedeutungen zu erfassen. Wesentliche Anregungen erhielt Yeats bei der Ausarbeitung seiner dramaturgischen Ziele durch das Studium des japanischen Nō-Dramas (mit seiner Verwendung von Chor und Masken, Tanz und Musik sowie einem stilisierten Bühnenbild), auf das ihn Pound im Winter 1913/14 aufmerksam gemacht hatte. Besonders deutlich ist dieser Einfluß in den *Four plays for dancers* (1921) festzustellen.

Das letzte Drama, das Yeats verfaßte und dem er den Titel *Purgatory* gab, rückt einen alten Mann in den Mittelpunkt, der ehedem seinen Vater ermordete und jetzt seinen Sohn umbringt, ohne die Kette des beständig Schuldigwerdens durchbrechen zu können. Hier ist es Yeats gelungen, seine Weltsicht und seine dramatischen Theorien in eine wirkungsvolle Szenenfolge umzusetzen. Yeats war sich bewußt, daß er ein unpopuläres Theater anstrebte, das »an audience like a secret society« voraussetzte. Aber er hat mit seinen dramatischen Werken dem englischsprachigen Theater Möglichkeiten für ein »poetisches Drama« eröffnet, die von Synge, Eliot und Fry auf jeweils eigene Weise weiterentwickelt wurden. (E)

Hauptwerke: *The wanderings of Oisin and other poems* 1889. – *The Countess Cathleen and various legends and lyrics* 1892. – *The Countess Cathleen* 1892. – *The celtic twilight* (1893) 1902. – *The land of heart's desire* (1894) 1903. – *The wind among the reeds* 1899. – *The shadowy waters* 1900. – *Cathleen ni Houlihan* 1902. – *Where there is nothing* 1902. – *The hour glass* 1903. – *In the seven woods* 1903. – *The king's threshold and On Baile's strand* 1904. – *The hour glass and other plays* 1904. – *Deirdre* 1907. – *Discoveries. A volume of essays* 1907. – *The golden helmet* 1908. – *The green helmet and other poems* (1910) 1912. – *Responsibilities and other poems* 1916. – *The wild swans at Coole, other verses and a play in verse* (1917) 1919. – *At the hawk's well* 1917. – *The dreaming of the bones* 1919. – *Four plays for dancers* 1921. – *Michael Robartes and the dancer* 1921. – *The cat and the moon and certain poems* 1924. – *A vision* (1925) 1937. – *Autobiographies. Reveries over childhood and youth and The trembling of the veil* 1926. – *The tower* 1928. – *The winding stair* 1929. – *The resurrection* 1931. – *Words for music perhaps and other poems* 1932. – *A full moon in March* 1935. – *The herne's egg* 1938. – *Last poems and two plays* 1939.

Bibliographien: A. Wade, *A bibliography of the writings of W. B. Yeats* (1951, 1958) 1968. – K. G. W. Cross und R. T. Dunlop, *A bibliography of Yeats criticism 1887–1965* 1971. – K. P. S. Jochum, *W. B. Yeats. A classified bibliography of criticism* 1978.

Ausgaben: *The collected plays* 1952. – *Letters*, ed. A. Wade 1954. – *Poems, prose, plays and criticism*, ed. A. Jeffares, 4 vols 1963/64. – *The variorum edition of the plays*, ed. C. C. Alspach und R. Alspach 1966. – *The variorum edition of the poems*, ed. P. Allt und R. Alspach 1967. – *Uncollected prose*, ed. J. P. Frayre, 2 vols 1970–1975. – *The Cornell Yeats*, ed. P. L. Marcus, S. Parrish et al. 1982– . – *The collected letters*, ed. J. Kelly 1986– .

Übersetzungen: *Werke*, hrsg. von W. Vordtriede, Bd 1– 1970– (Luchterhand).

Biographien: J. Hone, *W. B. Yeats 1865–1939* (1942) 1962. – R. Ellmann, *Yeats. The man and the masks* (1948) 1979. – G. C. Spivak, *Myself must I remake. The life and poetry of W. B. Yeats* 1974.

Sekundärliteratur: P. Ure, *Towards a mythology. Studies in the poetry of W. B. Yeats* 1946. – D. A. Stauffer, *The golden nightingale. Essays on some principles of poetry in the lyrics of W. B. Yeats* 1949. – T. R. Henn, *The lonely tower. Studies in the poetry of W. B. Yeats* (1950) 1965. – V. Moore, *The unicorn. W. B. Yeats's search for reality* 1954. – *An honoured guest. New essays on W. B. Yeats*, ed. D. Donoghue und J. R. Mulryne 1965. – A. N. Jeffares, *A commentary on the collected poems of W. B. Yeats* 1968 (als *A new commentary on the collected poems of W. B. Yeats* 1984). – R. N. Rai, *W. B. Yeats. Poetic theory and practice* 1983. – J. M. Hassett, *Yeats and the poetics of hate* 1986. – M. Good, *W. B. Yeats and the creation of a tragic universe* 1987.

Edward Young (1683–1765)

Als Dichter erfreute sich Young bei seinen Zeitgenossen überall in Europa höchster Wertschätzung. Er durchlief, in Hampshire aufgewachsen und in der Winchester School erzogen, die übliche Universitätsausbildung in Oxford, wo er ein Rechtsstudium absolvierte und 1719 auch den Doktorgrad erwarb. In London schloß er sich dem Kreis um → Addison an. Nach einigen Jahren als Erzieher wurde er Geistlicher, nachdem sich für ihn weder eine politische noch eine rein literarische Karriere angeboten hatten. Er wurde zum Hofkaplan ernannt und war danach von 1730 bis zu seinem Tode Pfarrherr in Welwyn in Hertfordshire.

Young begann als Dramatiker mit einer Tragödie *Busiris, King of Egypt*, die zwar 1719 aufgeführt wurde, aber ebensowenig wie seine anderen Tragödien (*The revenge* 1721, *The brothers* 1753) ein Erfolg war. In seiner Burleske *Tom Thumb* nahm → Fielding sie aufs Korn, und die Nachwelt hat von Youngs Dramen, wie auch von den meisten seiner anderen Werke, kaum noch Notiz genommen. Als Satiriker trat Young mit einer Reihe von Verssatiren in klassischer Manier hervor. Sie behandeln »klassische« Themen des Genres wie Eitelkeit, Gelehrsamkeit und Frauen, entbehren aber trotz ihres Titels (*Love of fame, the universal passion*) eines inneren Zusammenhalts. Youngs Ruhm als Satiriker, obwohl zu Recht beträchtlich, verblaßte rasch, als → Pope die literarische Bühne betrat.

Zwischen 1742 und 1746 entstand *The complaint, or night thoughts on life, death and immortality*, ein Gedicht von etwa 10000 Zeilen in Blankversen. Es ist Youngs Opus magnum, zu dem der Anstoß möglicherweise aus persönlichem Erleben kam (Youngs Frau starb 1741), ein didaktisch-reflektierendes Gedicht, düster, aber letztlich von christlicher Zuversicht durchdrungen. Im Stil der Zeit verbindet sich darin Kosmologisches und Moralisches, rationaler Gottesbeweis und unmittelbare Glaubensüberzeugung.

Das Gedicht entsprach dem durch Empfindsamkeit geprägten Lebensgefühl der Zeit und war bald in ganz Europa in einem heute nur noch schwer verständlichen Maße populär. Young wurde in fast alle Sprachen des Kontinents übersetzt, und sein Ruhm breitete sich bis nach Rußland aus. Besonders in Deutschland fand Young zahlreiche Bewunderer, darunter Klopstock und seinen Kreis (»our dear Dr. Young«, wie Meta Klopstock an Samuel → Richardson schrieb), und Johann Arnold Ebert übersetzte und kommentierte Young wie einen antiken Klassiker. In England wurde Young (wie Parnell und vor allem → Gray mit seiner Friedhofselegie) zu einem markanten Vertreter der *graveyard poetry*.

So stark Young im Neoklassizismus wurzelte, so deutlich sind bei ihm prä-romantische Elemente ausgeprägt, wie sich in der religiösen Sensibilität und im Individualbewußtsein der *Night thoughts* und des auf sie folgenden zeitkritischen Traktats *The centaur not fabulous* (1755) zeigt. Auch in seinen literartheoretischen Auffassungen wandte sich Young in späten Jahren vom Neoklassizismus ab, der für seine Oden und Episteln der zwanziger und dreißiger Jahre die Grundlage abgegeben hatte.

Eines seiner letzten Werke, das er achtzigjährig schrieb, waren die von einer jungen, ungestümen Mentalität durchdrungenen *Conjectures on original composition*. Ihr manifestartiger Charakter war für England von geringer Bedeutung, weil Youngs Gedanken dort weitgehend Gemeingut waren. In Deutschland wirkten sie in ihrer Forderung, mit der Tradition zu brechen, der Imitation abzuschwören und sich auf die eigene Kreativität zu besinnen, wie ein Fanal, so daß Young als einer der Wegbereiter der deutschen Nationalliteratur angesehen werden muß. (F)

Hauptwerke: *Busiris, King of Egypt* 1719. – *The revenge* 1721. – *Love of fame, the universal passion* 1728. – *The complaint, or night thoughts on life, death and immortality* 1742–1746. – *The brothers* 1759. – *Conjectures on original composition* 1759.

Bibliographien: F. Cordasco, *Edward Young. A handlist of critical notices and studies* 1950. – H. Pettit, *A bibliography of Young's Night thoughts* 1954.

Ausgaben: *Conjectures on original composition*, ed. E. J. Morley 1918. – *Complete works*, ed. J. Nichols, 2 vols 1854 (repr. 1968). – *The correspondence, 1683–1765*, ed. H. Pettit 1971.

Übersetzung: *Gedanken über die Originalwerke*, übers. von H. E. Teubern (1760), hrsg. von G. Sauder 1977 (Schneider).

Biographie: H. Forster, *Edward Young. The poet of the Night thoughts 1683–1765* 1986.

Sekundärliteratur: W. Thomas, *Le poète Edward Young. Étude sur sa vie et ses œuvres* 1901. – J. L. Kind, *Edward Young in Germany* 1906 (repr. 1965). – E. König, *Young. Versuch einer gedanklichen Interpretation auf Grund der Frühwerke* 1954.

Literaturhinweise

Die folgenden Hinweise ergänzen die Literaturangaben dieses Bandes. Sie umfassen lexikalische Nachschlagewerke zu Autoren und, in summarischer Form, Leseausgaben, Einführungen und Sammlungen von Sekundärliteratur, die aus Raumgründen nicht bei den einzelnen Autoren angegeben sind.

1. Lexikalische Nachschlagewerke

1.1 Für die englische Literatur insgesamt

Dictionary of national biography. From the earliest times to 1900, ed. L. Stephen und S. Lee, 22 vols 1908/09 u. ö. (mit Supplementen 1901 bis 1980 in Zehnjahresbänden; nicht nur für die Literatur). – R. Myers, *A dictionary of literature in the English language from Chaucer to 1940*, 2 vols 1970; ... *from 1940–1970* 1988. – *Dictionary of literary biography* (DLB), ed. M. J. Bruccoli und R. Layman 1978 (nicht nur für die englische Literatur; siehe 2.). – *Great writers of the English language*, ed. J. Vinson und D. L. Kirkpatrick, 3 vols 1979 (aufgeteilt in Poets, Novelists und Dramatists; auch als *Great writers student library* GWSL mit Einteilung nach Epochen und Gattungen und besonderen Einleitungen, siehe 2.). – D. C. Browning, *Everyman's dictionary of literary biography English & American* (1958) 1969. – Siehe überdies Abschnitt 4 der Bibliographie in Band 1 (dtv 4494).

1.2 Für einzelne Epochen

1.2.1 Mittelalter und Renaissance (bis 1660)

The beginnings to 1558, ed. A. H. MacLaine 1980 (GWSL, siehe 1.). – J. E. Ruoff, *Macmillan's handbook of Elizabethan & Stuart literature* 1975. – *The Renaissance excluding drama*, ed. E. S. Donno 1983 (GWSL). – J. W. Saunders, *A biographical dictionary of Renaissance poets and dramatists, 1520–1650* 1983. – *Renaissance drama*, ed. D. Traversi 1980 (GWSL). – *Jacobean and Caroline dramatists*, ed. F. Bowers 1987 (DLB vol. 58, siehe 1.).

1.2.2 Restauration und 18. Jahrhundert

S. J. Kunitz und H. Haycraft, *British authors before 1800. A biographical dictionary* 1952. – J. Todd, *A dictionary of British and American women writers 1660–1800* 1984. – *Restoration and 18th-century prose and poetry excluding drama and the novel*, ed. P. Rogers 1983 (GWSL). – *Restoration and 18th-century drama*, ed. A. H. Scouten 1980 (GWSL). – *The novel to 1900*, ed. A. O. J. Cockshut 1980 (GWSL). – *British novelists, 1660–1800*, ed. M. C. Battestin, 2 vols 1985 (DLB vol. 39).

1.2.3 Romantik

S. J. Kunitz und H. Haycraft, *British authors of the nineteenth century* 1936. – *The Romantic period excluding the novel*, ed. K. Muir 1980 (GWSL). – *The novel to 1900*, ed. A. O. J. Cockshut 1980 (GWSL).

1.2.4 Viktorianische Epoche

S. J. Kunitz und H. Haycraft, *British authors of the nineteenth century* 1936. – *The Victorian period excluding the novel*, ed. A. Pollard 1983 (GWSL). – *Victorian poets before 1850*, ed. W. E. Fredeman und I. B. Nadel 1984 (DLB vol. 32). – *Victorian poets after 1850*, ed. W. E. Fredemann und I. B. Nadel 1985 (DLB vol. 35). – *British poets, 1880–1914*, ed. D. E. Stanford 1983 (DLB vol. 19). *The novel to 1900*, ed. A. O. J. Cockshut 1980 (GWSL). – *Victorian novelists before 1885*, ed. I. B. Nadel und W. E. Fredeman 1983 (DLB vol. 21). – *Victorian novelists after 1885*, ed. I. B. Nadel und W. E. Fredeman 1983 (DLB vol. 18). – *British novelists, 1890–1929. Traditionalists*, ed. T. F. Staley 1985 (DLB vol. 34). – *British novelists, 1890–1929. Modernists*, ed. T. F. Staley 1985 (DLB vol. 36). – *Victorian prose writers before 1867*, ed. W. B. Thesing 1987 (DLB vol. 55). – *Victorian prose writers after 1867*, ed. W. B. Thesing 1987 (DLB vol. 57).

1.2.5 20. Jahrhundert

S. J. Kunitz und H. Haycraft, *Twentieth century authors. A biographical dictionary of modern literature* 1942 (Supplement 1955). – *Contemporary authors. New revision series. A bio-bibliographical guide*, ed. C. Nasso et al. 1981 – (nicht nur englische Autoren). – *20th century poetry*, ed. S. Smith 1983 (GWSL). – *British poets, 1914–1945*, ed. D. E. Stanford 1983 (DLB vol. 20). – *Poets of Great Britain and Ireland, 1945–1960*, ed. V. B. Sterry, Jr. 1984 (DLB vol. 27). – *Poets of Great Britain and Ireland since 1960*, ed. V. B. Sterry, Jr., 2 vols 1985 (DLB vol. 40). – *Contemporary poets*, ed. J. Vinson 1975. – *20th-century drama*, ed. S. Trussler 1983 (GWSL). – *Modern British dramatists, 1900–1945*, ed. S. Weintraub, 2 vols 1982 (DLB vol. 10). – *British dramatists since World War II*, ed. S. Weintraub 1982, 2 vols (DLB vol. 13). – *Contemporary dramatists*, ed. J. Vinson 1977. – *20th-century fiction*, ed. G. Woodcock 1980 (GWSL). – *British novelists, 1890–1929. Traditionalists*, ed. T. F. Staley 1985 (DLB vol. 34). – *British novelists, 1890–1929. Modernists*, ed. T. F. Staley 1985 (DLB vol. 36). – *British novelists, 1930–1959*, ed. B. Oldsey, 2 vols 1983 (DLB vol. 15). – *British novelists since 1960*, ed. J. L. Halio, 2 vols 1983 (DLB vol. 14). – *Contemporary novelists*, ed. J. Vinson 1976. – *Contemporary literary critics*, ed. E. Borklund 1982.

2. Lesetexte

Everyman's library: Umfassende Sammlung klassischer Autoren der Weltliteratur mit besonderer Berücksichtigung englischer Autoren.

Detaillierte Übersicht von D. A. Ross, *The reader's guide to Everyman's library* 1978.

New Mermaid drama texts, ed. B. Gibbons: Ausgaben wichtiger Dramen in modernisierter Orthographie mit biographischer und werkgeschichtlicher Einleitung und Auswahlbibliographien.

Oxford authors: Umfassende Anthologien der Hauptautoren der englischen Literatur mit einführendem Essay, ausführlichem Kommentar und bibliographischen Hinweisen.

Oxford English novels, ed. J. Kinsley: Speziell edierte und ausführlich eingeleitete Ausgaben von Romanen des 18. und 19. Jahrhunderts, häufig mit Auswahlbibliographien.

Oxford standard authors: Meist vollständige und mit knappem Kommentar versehene Ausgaben wichtiger Autoren; vor allem Versdichtung.

Penguin classics: Sammlung klassischer Autoren, in der die *Penguin English library* aufgehen soll.

Penguin English library: Ausgaben klassischer englischer Werke aller Epochen, vollständig oder in umfassender Auswahl in edierten und annotierten Ausgaben mit Einleitungen (siehe *Penguin classics*).

Penguin modern classics: Umfassende Sammlung von Literatur, besonders Erzählliteratur des 20. Jahrhunderts; nicht ausschließlich englische Werke.

Penguin poetry: Gesamtausgaben oder umfassende Anthologien der bedeutenden Dichter der englischen Literatur.

Regents Renaissance drama series: Edierte, annotierte und eingeleitete Dramentexte des 16. und 17. Jahrhunderts in modernisierter Orthographie.

Regents Restoration drama series: Dramentexte des späten 17. Jahrhunderts, ediert nach den Grundsätzen von *Regents Renaissance drama series*.

The revels plays: Kritische Ausgaben, ausführlich eingeleitet und annotiert, von Dramen des 16. und 17. Jahrhunderts in modernisierter Ortnographie.

The world's classics: Leseausgaben von Standardautoren, eingeleitet, aber in der Regel nicht kommentiert.

3. Einführende Monographien

British and Irish authors, ed. R. Mayhead: Weitgehend textimmanente und auf die Hauptwerke bezogene Einführungen zu den bedeutenden Autoren der englischen Literatur.

Harvester new readings: Einführungen, die sich zum Ziel setzen, die wichtigsten Autoren im Lichte neuer Forschungsergebnisse zu präsentieren.

Landmarks of world literature, ed. J. P. Sterne: Einführungen zu bedeutenden Werken der Weltliteratur (nicht nur der englischen Literatur), die das Werk in seinem Kontext analysieren; mit chronologischem Überblick über das Gesamtwerk des Autors und Auswahlbibliographie.

Preface books, gen. ed. M. Hussey: Einführende Darstellungen von Leben und Werk bedeutender Autoren.

Rereading literature, ed. T. Eagleton: Pointierende Überprüfungen traditioneller Forschungsmeinungen im Lichte neuerer literaturkritischer und literaturtheoretischer Ansätze.

Twayne's English author series: Einführende Monographien zu allen wichtigen Autoren, die Leben und Werk in gedrängter Darstellung behandeln; mit chronologischer Übersicht und Auswahlbibliographie.

Writers and their work: Vom British Council herausgegebene einführende biographische und werkgeschichtliche Essays zu den Hauptautoren der englischen Literatur; zusammengefaßt in *British writers*, ed. I. Scott-Kilvert, 8 vols 1979–1984.

4. Sammlungen von Sekundärliteratur

Casebook series, ed. A. E. Dyson: Sammlungen von kritischen Essays zu einzelnen Autoren mit kurzen Darstellungen der Rezeptionsgeschichte und Auswahlbibliographien.

The critical heritage series, ed. B. C. Southam: Sammlungen von chronologisch angeordneten Texten zur Rezeptionsgeschichte eines Autors. Für fast alle wichtigen Autoren verfügbar, teilweise in mehrbändigen Zusammenstellungen.

Twentieth century interpretations: Sammlungen von Sekundärliteratur zu einzelnen literarischen Werken mit ausführlichen Einleitungen und Auswahlbibliographien.

Twentieth century views: Sammlungen von Sekundärliteratur zu einzelnen Autoren, jeweils mit längeren Einleitungen und Auswahlbibliographien. Übersicht in *Reader's index to the Twentieth century views literary criticism series, volumes 1-100* 1974.

Titelregister

Das Register umfaßt in Kurzform die Titel von selbständig oder unselbständig veröffentlichten Werken englischer Autoren, die in den Essays erwähnt oder als »Hauptwerke« aufgeführt sind. Viele Titel sind in der eingebürgerten Form angegeben (so *Tom Jones*) wie auch in der »korrekten« Form (*The history of Tom Jones*). Gelegentliche Hinweise in Klammern sind als Orientierungshilfen gedacht.

Über Literatur

Albin Lesky:
Geschichte der griechischen Literatur
dtv 4595

Michael v. Albrecht:
Die Geschichte der römischen Literatur
2 Bände · dtv 4618

Barbara Becker-Cantarino:
Der lange Weg zur Mündigkeit
Frauen und Literatur
dtv 4548

Joachim Bumke:
Höfische Kultur
dtv 4442

Siegmar Döpp:
Werke Ovids
dtv 4587

Umberto Eco:
Lector in fabula
Die Mitarbeit der Interpretation in erzählenden Texten
dtv 4531

K.R. Eissler:
Goethe
2 Bände · dtv 4457

Die englische Literatur
Herausgegeben von Bernhard Fabian
Epochen – Formen – Autoren
dtv 4494 / 4495

Dieter Kartschoke:
Geschichte der deutschen Literatur im frühen Mittelalter
dtv 4551

Joachim Bumke:
Geschichte der deutschen Literatur im hohen Mittelalter
dtv 4552

Thomas Cramer:
Geschichte der deutschen Literatur im späten Mittelalter
dtv 4553

Georg Lukács:
Theorie des Romans
dtv 4624

Peter von Matt:
Liebesverrat
Die Treulosen in der Literatur
dtv 4566

Martin Meyer:
Ernst Jünger
dtv 4613

Mario Praz:
Liebe, Tod und Teufel
Die schwarze Romantik
dtv 4375

Theodore Ziolkowski:
Das Amt der Poeten
Die deutsche Romantik und ihre Institutionen
dtv 4631